MARTHA A. JONES

1980. December

Ein Mann ist immer unterwegs

WILLI
HEINRICH

Ein Mann ist immer unterwegs

ROMAN

Lizenzausgabe mit Genehmigung der C. Bertelsmann Verlag GmbH, Gütersloh
für die Bertelsmann Club GmbH, Gütersloh
die Europäische Bildungsgemeinschaft Verlags-GmbH, Stuttgart
die Buchgemeinschaft Donauland Kremayr & Scheriau, Wien
und die Buch- und Schallplattenfreunde GmbH, Zug/Schweiz
Diese Lizenz gilt auch für die Deutsche Buch-Gemeinschaft
C. A. Koch's Verlag Nachf., Berlin – Darmstadt – Wien

Umschlaggestaltung: Rudolf Schaber
Gesamtherstellung Mohndruck Graphische Betriebe GmbH, Gütersloh
Printed in Germany · Buch-Nr. 01853 1

1

Der Tag, an dem es den Chef erwischte, setzte sich mit einem bilderbuchreifen Sonnenaufgang in Bewegung. Schon am frühen Vormittag war die staubfreie Luft über den Rectanus-Werken angenehm erwärmt. Wie immer roch es auf dem Fabrikgelände nach Fichtennadeln. Ein halbes Dutzend Zirruswölkchen hangelte sich vorwitzig am glatten Blau des Himmels entlang, und die Vögel in den werkseigenen Grünanlagen stimmten ihren morgendlichen Gesang an. Nichts ließ auf Außergewöhnliches schließen. Besondere Ereignisse werfen auch nur selten Schatten voraus. In der Regel lassen sie sich erst dann als solche erkennen, wenn sie für die Betroffenen bereits unausweichlich geworden sind.
Das Außergewöhnliche dieses Tages begann mit dem vorzeitigen Eintreffen des Alleininhabers der Rectanus-Werke, dessen dunkelblauer Mercedes bereits kurz vor acht an der geschlossenen Schranke des Pförtnerhauses vorfuhr. Dort verrichtete der Tagespförtner Fritz Arnauer seinen verantwortungsvollen Dienst. Er hatte nicht nur darauf zu achten, daß kein Unbefugter das Werksgelände betrat, ihm waren auch noch andere Pflichten auferlegt, die zu den Obliegenheiten aller Tagespförtner eines großen Industrieunternehmens gehören. Als Arnauer durch das Fenster den Mercedes seines Arbeitgebers bemerkte, war er gerade mit dem zweiten Frühstück beschäftigt. Ein überhastet verschluckter Bissen löste heftigen Hustenreiz aus. Er ließ das angebissene Brot liegen, humpelte rasch und noch immer hustend ins Freie und betätigte beidhändig die Eisenkurbel der geschlossenen Schranke. Diese ließ sich zwar mittels elektrischer Steuerung auch vom Pförtnerhaus aus öffnen und schließen, aber bei besonderen Anlässen, zu denen das morgendliche Eintreffen des Chefs zählte, öffnete Fritz Arnauer die Schranke manuell. Für einen Augenblick nahm er im Fond das vertraute Gesicht des Chefs wahr, dann rollte der Wagen bereits auf der schwarzgeteerten Straße zum Verwaltungsgebäude, das, im Hintergrund

des werkseigenen Geländes, halb verdeckt von lichtgrünen Birken, deren Wipfel noch um drei Stockwerke überragte.
In den fünf Jahren Pförtnerdienst, den Fritz Arnauer, nach einem Betriebsunfall, der ihm ein um drei Zentimeter verkürztes Bein und den Posten an der Pforte bescherte, dort verrichtet hatte, war es noch nie geschehen, daß der Chef zu so früher Stunde das Tor passierte. Das war so ungewöhnlich, daß Fritz Arnauer auch dann noch verwundert neben der Schranke stand, als Robert Rectanus bereits die Chefetage im obersten Stockwerk des Verwaltungsgebäudes erreicht haben mußte. Dann fielen ihm die angebissene Schinkenstulle und die Bierflasche wieder ein. Er schloß die Schranke, kehrte auf seinen Platz in der Pförtnerloge zurück und beendete das zweite Frühstück.
Zu dieser Tageszeit herrschte an der Pforte nicht viel Betrieb, so daß Arnauer sich auf eine ruhige Viertelstunde einstellen konnte. Zwar beschäftigte das vorzeitige Eintreffen des Chefs noch eine Weile seine Gedanken. Seit er jedoch von seiner letzten Auseinandersetzung mit dem Betriebsratsvorsitzenden gehört hatte, die sogar in Tätlichkeiten ausgeartet sein sollte, gab es immer wieder Anlaß zur Verwunderung. Nicht allein, daß der Chef seither nur noch im schwarzen Anzug mit schwarzer Krawatte in der Fabrik erschien; er hatte sich auch einen persönlichen Berater zugelegt. Fritz Arnauer war deshalb, wie die meisten seiner Arbeitskollegen, der Meinung, der Chef müsse an einer altersbedingten Arteriosklerose leiden. Sie wäre auch eine hinreichende Erklärung für sein zunehmend kauziges Wesen und den eigenartigen Gang, den er sich in den letzten Jahren angewöhnt hatte. Mitunter erinnerte er, wenn er in seinem schwarzen Anzug und mit hüpfenden Schritten das Fabrikgelände durchmaß, den Pförtner an eine der dunklen Krähen, die im Herbst und Winter in den entlaubten Bäumen vor dem Verwaltungsgebäude Konferenzen abhielten. Auch waren ihm schon andere merkwürdige Veränderungen am Chef aufgefallen, beispielsweise schien er mit den Jahren immer kleiner zu werden, er reichte, wenn er, was selten genug geschah, mit dem Pförtner einige Worte wechselte, diesem gerade noch bis zur Schulter, und war ihm doch, wie Arnauer sich erinnerte, an Körpergröße einstmals fast ebenbürtig gewesen.
In der nächsten halben Stunde beschäftigte er sich mit der Lektüre der Tageszeitung, bis ihn das durchdringende Geräusch einer Sirene aufschreckte. Weil die Fabrik in einer verkehrsarmen Landschaft angesiedelt war, in der sich Unfälle kaum ereigneten,

stand er beunruhigt auf, humpelte zur Tür und trat auf die Straße hinaus. Er kam gerade zurecht, um einem mit hoher Geschwindigkeit eintreffenden Krankenwagen die Schranke zu öffnen. Der Fahrer erkundigte sich hastig und ohne seinen Platz zu verlassen nach dem Verwaltungsgebäude und fuhr so schnell weiter, daß Arnauer keine Zeit blieb, eine Frage zu stellen. Es fiel ihm jedoch auf, daß im Wagen noch zwei Männer mit weißen Kitteln saßen; er schloß daraus, daß einer von ihnen ein Notarzt war. Nun war es bei Betriebsunfällen üblich, die Pförtnerloge von der Anforderung eines Krankenwagens zu verständigen. Daß man es diesmal versäumt hatte, konnte nur aus Kopflosigkeit geschehen sein. Wenn aber schon das Personal im Verwaltungsgebäude den Kopf verlor, dann mußten die Dinge dort sehr schlimm stehen. Seit Arnauer an der Pforte saß, hatte es im Verwaltungsgebäude auch noch nie einen Betriebsunfall gegeben. Unwillkürlich mußte er an den Chef denken. Sein frühes Eintreffen gab ebenso zur Beunruhigung Anlaß wie der Umstand, daß er heute, was Arnauer erst jetzt auffiel, ohne seinen persönlichen Berater im Wagen gesessen hatte. Die Vorstellung, Herrn Rectanus könne etwas Ernsthaftes zugestoßen sein – wobei Arnauer angesichts der Konjunkturlage sogar eine Selbsttötung nicht völlig ausschloß –, erschreckte ihn. Denn wie auch immer man zum Chef stehen mochte – in der Fabrik gab es sehr differenzierte Ansichten über ihn –, es kam doch keiner der rund dreitausend Mitarbeiter an der Tatsache vorbei, daß sie ihm seit Jahrzehnten einen gesicherten Arbeitsplatz verdankten. Und daß die Firma auch einen internationalen Ruf genoß, war nicht zuletzt den unternehmerischen Fähigkeiten ihres Besitzers zuzuschreiben. Ihre Produkte waren in der halben Welt verbreitet, und so etwas geschah nicht von ungefähr.

Der Gedanke daran ließ Arnauer die Möglichkeit einer Selbsttötung rasch unrealistisch erscheinen, auch wenn er bedachte, daß ein kleiner Angestellter niemals eine klare Vorstellung von der wirklichen Finanzlage eines Unternehmens gewinnen konnte. Aber es wäre auch dann schlimm genug, wenn dem Chef ein anderes Unheil widerfahren wäre. Immerhin war er an die siebzig, und Arnauer hatte selbst erlebt, wie schon wesentlich jüngere Männer der Geschäftsleitung unerwartet auf der Strecke geblieben waren. Zwar hätte, unter normalen Umständen, bei einer Firma mit solchem Ruf und Namen auch dann kein Grund zur Beunruhigung vorgelegen, wenn ihr Schöpfer unvermittelt sein

Lebenswerk einem anderen überlassen müßte, aber da in diesem besonderen Fall weit und breit kein ebenbürtiger Nachfolger zu erkennen war, hatte ein Mann wie Fritz Arnauer, der neben einer Frau und zwei halbwüchsigen Kindern auch zwei ansehnliche Hypotheken gleichsam als Lebensaufgabe zu bewältigen hatte, Anlaß genug, sich sorgenvolle Gedanken zu machen. Er hätte, wäre er gefragt worden, in der ganzen Unternehmensleitung keine andere Persönlichkeit vom Format ihres derzeitigen Inhabers gewußt, auch wenn dort manche Leute saßen, für die der Chef nicht viel mehr als ein Egozentriker mit rückwärts gewandten sozial- und personalpolitischen Ansichten war. Zwar fühlte Fritz Arnauer seine persönlichen Interessen als Arbeitnehmer von dem einen oder anderen dieser leitenden Herren besser vertreten als von einem Firmeninhaber, dem es mehr um Profitmaximierung als um die spezifischen Probleme seiner Arbeiter und Angestellten ging, aber ein sozial fortschrittlicher Arbeitgeber allein war bei der gegenwärtigen Konjunkturlage noch lange keine Garantie auf einen sicheren Arbeitsplatz. Und gerade jene Arbeitnehmervertreter, die sich für soziale Verbesserungen am wortreichsten engagieren, wußten, wenn es um Existenzprobleme der Rectanus-Werke ging, oft nur wenig beizutragen.
Seine Ungeduld und sein Wunsch, über die Geschehnisse im Verwaltungsgebäude endlich Näheres zu erfahren, wuchsen mit jeder Minute, und als der Krankenwagen auf der schwarzgeteerten Straße zwischen den hellgrünen Birken wieder in sein Blickfeld rückte, waren über fünfzehn Minuten vergangen. Arnauer humpelte beunruhigt zur Schranke und öffnete sie so langsam, daß der Fahrer das Tempo stark drosseln mußte. Zwar beschleunigte er sofort wieder, aber die kurze Verzögerung hatte für Fritz Arnauer ausgereicht, um einen Blick in das Wageninnere zu werfen.
Er stand noch, den Mund vor Verwunderung offen, auf derselben Stelle, als ein zweiter Wagen, diesmal von der Straße kommend, auf das Werksgelände fuhr. Der Fahrer hielt an, öffnete das Fenster und fragte, während er dem sich rasch entfernenden Krankenwagen nachschaute: »Was ist passiert, Herr Arnauer?«
Erst jetzt wurde er von diesem erkannt; Arnauer hatte Manfred Kiene bisher nie im eigenen, sondern immer nur im Wagen des Chefs vorfahren sehen. Während er geistesabwesend seinen Blick erwiderte, hatte er noch immer vor Augen, wie Herr Rectanus, von zwei Männern festgehalten, im Krankenwagen gesessen

hatte, und erst als Manfred Kiene seine Frage wiederholte, antwortete er zutiefst beunruhigt: »Sie haben den Chef abgeholt, Herr Kiene.«

2

Frau Martin gehörte zu den langjährigen Mitarbeitern der Rectanus-Werke. Als Chefsekretärin war sie eine allseits respektierte Persönlichkeit, denn der Weg ins Chefzimmer führte, wenn auch nicht im wörtlichen, so doch im übertragenen Sinn, nur über ihren Schreibtisch hinweg. Unangemeldete Besucher wies sie grundsätzlich ab. Die angemeldeten mußten oft eine halbe Stunde und noch länger warten, ehe sie ihnen den Weg ins Chefzimmer freigab. Weil sie seit nunmehr einundzwanzig Jahren für die Firma arbeitete, war sie mit all ihren Problemen und auch mit den persönlichen Eigenarten der verantwortlichen Geschäftsführer hinlänglich vertraut. Im Gegensatz zu manchem von ihnen, hatte sie jedoch schon sehr bald ein gutes Arbeitsverhältnis zum Chef gefunden. Sie war intelligent, anpassungsfähig und, weil selbst mit einem wesentlich älteren Mann verheiratet, an die Launen älterer Männer gewöhnt. Seit ihr der Hausarzt vom Zigarettenrauchen abgeraten hatte, entspannte sie sich in den kargen Arbeitspausen bei einer leichten Zigarre vom Streß ihres engmaschigen Terminkalenders.
Am Abend vor diesem ereignisreichen Tag hatte sie im engsten Familienkreis die Verlobung ihrer vierundzwanzigjährigen Tochter Eva-Charlotte gefeiert und sich am Morgen unausgeschlafen und älter gefühlt als sonst. Als Manfred Kiene, wie das seine Art war, rasch und leise in ihr Zimmer trat, saß sie mit verweinten Augen am Schreibtisch und sagte vorwurfsvoll: »Wo haben Sie nur gesteckt? Das hätte, wenn Sie hiergewesen wären, sicher nicht passieren können!«

»Ich weiß nicht, was passiert ist«, sagte Kiene und stieß mit dem Fuß die Verbindungstür zum Chefzimmer auf. Dort sah es aus, als hätte kurz zuvor eine kleine Bombe eingeschlagen. Er bückte sich nach einem Kugelschreiber, hob ihn jedoch, weil noch andere Gegenstände am Boden lagen, nicht auf und kehrte zu Frau Martin zurück.
»Ich bin noch gar nicht dazugekommen, das Zimmer aufzuräumen«, sagte sie. »Haben Sie den Chef noch gesehen?«
»Von hinten«, antwortete Kiene.
Tatsächlich hatte er, von Fritz Arnauer nur unvollkommen über

die Geschehnisse informiert und die Möglichkeiten einer Entführung in seine raschen Überlegungen einbeziehend, mit einem riskanten Überholmanöver versucht, den Krankenwagen anzuhalten, war jedoch von einer zufällig auftauchenden Polizeistreife daran gehindert und von den argwöhnischen Beamten zur Feststellung seiner Personalien aufs Revier gebracht worden. Kiene war ein sympathisch wirkender, früh ergrauter Mann. Von der im Verwaltungsgebäude vorherrschenden Hektik hob er sich durch sein betont lässiges Wesen angenehm ab. Er verfügte in der obersten Etage über ein eigenes Büro. Gelegentlich diktierte er Frau Martin im Auftrag des Chefs einen Brief. Die meiste Zeit hielt er sich jedoch in seinem Büro oder im Chefzimmer auf. Was er dort den ganzen Tag trieb, war Frau Martin bis heute nie recht ersichtlich geworden. Einmal hatte sie ihn, als ihr Klopfen an der Tür überhört worden war, dabei überrascht, wie er mit dem Chef Canasta spielte, offenbar um größere Geldbeträge. Die beiden hatten einen peinlich ertappten Eindruck auf sie gemacht; mit ungewohnter Schroffheit hatte sie der Chef aus dem Zimmer gewiesen. Sie schätzte Kiene auf fünfunddreißig. Immer wenn sie ihn heimlich mit ihrem künftigen Schwiegersohn verglich, wünschte sie sich tief im Herzen, ihre Tochter Eva-Charlotte hätte einen ähnlich gutaussehenden Mann gefunden. Als er ihr jetzt erzählte, daß er den Chef zur gewohnten Zeit nicht mehr im Haus angetroffen hatte, brach sie in Tränen aus. Offensichtlich stand sie noch unter einem Schock. Sie wischte sich die Augen und sagte: »Dabei hat er, als er heute morgen hereinkam, einen ganz ruhigen Eindruck gemacht. Er sagte nur, daß er gleich Herrn Kirschner zu sprechen wünsche.«
»Den Betriebsratsvorsitzenden?« fragte Kiene. Frau Martin nickte verstört. »Ich hatte ja keine Ahnung, daß er ihm fristlos kündigen wollte.«
»Das ist allerdings verwunderlich«, sagte Kiene und spitzte die Lippen.
»Ich konnte es durch die Tür hören«, sagte Frau Martin. »Er sagte ihm, kaum daß er im Zimmer war, daß er fristlos entlassen sei.«
Kiene setzte sich neben sie auf den Schreibtisch. Es gehörte zu seinen Eigenarten, überraschende Mitteilungen mit fast unbewegtem Gesicht zur Kenntnis zu nehmen. »Er muß doch gewußt haben, daß er ihn als Betriebsratsvorsitzenden gar nicht entlassen kann«, sagte er.

»Natürlich!« sagte Frau Martin. »Herr Kirschner hat ihn auch sofort darauf aufmerksam gemacht. Und dann wurde der Chef plötzlich laut, ich hörte ihn sagen, daß er es endgültig satt habe, sich von der Werks-Mafia bevormunden zu lassen. Herr Kirschner fragte ihn ganz ruhig, wen er damit meine, und der Chef schrie, der Herr Kirschner wisse genau, wen er damit meine, und wenn er sich ihm noch einmal unter die Augen getraue, würde er ihn eigenhändig aus der Fabrik werfen.«
»Das ist allerdings . . .« Kiene verstummte.
»Ich würde es auch nicht glauben, wenn ich es nicht selbst gehört hätte«, sagte Frau Martin. »Herr Kirschner hat sich dann energisch seinen Ton verbeten, und da muß sich der Chef plötzlich auf ihn gestürzt haben. Als ich ins Zimmer kam, hatte er einen Brieföffner in der Hand, und Herr Kirschner wurde, als er ihn dem Chef wegnehmen wollte, am Kinn verletzt.«
»Der Chef hat ihn mit dem Brieföffner erdolchen wollen?« fragte Kiene ungläubig.
Frau Martin schüttelte entsetzt den Kopf. »Sie wissen, daß der Chef fast immer einen Brieföffner in der Hand hält, Herr Kiene. Daß Herr Kirschner verletzt wurde, war sicher nur ein unglücklicher Zufall.« Sie öffnete ihre Schreibtischschublade, zündete sich mit zitternden Händen eine Zigarre an und erzählte Kiene auch noch den Rest. Durch den Lärm im Chefzimmer waren außer den zu einer Geschäftsführerbesprechung im angrenzenden Konferenzraum versammelten Herren auch einige Mitarbeiter der Personalabteilung aufmerksam geworden und Herrn Kirschner zu Hilfe geeilt. Ihren vereinten Kräften war es schließlich gelungen, den heftig um sich schlagenden Firmenchef zu überwältigen. Der eilig herbeigerufene Betriebsarzt, Dr. Huber, gab ihm eine Beruhigungsspritze und benachrichtigte das Krankenhaus. Überraschenderweise hielt jedoch die Wirkung der Injektion nur bis zum Eintreffen des Krankenwagens an. Als man den Chef auf eine Bahre legen wollte, setzte er sich erneut zur Wehr und mußte, weil Dr. Huber, ebenso wie der im Krankenwagen eingetroffene Notarzt, Bedenken hatte, ihm eine zweite Injektion zu geben, gewaltsam zum Krankenwagen geschafft werden. »Er sah schrecklich aus«, erzählte Frau Martin. »Ich glaube, er wußte gar nicht mehr, was er tat. Was werden sie jetzt mit ihm machen?«
»Ich bin kein Mediziner«, sagte Kiene. »Es sieht aber, fürchte ich, nicht gut aus.«

Sie fragte verstört: »Sie meinen, für den Chef sieht es nicht gut aus?«
»Für ihn nicht und auch für uns nicht«, sagte Kiene und griff nach einer leeren Blumenvase auf dem Schreibtisch. Er legte sie auf seine Handfläche, umspannte sie mit den Fingern und fragte: »Liegt Ihnen viel an ihr?«
»Nein«, sagte sie verständnislos. »Warum fragen Sie?«
Er krümmte die Finger. Es gab ein häßliches Geräusch, und die Vase zerbarst in kleine Stücke. Frau Martin fuhr erschreckt von ihrem Stuhl hoch. Kiene warf die Scherben in den Papierkorb und ließ Frau Martin, um sie zu beruhigen, die unverletzte Hand sehen. »Ein kleiner Trick«, sagte er. »Ich habe ihn bei der Bundeswehr von einem Mann gelernt, der früher beim Zirkus war. Dem Chef erging es wohl genauso: der Druck war zu stark geworden. Wo ist Herr Kirschner jetzt?«
»Sicher nach Hause gegangen«, antwortete Frau Martin bedrückt. »Sein Hemdkragen war voller Blut; Dr. Huber hat sich noch um ihn gekümmert. Die übrigen Herren sind im Konferenzraum. Ich dachte, man würde mich rufen . . .« Sie sprach nicht weiter.
Kiene wußte, daß sie sich jetzt, nachdem sie ihren schlimmsten Schock überwunden hatte, Gedanken um ihren Job machte. Dieses Problem war jedoch für die langjährige Chefsekretärin eines namhaften Werks weniger groß als für ihn selbst. Er stand auf. »Wohin hat man ihn gebracht?«
»In die Universitätsklinik. Was haben Sie vor?«
»Vielleicht kann ich ihn sprechen.« An der Tür drehte sich Kiene noch einmal um. »Jemand wird seine Tochter verständigen müssen.« Sie starrte ihn maßlos überrascht an. »Eine Tochter? Davon weiß ich ja gar nichts!«
»Dann vergessen Sie es vorläufig wieder«, sagte Kiene.
Auf dem Weg zum Lift kam er am Konferenzzimmer vorbei; dort würden sie sich jetzt die Köpfe heiß reden und beschließen, das Vorgefallene streng vertraulich zu behandeln. Wie aussichtslos das war, wurde Kiene klar, als ihm an der Tür zum Verwaltungsgebäude der langjährige Fahrer des Chefs begegnete; dieser fragte verstört: »Stimmt es, daß der Chef ins Krankenhaus gebracht worden ist, Herr Kiene?«
Hans Maier gehörte ebenfalls zu jenen Mitarbeitern der Rectanus-Werke, die jetzt um ihren Job bangen mußten. Kiene gab eine ausweichende Antwort und empfahl ihm, sich an Frau Mar-

tin zu wenden. Er stieg in seinen Wagen und fuhr zur Pforte. Dort wurde er bereits ungeduldig von Fritz Arnauer erwartet: »Haben Sie schon etwas Näheres erfahren, Herr Kiene?«
»Ich hoffte, *Sie* wüßten etwas«, sagte Kiene. »Sie haben doch immer ein Ohr an der Tür.« Arnauer winkte verlegen ab. »Das ist alles nur dummes Gerede, Herr Kiene; an der Pforte erfährt man doch nie etwas.«
»Dann war ich falsch unterrichtet«, sagte Kiene. »Würden Sie mir bitte die Schranke öffnen?«
Arnauer gehorchte verdrossen. Obwohl er keine sehr hohe Meinung von Kiene hatte, empfand er seine Zurückhaltung als unkollegial. Schon vorhin, als Kiene dem Krankenwagen nachgefahren und erst eine Stunde später zurückgekommen war, hatte er Fritz Arnauer keine Erklärung gegeben. Was den Pförtner jedoch am meisten ärgerte, war der Umstand, daß er bis zur Stunde niemals zuverlässig erfahren hatte, ob Kiene, außer der vorgeblichen Rolle eines persönlichen Beraters des Chefs, nicht auch noch die eines Leibwächters spielte oder ob, was in Werkskreisen als am wahrscheinlichsten galt, die Funktion eines Beraters die des Leibwächters nur verschleiern sollte. Diese Ungewißheit, die Fritz Arnauer besonders deshalb als lästig empfand, weil man als Pförtner einem persönlichen Berater des Chefs mehr Respekt zollen mußte als einem professionellen Schläger, setzte ihm auch jetzt wieder zu. Aufsässig sagte er: »Sie unterhalten sich auch nicht mit jedem Werktätigen?«
»Montags nie«, sagte Kiene und fuhr auf die Straße. Daß es dem Arnauer schwerfiel, ihn in sein Hierarchieverständnis einzuordnen, war ihm bekannt. Er wußte auch, daß der Chef den Tagespförtner lieber heute als morgen gefeuert hätte. Vor einem halben Jahr hatte Arnauer zu den Wortführern jener Betriebsangehörigen gehört, die versucht hatten, mit einem wilden Streik eine zehnminütige Teepause für die Belegschaft durchzusetzen. Dieser Versuch war jedoch, obwohl er in der Sache vom Betriebsrat einhellig unterstützt worden war, am Widerstand des Chefs gescheitert, der damit drohte, das Werk eher zu veräußern als in diesem Punkt nachzugeben. Die eigentlichen Initiatoren des Streiks waren nie bekannt geworden, aber es gab in der Fabrik Leute, die den Betriebsarzt Dr. Huber mitverantwortlich machten und den Zeitpunkt des Streiks mit dem kurz zuvor stattgefundenen Freundschaftsbesuch einer deutschen Gewerkschaftsdelegation bei britischen Kollegen in Verbindung brachten. Daß

auch ein Bruder des Betriebsvorsitzenden Kirschner dieser Delegation angehört hatte, war nur Uneingeweihten als schierer Zufall erschienen. Fritz Arnauer, der es dem Betriebsratsvorsitzenden verdankte, daß er nach seinem Unfall den einigermaßen kurzweiligen Posten an der Pforte bekommen hatte, wußte es vermutlich besser. Kiene schätzte ihn immerhin als zuverlässige Informationsquelle. Das Pförtnerhaus war eine Relaisstation, in der aus dem weiten Areal der Rectanus-Werke wichtige und auch weniger wichtige Ereignisse konvergierten und über unzählige Kanäle und Zwischenträger weiterverbreitet wurden. Für Robert Rectanus, der es sich über drei Jahrzehnte lang vorbehalten hatte, bei der personellen Besetzung des Pförtnerhauses ein entscheidendes Wort mitzureden, war Fritz Arnauer kein Mann seines Vertrauens. Weil jedoch dessen Wiederverwendung als Halbinvalide beim plötzlichen Ableben seines Vorgängers aktuell geworden war und sich der Betriebsrat einstimmig für Fritz Arnauer entschieden hatte, war dem Firmenchef keine andere Wahl geblieben, als die Entscheidung zu akzeptieren. Obwohl er nie ein Wort über diese Angelegenheit verloren hatte, war Kiene aufgefallen, daß dem Alleininhaber der Rectanus-Werke der Anblick seines Tagespförtners so unerträglich war, daß er sich beim Passieren der Pforte hinter einer Zeitung versteckte. Kiene teilte seine Aversion jedoch nicht. Er gestand auch Belegschaftsmitgliedern wie Fritz Arnauer und dem Betriebsratsvorsitzenden Kirschner Qualitäten zu, die zu erkennen der Firmenchef, der sich in beiden Fällen eher von Emotionen als von seinem bewährten Sachverstand beeinflussen ließ, offenbar nicht imstande war.
Während Kiene in mäßigem Tempo zwischen frühjahrsgrünen Feldern und Wiesen stadteinwärts fuhr, tat er es mit dem Gefühl eines Mannes, der wieder einmal auf das falsche Pferd gesetzt hatte.

3

Im Anschluß an die Geschäftsführerbesprechung, die, weil erstmals ohne den Chef veranstaltet, keine konkreten Ergebnisse zeitigte, saßen die Herren noch eine Weile unschlüssig beisammen und ließen sich von Frau Martin einen Kaffee servieren. Bis dahin hatte sie das Konferenzzimmer nicht betreten dürfen und auch keine Gelegenheit gefunden, sich einem der leitenden Herren mitzuteilen. Ihre Wahl fiel, weil dieser der Tür am nächsten saß, auf Dr. Jürgen Meissner, Geschäftsführer für Verwaltung und Finanzen, der, obwohl er nur einssechzig groß, kahlköpfig und Träger einer unscheinbaren Brille war, innerhalb der Rectanus-Werke als dynamische Persönlichkeit galt. Seit es in der Belegschaft anläßlich einer rezessionsbedingten Kurzarbeit auch zu harten Diskussionen über die Geschäftsführerbezüge gekommen war, benutzte er für die Fahrt zum Arbeitsplatz einen alten VW und seinen Mercedes nur noch für private Anlässe. Während Frau Martin ihm eine gefüllte Kaffeetasse auf den Unterteller stellte, bat sie ihn, ohne daß es die übrigen Herren hören konnten, um ein kurzes Gespräch. Er stand sofort auf und folgte ihr auf den Flur. Dort sagte sie: »Ich bin mir nicht sicher, ob ich überhaupt darüber reden soll, Herr Doktor, aber vielleicht ist es doch von Wichtigkeit.«

Sie war fast einen Kopf größer als Meissner, und auch diesmal fiel ihr auf, daß der Chef der Finanzen im Stehen dazu neigte, das Körpergewicht auf die Fußspitzen zu verlagern, wobei er unauffällig die Absätze vom Boden nahm. Er sagte: »Ja bitte, reden Sie nur, Frau Martin. Haben Sie eine Nachricht aus der Klinik?«

»Nein, das nicht«, sagte sie. »Aber als ich mich vorhin mit Herrn Kiene unterhielt, erwähnte er, daß der Chef eine Tochter habe und daß man sie verständigen müsse. War Ihnen das bekannt?«

Meissner starrte sie ungläubig an. »Nein! Davon hatte ich keine Ahnung!«

»Ich auch nicht«, sagte Frau Martin. »Ich wußte nicht einmal, daß der Chef verheiratet war. Sein Anwalt wird vielleicht mehr darüber sagen können.«

»Dann stellen Sie mir sofort ein Gespräch mit Dr. Mauser her«, sagte Meissner aufgeregt. »Das ist ja unglaublich! Wieso wußte ausgerechnet dieser Kiene davon und wir nicht?« Frau Martin hob die Schultern. »Herr Kiene hat den Chef, seit er für ihn arbeitet, auf allen privaten Reisen begleitet, und da könnte es ja sein . . .«

»Ja, ja!« Meissner unterbrach sie nervös. »Aber wenn an dieser Sache wirklich etwas dran sein sollte, dann wäre das unerhört. Seit Jahren macht sich die Geschäftsführung Gedanken darüber, was aus der Firma wird, falls dem Chef einmal etwas zustoßen sollte, und nun stellt sich heraus, daß er eine Tochter hat. Ich finde das wirklich unerhört!« Während er sich noch erregte, zerbrach er sich gleichzeitig den Kopf darüber, wie er diese sensationelle Information zu seinem persönlichen Nutzen verwerten könnte. Hastig fragte er: »Haben Sie schon mit jemandem darüber gesprochen?«

»Nur mit Ihnen«, sagte Frau Martin, von seiner Aufregung angesteckt.

»Aber vielleicht dieser Kiene.« Meissner nagte nachdenklich an seiner Unterlippe. Bevor er jedoch einen neuen Entschluß fassen konnte, stieß Dr. Huber zu ihnen, er war, ohne von ihnen bemerkt worden zu sein, aus dem Lift gekommen. Meissner erinnerte sich, daß Huber, nachdem er die Wunde am Kinn des Betriebsratsvorsitzenden behandelt hatte, dem Chef ins Krankenhaus nachgefahren war. Sein ernstes Gesicht gab zu größter Besorgnis Anlaß, er sagte auch sofort: »Es ist gut, daß ich Sie hier treffe, Herr Meissner. Sind die anderen Herren schon weg?«

»Im Konferenzzimmer«, antwortete Meissner beunruhigt. »Wie geht es dem Chef?«

»Ich bin mir nicht sicher«, sagte Dr. Huber. »Er hat mich zu seinem vorläufigen Stellvertreter ernannt.«

»Zu seinem . . .« Dr. Meissner verschlug es die Sprache. Auch Frau Martin starrte Dr. Huber ungläubig an. Dieser nickte verständnisvoll. »Ich verstehe Ihre Überraschung. Ich bin nicht weniger überrascht, aber es ist so. Es geschah in Anwesenheit seines Anwalts, Dr. Mauser. Dieser will noch heute hierherkommen und Sie alle persönlich über den letzten Willen von Herrn Rectanus unterrichten.«

»Geht es ihm so schlecht?« fragte Frau Martin bestürzt. Dr. Huber lächelte ihr beruhigend zu. »Sagen wir: über seinen vorläufig letzten Willen! Er war sogar, soweit ich das beurteilen konnte, recht munter. Als ich zu ihm kam, saß er auf dem Bett und . . .« Er sprach nicht weiter und lachte.

Seine Heiterkeit wirkte auf Meissner, angesichts der ernsten Situation, in der sie sich alle befanden, deplaciert. Außerdem mochte er Dr. Huber nicht. Seit dieser ihm eine harmlose Diarrhöe boshafterweise als Magengeschwür diagnostiziert hatte, hatte Meissner ihn nicht mehr konsultiert. Dies war jedoch nicht der einzige Grund für seine Abneigung. Meissner schätzte auch seine politische Einstellung nicht. Er verdächtigte ihn subversiver Umtriebe – und daß sich ausgerechnet der Betriebsratsvorsitzende Kirschner für Dr. Hubers Verwendung als Betriebsarzt engagiert hatte, machte ihn für Meissner nicht weniger verdächtig. Allein schon sein bärtiges Gesicht war für einen Mann wie

Meissner hinreichend Anlaß, auf der Hut zu sein. Wenn es tatsächlich zutraf, daß der Chef ihn zu seinem Stellvertreter ernannt hatte, dann mußte Rectanus seine Sinne nicht mehr beisammen haben. Meissner sagte schockiert: »Ich sehe nicht den geringsten Anlaß für Ihre Heiterkeit, Herr Huber!«
»Ich schon!« sagte dieser und wurde ernst. »Sie müssen sich auch einmal in meine Situation hineinversetzen: ich war, als ich ins Krankenhaus kam, aufs Schlimmste gefaßt. Statt dessen saß Herr Rectanus auf dem Bett und tätschelte der Schwester den . . .«
Weil er auch diesmal nicht zu Ende sprach, sondern wieder zu lachen anfing, sagte Meissner fassungslos: »Sie wollen doch nicht im Ernst behaupten, daß er ihr den . . .«
»Doch!« sagte Huber lachend. »Er hat ihr, als sie ihm seine Medizin brachte, mit offensichtlichem Vergnügen den Hintern getätschelt.«
»Das ist unerhört!« sagte Meissner laut. »Sie haben die Stirn, zu behaupten, der Chef . . .«
Huber winkte ungeduldig ab. »Ach, hören Sie doch auf mit Ihrem *Chef*! Wir sind hier ganz unter uns, und *ich* bin ihm noch nie dorthin gekrochen, wo Sie und Ihresgleichen sich anscheinend am wohlsten fühlen.«
»Haben Sie das gehört?« wandte sich Meissner fassungslos an Frau Martin. »Sie sind mein Zeuge, Frau Martin, und ich werde dafür sorgen . . .«
»Sorgen Sie lieber für sich selbst«, unterbrach ihn Huber. »Ob Sie einer anderen Unternehmungsleitung genauso unersetzlich sind wie Herrn Rectanus, muß sich erst noch herausstellen.« Er richtete, während Meissner, dem es jetzt endgültig die Sprache verschlagen hatte, ihn nur noch in dumpfem Zorn anstarrte, das Wort an Frau Martin: »Sie sagen überhaupt nichts dazu! Oder finden Sie es nicht ungewöhnlich, wenn Herr Rectanus seine Zimmerschwester betatscht?«
»Ich weiß nicht«, sagte Frau Martin zurückhaltend. Daß ihr von seiten des Firmenchefs schon ähnliches widerfahren war, wußten bisher nur sie und er. Sie hatte jedoch jedesmal den Eindruck gehabt, daß es eher aus Gedankenlosigkeit als Folge hoher geistiger Inanspruchnahme geschehen war, und sie war sich auch nie recht schlüssig darüber geworden, ob sie das bedauern sollte oder nicht. Einerseits hatte sie Rücksichten auf ihren Mann zu nehmen, auf der anderen Seite hätte es ihrer ohnehin nicht geringen Selbsteinschätzung geschmeichelt, für Robert Rectanus begeh-

renswert zu sein, auch wenn sie keine überzogenen Erwartungen hegte. Weil die beiden Herren sie so merkwürdig anschauten, und in dem Gefühl, nicht entschieden genug geantwortet zu haben, setzte sie rasch hinzu: »Ich halte das für gänzlich ausgeschlossen.«
»Das ehrt Sie«, sagte Huber. »Trotzdem haben wir allen Grund, über sein offensichtliches physisches Wohlbefinden erleichtert zu sein. Sie übrigens auch, Herr Meissner. Oder ist es Ihnen lieber, wenn wir an einen Konzern verschachert werden?«
Eine solche Entwicklung behelligte Meissner mitunter in Alpträumen. Er sagte frostig: »Kaum lieber als Ihnen. Sie wären dann auch die längste Zeit Betriebsarzt gewesen. Zudem glaube ich Ihnen, bevor ich es von Dr. Mauser nicht selbst gehört habe, kein Wort. Es ist auf der ganzen Welt noch nie vorgekommen, daß ein Mediziner zum stellvertretenden Chef eines Industrieunternehmens, wie wir eins sind, ernannt worden ist! Wie stellen Sie sich das überhaupt vor?«
»Keine Ahnung«, sagte Huber offen. »Wir werden es eben mal ausprobieren. Sie haben ja auch nicht von Anfang an auf Ihrem hohen Roß gesessen.« Er warf einen unschlüssigen Blick zur Tür des Konferenzzimmers. »Vielleicht bereiten Sie Ihre Kollegen schon ein wenig darauf vor. Ich möchte nicht gleich mit der Tür ins Haus fallen.«
Die kleine Unsicherheit, die Dr. Huber erkennen ließ, erfüllte Dr. Meissner mit boshafter Genugtuung. Er sagte: »Ist Ihnen wohl selber peinlich?« Huber lachte entwaffnend: »Wenn Sie mich so direkt darauf ansprechen: Ja! Ich bin in diese Rolle noch nicht hineingewachsen. Es ist jedenfalls besser, Ihre Kollegen sind, wenn Dr. Mauser eintrifft, von Ihnen bereits präpariert. Sie hatten ja öfter Umgang mit Ihnen als ich.«
»Daran wird sich auch in Zukunft nichts ändern«, sagte Meissner übellaunig. Er verschwand, ohne sich von Frau Martin zu verabschieden, rasch hinter der Tür. Frau Martin seufzte. »Ich weiß überhaupt nicht mehr, was ich tun soll. Man müßte doch auch die Haushälterin vom Chef verständigen.«
»Wen noch?« fragte Huber hellhörig. Frau Martin lachte nervös. »Ach, ja, das wissen Sie noch gar nicht. Dr. Meissner wollte zwar nicht, daß ich mit einem anderen darüber spreche, aber da Sie jetzt der Stellvertreter vom Chef . . .« Sie verstummte und musterte ihn so verwundert, als sähe sie ihn zum erstenmal. Er fragte: »Worüber sollten Sie nicht sprechen?«

»Daß der Chef eine Tochter hat«, sagte Frau Martin. Huber fragte perplex: »Wirklich? Seit wann wissen Sie das?«
»Herr Kiene hat es mir vor einer Stunde erzählt.«
»Die graue Eminenz!« sagte Huber, noch immer fassungslos. »Wieso wußte er es und wir nicht?«
»Das müssen Sie den Chef fragen«, sagte sie.

4

Auf Manfred Kiene machte der Chef zunächst einen völlig normalen Eindruck. Er lag in einem Einzelzimmer mit vergittertem Fenster und fragte ungeduldig: »Warum kommen Sie erst jetzt?«
»Ich wurde aufgehalten«, antwortete Kiene und musterte die Krankenschwester. Sie saß, in ein Buch vertieft, an einem Tisch, ein langbeiniges Mädchen mit einem gleichgültigen Gesicht. Ihre weiße Schürze bedeckte nur knapp ein Paar sonnengebräunte, sehnige Schenkel.
»Gefällt sie Ihnen?« fragte der Chef, dem Kienes Interesse für die Schwester nicht entging. Er steckte in einem dieser unattraktiven Anstaltspyjamas. Das volle, weiße Haar mit den ockerfarbenen Strähnen hing ihm unordentlich in die Stirn.
Kiene griff sich einen Stuhl, setzte sich zu ihm und antwortete: »Doch, sie ist sehr anziehend. Wie fühlen Sie sich, Herr Rectanus?«
»Den Umständen entsprechend«, sagte der Chef. »Es ist merkwürdig: ich hatte in den letzten Jahren nie viel Zeit, mich mit Frauen zu befassen. Hier im Krankenhaus ist das anders. Ich habe diesen weißen Engel vorhin gefragt, ob er mich heiraten wolle, leider scheint dies nicht der Fall zu sein. Wirklich, sie gefällt mir, Kiene. Sie ist schlagfertig, intelligent und auch sonst mit allem ausgestattet, was Frauen für Männer so unentbehrlich werden läßt. Vielleicht gelingt es mir noch, sie von der Aufrichtigkeit meines Antrags zu überzeugen.«
Kiene, der den Chef noch nie über Frauen hatte reden hören, war für den Augenblick verunsichert. Dann glaubte er seine Absicht zu erkennen und sagte: »Die meisten lassen sich nur im Bett überzeugen. Soll ich sie hinausschicken?«
»Das ist nicht nötig«, sagte die Schwester und verließ das Zimmer.
Der Chef sagte verärgert: »Das war keine gute Lösung, Kiene.

Es ist richtig, daß ich mich ungestört mit Ihnen unterhalten wollte, aber ohne die Schwester zu brüskieren. Sie muß den Auftrag haben, mich keinen Augenblick lang aus den Augen zu lassen. Steht es so schlimm mit mir?«
»Das wollte ich eigentlich von Ihnen erfahren«, sagte Kiene. »Wenn Sie aber mich fragen: Sie haben sich heute morgen nur mal schnell abreagiert. Ich würde mir an Ihrer Stelle deshalb keine Gedanken machen. In ein paar Tagen sind Sie wieder auf den Beinen. Werden Sie hier wenigstens gut behandelt?«
Der Chef winkte ab. »Natürlich wissen sie hier, wer ich bin. Es ist überall nur eine Frage des Geldes, wie man behandelt wird. Vor allem in Krankenhäusern. Trotzdem habe ich veranlaßt, daß ich morgen von hier wegkomme. Passen Sie auf, Kiene: Sie kümmern sich ab sofort um meine Tochter. Sie werden sie in mein Haus bringen und dort ein Auge auf sie haben. Nachdem diese Burschen bisher bei mir kein Glück hatten, werden sie es jetzt vielleicht bei meiner Tochter versuchen. Ich habe keine Ruhe, solange Sie nicht in ihrer Nähe sind.«
Kiene, der wußte, daß sich der Chef gelegentlich von unbekannten Häschern verfolgt fühlte, gab zu bedenken: »Ob sie dort, wo sie jetzt ist, nicht besser aufgehoben ...«
Der Chef schnitt ihm ungeduldig das Wort ab: »Die wissen doch schon längst, wo sie sich aufhält, und wenn nicht, könnten sie es innerhalb weniger Tage herausfinden. Es gibt auch noch andere Gründe, weshalb ich sie von dort wegholen möchte.« Er verstummte und betrachtete eine Weile geistesabwesend die Zimmerdecke. Dann sagte er: »Heute morgen waren sie wieder in meinem Garten. Ich habe das Haus durch die Hintertür verlassen. Das war jetzt das vierte Mal. Ich war ihnen immer um eine Nasenlänge voraus.«
»Sie hätten mich verständigen sollen«, warf Kiene ein. »Ich wäre in zehn Minuten bei Ihnen gewesen.«
»Soviel Zeit hatte ich vielleicht nicht«, sagte der Chef und nahm den Blick von der Zimmerdecke. »Meine Tochter ist jetzt wichtiger als ich. Sie sind der einzige Mensch, dem ich sie anvertrauen kann. Hans, mein Fahrer, ist zwar auch zuverlässig, er hat aber nicht genügend Phantasie, um sich die Gefahren, die ihr drohen, vorstellen zu können. Es kommt in einer solchen Situation nicht darauf an, ob einer, wie das manchmal in der Kantine gemacht wird, mit einem Arm einen vollen Bierkasten in die Luft stemmen kann. Sehen Sie her!« Er klopfte sich mit dem knöchernen

Zeigefinger gegen die Stirn. »Hinter dieser dünnen Schale steckt mein Vermögen. Damit habe ich ein ganzes Imperium aufgebaut, und ich lasse es mir nicht wegnehmen von Leuten, die nie etwas anderes geleistet haben, als sich über die Umverteilung fremden Vermögens den Kopf zu zerbrechen. Ich rede jetzt nicht von den anderen, die durch ihrer Hände Arbeit zu diesen Vermögen beigetragen haben, ich rede von jenen, die sich nie in ihrem Leben Schwielen an den Händen geholt oder von Sorgen zerfressen nachts im Bett gelegen haben. Ich habe das, bis ich die Fabrik dorthin gebracht hatte, wo sie heute steht, ein Leben lang durchgemacht, und ich denke nicht daran, an diesem persönlichen Erfolg Leute partizipieren zu lassen, die weder eine moralische noch eine andere Legitimation dafür haben. Wo stünden diese Figuren denn heute, wenn es mich und meinesgleichen nicht gäbe!«
»Das läßt sich auch umdrehen«, sagte Kiene, dem dieses Thema lästig war. Der Chef nickte. »Darüber haben wir uns schon einmal unterhalten, Kiene. Von denen ist keiner unersetzlich, auch Sie nicht. Ich würde für jeden von euch hundert andere finden, die nicht weniger tüchtig sind und froh um eure Stellung wären.«
»Es gibt auch hier ein Gegenargument«, sagte Kiene. Der Chef erwiderte: »Nicht in meinem Fall, Kiene. Ich hätte auch ohne die Fabriken gut leben können. Sie waren für mich eine mir selbst gestellte Aufgabe, an der ich meine Kräfte maß. Im Gegensatz zu Ihnen und all jenen, die ähnlich denken wie Sie, die nur für sich selbst und ihre Familie verantwortlich sind, habe ich freiwillig die Verantwortung für ein paar tausend Menschen auf mich genommen. In Wirklichkeit sind es, die Angehörigen einbezogen, wesentlich mehr. Heute reden sie sich ein, sie könnten das Schiff auch ohne mich auf dem richtigen Kurs halten; sie meinen, sie seien nicht mehr auf mich angewiesen.«
»Und jetzt wollen Sie ihnen das Gegenteil beweisen?« fragte Kiene, der allmählich Interesse an dem Gespräch fand. Der Chef lächelte. »Haben Sie diesen Eindruck?«
»Ich habe schon hundert verschiedene Eindrücke von Ihnen«, sagte Kiene. »Wenn Sie genug davon haben: warum verkaufen Sie den Betrieb nicht und verbringen den Rest Ihres Lebens ohne Probleme? Den Leuten ist es ohnehin egal, für wen sie einen großen Teil ihres Lebens in stinkenden Werkshallen verbringen müssen. Sie werden in Ihnen immer einen sehen, der am längeren

Hebel sitzt, und das werden sie Ihnen nie verzeihen. Oder erwarten Sie Dankbarkeit?«
Der Chef musterte ihn prüfend. »Wäre das anmaßend?«
»Sie müßten mit der menschlichen Natur eigentlich besser vertraut sein als ich«, sagte Kiene. »Andernfalls wären Sie umsonst alt geworden.«
Der Chef nickte amüsiert. »Ich habe Ihnen schon einmal gesagt, daß Sie mir gefallen, Kiene. Vieles von dem, was Sie sagen, weist einen kritischen Verstand aus, und Sie gehören auch nicht zu den Männern, die ihrem Arbeitgeber nach dem Mund reden. Ich schätze Ihre Aufrichtigkeit, aber Sie sind ein Pragmatiker, ein Mann ohne Idealismus. Ohne Idealismus und ohne einen – zugegebenermaßen – angeborenen Geschäftssinn hätte ich mir Ihre Lebensphilosophie vielleicht zu eigen gemacht und es dem Staat oder dem lieben Gott überlassen, für meine Mitmenschen zu sorgen. Sie können jetzt gehen. Vorläufig werden Sie zusammen mit meiner Tochter in meinem Haus wohnen.«
Kiene stand auf. »Vielleicht muß ich mich eines Tages für diesen neuen Vertrauensbeweis ganz besonders bedanken«, sagte er.
Der Chef lächelte. »Dazu besteht einstweilen kein Anlaß, Kiene. Ich fürchte, Sie entsprechen kaum den Vorstellungen, die meine Tochter von ihrem künftigen Ehemann hat.«
»Das kann mir meine Aufgabe nur erleichtern«, sagte Kiene und verabschiedete sich. Er war schon an der Tür, als der Chef ihn noch einmal zurückrief. Er sagte leise: »Was ich vorhin über die Schwester gesagt habe, war nicht scherzhaft gemeint, Kiene. Für wie alt schätzen Sie sie?«
Zum ersten Male seit Kiene sich mit ihm unterhielt, verriet sein Gesicht Überraschung. »Kaum älter als dreiundzwanzig.«
»So alt war meine geschiedene Frau auch, als ich sie heiratete«, sagte der Chef seufzend. »Es sieht so aus, als ob ich ohne Pflegerin künftig nicht mehr auskommen würde, und warum soll ich sie dann nicht heiraten! Sie wird keinen Anlaß haben, es zu bereuen.«
»Vielleicht kennen Sie sie noch nicht gut genug«, sagte Kiene. Er war jetzt überzeugt, daß der Chef doch ernsthaft erkrankt war. Rectanus sagte frostig: »Ich verlasse mich immer auf meinen ersten Eindruck, Kiene, und ich bin in meinem ganzen Leben nur einmal schlecht damit gefahren. Sie hat nicht einmal einen Freund. So viel habe ich inzwischen aus ihr herausbekommen. Vielleicht fehlt es mir nur an der Begabung, sie davon zu über-

zeugen, daß ich es ernst mit ihr meine. Sie können das sicher besser als ich. Reden Sie mit ihr. Sagen Sie ihr, daß ich bereit wäre, sie zu heiraten.«
Kiene zögerte. »Wenn Sie darauf bestehen . . .«
»Ich bestehe darauf«, sagte der Chef. »Wofür bezahle ich Sie?«
Im Flur blickte Kiene sich nach der Schwester um. Sie unterhielt sich einige Schritte entfernt mit einer Kollegin. Als sie ihn bemerkte, brach sie das Gespräch ab und kam zu ihm. Ihr Gesicht sah so gleichgültig aus wie vorhin, als sie am Tisch das Buch gelesen hatte. Kiene fragte: »Gibt es hier einen Raum, wo ich mich ungestört mit Ihnen unterhalten kann?«
»Wozu?« sagte sie. »Ich darf über Patienten keine Auskunft geben. Wenden Sie sich bitte an den Chefarzt.« Ihre Stimme klang kühl. Kiene sagte: »Ich habe mich vorhin nicht gut benommen; das tut mir leid. Ich möchte mich auch nicht über den Gesundheitszustand von Herrn Rectanus unterhalten, sondern über eine ganz andere Sache.«
»Darüber, daß er mich heiraten will?« fragte sie belustigt. Kiene kratzte sich hinterm Ohr. »Was stört Sie daran? Er ist geschieden und hat mehr Geld, als Sie jemals ausgeben können. Hören Sie sich wenigstens an, was ich Ihnen zu sagen habe. Das kostet Sie nichts, und Sie können sich dann immer noch frei entscheiden.«
Sie betrachtete ihn ein paar Sekunden lang abwägend, dann fragte sie: »Wer sind Sie?« Kiene lächelte. »So etwas wie seine linke Hand. Für die rechte hat er eine Sekretärin.«
»Er weiß doch gar nicht, wovon er redet«, sagte die Schwester. »Wofür halten Sie mich?«
»Für eine intelligente Frau«, sagte Kiene. »Ich hatte nicht den Eindruck, als ob er es nicht wüßte. Er hat heute feststellen müssen, daß er am Ende ist und ohne Pflege nicht mehr auskommt. Das war vermutlich ein Schock für ihn, und er ist ein Mann von schnellen Entschlüssen. Wieviel verdienen Sie hier?«
Sie blickte ihn wieder eine Weile abwägend an, dann sagte sie: »Kommen Sie mit!« Sie führte ihn am Ende des langen Flurs in ein kleines Zimmer mit einem Bett und sagte: »Es gehört der Nachtschwester; sie kommt erst heute abend. Ich darf mich aber nicht lange aufhalten. Der Chefarzt hat mir befohlen, Herrn Rectanus nicht allein zu lassen, bevor er eingeschlafen ist. Hatte er solche Zustände schon oft?«
»Nicht so schlimm wie heute«, sagte Kiene und setzte sich auf einen Stuhl. Die Schwester trat neben ihn ans Fenster und blickte

auf die Grünanlagen. »Meine Mutter arbeitet zufällig in seiner Fabrik«, sagte sie. »Das war auch der Grund, weshalb ich ...« Sie sprach nicht weiter. Kiene sagte: »Weshalb Sie – was?« Sie drehte sich nach ihm um. »Er ist zudringlich geworden. Wie alt ist er?«

»Er hat es mir nie verraten«, sagte Kiene. »Vielleicht siebzig.«

»Und er hat wirklich keine Familie?«

»Eine Tochter. Sie muß jetzt einundzwanzig oder zweiundzwanzig sein. Er hat spät geheiratet; sie lebt nicht bei ihm. Ich glaube auch nicht, daß sie ein Grund für Sie wäre, seinen Antrag abzulehnen. Sie machen mir nicht den Eindruck, als könnten Sie sich nicht durchsetzen.«

»Das lernt man hier«, sagte sie und ließ sich ihm gegenüber auf dem Bett nieder. »Bevor ich in diese Abteilung kam, war ich über ein Jahr auf der Intensivstation. Da bekommt man als junge Schwester oft Anträge. Wenn die Patienten meinen, das sei für sie die Endstation, wollen sie dauernd Händchen halten und machen die unmöglichsten Versprechungen. Darauf höre ich schon gar nicht mehr. War es falsch, daß ich Ihnen das von meiner Mutter erzählt habe?«

»Herr Rectanus hätte es doch erfahren«, sagte Kiene und zündete sich eine Zigarette an. Als er ihr die Packung hinhielt, schüttelte sie den Kopf. »Ich habe schon zu viele Patienten an Lungenkrebs sterben sehen. Ich bin ehrlich zu Ihnen: ich habe diese Arbeit hier satt. Ich wollte nach der Schule Kindergärtnerin werden, aber dazu hätte ich, weil ich hier keine passende Stellung gefunden habe, in eine andere Stadt umziehen und meine Mutter allein lassen müssen. Es paßt mir auch nicht, daß sie noch in der Fabrik arbeiten muß. Ich bin schon lange auf der Suche nach was Besserem.«

»Was ist mit Ihrem Vater?«

»Der hat sich vor fünf Jahren selbständig gemacht«, antwortete sie gleichgültig. »Heute ist er mit einer verheiratet, die nur zwei Jahre älter ist als ich. Ich finde, es wird den Leuten mit der Scheidung zu leicht gemacht. Heute noch mehr als damals. Da konnten sie sich noch nicht so unbefangen aus ihrer Verantwortung stehlen. Wenn ich einmal heirate, dann wird es so geregelt, daß man mich nicht einfach sitzenlassen kann.«

»Dafür gibt es Eheverträge«, sagte Kiene. »Sie könnten ihn von einem Anwalt so gut abfassen lassen, daß Sie selbst dann, wenn Herr Rectanus seinen Entschluß eines Tages bereuen sollte, für

den Rest Ihres Lebens ausgesorgt haben. Sie sagten vorhin, er sei zudringlich geworden?«
Sie nickte flüchtig. »Das bin ich gewohnt; bei mir versuchen es viele. Ich weiß nicht, warum.«
Kiene betrachtete lächelnd ihre langen Oberschenkel und ihr nicht unschönes Gesicht. »So verwunderlich erscheint mir das nicht. Aber bei ihm hätten Sie ja, wenn Sie seinen Antrag annehmen, auch in dieser Beziehung nicht mehr viel zu befürchten.«
Sie erwiderte seinen Blick mit einem merkwürdigen Ausdruck in den grauen Augen. »Das sah mir gar nicht so aus.«
»Was sah nicht so aus?«
»Was ich gesehen habe«, sagte sie. »Ich glaube, da liegen Sie ganz falsch.«
»Wenn Sie das stören sollte . . .«, sagte Kiene und verstummte. Er fand, daß er bereits zu weit gegangen war. Sie fragte kühl: »Warum sollte es mich stören? Das andere gibt mir mehr zu denken. Mein Chef sprach von einer Paranoia. Hat er schon öfter Leute angefallen?«
»Nein«, sagte Kiene. »Bestimmt handelt es sich in diesem Fall auch nicht um ein Symptom. Eher um eine extrem gelagerte Animosität.«
»Kann man mehr darüber erfahren?« fragte die Schwester. Bevor Kiene antwortete, öffnete er das Fenster und warf die Zigarettenkippe hinaus. Er hatte dieses Gespräch mit einem starken Widerwillen begonnen; jetzt gewann er Gefallen daran. Er setzte sich auf seinen Stuhl zurück und sagte: »Der Mann, bei dem ihm das heute passiert ist, dürfte für ihn die Personifizierung all der Unbequemlichkeiten sein, mit denen es Unternehmer seit einigen Jahren zu tun haben. Es gab schon öfter Auseinandersetzungen zwischen ihnen.«
»Ein Angestellter von ihm?«
Kiene nickte.
»Entschuldigen Sie, daß ich so schwerfällig bin«, sagte sie. »Warum entläßt er ihn dann nicht?«
Ihre Fähigkeit, sich erst gründlich mit unbekanntem Terrain vertraut zu machen, ehe sie, wenn auch schon augenscheinlich dazu entschlossen, einen Fuß darauf setzte, nötigte Kiene Bewunderung ab. Er antwortete: »Er ist vorläufig unkündbar. Bitte haben Sie Verständnis dafür, wenn ich es Herrn Rectanus überlassen möchte, betriebsinterne Probleme auszuplaudern. Für Sie dürfte im Augenblick doch nur wichtig sein, daß er Ihnen ein Leben zu

bieten vermag, wie Sie es sich besser nicht wünschen können. Ich sagte Ihnen schon, daß Sie, wenn Sie ihn heiraten, für den Rest Ihres Lebens ausgesorgt haben. Und wenn Sie ferner sein Alter berücksichtigen . . .« Sie unterbrach ihn fast schroff: »Wenn ich ihn heirate, dann nicht nur deshalb. Hat er Sie damit beauftragt, mich auszuhorchen?«
Sie war noch intelligenter, als Kiene sie bisher eingeschätzt hatte. Er sagte: »Nein. Er hat mich lediglich darum gebeten, Ihnen zu versichern, daß es ihm mit seinem Antrag ernst ist. Mein persönlicher Eindruck würde ihn keinen Augenblick lang in seinem Entschluß beeinflussen können. Über private Entscheidungen unterhält er sich nicht mit einem Angestellten.«
»Haben Sie schon einen persönlichen Eindruck von mir?« fragte sie und stand rasch auf. »Warten Sie einen Moment; ich will nach ihm sehen.«
Während er allein in dem kleinen Zimmer saß und die warme Frühjahrssonne durch das schmale Fenster sein Gesicht wärmte, versuchte er, sich über ihr Wesen schlüssig zu werden. Es schien ihm, als habe sie manches mit ihm gemeinsam, und er nahm sich vor, sich, selbst auf die Gefahr hin, daß er sie falsch einschätzte, Gewißheit zu verschaffen. Als sie, nach kaum einer Minute, zurückkam, klang ihre Stimme erleichtert: »Er schläft. Der Chef hat ihm, bevor Sie eintrafen, eine Beruhigungsspritze gegeben.« Sie setzte sich wieder auf das Bett und blickte prüfend in sein Gesicht. »Irgendwie habe ich Vertrauen zu Ihnen. Wozu würden Sie mir raten?«
»Wenn Sie keinen Mann aufzugeben haben, der Ihnen wichtig ist . . .«
»Nein«, sagte sie rasch. »Überhaupt nicht. Ich finde es nur nicht normal, wenn ein Mann wie er einer Krankenschwester bereits nach einer Stunde einen Heiratsantrag macht. Ich bin nicht auf den Kopf gefallen. Ich habe sogar das Abitur gemacht. Dann ging die Ehe meiner Eltern kaputt, und meine Mutter und ich mußten selbst verdienen. Sie hat in der Fabrik eine leichte Arbeit, und ich . . .« Sie sprach nicht weiter und blickte durch das Fenster auf die sonnenbeschienenen Bäume der Grünanlagen hinter dem Krankenhaus. Nach einer Pause sagte sie: »Ich bin schon ein paarmal enttäuscht worden, zuletzt von einem Assistenarzt hier im Krankenhaus. Ich bin jetzt fünfundzwanzig und habe keine großen Illusionen mehr . . .«
»Sie sehen jünger aus«, warf Kiene ein. Sie sagte gleichgültig:

»Dafür kann ich mir nichts kaufen. Als Herr Rectanus mich fragte, ob ich, wenn er sich in eine Privatklinik verlegen ließe, mit ihm kommen würde, habe ich abgelehnt. Dort würden sie mich nur schief ansehen. Erst danach hat er mir einen Heiratsantrag gemacht. Ich dachte zuerst, er sei nicht klar im Kopf.« Sie wandte Kiene das Gesicht zu. »Hat er einen großen Bekanntenkreis?«
»Privat nicht. Er lebt völlig zurückgezogen mit einer Haushälterin zusammen. In dieser Hinsicht werden Sie keine Probleme haben. Und was das andere betrifft: Ich sagte Ihnen bereits, daß er ein Mann schneller Entschlüsse ist; er verdankt ihnen einen Großteil seines Vermögens. In seiner Position hatte er kaum Gelegenheit, sich auf eine Liaison einzulassen. Vielleicht steckt noch etwas mehr dahinter, aber das müssen Sie selbst herausfinden. Ich habe Ihnen alles gesagt, was ich dazu sagen kann.«
Sie musterte ihn wieder abwägend. Schließlich sagte sie: »Eines würde mich noch interessieren. Wären Sie, wenn ich mich darauf einließe, in irgendeiner Weise persönlich betroffen?« Kiene lächelte. »Negativ auf keinen Fall.«
»Auch nicht positiv?«
Diesmal verstand er sie nicht. Er betrachtete sie prüfend. »Woran denken Sie?«
»Daß er Ihnen für den Fall, daß Sie mich dazu überreden können, eine Belohnung versprochen hat.«
Kiene fragte ruhig: »Mußte ich Sie wirklich erst dazu überreden?«
»Ich bin mir jetzt jedenfalls sicherer als vorher«, sagte sie offen. »Darf ich fragen, ob Sie verheiratet sind?«
»Ich war nie verheiratet, bin nicht verheiratet und möchte an diesem Zustand der Unvollkommenheit vorläufig auch nichts ändern. Falls es Ihnen so leichter fällt, werde ich noch einmal mit Herrn Rectanus reden und ihm Ihre Entscheidung mitteilen.«
»Nein.« Sie stand auf. »Das tu ich selbst. Sie haben jetzt wohl keine hohe Meinung von mir?«
Sie war sehr groß; Kiene schätzte sie auf einsachtzig. Er blickte lächelnd zu ihr auf. »Ist das wichtig?«
»Vielleicht brauche ich Sie noch«, sagte sie nachdenklich. »Ihren Rat. Ich habe das Gefühl, Sie mögen Herrn Rectanus nicht. Oder täusche ich mich?«
Bis dahin hatte Kiene nur ihre Intelligenz und Kaltschnäuzigkeit bewundert. Ihre letzte Frage brachte ihn in Verlegenheit. Obwohl er wußte, daß er damit vielleicht seinen Job riskierte, zog

er sie auf den Schoß und küßte sie. Er fragte, ein wenig außer Atem: »Genügt das als Antwort?«
»Sie haben nur meine zweite Frage beantwortet«, sagte sie. »Denken Sie nicht falsch über mich. Ich empfinde für alte Männer nicht anders als jedes Mädchen. Wenn Sie ihm jetzt erzählen, daß ich nicht viel tauge, ersparen Sie mir vielleicht eine ganze Menge Probleme.«
Kiene griff nach ihrer Hand und betrachtete sie. »Sie haben schöne Finger. Und was Ihre Befürchtung betrifft: Wenn Sie Probleme sehen, dann liegt es nur an Ihnen, sie sich zu ersparen.«
»Vermutlich verstehen Sie mich nicht«, sagte sie, ihm die Hand überlassend. »Wenn Sie, so wie ich, sechs Jahre lang in einem solchen Haus gearbeitet hätten, ging Ihnen auch nichts mehr unter die Haut. Ich weiß über alte Männer mehr als Sie. Ich habe sie ausziehen, waschen und auch auf die Schüssel setzen müssen.«
»Und das war sicher noch nicht einmal alles«, sagte Kiene.
»Nein«, sagte sie. »Da gibt es noch Schlimmeres, aber bei ihm brauche ich das noch nicht zu tun. Ich würde, wenn ich ihn heirate, endlich einmal so leben können wie manche Privatpatienten des Chefs.«
Kiene stimmte ihr zu: »Warum auch nicht! Tief im Herzen stand ich schon immer auf der Seite der Unterprivilegierten.«
Sie sagte: »Ich möchte noch mehr über ihn erfahren. Kann ich Sie heute abend besuchen?«
Er gab ihr seine Adresse und setzte hinzu: »Ab sieben bin ich zuverlässig zu Hause.«
»Es kann acht werden«, sagte sie und griff rasch in seinen Lederblouson. »Wozu trägst du so was?«
»Aus Gewohnheit«, sagte Kiene überrumpelt. »Woher kennst du dich so gut aus?«
»Mein Vater arbeitet bei der Kripo«, sagte sie. »Bist du auch einer?«
Er schüttelte den Kopf. »Herr Rectanus hat mich zu seinem persönlichen Schutz angestellt; er fühlt sich seit einigen Jahren verfolgt und bedroht.«
»Ach so!« sagte sie. Ihre Stimme klang erleichtert. »Mit der Polizei möchte ich, seit das mit meinem Vater war, nichts mehr zu tun haben.« Sie stand auf. »Ich heiße Annemarie.«
»Ein guter Name für eine Krankenschwester«, sagte Kiene. Obwohl sein Gesicht sich leicht gerötet hatte, wirkte er gefaßt.

Sie fragte: »Bildet er sich das nur ein? Daß er verfolgt und bedroht wird?«
»Dahinter bin ich bis zur Stunde noch nicht gekommen«, sagte Kiene. Er nahm ihr Kinn zwischen Daumen und Zeigefinger, drehte ihr Profil zum Fenster und sagte: »Er hat ein gutes Auge. Du bist vermutlich genau das, was er jetzt braucht. Wenn er einmal tot ist, wirst du die Fabrik und sein gesamtes Vermögen mit seiner Tochter teilen können.«
»Das steht noch nicht fest«, sagte sie unklar. »Ich werde sie mir erst mal anschauen. Und du wirst mich nicht 'reinlegen?« Ihre Augen sahen flach aus. Kiene küßte sie. »Nicht einmal, wenn du es bei leeren Versprechungen läßt. Kann ja sein, daß du es dir bis heute abend anders überlegst.«
»Versprochen habe ich dir noch gar nichts«, sagte sie und wischte sich mit einer raschen Handbewegung eine Strähne ihres rotblonden Haars aus der Stirn. »Wie heißt sein Anwalt?«
»Dr. Mauser«, antwortete Kiene und wandte sich der Tür zu. Sie kam ihm mit ein paar schnellen Schritten zuvor, lehnte sich mit dem Rücken gegen den Türpfosten und sagte: »Ich bin nicht so, wie du jetzt denkst. Ich habe eine ganz miese Zeit hinter mir. Im Augenblick würde ich jeden heiraten, der mich hier herausbringt. Das hängt nicht nur mit der Arbeit zusammen; auch mit persönlichen Dingen. Vor ein paar Wochen hätte ich fast ein Röllchen Schlaftabletten geschluckt. Als ich vom Chefarzt hörte, wer unser neuer Patient ist, habe ich mir vorgenommen, ihn zu fragen, ob er meiner Mutter in seiner Fabrik eine andere Arbeit geben kann. Sie hat vor ihrer Heirat in einem Büro gearbeitet. Dort kam sie nach der Scheidung nicht mehr an. Es sind inzwischen zu viele Jüngere da. Bevor ich mit ihm darüber reden konnte, ist er plötzlich zudringlich geworden. Er ist nicht anders als andere alte Männer, die ich hier kennengelernt habe. Ich dachte, daß sich das für mich und meine Mutter vielleicht ausnützen ließe. Da wußte ich noch nicht, daß er mir einen Heiratsantrag machen würde. Wenn es ihm tatsächlich ernst damit ist, werde ich einwilligen. Es kann nur sein, daß ich das ohne jemanden, bei dem ich mich aussprechen kann, nicht durchhalte. Du könntest mir dabei helfen. Natürlich nur, wenn du willst. Ich dränge mich keinem mehr auf; das habe ich nur einmal getan und bin dabei auf die Nase gefallen. Wirst du mir helfen?«
»Ich sehe nicht recht, wie«, sagte Kiene. »Wenn du ihn heiratest . . .«

Sie unterbrach ihn: »Darum geht es mir im Moment nicht. Das ist eine verrückte Situation, verstehst du? Vor zwei Stunden habe ich noch nichts davon gewußt, und dann bringen sie den obersten Chef meiner Mutter hier herein, und er macht mir einen Heiratsantrag. Darüber kann ich mit niemandem sonst reden. Auch mit meiner Mutter nicht. Es wäre ihr vor unseren Bekannten und Verwandten peinlich, ihnen zu sagen, daß ich einen Mann heirate, der fast dreimal so alt ist wie ich. Meine Mutter hat altmodische Prinzipien, die sie für nichts aufgeben würde. Allein schon, weil sie sich vor ihren Kolleginnen in der Fabrik genieren würde. Ich muß das ohne sie durchstehen. Vielleicht sogar gegen sie. Ich weiß, daß ich es tun werde und tun muß, aber ich habe jetzt eine Sauangst davor. Kannst du das verstehen?«
Kiene nickte. »Du brauchst dich ja nicht schon heute zu . . .« Er verstummte, weil ihm einfiel, daß sie vielleicht nur noch bis morgen Zeit hatte. Er sagte: »Ich weiß nicht, was in ihn gefahren ist. Vielleicht sieht er es, sobald er in einer Privatklinik liegt und dort einer genauso hübschen Schwester begegnet wie dir, wieder anders. Wenn es dir hilft, reden wir heute abend noch einmal darüber.«
Sie küßte ihn rasch und sagte: »Danke.«
Als er wenig später die Klinik verließ, fühlte er sich zwar etwas benommen, aber nicht schuldbewußt. Er empfand sogar Genugtuung.

5

Auf oberflächliche Betrachter machte Michael Kolb mitunter den Eindruck eines Mittvierzigers, der den Zenit seiner beruflichen Karriere bereits überschritten und vor der Ungunst persönlicher Verhältnisse resigniert hat. Dieser Eindruck war jedoch falsch. Michael Kolb saß in den Rectanus-Werken seit nunmehr acht Jahren unangefochten auf dem gutdotierten, wenn auch risikoreichen Stuhl des Geschäftsführers/Vertrieb. In dieser Zeit hatte er den Gesamtumsatz des Werkes – nicht zuletzt durch die Erschließung neuer Märkte in den Entwicklungsländern – fast verdoppeln können. Diesen Erfolg hatte er allerdings mit einer stark angegriffenen Gesundheit und mit der Trennung von seiner ersten Frau bezahlen müssen, die sich dem psychischen Terror seines Jobs nicht im gleichen Maße gewachsen zeigte wie er. Seit sie festgestellt hatte, daß die Frauen der anderen leitenden Herren wesentlich jünger, wesentlich hübscher und wesentlich intelli-

genter waren als sie, war es mit ihr unaufhaltsam bergab gegangen. Sie war menschenscheu, komplexbeladen und reizbar geworden, unfähig, an den beruflichen Problemen ihres Mannes noch länger Anteil zu nehmen, zumal sie feststellen mußte, daß er sie mit einer anderen betrog. Sich selbst gegenüber rechtfertigte Michael Kolb seine Untreue damit, daß eine Frau, die menschenscheu, komplexbeladen und reizbar war und ihm nicht mehr jenen seelischen Rückhalt zu geben vermochte, ohne den ein Mann in seiner Position früher oder später an den täglichen Anforderungen zerbrechen mußte, es nicht anders verdient habe. Weil die Ehe kinderlos geblieben war und weil Michael Kolb gleich zwei erfahrene Anwälte eingeschaltet hatte, die seiner Frau berufsschädigende Gleichgültigkeit gegenüber seinen gesellschaftlichen Verpflichtungen, mangelndes Einfühlungsvermögen in seine aufreibende Streßsituation und auch noch eine nachlässige Haushaltsführung nachzuweisen vermochten, war es schließlich zur Scheidung gekommen. Er heiratete dann seine bisherige Freundin, die ihm nicht nur ein neues Lebensglück, sondern auch zwei reizende Kinder schenkte, deren Konterfeis seinen Schreibtisch im Verwaltungsgebäude der Rectanus-Werke zierten.
Seine angegriffene Gesundheit hatte er jedoch weniger privatem als beruflichem Streß zuzuschreiben, und sein Wesen war auch viel ausgeglichener, als der äußere Anschein zu befürchten Anlaß gab. Sensible Manager hatten in den Rectanus-Werken keine große Lebenserwartung. Wer daran Anstoß nehmen würde, der hätte nicht begriffen, daß Sensibilität zu jenen Eigenschaften zählte, die ein Top-Manager dann bei sich entdeckte, wenn er bei gelegentlichen Verkehrsunfällen seiner Frau oder Geliebten die subtilen Zusammenhänge zwischen permanentem Streß und nur allzu augenscheinlicher Impotenz erklären muß. Da Michael Kolbs zweite Ehe mit Kindern gesegnet war, geriet er auch kaum in Verdacht, im privaten Bereich weniger vital zu sein als im geschäftlichen. Unkritische Frauen, zu denen auch seine Sekretärin zählte, neigten ohnehin dazu, in ihm die Personifizierung eines überpotenten Top-Managers zu sehen, und er wußte, daß er Eindruck auf sie machte. Nur sein schwindender Haarwuchs bereitete ihm zunehmend Sorgen, und seine Physiognomie war gezeichnet von der Last einer Bürde, die er dennoch, wäre sie ihm streitig gemacht worden, mit Händen und Füßen verteidigt hätte. Weil er nicht unwesentlich zum persönlichen Wohlstand

des Firmeninhabers beigetragen hatte, unterlag sein Verhältnis zu ihm auch keinen ernsthaften Belastungsproben. Allerdings war es in den vorangegangenen Tagen zu kleinen Verstimmungen gekommen, weil Michael Kolbs jüngste Marketing-Strategie für ein neues Produkt der Rectanus-Werke bisher nicht zum gewünschten Erfolg geführt hatte. Er hatte deshalb in den zurückliegenden Nächten keinen erholsamen Schlaf gefunden, war dutzende Male schweißgebadet aufgewacht, und, weil ihm keine zündende Idee für eine bessere Marketing-Strategie gekommen war, jedesmal wieder deprimiert eingeschlafen.
Nach dem ersten Schock, den die jüngsten Ereignisse auch bei ihm ausgelöst hatten, reagierte er daher auf die Abwesenheit des Firmeninhabers sogar mit einer gewissen Erleichterung. Nachdem er mit seinen Kollegen aus der Geschäftsleitung, zu denen sich später auch Dr. Huber gesellte, über eine Stunde lang vergeblich auf den angekündigten Besuch von Dr. Mauser gewartet hatte, wobei, weil keiner dem anderen seine wahren Empfindungen enthüllen wollte, bedrücktes Schweigen vorherrschte, zog er sich vorübergehend in sein Büro zurück und ging mit seinem Assistenten, Harry Schönberg, verschiedene Möglichkeiten durch, um dem Absatz des jüngsten Produktes der Rectanus-Werke neue Impulse zu verleihen. Viel lieber hätte er sich mit ihm über die skandalösen Vorgänge der letzten Stunden unterhalten, zu denen für Michael Kolb auch die Ernennung des Betriebsarztes zum stellvertretenden Firmenchef gehörte, aber er hatte es sich zur Gewohnheit gemacht, Untergebenen gegenüber grundsätzlich nie ein kritisches Wort über eine ihm unverständliche Chefentscheidung zu verlieren. Er sagte deshalb nur: »Wie Sie wissen, habe ich dem Chef von dieser Produktion abgeraten. Vielleicht lagen wir auch schon mit dem Titel schief. ›Blitz-Taschentücher‹, das klingt zu angelehnt. Wir müssen eben versuchen, den Einzelhandel dahingehend zu beeinflussen, daß er den Kunden, wenn sie Taschentücher von der Konkurrenz verlangen, unsere eigenen andreht. Das ist nur eine Frage der Konditionen, und dem Konsumenten ist es letztlich gleichgültig, mit welchem Taschentuch er sich die Nase und was sonst noch abwischt.«
Harry Schönberg, ein schmaler junger Mann von gepflegtem Äußeren, lächelte zustimmend, gab jedoch zu bedenken, daß nach den vorliegenden Kalkulationen die untere Preisgrenze bereits erreicht sei.
»Dann sollen sie es eben noch einmal durchrechnen«, sagte Kolb

mit wachsender Nervosität. »Es kommt am Ende immer noch billiger, mit Verlust zu verkaufen, als auf der Produktion sitzenzubleiben. Wir haben den Werbeetat für das Produkt bereits überzogen. Meissner wird nicht mitmachen, wenn wir ihn noch einmal erhöhen. Dazu muß der Chef seine Einwilligung geben.«
Er drückte auf den Knopf der Sprechanlage und erkundigte sich bei seiner im Vorzimmer sitzenden Sekretärin, ob für den Nachmittag noch ein Termin für ein Gespräch mit dem Vertriebsleiter für das Inland, Herrn Rüping, frei sei. Weil er jedoch, wie er von seiner Sekretärin erinnert wurde, bereits den ganzen Nachmittag verplant hatte, bat er sie, sich um einen späteren Termin zu kümmern.
Während seiner langjährigen Tätigkeit als Verkaufschef war es noch nie geschehen, daß ein neues Firmenprodukt vom Markt nicht sofort angenommen wurde. Mit Beklemmung dachte er an die letzte Geschäftsführerbesprechung, als der Chef, ohne ihn dabei anzusehen, einfließen ließ, wie schön es doch wäre, wenn man, nach dem vorzüglichen Start der ›Fleck-weg-Tücher‹, endlich auch mit den ›Blitz-Taschentüchern‹ einen Schritt weiterkäme. Die Beiläufigkeit dieser Bemerkung hatte Kolb nicht darüber hinwegtäuschen können, daß es sich um eine Pression handelte. Glücklicherweise war er in seiner Position in der angenehmen Lage, Druck, der von oben auf ihn ausgeübt wurde, nach unten ableiten zu können, und bevor der Stuhl eines Geschäftsführers wackelte, wurden mindestens dreimal die Hauptabteilungsleiter ausgewechselt.
Er sagte zu Schönberg: »Bereiten Sie das Gespräch vor. Ich habe Herrn Rüping vorgestern eine Frist gesetzt, mir neue Vorschläge zu unterbreiten, wie wir möglichst kostensparend ein zusätzliches Advertising durchziehen können. Wir müssen vor allem auch beim Großhandel noch einmal energisch nachstoßen. Meissner muß sich darum kümmern, ob die Kalkulation nicht doch noch einen größeren Mengenrabatt zuläßt, mit dem wir den Großhandel besser an die Kandare bekommen. Irgendwie müssen wir es schaffen, gerade zum jetzigen Zeitpunkt!«
»Ich bin sicher, Sie werden es wieder schaffen, Herr Kolb«, sagte Schönberg mit kaum unterdrückter Bewunderung in der Stimme. Kolb sah sich wieder einmal in seiner Überzeugung bestätigt, mit Schönberg einen guten Griff getan zu haben. Dieser war noch zu jung, um innerhalb der nächsten Jahre zu einem

ernsthaften Konkurrenten für ihn werden zu können, und seine Bewunderung war aufrichtig. Sie ging so weit, daß er, was Kolb als scharfem Beobachter seiner Umwelt schon öfter aufgefallen war, ihn auch in Details zu kopieren versuchte. So pflegte er, wie sein Boß, bei schwierigen Referaten, die hohe geistige Konzentration erforderten, die rechte Hand bis zu den Fingerknöcheln in den Hosenbund zu schieben und auf den Zehen zu wippen. Oder, seit er dies bei Kolb zum erstenmal gesehen hatte, auf den Lift zu verzichten und, zwei Stufen auf einmal nehmend, die Treppe hinaufzustürmen, was im Verwaltungsgebäude als sicheres Indiz für Vitalität und ungestüme Arbeitsfreude galt. Bei einem anderen hätte Kolb solche offensichtlichen Nachahmungen möglicherweise als ungehörig empfunden, aber im Falle von Schönberg sah er darin nur ein ernsthaftes Bemühen um Identifikation mit einem großen Vorbild.
Er unterhielt sich noch einige Minuten mit ihm über einen für die kommende Woche angesetzten Erfahrungsaustausch mit den Herren vom Außendienst, wobei es um deren regelmäßige Schulung zur Verbesserung der persönlichen Verkaufskunst gehen sollte, wie auch um die Möglichkeit, neue Absatzwege zu erschließen. Dann entließ er ihn mit neuen Direktiven für die Hauptabteilungsleiter Vertrieb-Inland und Vertrieb-Ausland. Sein eigener Terminkalender, der durch die turbulenten Ereignisse des Vormittags durcheinander geraten war, sah für die nächste Stunde ein Gespräch mit dem Werbeleiter vor, der ihm Material über einen Comparationstest vorlegen wollte, aus dem sich die Verkaufserfolge auf zwei vergleichbaren Märkten mit differenzierenden Werbemaßnahmen ergaben, aber dazu kam es nicht mehr, weil seine Sekretärin ihm das Eintreffen von Dr. Mauser ankündigte. Der wartete bereits im Vorzimmer und wurde von Kolb, der sich keinen Vers darauf zu machen wußte, weshalb Dr. Mauser ihn nicht zusammen mit den übrigen Herren der Geschäftsleitung ins Konferenzzimmer hatte rufen lassen, sofort hereingebeten.
Dr. Mauser war ein schlanker, dynamisch wirkender Mann mit einer auffallend großen Hornbrille. Unter dem rechten Arm trug er eine gewichtig aussehende schwarze Aktentasche, und er kam, kaum daß er Platz genommen hatte, augenblicklich zur Sache: »Ich war eben bei Herrn Rectanus. Wie Sie von Herrn Dr. Huber sicher schon erfahren haben, hat er diesen zu seinem vorläufigen Stellvertreter bestimmt. Es ist nun sein Wunsch, daß Sie Herrn

Dr. Huber in seinen künftigen Aufgabenbereich einführen und sich der Koordination mit den beiden anderen Herren der Geschäftsführung annehmen.«
»Warum ausgerechnet ich?« fragte Kolb schockiert. »Eine solche Aufgabe wäre nur unter Vernachlässigung meines eigenen Arbeitsfeldes möglich, und ich bin zur Zeit . . .«
Dr. Mauser unterbrach ihn höflich, aber bestimmt: »Ich entledige mich nur eines Auftrags von Herrn Rectanus. Bitte haben Sie Verständnis dafür, daß es nicht in meiner Zuständigkeit liegt, mich auf Diskussionen über Verfügungen des Firmeninhabers einzulassen.« Er stand auf und betrachtete interessiert den von Kolb benutzten Chefsessel. »Eine sehr bequeme Ausführung«, sagte er. »Ich bin schon lange auf der Suche nach einem ähnlichen. Sicher echtes Leder?« Kolb nickte befremdet.
»Mit fünf verchromten Metallrollen«, sagte Dr. Mauser sachkundig und umkreiste beeindruckt den Sessel. »Läßt er sich auch nach hinten umlegen?«
»Mit diesem Hebel«, antwortete Kolb und zeigte ihm den Mechanismus. Dr. Mauser sagte: »Dieses Modell würde mir auch zusagen. Gehört es zur Standardmöblierung im Haus?«
»Ausschließlich für die Geschäftsführung«, antwortete Kolb. »Die Sessel der Abteilungsleiter haben nur vier Rollen aus Kunststoff und sind mit Velours bezogen. Sie lassen sich auch nicht nach hinten umlegen.«
»Gerade das finde ich so praktisch«, sagte Dr. Mauser und nahm die Brille ab. Sein Blick erfaßte das gerahmte Foto auf dem Schreibtisch. »Ihre Familie?«
Seine Aufmerksamkeit berührte Kolb angenehm. Er sagte: »Eine etwas ungünstige Aufnahme. Der Junge hat den Mund offen. Er sagt gerade ›Papa‹.«
»Ein netter Junge, und er kann schon sprechen?«
»Ja, er ist ungewöhnlich intelligent«, bestätigte Kolb mit Vaterstolz. »Das im Hintergrund ist meine Frau.«
Dr. Mauser war überrascht: »Tatsächlich! Ich hätte sie für Ihre Tochter gehalten. Eine sehr hübsche Aufnahme, Herr Kolb. Eine reizende Familie.« Er richtete sich auf. »Ich wäre Ihnen dankbar, wenn Sie meinem Büro Modell und Herstellungsfirma Ihres Sessels mitteilen ließen. Herr Rectanus hat, glaube ich, ein anderes Modell in seinem Büro stehen?«
»Das ist richtig«, sagte Kolb. »Es läßt sich nicht nach hinten umlegen.«

Dr. Mauser lächelte. »Vielleicht hat Herr Rectanus im Büro weniger Gelegenheit, eine bequeme Haltung einzunehmen als seine leitenden Herren. Ich wußte übrigens gar nicht, daß dieser hervorragende Einfall mit dem parfümierten Toilettenpapier von Ihnen stammt! Herr Rectanus hat es mir erst vor einiger Zeit erzählt. Das muß doch ein ganz großer Verkaufsschlager geworden sein? In meinem ganzen Bekanntenkreis duftet es, kaum daß man die Badezimmertür öffnet, neuerdings nach Ihren Fichtennadeln. Wie sind Sie nur darauf gekommen?«
Kolb sagte geschmeichelt: »Es war eine Augenblicksidee. Wir verwenden übrigens keinen synthetischen Riechstoff, sondern, in einem komplizierten technischen Verfahren, echte Fichtennadeln . . .« Er wurde durch das Telefon am Weitersprechen gehindert. »Es ist für Sie«, sagte er und gab den Hörer an Dr. Mauser weiter. Er beobachtete, wie dieser sich meldete, mit verblüfftem Gesichtsausdruck ein kurzes Gespräch führte und den Hörer reichlich geistesabwesend zurücklegte. Dann fragte er: »Kann ich von hier mein Büro anrufen?« Kolb ließ durch seine Sekretärin eine Verbindung herstellen. Auch das zweite Gespräch war kurz. Dr. Mauser beauftragte einen Mitarbeiter seines Büros, sich umgehend auf den Weg zur Universitätsklinik zu machen und am Eingang der psychiatrischen Abteilung auf ihn zu warten. Kolb, der mit wachsender Besorgnis zugehört hatte, fragte beunruhigt: »Schlechte Nachrichten?« Mit einem fragenden Blick wandte ihm Dr. Mauser das Gesicht zu. »Was sagten Sie?«
»Ich wollte wissen, ob es aus der Klinik schlechte Nachrichten gibt«, sagte Kolb. »Entschuldigen Sie, aber ich konnte nicht anders, als Ihr Gespräch mitzuhören.«
Dr. Mauser bückte sich nach seiner Aktentasche, klemmte sie unter den Arm und sagte: »Herr Rectanus hat mich soeben von seiner Absicht verständigt, sich zu verehelichen, und zwar, wenn ich ihn recht verstanden habe, schon in allernächster Zeit. Haben Sie zufällig eine Ahnung, wer die Dame ist?« Kolb bewegte, ohne einen Laut hervorzubringen, ein paarmal die Lippen, und preßte sie dann fest zusammen.
»Ich dachte es mir«, sagte Dr. Mauser. Seine gepflegte Zurückhaltung hatte er sich im Umgang mit Mandanten zugelegt, denen er mitunter auch auf dem Tennisplatz begegnete. Er wandte sich der Tür zu, drehte sich jedoch noch einmal um und sagte: »Herr Rectanus hat mich dazu ermächtigt, Sie über seine Absicht zu informieren. Ich habe mich also keiner Indiskretion schuldig ge-

macht. Was mich dennoch ...« Er brach ab, räusperte sich und fuhr fort: »Als ich vor zwei Stunden bei ihm war, hatte er diesen Entschluß anscheinend noch nicht gefaßt. Bitte sagen Sie mir ganz offen, Herr Kolb, ob Sie in der jüngeren Vergangenheit Anlaß hatten, private oder geschäftliche Entscheidungen von Herrn Rectanus als unvereinbar mit früheren Anordnungen zu empfinden?«
Kolb, der keinerlei Vorstellung davon hatte, was er von der Frage des Anwalts halten sollte, antwortete zögernd: »Abgesehen von der Ernennung Dr. Hubers zu seinem unmittelbaren Stellvertreter, könnte ich nichts dazu sagen.«
»Sie haben keine persönliche Erklärung für diese Ernennung?« fragte Dr. Mauser. »Ich würde sie selbstverständlich vertraulich behandeln.«
Kolbs Gesicht rötete sich; er wurde unvermittelt laut: »Dazu möchte ich mich trotzdem nicht äußern. Ich würde mich aber nach dem heute Vorgefallenen auch nicht mehr wundern, wenn Herr Rectanus die Fabriken bald an einen großen Konzern verkaufen würde.«
»Danke, das genügt mir«, sagte Dr. Mauser und verabschiedete sich zerstreut. Kolb begleitete ihn noch bis zur Tür und lief dann in das Zimmer seiner Sekretärin. »Sagen Sie sämtliche Termine für heute vormittag ab«, befahl er. Dann fiel ihm auf, daß sie blaß aussah; er fragte: »Ist Ihnen nicht gut, Fräulein Wieland?«
Sie überlegte rasch, ob seine Frage etwas damit zu tun haben könnte, daß sie in den letzten Minuten an der Tür gelauscht hatte, aber ein Blick in sein großes, sympathisches Gesicht zerstreute ihre Befürchtungen. Sie antwortete so unbefangen wie möglich: »Nein. Ich fühle mich sehr wohl, Herr Kolb.« Sie war sechsundzwanzig, attraktiv und mit einem jungen Chemiker aus der Forschungsabteilung verlobt. Weil Kolb sie oft auf geschäftliche Reisen mitnehmen mußte, schätzte er ihr angenehmes Äußeres ebenso wie ihre berufliche Tüchtigkeit. Ihr Ausscheiden aus der Firma wäre ein echter Verlust für ihn gewesen. Insgeheim hoffte er, daß sie sich mit ihrem Verlobten über den Heiratstermin doch noch nicht ganz so einig war, wie sie das Kolb seit nahezu drei Jahren glauben machen wollte.
Bevor er in großer Eile das Büro verließ, um sich mit den beiden anderen Herren der Geschäftsleitung in Verbindung zu setzen, empfahl er ihr, sich bei diesem schönen Wetter öfter mal in die Sonne zu legen. Sie wartete, bis sie die Tür hinter ihm zufallen

hörte, dann telefonierte sie mit ihrem Verlobten. Eine halbe Stunde später erfuhr auch Fritz Arnauer an der Pforte davon, daß die Rectanus-Werke an einen Konzern verkauft werden sollten. Kurz nach vierzehn Uhr kam es in Halle 4 zu einer ersten, spontanen Arbeitsniederlegung, die, als auch noch der tätliche Angriff des Firmenchefs auf den Betriebsratsvorsitzenden Kirschner ruchbar wurde, sich im Laufe des Nachmittags auf das ganze Werk ausbreitete.

6

Werner C. Merklin gehörte zu jenen aufrechten Männern im Lande, die sich dazu berufen fühlen, für soziale Gerechtigkeit und gegen verkrusteten Konservativismus zu streiten. Bevor ihn einflußreiche Gönner auf den strategisch wichtigen Stuhl eines Redakteurs für lokale Begebenheiten im örtlichen Fernsehstudio gehievt hatten, war er bei einer überregionalen Tageszeitung tätig gewesen, die an ihren eigenen progressiven und intellektuellen Ansprüchen zugrunde gegangen war. Diese bittere Lebenserfahrung hatte Werner C. Merklin dazu bewogen, für die Zukunft einen Arbeitsplatz ins Auge zu fassen, der die freie Entfaltung seiner Persönlichkeit nicht länger von der Zustimmung des Publikums abhängig machte. Er war auch mit siebenunddreißig nicht mehr jung genug, um es sich noch leisten zu können, seine wirtschaftliche Existenz unberechenbaren politischen und sonstigen Wechselfällen auszusetzen. In all den Jahren, die er für das Fernsehen tätig war, hatte er eine Drei-Phasen-Entwicklung durchschritten. Während er in der ersten noch damit beschäftigt war, den neu erworbenen Platz zu konsolidieren, die Aufsässigkeit jener Mitarbeiter, die sich nach seiner Ernennung übergangen fühlten, durch ein ebenso bestimmtes wie konziliantes Auftreten im Keim zu ersticken und sich in der Gewißheit zu wiegen, den beruflichen Unwägbarkeiten einer zwar freien, aber auch rauhen Marktwirtschaft endgültig entronnen zu sein, kamen ihm in der zweiten Phase Zweifel, ob seine jetzige Position in einem Landesstudio seinen eigenen intellektuellen Ansprüchen auf die Dauer genügen würde.
Von den Ereignissen in den Rectanus-Werken erfuhr er durch einen schieren Zufall. Eines seiner Kamerateams hatte auf der Rückfahrt von einer Reportage am Fabriktor der Rectanus-Werke eine Menschenansammlung bemerkt und sich dort gleich

ein wenig umgehört. Was Merklin über das Telefon zu hören bekam, wirkte so elektrisierend auf ihn, daß er sich umgehend mit dem Produktionsleiter absprach und seinen BMW 320 bestieg. Weil seine Abfahrt mitten im größten Berufsverkehr erfolgte, verlor er über eine Stunde kostbarer Zeit, bis er aus der Stadt und vor das Fabriktor gelangte. Dort wurde er bereits ungeduldig von dem aus drei Männern bestehenden Team erwartet und über die wichtigsten Vorgänge informiert. Zu seiner Enttäuschung hatte sich die Menschenansammlung inzwischen aufgelöst. Wie Merklin erfuhr, war es nach Betriebsschluß, als die Belegschaft, trotz des vorangegangenen Warnstreiks, auf die Minute pünktlich die Arbeitsplätze verließ und dem Ausgang zustrebte, an der Pforte zu erregten Diskussionen gekommen, die von dem Fernsehteam geistesgegenwärtig gefilmt und kommentiert worden waren. Kurze Zeit später war einer der leitenden Angestellten zu der Versammlung gestoßen und hatte im Namen der Unternehmensleitung die Erklärung abgegeben, daß es sich bei dem angeblichen Verkauf der Rectanus-Werke um eine böswillige Verleumdung handle, deren Urheber noch festgestellt und zur Verantwortung gezogen werden würden. Auch dieser Teil der Ereignisse war, trotz heftigen Protestes jenes leitenden Angestellten, von dem Team gefilmt und kommentiert worden. Merklin, der sich viel mehr erhofft hatte, sagte enttäuscht: »Am Telefon hat das alles viel dramatischer geklungen.«
Einer der drei, ein lässig gekleideter, asketisch wirkender junger Mann mit üppigem Haarwuchs und unscheinbarer Brille, seit zwei Jahren im Landesstudio als Reporter für regionale Ereignisse tätig, machte sich zum Wortführer: »Dieser leitende Angestellte, ein gewisser Kolb, ist erst aufgetaucht, als ich schon mit Ihnen telefoniert hatte, Herr Merklin. Ich bin mir keineswegs sicher, daß er die Wahrheit gesagt hat. Natürlich versucht die Geschäftsleitung jetzt, die Leute zu beruhigen; ein Streik würde Verkaufsgespräche, wenn tatsächlich welche im Gange sind, stark belasten, wenn nicht sogar torpedieren.«
Seine Begleiter, der Kameramann und der Kameraassistent, stimmten ihm zu. Sie waren ähnlich nachlässig gekleidet wie der Reporter und konnten auf einen Außenstehenden leicht den Eindruck erwecken, sie kehrten von einem zwanglosen Sonntagsausflug aus Dürnbach oder Urfeld zurück. Der Kameramann, der das Haar kurz und einen kleinen Oberlippenbart trug, sagte: »Wir haben ja auch noch die Aussage des Pförtners, wo-

nach Herr Rectanus heute früh den Betriebsratsvorsitzenden tätlich angefallen hat und anschließend mit dem Krankenwagen weggeschafft wurde. Für mich ist ganz klar, daß diese Auseinandersetzung mit dem Verkauf zu tun hatte. Wenn Sie *mich* fragen, Herr Merklin: Hier ist eine große Sauerei im Spiel. Diese Sache stinkt zum Himmel, und je gründlicher wir da 'reinleuchten, desto mehr können wir für die Belegschaft vielleicht noch 'rausholen. Hier arbeiten hauptsächlich Frauen. Wenn die ihre Stellung verlieren, finden sie so rasch keine mehr.«
Merklin witterte wieder Morgenluft. »Wo ist der Pförtner?«
»Sicher in seinem Haus«, sagte der Kameramann.
Merklin verwandelte sich in einen kleinen Feldherrn. »Die Kamera!« sagte er zu dem Kameramann. Und zu dem Reporter, der Mandel hieß, und, wenn es ums Ganze ging, erst richtig in seinem Element war: »Das Mikrophon!«
Alle drei liefen zu einem roten Kombi neben dem Werkstor. Fritz Arnauer, der sie vom Fenster aus heimlich beobachtet hatte, ahnte sofort Schlimmes und verschwand hastig auf der Toilette. Denn es war etwas anderes, mit einigen Dutzend empörter Belegschaftsmitgliedern im Rücken seinem übervollen Herzen Luft zu machen, als nun, ganz allein und auf sich gestellt, einem Kamerateam Rede und Antwort stehen zu sollen. Er war sich jetzt nicht einmal mehr sicher, was er, von der allgemeinen Erregung angesteckt, schon alles ausgeplaudert hatte, und während er seine Blase entleerte, betete er zum Himmel, daß es nur die Hälfte von dem gewesen sein möge, was er insgeheim befürchtete.
Er ließ noch ein paar Minuten verstreichen, spülte, um Zeit und Fassung zu gewinnen, dreimal nach, und kehrte dann, in der stillen Erwartung, das Team hätte inzwischen das Feld geräumt, an seinen Platz zurück. Vorsichtig spähte er aus dem Fenster, konnte jedoch nichts Verdächtiges entdecken und humpelte, um sich letzte Gewißheit zu verschaffen, zur Tür. Als er sie öffnete, blickte er direkt in das schnurrende Linsenauge einer Kamera, und eine Stimme sagte: »Wir unterhalten uns jetzt noch einmal mit dem Pförtner der Rectanus-Werke. Sie, Herr Arnauer, sind seit über zwanzig Jahren hier beschäftigt und nach einem Betriebsunfall, der Ihre Arbeitsfähigkeit beeinträchtigte, an die Pforte versetzt worden. Würden Sie unseren Zuschauern zuerst einmal erzählen, wie es zu diesem Unfall gekommen ist? Wurden vielleicht die Sicherheitsbestimmungen für Ihren Arbeitsplatz von der Betriebsleitung nicht vorschriftsmäßig beachtet?«

Mit einem Satz, der auch mit zwei gesunden Beinen nicht kraftvoller hätte ausfallen können, setzte Arnauer in das Pförtnerhaus zurück und schlug heftig die Tür hinter sich zu.
Mandel, das Mikrophon in der Hand, wechselte einen raschen Blick mit Merklin, und sagte, während die Kamera auf ihn schwenkte: »Ja, Sie haben es eben selbst miterlebt, liebe Zuschauer: Herr Arnauer wurde von der Unternehmensleitung inzwischen offensichtlich stark unter Druck gesetzt. Aber das Wichtigste haben wir ja bereits von ihm erfahren. Wir werden jetzt noch einmal versuchen, einen Herrn der Geschäftsleitung vor die Kamera zu bekommen.«
Er ließ unschlüssig das Mikrophon sinken. Merklin nickte ihm anerkennend zu. »Das war sehr gut, Mandel. Nur weiter so; ich nehme alles auf meine Kappe. Wir werden hier mal gründlich ausräuchern. Wer glauben die eigentlich, daß sie sind! Der liebe Gott persönlich?« Das Team spendete grinsend Beifall.
Merklin sagte zu dem Kameramann: »Wenn sie uns die Dreherlaubnis geben, will ich die ganze Fabrik im Bild haben. Das Haus am Ende der Birkenallee scheint das Verwaltungsgebäude zu sein.« Er wandte sich an den Assistenten: »Sie bringen den Wagen; wir gehen zu Fuß. Warten Sie noch!« Er trat an das Fenster des Pförtnerhauses und blickte hinein; es zog sich über seine ganze Längsseite hin. Weil er den Pförtner nicht sehen konnte, klopfte er gegen die Scheibe und versuchte, als auch das nichts nützte, die Tür zu öffnen; sie war jedoch verschlossen. Mandel sagte: »Das Haus muß hinten noch einen zweiten Raum haben. Sicher steckt er dort.«
»Wir brauchen ihn nicht«, sagte Merklin und ging zur Schranke. Er probierte an der Kurbel, ob der Schlagbaum sich öffnen ließ, und als er sich hob, winkte er die Männer zu sich und besprach mit ihnen das weitere Vorgehen. Während sich der Assistent an das Lenkrad des Kombis setzte, ging der Kameramann auf die Straße hinaus. Er filmte zuerst die geöffnete Schranke, dann schwenkte er auf Merklin und Mandel, die an die Scheibe und dann an die Tür klopften. Er folgte ihnen mit der Kamera auf die Straße zum Verwaltungsgebäude und schwenkte dann zu dem roten Kombiwagen hinüber, der fast gleichzeitig anrollte, vorbei an der Schranke, hinter den beiden Männern herfuhr. Er behielt ihn im Sucher, bis er sie erreicht hatte. Dann setzte er die Kamera ab und folgte ihnen.
Sie erwarteten ihn vor dem Kombi. Merklin forderte den Fahrer

auf, in großem Abstand hinter ihnen herzufahren, und setzte sich wieder in Bewegung. Mandel und der Kameramann schlossen sich ihm sofort an. Während Merklin mitten auf der geteerten Straße ging, hielten sie sich, der Kameramann auf der linken und Mandel auf der rechten Straßenseite, etwa fünf Meter hinter ihm.

Auf Michael Kolb, der von Fritz Arnauer telefonisch vorgewarnt worden war und sie von seinem Fenster aus beobachtete, machten sie den Eindruck äußerster Entschlossenheit. Unwillkürlich fühlte er sich an eine Szene aus einem Western mit den »glorreichen Sieben« erinnert, als vier von ihnen bereits ins Gras gebissen hatten. Der Schock über seine erste Begegnung mit den Fernsehleuten steckte ihm noch so tief in den Knochen, daß ihr erneuter Anblick fast Panik in ihm auslöste. Während er auf die bereits verständigten anderen Herren der Geschäftsleitung wartete, beobachtete er mit angehaltenem Atem das unaufhaltsame Näherrücken des Fernsehteams und des roten Kombiwagens. Bevor sie jedoch das Verwaltungsgebäude erreicht hatten, erhielt Kolb erste Verstärkung durch Ferdinand Weckerle, Diplomingenieur und Geschäftsführer/Technik. Dieser, ein etwa fünfzigjähriger Mann von beeindruckender Erscheinung mit leicht angegrauten Schläfen, war in der kargen Freizeit, die einem Top-Manager bei einer 64-Stunden-Arbeitswoche noch verbleibt, engagierter Tennispartner von Michael Kolb und dessen Familie aus zahlreichen privaten Zusammenkünften ebenso vertraut wie Kolb der seinen. Im Werk für sein umsichtiges und tatkräftiges Wesen bekannt, erfaßte er auch jetzt mit einem einzigen Blick die dramatische Situation und handelte blitzschnell. Noch ehe Werner Merklin eine letzte Regiebesprechung unmittelbar vor der Tür des Verwaltungsgebäudes zu Ende bringen und sich auf seine Maxime besinnen konnte, daß eine schnelle Sohle einem Fernsehjournalisten nützlicher sei als ein müdes Holzbein, wurde sie von innen zugeschlagen und verschlossen.

Diese zweite Behinderung einer im öffentlich-rechtlichen Auftrag durchzuführenden Ermittlung traf ihn um so empfindlicher, als er, tief im Herzen, nicht ganz frei war von einer leisen Bewunderung jener hauchdünnen, elitären Schicht erfolgreicher Top-Manager, die es geschafft hatte, sich bis zu jenen Chefetagen hinaufzuboxen, von denen er sein Leben lang immer nur geträumt hatte. Als Sohn einfacher Leute war Merklin nicht ohne Komplexe aufgewachsen. Er wußte, was es bedeutete, in Armut

und Abhängigkeit jenen Entscheidungen ausgeliefert zu sein, die hinter verschlossenen Türen in vollklimatisierten Konferenzzimmern der Chefetagen getroffen wurden, und schon immer hatte er dazu beitragen wollen, diese Entscheidungen für eine breite Öffentlichkeit transparent zu machen.
Er ließ sich auch jetzt keinen Augenblick lang beirren und sagte zu Mandel: »Wir kommen morgen früh, wenn die Belegschaft eintrifft, noch einmal her. Dann werden wir hier mal die Puppen tanzen lassen. Habt ihr den Namen des Betriebsratsvorsitzenden erfahren können?«
»Wir wissen sogar, wo er wohnt«, antwortete Mandel, der in den meisten Dingen ähnlich dachte und empfand wie Merklin. Er hatte vier Semester Soziologie studiert und war, als seine Freundin ein Kind von ihm erwartete, anderen Sinnes und Fernsehreporter geworden. Seine derzeitige Stellung verdankte er der Protektion eines Parteisekretärs, der heute sein Schwiegervater war. Bevor man ihn in ein festes Angestelltenverhältnis übernommen hatte, war er längere Zeit als freier Mitarbeiter für das Landesstudio tätig gewesen. Er gehörte zu den engagierten Reportern, und Merklin schätzte ihn als zuverlässig, einfallsreich und geistesverwandt. Er sagte befriedigt: »Dann wollen wir keine Zeit mehr verlieren. Die werden uns für das Fabrikgelände früher eine Dreherlaubnis geben, als sie es im Augenblick noch für möglich halten. Wir bekommen sie so klein!« Er zeigte mit Daumen und Zeigefinger, wie klein er sie sich vorstellte, und die beiden Männer grinsten zustimmend. Sie wußten aus Erfahrung, daß er es niemals bei leeren Worten beließ.
Während sie in den roten Kombi kletterten, sagte Merklin zu dem Kameramann: »Vielleicht finden wir draußen eine gute Einstellung; ich möchte den ganzen Komplex draufhaben, damit die Leute sehen, wie groß die Fabrik ist.«
Da sie sich der Pforte inzwischen auf etwa hundert Meter genähert hatten, konnten sie feststellen, daß die Schranke inzwischen heruntergelassen worden war. Mandel sagte: »Das Fabriktor ist auch zu. Wenn sie es abgeschlossen haben, kommen wir nicht mehr hinaus.«
»Vielleicht wollen sie das«, sagte Merklin.
»Das wäre blöd!« sagte Mandel betroffen. »Was tun wir dann?«
Merklin lächelte dünn. »Abwarten. Irgendwann werden sie sich melden.«
Seine Worte lösten bei den drei Männern unterschiedliche Reak-

tionen aus. Während Mandel, eine neue, aufregende Story witternd, erwartungsvoll die schmale Unterlippe vorschob, erinnerte sich der Kameramann daran, daß er am Abend mit seiner Freundin verabredet war. Er hieß Eichler, war siebenundzwanzig und seit vier Jahren für das Landesstudio tätig. Mit Merklin, der sein Können hoch einschätzte, verband ihn ein gutes Arbeitsverhältnis. Beim Drehen trug er fast immer abgewetzte Cordhosen und kurze, speckige Lederjacken. Er war bleichsüchtig, über einsachtzig groß, und wirkte mit seinem schwarzen Oberlippenbart auf Kinder mitunter furchteinflößend. Er fragte: »Was haben Sie vor, Herr Merklin?«
»Ich möchte das geschlossene Tor auf dem Film haben«, antwortete Merklin.
Eichler kletterte aus dem Kombi, setzte die Kamera an die Schulter und blickte Merklin fragend an. »Du kannst schon abfahren«, sagte dieser. »Zuerst die geschlossene Schranke und das Tor. Möglichst so, daß wir auch den Kombi voll im Bild haben. Den Kommentar legen wir später unter.«
Er sah auf die leere Straße zum Verwaltungsgebäude zurück. Die langen Schatten der lichtgrünen Birken bedeckten sie mit einem Zebramuster. Hinter der rechten Straßenseite glänzten die großen Fensterscheiben der verwaisten Fabrikhallen in der tiefstehenden Sonne wie flüssiges Silber. Aus dieser Perspektive wirkte das weite Areal des Werksgeländes fast unbegrenzt. Nur ganz hinten wurde es an einer Seite von Wald gesäumt, dessen Wipfel die flachen Hallendächer überragten.
Für Merklin war es, trotz großer Berufserfahrung und eines an kritischen Situationen nicht gerade armen Lebens, eine völlig neuartige Konfrontation, unvergleichbar mit all den vielen anderen, die dieser schon vorangegangen waren. Die verlassenen Werkshallen, die leere, von Bäumen flankierte Straße mit dem hohen Verwaltungsgebäude im Hintergrund, dessen nüchterne Fassade eine abweisende Kälte ausstrahlte, all das und eine rasche Unsicherheit über seine nächsten Schritte, legte sich ihm auf die Seele. Ein paar Augenblicke lang war er unfähig, einen Entschluß zu fassen. Er fühlte die Blicke der drei Männer auf sich gerichtet, ein plötzliches Herzflattern verursachte einen kleinen Schweißausbruch. Mit einem schnellen Blick vergewisserte er sich, daß Eichler seine Arbeit beendet hatte, und sagte: »Wir fahren wieder zum Verwaltungsgebäude. Steigt ein!« Die Männer folgten stumm. Rimmele ließ den Kombi ein Stück zurückrollen und

wendete. Merklin richtete das Wort an Eichler: »Tun Sie nachher genau das, was ich Ihnen sage.«
Von seiner Unsicherheit war nichts mehr zu bemerken; er wirkte völlig ruhig. Vor dem Verwaltungsgebäude stieg er aus und sah sich um. Auf der rechten Seite gab es einige durch Grünstreifen aufgelockerte Parkplätze. Einer war für die Geschäftsleitung reserviert. Dort standen zwei große BMWs, ein Mercedes und zwei Volkswagen. Merklin hob den Kopf. Im obersten Stockwerk verschwanden zwei Gesichter von einem Fenster. Er winkte Eichler zu sich: »Tun Sie so, als ob Sie die Autos filmten.«
Eichler, aus langer Zusammenarbeit mit seiner Psychologie vertraut, überquerte, die Kamera in der rechten Hand, eine kleine Grünfläche. Mandel und Rimmele kamen aus dem Kombi und blickten Merklin fragend an. Er sagte: »Sie stecken noch in ihrem Elfenbeinturm.«
Sie beobachteten, wie Eichler neben den geparkten Autos stehenblieb und die Kamera hochnahm. Fast gleichzeitig ertönte von oben eine laute Stimme: »Was treiben Sie da? Wer hat Ihnen erlaubt, auf dem Fabrikgelände zu filmen?«
Merklin blickte hinauf. Dort, wo er vorhin die beiden Gesichter am Fenster gesehen hatte, standen jetzt, deutlich erkennbar, zwei Männer. Er sagte zu den anderen: »Wartet hier«, und ging zu Eichler. »Richten Sie die Kamera aufs Fenster, aber lassen Sie den Finger vom Drücker.« Als Eichler seine Anweisung befolgte, traten die beiden Männer rasch vom Fenster weg.
»Das genügt«, sagte Merklin. »Wir brauchen jetzt nur noch auf sie zu warten.« Sie kehrten zu Mandel und Rimmele zurück. Wenig später wurde die Tür aufgeschlossen. Merklin sagte: »Ich rede allein mit ihnen.«
Während er die beiden Männer in der Tür betrachtete, empfand er eine mit Abneigung gemischte Genugtuung. Er fragte halblaut: »Kennt ihr einen von ihnen?« Mandel sagte: »Nein. Das heute nachmittag war ein anderer.«
»Das machen die wahrscheinlich immer so«, sagte Merklin. Zu den beiden Männern sagte er: »Guten Tag. Wir sind vom Fernsehen und wollten ein Interview haben. Gehören Sie zur Geschäftsleitung?«
Weckerle, der ihn bereits zweimal, wenn auch aus wesentlich größerer Entfernung gesehen hatte, antwortete kalt: »Für Interviews ist einzig und allein Herr Dr. Rectanus zuständig, und der ist nicht hier.«

»Wir wissen, wo er ist«, sagte Merklin, der sofort einen starken Widerwillen gegen ihn hatte. »Es hat heute bei Ihnen, weil das Werk verkauft werden soll ...« Weckerle unterbrach ihn schroff: »Ich kann mit ausdrücklicher Billigung von Herrn Rectanus versichern, daß es sich um ein vollkommen aus der Luft gegriffenes Gerücht handelt. Im übrigen haben Sie das Werksgelände ohne Erlaubnis betreten ...« Merklin schnitt ihm kühl das Wort ab: »Wir haben ein offenes, unbewachtes Tor benutzt.«
»Und wir haben einen Augenzeugen dafür, daß Sie eigenhändig die geschlossene Schranke geöffnet haben«, warf Weckerles Begleiter ein. Er hieß Siebold und war Justitiar der Rectanus-Werke. Merklin sagte unbeeindruckt: »Und ich habe vier Augenzeugen dafür, daß die Schranke offen und die Pforte unbesetzt war.«
Siebold stutzte. »Dann sind Sie wohl der vierte?« Seine Stimme klang ironisch. Merklin ließ sich von Eichler die Kamera geben und sagte: »Hier ist der vierte. Wir haben, als wir die Pforte passierten, das offene Tor und die leere Pförtnerloge gefilmt. Sie können sich den Film morgen im Laufe des Tages in unserem Studio vorführen lassen.« Siebold wechselte einen raschen Blick mit Weckerle und fragte: »Auch jene Aufnahmen, die Sie eben gedreht haben?«
Merklin gab Eichler die Kamera zurück. »Da Sie uns im Fabrikgelände eingeschlossen und sich nicht dazu bereit gefunden haben, mit uns zu reden, sahen wir uns zu einem kleinen Kunstgriff genötigt. Unser Kameramann, Herr Eichler, wird Ihnen bestätigen, daß wir, seit wir auf dem Fabrikgelände sind, die Kamera keinen Augenblick lang eingesetzt haben. Auch davon können Sie sich, falls Sie das wünschen, persönlich überzeugen.«
Siebold wechselte wieder einen Blick mit Weckerle. »Und die Aufnahmen, die Sie heute nachmittag gemacht haben?«
»Erfolgten außerhalb des Werksgeländes«, sagte Merklin. »Dafür gibt es einige Dutzend Augenzeugen aus Ihrer eigenen Belegschaft. Falls Sie uns deshalb noch länger hier festhalten ...« Er wurde von Weckerle, der sich rasch an den Justitiar wandte, unterbrochen: »Ich glaube, wir können uns jede weitere Diskussion ersparen. Sind Sie damit einverstanden?« Siebold nickte. Sie verschwanden, ohne Merklin und sein Team eines weiteren Blickes zu würdigen, im Haus.
»Das ist doch ...« Mandel wollte ihnen nachlaufen. Er wurde von Merklin zurückgehalten. »Wollen Sie ihnen eine Handhabe

wegen Hausfriedensbruchs geben? Wir brauchen sie nicht mehr.«
»Aber das Tor . . .«, sagte Mandel. Merklin lächelte. »Schauen wir es uns an.«
Sie fuhren zum Tor zurück und fanden es offen. Die Männer blickten Merklin bewundernd an. »Dann steckte der Bursche also doch die ganze Zeit im Pförtnerhaus«, sagte Eichler und lachte kurz auf. »Erreicht haben wir jedenfalls nichts.«
»Der Betriebsratsvorsitzende!« sagte Mandel, der mit dieser Niederlage nicht fertig wurde. Merklin zündete sich eine Zigarette an. »Wir müssen jetzt zuerst einmal davon ausgehen, daß es sich bei dem Verkauf wirklich nur um ein Gerücht handelt.«
»Und wenn nicht?« fragte Mandel. Merklin wandte ihm das Gesicht zu. »Wen würden Sie, um ganz sicher zu gehen, fragen?«
Mandel grinste. »Daran habe ich noch gar nicht gedacht.«
»Natürlich müßte man sich vorher erkundigen, in welchem Krankenhaus er liegt«, sagte Merklin. »Aber das wäre keine große Sache.«
»Nein«, sagte Mandel zustimmend. Rimmele, der ihnen nicht recht folgen konnte, fragte: »Was stellen die in ihrer Fabrik überhaupt her? Da sah es überall so aufgeräumt aus.« Seine Unwissenheit schockierte Mandel, er sagte: »Papierindustrie, Menschenskind! Die produzieren alles: von Papiertaschentüchern bis zu Tapeten. Ich habe mal gehört, sie sollen irgendwo noch andere Niederlassungen haben. Was glaubst du wohl, was die beiden Burschen, die uns da an der Tür abgefertigt haben, monatlich verdienen! Bestimmt zehnmal soviel wie . . .« Er verstummte. Es war ihm aufgefallen, daß Merklins Gesicht ganz gelb aussah. Das passierte ihm jedesmal, wenn er innerlich vor Wut kochte.

7

Sie kam so spät, daß Kiene nicht mehr mit ihr gerechnet hatte. Als er ihr die Tür öffnete, sagte sie nur: »Tut mir leid«, und schob sich an ihm vorbei in die Diele. Er half ihr aus dem Trenchcoat und führte sie ins Wohnzimmer. »Damit das klar ist«, sagte sie, »ich bin nicht hierhergekommen, um mit Ihnen zu schlafen.«
»Macht nichts«, sagte Kiene. »Ich habe zur Zeit ganz andere Probleme. Wollen Sie?« Er öffnete eine Schranktür. Sie kam zu ihm, betrachtete die Flaschen und tippte eine an. »Darauf habe ich zufällig auch Appetit«, sagte Kiene.

Sie sah sich in der Wohnung um. »Geschmack haben Sie jedenfalls keinen.«
»Ich mußte die Möbel übernehmen, sonst hätte ich die Wohnung nicht bekommen«, sagte Kiene und goß zwei Gläser voll. Sie setzte sich auf die Couch. »Ich muß mich schon wieder entschuldigen. Und wo haben Sie Ihre eigenen Möbel gelassen?« Kiene setzte sich zu ihr. »Dort, wo ich vorher gewohnt habe, brauchte ich keine eigenen.«
»Das ist aber komisch«, sagte sie und blickte ihn aufmerksam an. Er drückte ihr ein Glas in die Hand. »Nicht komischer als Sie. Wieso reden Sie sich eigentlich ein, daß ich unbedingt mit Ihnen schlafen wollte? Kommen Sie sich so unwiderstehlich vor?«
»Wenn ich da an heute vormittag denke . . .«, sagte sie. »Haben Sie Eis? Ich trinke das gerne kalt.« Kiene ging in die Küche. Als er zurückkam, stand sie am Fenster und sagte: »Der Blick ist hübsch, aber in einem Hochhaus wollte ich trotzdem nicht wohnen. Ich hätte ständig Angst vor Erdbeben.«
»Bei einem Erdbeben könnte Ihnen auch ein kleines Haus auf den Kopf fallen«, meinte Kiene und nahm wieder Platz. »Haben Sie heute nachmittag noch erreicht, was Sie wollten?« Sie kam zu ihm. »Auf dem Standesamt werde ich mir vielleicht ein bißchen komisch vorkommen. Er ist gut einen Kopf kleiner als ich. Wenn er neben mir steht, muß ich ständig 'runterschauen, ob er noch da ist.«
»Schenken Sie ihm zur Hochzeit einen Schemel«, schlug Kiene vor. »Wann soll das festliche Ereignis denn stattfinden?«
»Nach seiner Kur«, antwortete sie. »Er will ein paar Wochen in einer Regenerationsklinik verbringen. Der Chef hat ihm gesagt, daß er nur überarbeitet sei und daß ihm sonst nichts fehlt. Jetzt fahren wir eben zusammen hin.«
»Sie auch?« wunderte Kiene sich.
Annemarie nickte. »Er hat mich dort als Kurgast angemeldet. Als seine Pflegerin hätten die mich doch nicht aufgenommen; dort haben sie ihre eigenen. Sein Fahrer bringt uns morgen früh hin.«
Kiene dachte darüber nach. Dann fiel ihm etwas ein. »Und Ihre Stellung? Können Sie da so einfach weg?«
»Ohne weiteres«, sagte sie. »Man hat mich fristlos gefeuert.«
Obwohl ihm bekannt war, wie sie über das Rauchen dachte, mußte sich Kiene eine Zigarette anzünden. »Warum das?«
»Es ergab sich eben so«, sagte sie und zog die langen Beine auf die Couch. »Als ich von Ihnen zu Herrn Rectanus zurückkam

und ihm sagte, daß ich eventuell einverstanden sei, wurde er zuerst zärtlich und dann leidenschaftlich. Als der Oberarzt hereinkam, um Herrn Rectanus mitzuteilen, daß seiner gewünschten Verlegung in eine Privatklinik nichts im Weg stünde, befanden wir uns in einer etwas verfänglichen Situation.«
»Das kann doch jeder Schwester mal passieren!« warf Kiene ein. Sie nickte. »Im Prinzip schon. Mein Fehler war nur, daß ich mich nicht zur Wehr gesetzt habe. So etwas fällt einem erfahrenen Oberarzt natürlich auf.« Sie kicherte. Kiene starrte sie fasziniert an. »Und dann?«
Sie zuckte mit den schmalen Schultern. »Herr Rectanus hat seinen Anwalt kommen lassen und wollte, daß dieser umgehend in meiner Gegenwart einen Ehe- und Erbvertrag aufsetzte. Anscheinend war ihm nicht bekannt, daß dies nur von einem Notar gemacht werden kann und daß die Verträge erst nach der standesamtlichen Trauung rechtswirksam werden. Sein Anwalt hat ihm das erklärt. Er hat ihn dann gebeten, zu veranlassen, daß der Notar in den nächsten Tagen zu ihm in die Klinik kommt und dort alles erledigt. Ich glaube jetzt doch, daß er spinnt, aber das stört mich nicht groß. Er will mir die Hälfte seiner Fabriken überschreiben und die andere Hälfte seiner Tochter. Wenigstens habe ich jetzt, bis das Aufgebot bestellt ist, noch etwas Zeit gewonnen. Vielleicht überleg' ich's mir noch anders. Oder wäre das dumm von mir?« Sie blickte Kiene fragend an. Er hatte plötzlich einen heftigen Druck auf der Blase, und als er zurückkam, hatte sich Annemarie auf der Couch ausgestreckt und die Hände hinter dem Nacken verschränkt. Sie war so groß, daß ihre Füße über die Couch hinausragten; der ohnehin knappe Rock bedeckte kaum mehr ihre langen Schenkel. Trotz ihrer kritischen Anmerkung zu seiner Wohnungseinrichtung, schien sie sich bereits heimisch zu fühlen. Damit er neben ihr Platz fand, drehte sie sich, den Kopf auf den Arm stützend, auf die Seite, und sagte: »Ich tue Ihnen nichts. Warum sind Sie eigentlich so formell? Heute vormittag waren Sie es nicht.«
Heute vormittag hatte er noch nicht viel über sie gewußt. Inzwischen war sie ihm nicht mehr ganz geheuer. Er setzte sich zu ihr und sagte mit belegter Stimme: »Hören Sie mal, Mädchen ...«
»Ich bin nicht Ihr Mädchen«, sagte Annemarie. »Und werden Sie nicht zudringlich. Solange ich nicht mit ihm verheiratet bin, kann ich es mir nicht leisten, wegen eines kleinen Flirts die Hälfte seiner Fabriken zu verlieren.«

Er mußte lachen. »Und danach?« Sie stupste mit dem Zeigefinger gegen seine Nase. »Er hat mir gesagt, daß er sich dazu überwinden würde, mir einen Liebhaber zu gestatten.«
»Sogar einen jungen«, sagte Kiene, der seine Überraschung inzwischen überwunden hatte. »Da sind Sie bei mir ohnehin an der falschen Adresse.« Sie antwortete nachsichtig. »Männer wollen spätestens ab dreißig wegen ihres Alters bemitleidet werden. Wie alt sind Sie denn, Sie Ärmster?«
In diesem Ton war noch keine Frau mit ihm umgesprungen; er grinste über sich selbst und sagte: »Das erzähle ich nur Frauen, mit denen ich schlafe.«
»Und mit wie vielen schlafen Sie?« erkundigte sie sich neugierig. Kiene blickte in ihre grauen Augen, die halb ironisch und halb erwartungsvoll aussahen. »Seien Sie sich Ihrer Sache nicht ganz so sicher«, sagte er warnend. »Es könnte Ihnen sonst passieren, daß ich mich über die Hälfte Ihrer Fabriken hinwegsetze.«
»Dann tun Sie es doch!« sagte sie.
Ihre blau-weiß gestreifte Bluse hatte drei Knöpfe. Als er sie öffnete, hinderte sie ihn nicht daran. Er betrachtete sie, ohne sie zu berühren, und sagte: »Für ein so großgewachsenes Mädchen ist sie ziemlich niedlich. Was erwarten Sie von mir? Daß ich ihn, wenn Sie mit ihm verheiratet sind, aus dem Weg räume?«
»Würden Sie es tun?« fragte sie leichthin. Er deckte ihre Brust zu. »Als Krankenschwester wird Ihnen das keine Mühe bereiten. Vielleicht kläre ich ihn aber vorher doch noch über Sie auf.«
»Das glaube ich jetzt nicht mehr«, sagte sie. »Ich habe Sie für schwierig gehalten, aber das sind Sie nicht.«
»Nein?« fragte er. Sie musterte ihn lächelnd. Ihr Blick machte ihn verlegen. »Und Ihnen hat man sechs Jahre lang hilflose Menschen anvertraut!«
Sie fing an, mit geschickten Fingern seinen Nacken zu massieren. Er griff über die Schulter hinweg nach ihrer Hand und sagte: »Was versprechen Sie sich davon?«
»Es macht mir Spaß, Männer aufzuheizen«, sagte sie. »Das ist viel einfacher als umgekehrt, obwohl ich es Ihnen wirklich leichtmache. Haben Sie Rücksicht auf seine Tochter zu nehmen?« Kiene blickte sie rasch an. »Hat er von ihr gesprochen?«
»Von ihr und von Ihnen«, sagte sie. »Er hält Sie für einen tüchtigen Mann und will Sie eines Tages vielleicht zu seinem geschäftsführenden Direktor machen.« Kiene lachte verwundert auf. »Das hat er Ihnen erzählt?«

»Das und noch einiges mehr«, sagte sie. »Nicht genug, um durchzuschauen, aber es hat mir doch zu denken gegeben. Falls sie ein Auge auf Sie hat, muß ich so oder so mit Ihnen rechnen. Wie gut kennen Sie seine Tochter?«
Er zögerte, ihr die Wahrheit zu sagen, und antwortete ausweichend: »Warum interessiert Sie das?«
»Nur so«, sagte sie und streichelte wieder seinen Nacken. Er fühlte ihre Berührungen bis hinab zu den Zehen und fragte: »Ich weiß noch immer nicht, was Sie sich davon versprechen.«
»Sie trauen mir nicht?« fragte sie. Er blickte stumm in ihr Gesicht.
»Dann sind Sie doch schwieriger, als ich dachte«, sagte sie und richtete sich auf. Sie knöpfte ihre Bluse zu, strich sich das Haar aus der Stirn und betrachtete ihn forschend. »Was hindert Sie daran? Loyalität?«
In diesem Fall wußte er es ausnahmsweise nicht. Er wußte nur, daß er verrückt sein mußte, wenn er eine so günstige Gelegenheit ungenutzt ließ. Sie beugte sich zu ihm hinüber, küßte ihn und sagte: »Irgendwie habe ich dich mir anders vorgestellt. Wo ist dein Badezimmer?« Er stand auf und zeigte es ihr.
Sie blieb lange drin; er wurde unruhig und horchte an der Tür. Als er sicher war, daß sie badete, ging er ins Schlafzimmer, schaltete die Nachttischlampe ein und setzte sich unschlüssig aufs Bett. Irgendwann hörte er sie aus dem Bad kommen, ins Wohnzimmer gehen und dann tauchte sie in der Schlafzimmertür auf. Sie setzte sich zu ihm und sagte: »Als ich heute abend zu dir kam, war ich mir noch nicht schlüssig. Ich wollte es dir überlassen. Ich fühle mich bei dem Gedanken, mit ihm ins Bett zu müssen, noch genauso mies wie heute vormittag. Vielleicht hätte es mich, wenn du mit mir geschlafen hättest, davon abgelenkt. Ich gehe sonst nicht mit jedem ins Bett. Heute war mir danach.«
Daß sie angezogen aus dem Bad kommen würde, hatte Kiene nicht erwartet. Er fragte: »Wozu hast du gebadet?«
»Daheim haben wir kein Badezimmer«, sagte sie und betrachtete ihre Fingernägel. »Außerdem brauchte ich eine Abkühlung. Vielleicht war das ganz gut so.« Ihre Stimme klang resigniert. Kiene griff nach ihrer Hand und sagte: »Wenn du es heute abend nötig hattest, dich ablenken zu lassen, dann wirst du es, wenn du dich mit ihm einläßt, immer nötig haben.« Sie nickte. »Kann sein. Deshalb brauche ich dich. Ich kenne keinen anderen, mit dem ich mich über dieses Problem unterhalten könnte. Als du mich heute

vormittag geküßt hast, dachte ich, mit dir könnte man über alles reden.«
»Warum gerade mit mir?« fragte er. Sie erwiderte seinen Blick. »Es ist vielleicht verrückt, einem Mann schon am ersten Tag zu sagen, daß er einem gefällt. Du gefällst mir, und ich sage es dir eben. Daß ein Risiko damit verbunden ist, weiß ich. Darüber haben wir schon heute vormittag gesprochen, ich habe dir aber auch gesagt, daß es mir darauf nicht ankommt. Erzähl ihm meinetwegen, was du willst. Es ist mir egal. Mir ist klar, daß du jetzt keine hohe Meinung mehr von mir haben kannst.«
Kiene streichelte ihre Hand. »Ich wette, du tust nur so.«
»Ich weiß nicht«, sagte sie. »Irgendwie verschafft es mir eine innere Befriedigung. So, als hätte ich mir immer nur selbst etwas vorgemacht und brauchte es jetzt nicht mehr länger zu tun. Vielleicht wunderst du dich, daß ich dich nicht wenigstens ausfrage. Daß ich nicht wissen will, was du denkst, was für ein Mensch du bist, womit du dich privat beschäftigst. Ich möchte es nicht wissen. Ich habe mir, seit du mich heute vormittag geküßt hast, von dir ein bestimmtes Bild gemacht, und es kann sein, daß es falsch ist. Dann möchte ich es nicht erfahren. Ich könnte sonst nicht mehr mit dir reden. Das, was ich eben gesagt habe, daß ich mir von dir eine ganz andere Vorstellung gemacht habe, hat damit nichts zu tun. Das bezog sich allein auf dein Zögern. Ich habe dich in dieser Beziehung für skrupelloser . . . Nein, skrupellos ist vielleicht nicht der richtige Ausdruck. Unbedenklicher ist besser. Du hast mich heute abend ganz schön im Stich gelassen. Weißt du das?«
Er wußte es genausogut wie sie, aber sie war ihm noch immer nicht ganz geheuer; Frauen wie sie verwirrten ihn. Ihre Gedanken und Absichten waren ihm zu kompliziert und zu undurchschaubar. Wäre sie eine gewesen, die er auf der Straße aufgelesen hätte, so hätte er keinen Augenblick lang gezögert, mit ihr zu schlafen, aber sie war nicht irgendeine, und er hatte das Gefühl, daß sie ihm gefährlich werden könnte. Mit ruhiger Stimme fragte er: »Warum hast du es allein mir überlassen?«
»Für mich gibt es, wenn ich nicht dazu ermuntert werde, einen Punkt, über den ich nicht hinwegkomme. Es tut mir jetzt leid, daß ich schon morgen früh mit ihm wegfahren muß. Um dich näher kennenzulernen, war die Zeit viel zu kurz.«
»Wir haben noch Zeit«, sagte er. Sie schüttelte den Kopf. »Meine Mutter wartet. Ich sollte längst daheim sein. Wir hatten noch ei-

nen Notfall auf der Station; ich bin vom Krankenhaus direkt zu dir gekommen. Ich muß ihr heute abend auch noch beibringen, daß ich morgen wegfahre.«
»Was wirst du ihr sagen?«
Sie zögerte. »Ich habe noch nicht darüber nachgedacht; vielleicht hinterlasse ich ihr nur einen Brief. Falls du einmal zu ihm in die Klinik mußt, werde ich es einrichten, daß wir uns sehen. Warum will er, daß du dich um seine Tochter kümmerst?«
Kiene ließ ihre Hand los. »Er redet sich plötzlich ein, sie sei an ihrem jetzigen Wohnsitz nicht mehr sicher genug. Vermutlich überträgt er seine Zwangsvorstellungen neuerdings auch auf sie. Ich glaube nicht, daß er jemals ernsthaft bedroht worden ist. Ich wüßte auch nicht, von wem. Er hat sich zwar schon mit mir über die Möglichkeit unterhalten, bei uns könnten eines Tages ähnliche Verhältnisse einreißen wie in Italien. Ich halte das für unwahrscheinlich. Natürlich könnte irgendwo ein Verrückter auf den Gedanken kommen, ihn oder seine Tochter zu entführen und damit Geld zu erpressen. Für so etwas ist er zwar reich, aber nicht bekannt genug. Er meidet seit Jahren die Öffentlichkeit. Die meisten, die seine Fabriken dem Namen nach kennen, wissen vermutlich gar nicht, daß es ihn gibt. Willst du noch etwas trinken?«
»Nein«, sagte sie. »Er hat mir nicht erzählt, weshalb er seine Tochter in der Schweiz und nicht hier studieren läßt. Weißt du es?«
Kiene zögerte. Dann entschloß er sich, ihr die Wahrheit zu sagen: »Ich kenne sie nicht persönlich. Ich habe ihn zwar oft zu ihr begleitet, aber er hat mich ihr nie vorgestellt. Sein Fahrer und ich mußten in der Nähe jedesmal auf seine Rückkehr warten. Ich weiß zwar, wo sie wohnt, aber das ist auch alles.« Er blickte in ihr Gesicht. »Loyalität ist bei mir nicht drin. Ich habe nur etwas gegen unübersichtliche Situationen.«
Sie lächelte. »Hältst du mich für ungeschickt?«
»Für dünnhäutig«, sagte Kiene. »Wir hätten es nicht nur mit ihm, sondern auch mit seiner Tochter zu tun. Sie wird, nehme ich an, noch ein schärferes Auge auf dich haben als er. Bisher hat sie nicht damit zu rechnen brauchen, sein Vermögen eines Tages mit einer anderen teilen zu müssen. Auch wenn ich sie nicht persönlich kenne, würde es mich doch wundern, wenn sie nichts unversucht ließe, dich ihrem Vater auszureden. Du wirst sie – und damit auch mich – vermutlich öfter sehen, als dir lieb ist. Möglicher-

weise schon morgen abend. Sie wird ihre Trümpfe, so sie welche hat, nicht erst nach, sondern schon vor der Hochzeit ausspielen. Es ist besser, du stellst dich darauf ein.«
Sie dachte mit gerunzelter Stirn nach, dann sagte sie: »So habe ich das noch nicht betrachtet. Du siehst, wie gut es für mich ist, dich zu kennen. Schade, daß du nichts riskieren willst. Darin bist du genauso wie die meisten Männer. Solange es mit keinem Risiko verbunden ist, haben sie gegen ein kleines Vergnügen nichts einzuwenden.«
»So wie dein Assistenzarzt«, sagte Kiene. Sie fragte rasch: »Wie kommst du auf ihn?« Er berührte mit den Fingerspitzen ihre Wange. »Wenn eine Frau mit dem Gedanken an ein Röllchen Schlaftabletten spielt, steckt meistens ein verheirateter Mann dahinter, der ihr versprochen hat, sich ihretwegen scheiden zu lassen und dann im letzten Augenblick kalte Füße bekommt. Eine ziemlich banale Geschichte. Daß du sie so ernstgenommen hast, läßt sich, von meinem Standpunkt aus gesehen, gegen dich verwenden.«
»Dann warst du noch nie richtig verliebt«, sagte sie. Er nahm die Finger von ihrer Wange. »Möglicherweise habe ich kein Talent dafür. Es geht hier gar nicht darum, ob ich etwas riskieren will oder nicht. Dünnhäutige Frauen sind mir zu unberechenbar.«
Sie fragte unvermittelt gereizt: »Wieso hältst du mich für dünnhäutig?«
»Weil du wegen eines verheirateten Mannes Hand an dich legen wolltest.«
»Hast du noch nie einen Hautfetzen lassen müssen?«
»Doch«, sagte er. »Aber das fetzte mir nicht auch noch das halbe Herz entzwei.«
Sie stand ungeduldig auf und blickte aus dem Fenster. »Das ist doch alles nur Gerede. Wenn Männer so große Umstände machen, geht es meistens um ganz simple Dinge.«
»Ein Glück für dich, daß du sie so gut kennst«, sagte Kiene. Sie drehte sich nach ihm um und verschränkte die Arme vor der Brust. »Die Ironie kannst du dir sparen. Ich weiß, daß ich bei Männern Probleme habe. Den meisten bin ich zu groß; Männer wollen auf Frauen herabsehen können, das fördert ihr Selbstbewußtsein. Wenn ich erst mal genug Geld habe, brauche ich mich nicht mehr darum zu kümmern, ob ich zu groß, nicht ihr Typ oder sonstwas nicht bin. Ich würde aber auch ohne das Geld nie mehr in meinem Leben verrückt spielen, und das meine ich ernst.

Warum sagst du mir nicht klipp und klar, was dir nicht paßt? Daß du dich möglicherweise doch in seine Tochter verlieben und dich um ihr künftiges Vermögen bringen könntest?«
Zum ersten Male ärgerte er sich über sie. »Ich habe bereits ein paar Komplexe und würde mir für nichts auf der Welt auch noch das Unglück aufhalsen, von einer reichen Frau abhängig zu sein.«
Sie betrachtete ihn nachdenklich. »Das klingt beinahe überzeugend. Vielleicht war es falsch von mir, dir zu verraten, daß du mir gefällst. Das muß, gleich für den Anfang, zu verbindlich geklungen haben. Wahrscheinlich bin ich von der falschen Voraussetzung ausgegangen, eine Freundschaft mit einem Mann könnte nur im Bett besiegelt werden. Wenn es nicht dazu kommt: ich werde es überleben. Jetzt habe ich auch keine Lust mehr. Wir haben es schon zerredet.«
In der Diele half er ihr in den Trenchcoat und sagte: »Kann sein, daß ich ein Idiot bin, Annemarie. Ich fahre dich nach Hause.«
»Das ist lieb von dir«, sagte sie.
Sein Wagen stand vor dem Haus. Er schloß ihr die Tür auf und setzte sich neben sie. »Wo wohnst du?«
Sie sagte es ihm. Während sie durch die Stadt fuhren, sprachen sie kein Wort. Erst vor ihrer Haustür sagte sie: »Stehst du im Telefonbuch?« Er nickte. »Du wirst es nicht leicht mit ihm haben«, sagte er. »Er liebt nur sich selbst.«
Sie sagte gleichgültig: »Mich braucht er nicht zu lieben; ich werde schon mit ihm fertig. Wenn es sein muß, kann ich ziemlich rasch umschalten.«
»Heute vormittag konntest du es noch nicht«, sagte Kiene.
»Inzwischen habe ich wieder hinzugelernt«, sagte sie. »Ich bin nicht von gestern.« Sie blickte ihn prüfend an. »Wolltest du eben noch etwas sagen?« Er lächelte. »Ja. Daß es eine unerhörte Provokation ist, wenn ein so großes Mädchen wie du einen so winzigen Slip trägt.«
»Davon hättest du dich eben schon ein bißchen früher provozieren lassen sollen«, sagte sie und küßte ihn auf die Wange. Er beobachtete, wie sie rasch ausstieg und, ohne sich noch einmal nach ihm umzudrehen, in einem dreistöckigen Mietshaus verschwand, dessen Renovierung seit fünfzig Jahren überfällig war. Auf der Rückfahrt durch die Stadt konnte er an nichts anderes mehr denken als an sie.

8

Betriebsratsvorsitzender Josef Kirschner hatte im Laufe seines Lebens alle Höhen und Tiefen eines einfachen Arbeitnehmerdaseins durchschritten. Im Gegensatz zu jenen, die es, aus welchen Gründen auch immer, anderen überließen, in der vordersten Arbeitsfront zu kämpfen, war Kirschner immer ein Mann der Tat gewesen, der, wenn es um die Interessen der Lohnabhängigen ging, auch nicht davor zurückschreckte, Unbequemlichkeiten auf sich zu nehmen. In der papierverarbeitenden Industrie war er seit nunmehr acht Jahren tätig. Zuvor hatte er sein Brot in der Textilbranche verdient und war dort, nachdem er bei einer Arbeitsniederlegung der Belegschaft als deren Wortführer bei der Unternehmensleitung unliebsames Aufsehen erregt hatte, einer Intrige zum Opfer gefallen. Nur sein ehrenvolles Amt als gewählter Betriebsrat hatte ihn unmittelbar nach dem wilden Streik vor unangenehmen Konsequenzen bewahrt. In seiner jetzigen Eigenschaft als Betriebsratsvorsitzender der Rectanus-Werke war er vor Intrigen wesentlich sicherer, zumal er nicht nur über ein eigenes Büro und das Vertrauen der Belegschaft, sondern auch über genügend Zeit verfügte, sich auf alle Eventualitäten vorzubereiten. Sein Privatleben verlief harmonisch, er besuchte oft den Fußballplatz oder widmete sich der gärtnerischen Ausgestaltung jener bescheidenen Grünfläche, die engstirnige Baubehörden einem von Werktätigen bewohnten Einfamilienhaus zugestanden hatten. Den Urlaub verbrachte er mit seiner Familie regelmäßig in Spanien, wo er sich in Gedanken oft mit sozialen Ungerechtigkeiten beschäftigte.

Seinen Herzenswunsch, einen Stammhalter zu zeugen, hatte der Himmel nicht erhört. Ursprünglich hatte er aus ökonomischen Gründen mit seiner Frau besprochen, ihm nicht mehr als zwei Kinder zu schenken; eine Aufgabe, der sie binnen dreier Jahre ohne Schaden zu nehmen nachkam. Zu seiner grenzenlosen Enttäuschung waren es jedoch jedesmal Mädchen gewesen, und so versuchte er, in Übereinstimmung mit seiner Frau und entgegen der ursprünglichen Familienplanung in einem dritten Anlauf, das Blatt doch noch zu wenden. Als seine Frau ihm auch diesmal ein Mädchen in die Wiege legte, geriet er, einem Roulettspieler vergleichbar, vorübergehend außer Kontrolle und zeugte, diesmal ohne vorherige Absprache hintereinander zwei weitere Kinder, die ebenso hübsch wie die früheren, jedoch gleichfalls weiblichen

Geschlechts waren. Erst dann fügte er sich resignierend dem unerforschlichen Ratschluß.
Nach seiner dramatischen Auseinandersetzung mit dem Firmeninhaber war Josef Kirschner umgehend nach Hause gefahren, wo er etwa eine halbe Stunde damit verbrachte, seine Frau und die weinenden Töchter von der Harmlosigkeit seiner Kinnverletzung zu überzeugen. Dem Vorschlag seiner Frau, den Firmeninhaber wegen gefährlicher Körperverletzung anzuzeigen, setzte er mit ruhigen Worten das sachliche Argument entgegen, damit sei weder ihm noch der Gesamtbelegschaft gedient, weil dies nur zu einer zusätzlichen Belastung des Betriebsklimas führen würde. Als er ihr dann noch erzählte, daß der Chef die Fabrik in einem Krankenwagen verlassen hatte, geriet sie, in der irrigen Annahme, dieser Vorgang sei durch eine Gegentätlichkeit ihres Mannes ausgelöst worden, völlig außer Fassung, und so brauchte er eine weitere halbe Stunde, um sämtliche Mißverständnisse aufzuklären. Dann entschloß er sich, den unerfreulichen Ereignissen dieses Vormittags doch noch eine angenehme Seite abzugewinnen und, das schöne Frühlingswetter nutzend, mit der Familie ins Grüne zu fahren. So kam es, daß Kirschner erst am nächsten Morgen von den angeblichen Verkaufsabsichten des Firmenchefs und dem Proteststreik erfuhr. Er rief sofort den Betriebsrat zusammen und verschaffte sich in einem langen Gespräch umfassenden Einblick in die Geschehnisse. Seinen Betriebsratskollegen, die im Laufe des vergangenen Tages, im Anschluß an die spontane Arbeitsniederlegung, vergeblich versucht hatten, ihn in seiner Wohnung zu erreichen, teilte er für seine zeitweilige Abwesenheit gewichtige Gründe mit, bei denen der angegriffene Gesundheitszustand seiner Frau eine Rolle spielte.
Obwohl die Belegschaft am Morgen die Arbeit in gewohnter Pünktlichkeit aufgenommen hatte, gewann er bei seinem Gespräch den Eindruck, das zweimalige Dementi der Geschäftsleitung habe die vorherrschende Unruhe über mögliche Verkaufsabsichten des Firmenchefs nicht völlig beseitigen können.
Die Berufung des Betriebsarztes zu seinem Stellvertreter hatte sich im gesamten Werk herumgesprochen und trug noch zusätzlich zu immer neuen Spekulationen bei. Während der überwiegend weibliche Teil der Belegschaft diese Nachricht nicht ohne zustimmendes Wohlwollen zur Kenntnis nahm, gab es bei den männlichen Arbeitskollegen unterschiedliche Auffassungen.

Einige betrachteten die Geschäftsleitung als qualifiziert genug, ihre bisherige erfolgreiche Verkaufspolitik selbst unter der Federführung eines Mediziners fortführen zu können, andere wollten in Dr. Hubers Berufung nur einen neuen, gegen die Arbeitnehmerinteressen gerichteten Willkürakt des Firmeninhabers sehen. Der Riß zwischen diesen konträren Meinungen pflanzte sich bis in den Betriebsrat fort, und es bedurfte der ganzen Überredungskunst Josef Kirschners, eine wiederaufflammende Streikbereitschaft, die sich vor allem an dem tätlichen Angriff des Firmenchefs auf seine Person entzündete, im Keime zu ersticken. Mit Hilfe der weiblichen Stimmen im Betriebsrat, konnte Kirschner eine Entschließung durchsetzen, die die sofortige Konstituierung eines Krisenstabes vorsah, dessen wichtigste Aufgabe darin bestand, in einem Gespräch mit der Geschäftsleitung noch vorhandene Zweifel an der Verbindlichkeit der abgegebenen Dementis aus dem Weg zu räumen. Nachdem er sich bei den weiblichen Betriebsräten für ihre kollegiale Unterstützung bedankt und ihnen nach der mit einfacher Mehrheitsentscheidung erfolgten Wahl des Krisenstabs auch noch sein Bedauern darüber ausgesprochen hatte, daß sich eine qualifizierte Mehrheit im Betriebsrat nicht dazu hatte entschließen können, wenigstens eine von ihnen in den Krisenstab zu berufen, war der offizielle Teil der Sitzung abgeschlossen. Neben Kirschner, der auch hier den Vorsitz übernahm, wurden noch zwei Kollegen gewählt, die beide in der Expedition tätig und gewerkschaftlich organisiert waren. Zusammen mit ihnen suchte Kirschner zuerst Dr. Huber in der Sanitätsstation auf. Sie mußten, weil dieser gerade mit einem ärztlichen Attest für einen Betriebsangehörigen beschäftigt war, einige Minuten warten, und als er sie schließlich empfangen konnte, zog er seinen weißen Mantel aus und sagte: »Ich nehme an, Sie wollen mich nicht in meiner Eigenschaft als Betriebsarzt sprechen.«

Kirschner, der Hubers berufliche Qualifikation ebenso schätzte wie seine politischen Ansichten, nickte zustimmend. »Sie werden sich jetzt aber für die eine oder für die andere Eigenschaft entscheiden müssen«, sagte er. »Es ist ein unmöglicher Zustand, daß der Chef Sie zu seinem Stellvertreter ernannt hat, ohne Sie von Ihren Pflichten als Betriebsarzt zu entbinden. Wir müssen diese Angelegenheit noch heute mit der Personalabteilung klären.«

Die beiden Betriebsratskollegen pflichteten ihm bei. Der

kleinere, ein im Dienst der Rectanus-Werke ergrauter Expedient im blauen Arbeitsmantel und mit schütterem Haarwuchs, sagte nachdrücklich: »Wenn Sie meine unmaßgebliche Meinung hören wollen, Herr Doktor . . .«
Dr. Huber unterbrach ihn lächelnd: »Ich habe Ihre Meinung noch nie als unmaßgeblich empfunden, Herr Singler, aber was soll ich tun! Ich kann meine Patienten nicht einfach sich selbst überlassen. Was erwarten Sie denn von mir? Daß ich mich ins Chefzimmer setze?«
Kirschner räusperte sich. »Wir wissen genauso wie Sie, Herr Dr. Huber, daß es sich hier nur um eine Kuhidee . . .« Er verstummte, dachte nach und fuhr dann fort: »Nun, sagen wir, daß es sich hier nur um einen launenhaften Einfall des Chefs handeln kann. Meine Kollegen vom Betriebsrat und ich sind uns darin einig, daß wir, ohne Ihrer Person nahetreten zu wollen, diese abenteuerliche Situation nicht hinnehmen werden. Ich möchte dem Chef – trotz allem Vorgefallenen – keine Provokation der Belegschaft unterstellen . . .«
»Dazu besteht sicher auch kein Anlaß«, fiel Dr. Huber ihm ins Wort. »Ich gehe vorläufig davon aus, daß es sich um einen impulsiv gefaßten Entschluß des Herrn Rectanus handelt, der rein zufällig mich getroffen hat, weil ich der erste Betriebsangehörige war, der ihn in der Klinik besucht hat. Übrigens hatte ich vor einer halben Stunde Gelegenheit, mit einem Kollegen in der Klinik zu telefonieren. Man ist dort anscheinend zum Schweigen verdonnert worden, aber immerhin konnte ich erfahren, daß Herr Rectanus bereits heute aus dem Krankenhaus entlassen werden soll. Er wird Ihnen sicher noch im Laufe des Tages sämtliche anstehenden Fragen persönlich beantworten können.«
»Davon wußte ich noch gar nichts!« sagte Kirschner überrascht.
Huber nahm sein Kinn zwischen Daumen und Zeigefinger und löste vorsichtig das Pflaster. »Eine kleine Narbe wird Ihnen erhalten bleiben«, sagte er und öffnete den Medikamentenschrank.
Während er die verkrustete Wunde behandelte, fragte Kirschner: »Weiß auch die Geschäftsführung schon von seiner Entlassung?«
»Ich hatte heute morgen noch keine Gelegenheit, mich zu informieren«, sagte Huber. »Ich glaube, man kann davon ausgehen, daß sich der gestrige Zwischenfall als eine Affekthandlung diagnostizieren läßt, die Herr Rectanus inzwischen wohl schon bedauert haben und für die er sich sicher noch bei Ihnen entschuldi-

gen dürfte. Ich möchte den Fall keineswegs bagatellisieren – im Gegenteil. Eine Wiederholung würde zwangsläufig zu einer psychiatrischen Untersuchung führen, was, falls sie seine Geschäftsunfähigkeit erweisen sollte, weitreichende Konsequenzen für uns alle haben müßte.«
Kirschner nickte. »Genau das habe ich vorhin auch meinen Kollegen vom Betriebsrat zu erklären versucht. Der Chef soll ja, wie ich inzwischen erfuhr, eine Tochter haben, kein Mensch kann wissen, welche Folgerungen sie daraus ziehen würde.«
»Dann ist an den Verkaufsabsichten vielleicht doch etwas Wahres!« sagte Singler und trat nervös von einem Bein auf das andere.
»Wenn ich meine unmaßgebliche Meinung dazu sagen darf . . .«
Er wurde auch diesmal durch Dr. Huber unterbrochen: »Ich halte das, zumindest vorläufig, für gänzlich ausgeschlossen. Die Herren Kolb und Meissner haben mir gestern ehrenwörtlich versichert, daran sei kein wahres Wort.«
»Und wenn sie es selbst noch nicht wissen?« gab Kirschner zu bedenken. »Der Chef hat seine wichtigsten Entscheidungen bisher immer im Alleingang getroffen und Geschäftsführung wie Belegschaft stets vor vollendete Tatsachen gestellt. Würden Sie für ihn die Hand ins Feuer legen?«
Dr. Huber klebte ihm ein neues Pflaster auf. »Natürlich nicht, Herr Kirschner. Man müßte herausfinden, wo und wie das Gerücht entstanden ist. Die Geschäftsführung jedenfalls hat keine Ahnung.«
»Wo Rauch ist, da ist auch Feuer«, meldete sich Kirschners zweiter Begleiter zu Wort. Er hieß Paul Linsenkorn und war so groß und breit, daß es kaum eine passende Tür für ihn gab. In der Expedition bediente er einen Gabelstapler. Einem seiner Arbeitskollegen war einmal eine zentnerschwere Kiste vom Stapler gefallen; diesem Umstand hatte der Tagespförtner Fritz Arnauer sein verkürztes Bein zu verdanken. Linsenkorn genoß bei seinen Kollegen nicht nur wegen seines körperlichen Umfangs Respekt; er galt auch, wie Singler, als kompromißloser und hartnäckiger Streiter für Belegschaftsinteressen.
Huber, der seine aufrechte und direkte Art mochte, sagte lächelnd: »Es gibt auch Strohfeuer, Herr Linsenkorn. Man kann sogar bestimmte Ereignisse herbeireden. Erinnern Sie sich daran, daß bereits vor Wochen das Gerücht umging, es sei zwischen Herrn Kirschner und Herrn Rectanus zu Handgreiflichkeiten gekommen? Trotz aller Dementis von Herrn Kirschner hat es

sich bis heute nicht aus der Welt schaffen lassen. Möglicherweise hat auch Herr Rectanus inzwischen davon gehört und gestern nachzuholen versucht, was ihm bisher unzutreffenderweise unterstellt wurde. Herr Kirschner hat mir nie verraten, was damals tatsächlich vorgefallen ist?«
Alle drei blickten Kirschner an. Er zuckte mit den Schultern. »Ich habe den Chef lediglich darauf aufmerksam gemacht, daß sein autoritärer Führungsstil nicht mehr in unsere Zeit paßt.«
»Das war alles?« fragte Huber zweifelnd. »Ich kann mir nicht vorstellen, daß dies der alleinige Grund für seine seitherige Angewohnheit sein soll, innerhalb der Fabrik nur noch schwarze Anzüge zu tragen.«
Linsenkorn und Singler grinsten. Sie wußten von Kirschner, daß in jenem Gespräch ungleich kräftigere Vokabeln ausgetauscht worden waren, als er sie hier anklingen ließ. Es gehörte jedoch zu Kirschners eisernen Prinzipien, sich außerhalb des Betriebsrats nicht darüber zu äußern. Auch diesmal zog er Schweigen einer Antwort vor. Singler, der mit seinen Wortmeldungen bisher zu kurz gekommen war, glaubte ein Bonmot parat zu haben: »Vielleicht hatte der Chef noch eine andere Tochter, die zufälligerweise zu dieser Zeit verstorben ist.« Er sah sich erwartungsvoll um, und als keiner lachte, zog er sich in verdrossenes Schweigen zurück.
Dr. Huber sagte: »Wenn Sie nicht darüber reden wollen . . .« In seinem Büro nebenan läutete das Telefon. Er entschuldigte sich und sagte bei seiner Rückkehr: »Es war Herr Kolb. Er bittet mich zu einer Geschäftsführerbesprechung ins Konferenzzimmer. Herr Rectanus hat heute früh eine längere Kur angetreten.«
Die drei Männer starrten ihn betroffen an. Kirschner faßte sich zuerst: »Das würde ja bedeuten . . .« Er brach ab. Dr. Huber nickte. »Daß es vorläufig beim jetzigen Zustand bleibt.«
»Das möchte ich mir selbst bestätigen lassen«, sagte Kirschner und schob sich breitschultrig zur Tür hinaus.
Da die Sanitätsstation im Erdgeschoß des Verwaltungsgebäudes untergebracht war, brauchten sie das Haus nicht zu verlassen. Sie fuhren mit dem Lift zur Chefetage hinauf und betraten, Dr. Huber an der Spitze, unangemeldet das Konferenzzimmer, wo Michael Kolb, Ferdinand Weckerle und Dr. Meissner bereits versammelt waren. Sie standen, als die vier Männer hereinkamen, unwillkürlich auf. Kolb sagte mit gerunzelter Stirn: »Meines Wissens habe ich Sie allein hierher gebeten, Herr Huber.«

»Nach der Geschäftsordnung hätte ich Sie eigentlich zu mir bitten müssen«, sagte Huber und setzte sich auf einen der bequemen Polsterstühle an den mahagoniglänzenden Konferenztisch. »Die Herren waren zufällig bei mir auf der Sanitätsstation und sind an Ihrer Mitteilung verständlicherweise genauso interessiert wie ich selbst. Hat Herr Rectanus meine Ernennung zu seinem Stellvertreter inzwischen widerrufen?«
Kolb hüstelte: »Davon ist uns nichts bekannt.«
»Dann müssen Sie es meinem Ermessen anheimstellen, ob ich es für richtig halte, zu diesem Gespräch eine Vertretung des Betriebsrats hinzuzuziehen«, sagte Dr. Huber und forderte Kirschner und seine beiden Männer auf, sich an den Tisch zu setzen. Kolb sagte schockiert: »Es ist noch nie vorgekommen, daß bei einer Geschäftsführerbesprechung . . .« Huber unterbrach ihn: »Nach bisherigem Reglement ist für Beschwerden allein der Firmeninhaber zuständig; wenden Sie sich an ihn.« Er zündete sich lächelnd eine Zigarette an.
Ferdinand Weckerle, dessen sympathisches Playboygesicht Ärger verriet, sagte förmlich: »Sie werden sich an bisherige Spielregeln gewöhnen oder auf unsere Kooperation verzichten müssen. Ich habe keinerlei Einwände gegen eine Hinzuziehung des Betriebsrats, aber doch erst, wenn die Geschäftsführung eine eigene Konzeption gefunden hat.«
»Darum können Sie sich ja anschließend bemühen«, sagte Huber heiter. »Ich glaube nicht, daß Herr Kirschner und seine Kollegen interessiert sind, Ihnen dabei Hilfestellung zu leisten. Sie möchten, wenn ich sie richtig verstanden habe, nur ein paar einfache Fragen an Sie richten und Sie um eine ebenso einfache Beantwortung ersuchen. Je früher dies geschieht, desto schneller sind Sie sie vermutlich wieder los.«
Kolb nahm die beiden anderen Herrn der Geschäftsleitung mit zum Fenster und besprach sich dort einige Minuten halblaut mit ihnen. Als sie zurückkehrten, waren ihre Mienen undurchdringlich verschlossen. Kolb sagte zu Kirschner: »Bitte, was wollen Sie wissen?«
»Worum es hier geht«, sagte Kirschner, der sich von der ungewohnten Umgebung am wenigsten beeindrucken ließ. In seinem dunkelbraunen, gutsitzenden Anzug paßte er sich den vorherrschenden Gegebenheiten unauffällig an, während seine beiden Kollegen mit ihren blauen Arbeitsmänteln in dem holzgetäfelten, mit unaufdringlicher Eleganz ausgestatteten Raum auf Mi-

chael Kolb wie exotische Abgesandte eines unterentwickelten Nachbarplaneten wirkten. Er sagte kühl: »Ich verstehe Ihre Frage nicht. Würden Sie sie bitte präzisieren?«
»Wir möchten die Gründe kennenlernen, die den Chef dazu bewogen haben, Dr. Huber zu seinem Stellvertreter zu ernennen«, antwortete Kirschner. »Wir möchten ferner wissen, welche Informationen Ihnen über Verkaufsabsichten vorliegen und was die Geschäftsleitung veranlaßt hat, ihre Erkenntnisse über die Hintergründe der jüngsten Chefentscheidungen dem Betriebsrat vorzuenthalten.«
»Ist das alles?« fragte Kolb gemessen. Kirschner nickte. »Für den Augenblick.
Ihre gegenseitige Abneigung wurde durch die Breite des sie trennenden Konferenztisches sinnfällig demonstriert. Weckerle versuchte einen versöhnlichen Ton anklingen zu lassen: »Aber meine Herren, das sind doch alles Dinge, die wir genausowenig wissen wie Sie. Wir hatten seit den bedauerlichen Vorkommnissen des gestrigen Morgens doch gar keine Gelegenheit, uns durch ein persönliches Gespräch mit Herrn Rectanus über seine Absichten zu informieren. Wir wissen, daß er Herrn Dr. Huber aus uns vorläufig unbekannten Gründen zu seinem Stellvertreter ernannt und es vorgezogen hat, eine längere Kur anzutreten. Von Verkaufsabsichten ist uns ebensowenig bekannt wie Ihnen; ich halte das für vollkommen aus der Luft gegriffen. Uns beunruhigen diese ganzen Vorgänge nicht weniger als Sie; das dürfen Sie uns glauben. Auch wir wissen uns keinen Vers darauf zu machen, zumal uns inzwischen noch bekannt geworden ist, daß Herr Rectanus sich mit Heiratsabsichten trägt.«
Kirschner starrte ihn ungläubig an. »Das ist mir neu! Von wem wissen Sie das?«
»Von seinem Anwalt, Herrn Dr. Mauser«, antwortete Kolb für Weckerle. »Wir können im Augenblick gar nichts anderes tun, als abzuwarten und . . .«
»Natürlich könnten Sie etwas anderes tun«, sagte Kirschner und schlug mit der flachen Hand erregt auf den Tisch. »Hier geschehen doch Dinge, von denen möglicherweise die gesamte Belegschaft betroffen ist. Wenn Sie schon nichts anderes wissen als das, was Sie uns hier erzählen, warum versuchen Sie dann nicht wenigstens, in einem Gespräch mit dem Chef Klarheit zu schaffen?«
»Sehr richtig!« rief Singler dazwischen. »Wozu sind Sie über-

haupt da, wenn Sie nichts unternehmen? Nach meiner unmaßgeblichen Meinung . . .« Kolb unterbrach ihn gereizt: »Da Sie sie schon selbst als unmaßgeblich erachten, brauchen wir uns auch nicht näher mit ihr zu befassen.« Zu Kirschner sagte er: »Herr Weckerle hat Ihnen soeben erklärt, daß wir noch gar keine Möglichkeit hatten . . .«
»Dann verschaffen Sie sich doch eine!« unterbrach ihn Kirschner. »Es muß doch zu erfahren sein, wohin der Chef zur Kur gefahren ist! Wenn die Geschäftsleitung nicht willens oder nicht fähig ist, ihn Farbe bekennen zu lassen, dann wird dies eben durch eine gewählte Abordnung der Belegschaft geschehen.«
Kolb sagte fassungslos: »Von Ihnen wird sich die Geschäftsleitung nicht sagen lassen müssen, was sie zu tun oder zu lassen hat. Herr Rectanus wird im Augenblick auch ganz andere Dinge im Kopf . . .«
»Eben darum!« sagte Kirschner. »Die Belegschaft möchte endlich wissen, was in seinem Kopf vor sich geht, und wenn wir das auf keine andere Weise erfahren können und die Geschäftsführung unfähig ist, dann werden wir eben von uns aus die erforderlichen Maßnahmen ergreifen . . .« Meissner fiel ihm scharf ins Wort: »Falls Sie jetzt von Kampfmaßnahmen reden, mache ich Sie darauf aufmerksam, daß Sie die alleinige Verantwortung dafür tragen und daß die Geschäftsleitung Mittel und Wege finden wird . . .«
»Dann fangen Sie nur rechtzeitig an, nach ihnen zu suchen«, sagte Kirschner, der jetzt ebenfalls in Fahrt geriet. Er wandte sich rasch an Dr. Huber, der dem Gespräch mit einem halbverdeckten Lächeln folgte: »Nach dem gestrigen Vorfall bin ich im Augenblick vielleicht nicht der richtige Gesprächspartner für den Chef. Wären Sie als sein derzeitiger Stellvertreter, und wenn Sie offiziell darum ersucht würden, eventuell bereit, im Auftrag des Betriebsrats mit Herrn Rectanus zu sprechen?«
Meissner sagte empört: »Als stellvertretender Firmenchef ist Dr. Huber überhaupt nicht dazu verpflichtet, Weisungen des Betriebsrats entgegenzunehmen oder als dessen Sprecher zu fungieren! Hier scheint ja eine Paralogie vorzuliegen . . .« Kirschner ließ ihn nicht aussprechen: »Ich habe Herrn Dr. Huber auf gut deutsch etwas gefragt, und er wird mir, obwohl er sicher ein genauso gebildeter Mann ist wie Sie, vielleicht auch auf gut deutsch antworten können. Auch wenn der Betriebsrat der Meinung ist, daß seine Ernennung zum stellvertretenden Chef eine Entschei-

dung ist, die wir sachlich nicht vertreten möchten, so besitzt er doch als Mensch das uneingeschränkte Vertrauen der Belegschaft.« Er richtete das Wort wieder an Huber: »Sie brauchen sich nicht sofort zu entscheiden . . .«
»Ich habe mich bereits entschieden«, sagte Huber und stand auf. Er drückte seine Zigarette aus und sagte zu Dr. Meissner: »Was riskieren wir schon damit? Schlimmstenfalls, daß ich meines hohen Amtes wieder enthoben werde, und darüber könnten Sie doch nur glücklich sein. Ich werde mich persönlich um den derzeitigen Aufenthaltsort von Herrn Rectanus kümmern.« Zu Kirschner sagte er: »Es ist psychologisch klüger, ich suche ihn erst einmal allein auf. Wenn ich nichts erreiche, können Sie ihm immer noch eine Delegation des Betriebsrats auf den Hals schikken.« Er wandte sich lächelnd an alle: »Die Sitzung ist geschlossen meine Herren.«
Weckerle verließ als erster den Raum. Kolb und Meissner sahen ihm nach, wie er mit großen, elastischen Schritten zur Tür ging. Meissner räusperte sich: »Ich weiß, Sie sind gut befreundet, aber manchmal begreife ich ihn nicht. Er ist ein Mann, bei dem ich nie recht weiß, wo er steht: auf unserer oder auf der Seite des Betriebsrats. Bitte, ich will Ihnen nicht zu nahetreten . . .« Kolb unterbrach ihn: »Das tun Sie nicht; ich begreife ihn manchmal auch nicht. Eigentlich sind auch nur unsere Frauen gut befreundet. Da bleibt es nicht aus, daß man sich öfter sieht. Er ist ein vorzüglicher Tennispartner, aber in politischen Dingen stimmen wir nicht immer überein. Im Lauf der letzten zwölf oder vierzehn Monate hat er sich sehr verändert; ich weiß auch nicht, was dahintersteckt.«
Meissner nahm die Brille ab, wischte sie mit einem Taschentuch blank und setzte sie wieder auf. Er bot Kolb eine Zigarette an und sagte beiläufig: »Wissen Sie, ich wäre wohl der erste, der Wind davon bekäme, wenn an den Verkaufsabsichten etwas Wahres sein sollte. Was mich dennoch beunruhigt, ist eine gewisse Duplizität; ich meine, dieses mir unbegreifliche Gerücht in Verbindung mit plötzlichen Heiratsabsichten und einem vor wenigen Tagen durch den Chef an mich herangetragenen Wunsch nach einer spezifizierten Übersicht über das derzeitige Umlauf- und Anlagevermögen, für den eigentlich kein unmittelbarer Anlaß vorlag.«
»Sie meinen . . .« sagte Kolb betroffen. Meissner schnippte mit einer lässigen Bewegung die Asche von der Zigarette. »Es ist na-

türlich das legitime Recht eines Firmeninhabers, sich kurzfristig Einblick in seine Vermögenslage zu verschaffen. Wenn man diesen Wunsch allerdings mit seinen neuesten privaten Eskapaden impliziert, bin ich mir doch nicht mehr ganz so sicher, ob ich etwas meinen soll oder nicht.«
Kolb stand in großer Erregung auf und trat ans Fenster. Mit belegter Stimme sagte er: »Ich kann es nicht glauben. Ich kann es einfach nicht glauben, daß er uns dermaßen verschaukeln soll. Wozu überhaupt? Er ist doch so schon reich genug!«
Meissner kam zu ihm und legte ihm beruhigend die Hand auf die Schulter. »Sie und ich wären wohl kaum davon betroffen. Auch ein neuer Inhaber würde an der derzeitigen Geschäftsführung kaum etwas auszusetzen haben. Ich finde nur, es liegt in unser aller Interesse, uns auf gewisse Eventualitäten einzustellen. Was mir zu denken gibt, ist das angespannte Verhältnis des Chefs zur Belegschaft und vor allem zum Betriebsrat. Ein Mann wie er wird es auf die Dauer nicht verkraften, nicht mehr Herr im eigenen Hause zu sein. Mir erginge es an seiner Stelle vielleicht genauso. Ich kenne mindestens zwei Konzerne, die ihm fast jeden Preis für das Werk bezahlen würden, und sei es nur, um eine unbequeme Konkurrenz loszuwerden. Ich habe mir das in den letzten Tagen so ganz privat ein bißchen durchgerechnet. Nach Rückzahlung des Fremdkapitals wird er für das Werk mindestens zweihundert Millionen auf den Tisch bekommen. Was würden Sie in seiner Lage tun, wenn Sie siebzig wären und noch einmal heiraten wollten?«
Kolb schwieg, seine Gedanken waren schon wieder weit weg.

9

Nach seinem Eintreffen in der Regenerationsklinik sprach der Chef zunächst etwa zehn Minuten lang unter vier Augen mit dem Chefarzt Professor Dr. Eschenburger in dessen Privatordination und unterrichtete ihn davon, daß er sich kerngesund und außerstande fühle, sich irgendwelcher therapeutischen Reglementierung zu unterwerfen. Professor Eschenburger, ein erfahrener Arzt und Psychologe, hörte ihm geduldig zu und klärte ihn dann darüber auf, daß sein Haus sich von anderen Regenerationskliniken insofern unterscheide, als die Patienten keiner Reglementierung unterworfen seien und, wenn sie das wünschten, über ihre Zeit mit Spaziergängen, Benutzung des geheizten Schwimm-

bads, der Massage-, Solarium- und Gymnastikräume frei verfügen könnten. Er schob dann in behutsamem Ton die Frage nach, weshalb er, dessen Name und Werk ihm selbstverständlich ein vertrauter Begriff seien, trotz seiner vorzüglichen Gesundheit einen Aufenthalt in seiner Klinik überhaupt in Erwägung gezogen habe. Daraufhin holte der Chef ein Scheckbuch aus der Tasche und erkundigte sich nach dem Preis eines vier- bis sechswöchigen Kuraufenthaltes für zwei Personen, wenn er auf die zuletzt gestellte Frage keine Antwort geben müsse.
Professor Eschenburger, ein blühend aussehender, kräftiger Mann mit roter Gesichtsfarbe, dessen weißer Mantel sich straff über einen kleinen Kugelbauch spannte, winkte verbindlich lächelnd ab und gab zu verstehen, daß seine Patienten nicht im voraus zu bezahlen brauchten und lästige Fragen getrost unbeantwortet lassen dürften. Der Chef nahm dies mit Befriedigung zur Kenntnis und ließ einfließen, daß eben diese Freiheiten ihn dazu bewogen hätten, sich gerade für seine und keine andere Klinik zu entscheiden. Für seinen Chauffeur, den der Chef in der Nähe behalten wollte, empfahl Professor Eschenburger ein Hotelzimmer im nahegelegenen Kurort, und kam dann auf die im Wartezimmer sitzende Begleiterin des Chefs zu sprechen. Er fragte: »Wünschen Sie, daß die Dame ein Zimmer in Ihrer unmittelbaren Nachbarschaft bekommt?«
»Wenn sich das mit der Moral Ihrer Klinik vereinbaren läßt«, sagte der Chef und wollte sich eine Zigarre anzünden. Professor Eschenburger sagte mit erhobenem Zeigefinger: »Dies ist eine der ganz wenigen Reglementierungen, denen sich alle Klinikgäste ausnahmslos unterwerfen müssen, Herr Rectanus. Geraucht wird innerhalb des Hauses nicht, und was die hausinterne Moral betrifft, so sind wir eine moderne Klinik, deren therapeutische Erfolge nicht zuletzt darauf beruhen, daß wir unseren Gästen auch die Freiheit einräumen, private Kontakte anzuknüpfen und sich auf solche Weise in eigener Verantwortung ihrer zumeist beruflich bedingten psychischen Isolation zu entziehen, die eine der häufigsten Ursachen für Streß und seine Folgeerscheinungen ist. Wobei wir selbstverständlich Wert darauf legen, daß weniger liberal denkende Klinikgäste in ihrem sittlichen Empfinden nicht behelligt werden.«
»Und was die sonstigen Verstöße betrifft . . .«, sagte Rectanus und steckte die Zigarre in die Tasche zurück. Professor Eschenburger lächelte: »Zählen sie zur allerseits respektierten Privat-

sphäre unserer Patienten. Darf ich fragen, in welchem Verhältnis Sie zu der Dame stehen?«
Der Chef nickte. »Fräulein Steidinger ist meine ständige Begleiterin und Verlobte. Wir haben vor, in absehbarer Zeit zu heiraten. Ich hoffe, Ihre Neugierde damit gestillt zu haben.«
Professor Eschenburger lachte. »Das haben Sie in der Tat, Herr Rectanus; dazu schon jetzt meinen herzlichen Glückwunsch und einen angenehmen und erholsamen Aufenthalt in unserer Klinik.«
»Dessen bin ich mir noch nicht ganz sicher«, sagte der Chef und stand auf. Professor Eschenburger griff zum Telefon und gab einige Anweisungen. Dann begleitete er den Chef ins Wartezimmer und begrüßte Annemarie mit einem kräftigen Händedruck. »Sie werden sofort Ihre Zimmer zugewiesen bekommen«, sagte er. »Ich habe für Sie die sehr schöne Südlage reservieren lassen. Bitte halten Sie sich morgen zwischen zehn und elf zur Aufnahmeuntersuchung, der sich alle neu eintreffenden Klinikgäste unterziehen müssen, für unseren Oberarzt, Herrn Dr. Schneider, zur Verfügung.«
»Ich lasse mich grundsätzlich nicht untersuchen«, sagte der Chef. »Sie werden da in meinem Fall schon eine Ausnahme machen oder auf meine Anwesenheit verzichten müssen. Ich sagte Ihnen bereits, daß ich mich kerngesund fühle, und ich möchte mir diese Illusion durch keine ärztliche Untersuchung rauben lassen. Fräulein Steidinger können Sie meinetwegen untersuchen, sooft und so gründlich Sie wollen.«
»Ein Blutbild habe ich erst vor acht Wochen machen lassen«, sagte Annemarie. Sie trug ein unauffälliges dunkelblaues Kleid und überragte auch Professor Eschenburger noch um eine halbe Hauptеslänge. Er blickte bewundernd zu ihr auf: »An Ihrem Wohlbefinden zweifle ich keinen Augenblick, Fräulein Steidinger, aber erfahrungsgemäß machen sich Frühschäden leider erst dann bemerkbar, wenn es uns bereits Mühe kostet, sie noch in den Griff zu bekommen.« Zum Chef sagte er: »Selbstverständlich zwingen wir keinen unserer Patienten zu einer Untersuchung, aber vielleicht ändern Sie Ihre Meinung noch. Unsere Klinik ist bekannt für Akupunktur, Frischzellentherapie und biologische Behandlungen bei Depressionen und Durchblutungsstörungen.«
»Depressiv bin ich immer nur bei Durchsicht meines Steuerbescheids«, sagte der Chef.

Professor Eschenburger wandte sich der Tür zu, wo eine in blitzendes Weiß gekleidete Schwester auftauchte. »Das ist Schwester Ingeborg, die Sie in Ihre Zimmer führen und Ihnen behilflich sein wird, sich bei uns einzuleben. Sie wird Ihnen auch, wenn Sie das wünschen, das Essen auf dem Zimmer servieren.«
»Ja, darauf möchte ich bestehen«, sagte der Chef und schloß sich der freundlich lächelnden Schwester an. »Ihr Gepäck ist bereits oben«, sagte sie. »Hier geht es zum Lift; wenn Sie mir bitte folgen wollen.«
»Eine angenehme Person«, sagte der Chef zu Annemarie und holte wieder die Zigarre aus der Tasche. Sie nahm sie ihm aus der Hand und sagte: »In einer Klinik darf nicht geraucht werden. Warum wollen Sie sich nicht untersuchen lassen? Das würde Ihnen sicher nichts schaden!«
»Das weiß man immer erst hinterher«, sagte der Chef. »Das ist ja ein schrecklich alter Kasten. Ich glaube nicht, daß ich mich hier wohl fühlen werde.«
»Ich mich schon«, sagte Annemarie, während sie der Schwester durch einen langen, dunklen Flur folgten. »Ich finde das Haus sehr romantisch. Auch die Lage ist hübsch.«
Ihr Zimmer war größer als das des Chefs, ein Eckzimmer mit zwei hohen Fenstern und einer zweiflügeligen Balkontür; auf dem Balkon standen Liegestühle in der Sonne. Die Schwester sagte: »Ich hoffe, es gefällt Ihnen, Frau Rectanus. Hier ist die Tür zum Bad, und auf der anderen Seite sind eingebaute Wandschränke. Das Abendessen wird um sieben serviert. Soll ich Ihnen auspacken helfen?«
»Nein, danke, das mache ich selbst«, sagte Annemarie und sah sich nach dem Chef um. Er war unschlüssig an der Tür stehengeblieben. »Ihr Zimmer ist nebenan«, sagte die Schwester zu ihm. »Wenn Sie mir bitte folgen wollen, Herr Doktor.«
Annemarie blickte ihr verwundert nach.
Im Zimmer gab es einen weichen Teppichboden und eine gemütliche Sitzecke. Daneben zwei Betten. Sie probierte sie aus und trat dann auf den Balkon. Vor der Klinik sonnten sich Hausgäste auf einer von Blumen übersäten Wiese. Jenseits der Wiese floß ein kleiner Bach, und dahinter ragten schneebedeckte Berggipfel in den blauen Himmel. Auch auf den verschlungenen Waldwegen, die sie vom Balkon aus entdecken konnte, lagen noch Schneereste.
Sie fand den Ausblick sehr schön und nahm sich vor, mindestens

vierzehn Tage hierzubleiben. Bevor sie ihre Koffer auspackte, ging sie ins Bad. Als sie zurückkam, saß der Chef auf dem Bett und rauchte eine Zigarre. Er sagte: »Ihr Toilettenpapier beziehen sie jedenfalls nicht von mir; für eine moderne Klinik, die sie doch sein wollen, sind sie in der Hygiene ziemlich rückständig.« Er sah verärgert aus. Annemarie sagte: »Daheim verwenden wir auch ein anderes. Meine Mutter findet, nach Ihrem Produkt riecht die ganze Wohnung.«
»Was deine Mutter findet, interessiert mich nicht«, sagte der Chef übellaunig. Sie setzte sich neben ihn und faltete die Hände im Schoß. »Vielleicht doch«, sagte sie. »Sie kann es schon deshalb nicht ausstehen, weil sie es den ganzen Tag in Ihrer Fabrik riechen muß.«
»In welcher Fabrik?« fragte der Chef verständnislos. »Doch nicht in meiner?« Annemarie nickte. »Sie arbeitet seit fünf Jahren in einer dieser stinkenden Hallen.« Er nahm die Zigarre aus dem Mund. »Und das sagst du mir erst jetzt?«
»Sie haben sich bisher nicht dafür interessiert, ob ich überhaupt noch eine Mutter habe«, erinnerte sie ihn. Er dachte eine Weile mit gerunzelter Stirn nach, dann fragte er: »Hast du ihr schon von mir erzählt?«
»Nur von einem Mann«, sagte sie. »Daß Sie es sind, habe ich verschwiegen.« Der Chef wirkte erleichtert. »Mal sehen, was wir da tun können«, sagte er unklar und blickte sich im Zimmer um. »Wir werden tauschen. Dieses gefällt mir besser.«
»Sie sind aber ein Kavalier!« sagte Annemarie. »Wenn Ihnen Ihr Zimmer nicht gefällt, dann lassen Sie sich ein anderes geben; ich bleibe jedenfalls hier.«
Er sagte gereizt: »Du wirst tun, was ich dir sage, sonst schicke ich dich nach Hause!«
»Nicht vor vierzehn Tagen«, sagte sie und stand auf. »Früher werden Sie mich nicht los. Wenn ich Ihretwegen schon meine Stellung verloren habe, will ich auch was davon haben.«
»Eine peinliche Sache«, sagte der Chef angewidert. »Was mußte dieser Dummkopf ausgerechnet in diesem Augenblick hereinkommen! Was treibst du denn da?«
»Ich ziehe mich um«, sagte sie und streifte das Kleid über den Kopf. Er stand auf, ging zur Tür und drehte den Schlüssel herum. Dann kam er zu ihr und faßte schnell nach ihrem Slip. Sie versetzte ihm einen kleinen Stoß, der ihn rücklings auf das Bett warf, und sagte: »Über die Reihenfolge haben wir uns geeinigt: Zuerst

den Ehe- und Erbvertrag, dann das Standesamt und dann erst dies. Anders kriegen Sie es nicht.«
Er richtete sich auf und rückte die Brille zurecht. »Dabei bleibt es auch«, sagte er mit rotem Kopf. »Dr. Mauser weiß Bescheid, daß er schon in den nächsten Tagen einen Notar herbeischafft, aber anschauen lassen könntest du dich wenigstens einmal.«
»Das tun Sie doch ununterbrochen«, sagte sie und nahm ein anderes Paar Schuhe aus dem Koffer. Er sagte: »Ich möchte dich ganz sehen; zieh das Ding aus, sonst tu ich es selbst.« Sie musterste ihn neugierig. »Warum versuchen Sie es nicht?«
»Ich möchte, daß du es tust«, sagte er einlenkend. »Was ist schon dabei! Du kriegst dafür alles, was du haben willst.« Sie legte die Schuhe auf das Bett, setzte sich daneben und sagte sachlich: »Vor allem will ich ein paar Kleider haben.«
»Du bekommst Geld«, sagte er. »Hier!« Er griff hastig nach seiner Brieftasche und öffnete sie. »Nimm dir heraus, was du willst«, sagte er. »Hans wird dich morgen in den Ort fahren; dort kannst du dir einen ganzen Laden leerkaufen. Nimm nur!«
Sie griff nach der Brieftasche, nahm einige größere Scheine heraus und sagte: »Das ist nur für den Anfang. Ich habe mich nicht mit dir eingelassen, damit du mich kurzhältst. Faß mich aber nicht an, sonst passiert dir dasselbe wie vorhin im Auto.«
»Ja, ja«, sagte er ungeduldig. »Ich tu dir nichts.«
Sie streifte den Slip ab und sagte: »Die Narbe ist von einer Blinddarmoperation. Wenn sie dich stört, klebe ich Leukoplast drüber.« Er starrte sie, während seine Unterlippe heftig zu zittern anfing und sein Gesicht mehrmals hintereinander die Farbe wechselte, hingerissen an.
»Vielleicht auch noch ein schöner Rücken gefällig?« erkundigte sie sich und drehte sich um. Dann lief sie, ohne sich weiter um ihn zu kümmern, ins Badezimmer, schloß hinter sich ab und stellte sich mit einem Stück Seife unter die Dusche. Während der ganzen Zeit hörte sie ihn gegen die Tür klopfen, und als das Klopfen so heftig wurde, daß es bald im ganzen Haus zu hören sein mußte, ging sie ihm öffnen und fragte: »Was soll das?« Er schlug so wieselflink zu, daß sie es überhaupt nicht begriff und gegen die gekachelte Wand taumelte. Seine Stimme bebte vor Zorn: »Wer bist du denn, daß du mich so behandelst!«
Sein Schlag hatte sie voll aufs Ohr getroffen, und ein paar Augenblicke lang fühlte sie sich versucht, zurückzuschlagen. Es fiel ihr jedoch gerade noch rechtzeitig ein, daß sie mindestens vierzehn

Tage hierbleiben wollte, und so kehrte sie stumm unter die Dusche zurück. Sie spülte den Seifenschaum vom Körper, und als sie nach dem Badetuch greifen wollte, kam der Chef zu ihr und nahm es ihr aus der Hand. »Laß mich das tun«, bat er leise. »Es tut mir leid, daß mir das passiert ist, Mädchen. Ich bin es nicht gewohnt, daß man so mit mir umspringt.« Sie duldete, daß er sie abtrocknete, und hinterher ließ er Handtuch und Brille fallen und bedeckte ihren Körper mit Küssen. Sie stellte bald fest, daß er, wenn auch ein alter, so doch kein ungeschickter Mann war, und je länger sie ihn gewähren ließ, desto unschlüssiger wurde sie, ob sie es noch rechtzeitig würde beenden können oder nicht. Sie lehnte sich mit den Schultern gegen die Wand und fühlte, wie ihre Knie seinem Drängen nachgaben und ihre unerwartet einsetzende Erregung.
»Komm!« sagte der Chef und führte sie, vor Aufregung stolpernd, an der Hand ins Zimmer zurück. Um sich seinen Anblick zu ersparen, wartete sie auf dem Bett mit geschlossenen Augen auf ihn, und als er nicht kam und sie nur wieder seine Liebkosungen erfuhr und sonst nichts, öffnete sie die Augen. Er saß, noch völlig angezogen und ganz in ihren Anblick versunken, mit dem Rücken zu ihr; irgendwie schien es ihm gelungen zu sein, seine Brille aus dem Badezimmer zu retten, denn er trug sie jetzt plötzlich wieder auf der Nase; sein dichtes, weißes Nackenhaar machte einen gepflegten Eindruck. Sie schloß erneut die Augen und versuchte so lange an einen anderen Mann zu denken, bis es ihr gelang und sie sich mit einem befreiten Seufzer Erlösung schuf. Damit er ihr Gesicht nicht sehen konnte, warf sie sich rasch auf den Bauch und war für eine Weile unfähig, Empfindungen zu haben. Später stellte sie fest, daß er das Zimmer verlassen hatte. Sie wälzte sich herum und betrachtete gleichgültig ihren Körper.
Durch die hohen Fenster schien die warme Nachmittagssonne auf das Bett. Sie blieb noch eine Weile liegen, dann ging sie sich waschen und packte danach ihren Koffer aus. Im Morgenrock setzte sie sich auf den Balkon in die Sonne und blickte auf die Liegewiese hinab. Dort saßen jetzt nur noch wenige Gäste; die Männer trugen Trainingsanzüge, die Frauen Bikinis oder Bademäntel. Mit einer unklaren Befriedigung stellte sie fest, daß sie alle wesentlich älter waren als sie. Während der ganzen Zeit beschäftigten sich ihre Gedanken mit ihrem letzten Erlebnis. Sie gewann, je länger sie darüber nachdachte, immer mehr den Ein-

druck, daß es ihm bei alldem nur darum gegangen war, ihr zu zeigen, daß er sie bereits als sein Eigentum betrachtete, über das er nach Gutdünken verfügen könnte.
Sie sah ihn erst beim Abendbrot wieder. Schwester Ingeborg brachte das Essen in ihr Zimmer und erzählte, der Herr Doktor habe dies so gewünscht. Sie servierte eine appetitlich aussehende Aufschnittplatte mit verschiedenen Brotsorten. Dazu gab es Tee, Milch und, für hinterher, ein kleines Dessert. Annemarie fragte sie nach dem Tagesprogramm in der Klinik; die Schwester schüttelte lächelnd den Kopf. »Das gibt es bei uns, außer den festen Essenszeiten, überhaupt nicht, Frau Rectanus. Das Programm ist, je nachdem, was die Untersuchung ergeben hat, für jeden Patienten anders. Für viele genügt es schon, aus ihrer gewohnten Umgebung herausgelöst und bei uns verwöhnt zu werden. Dr. Schneider sagt jedem einzelnen, wie lange er täglich schwimmen, wandern oder sich in die Sonne legen soll. Er verordnet auch die Massagen und Heilbäder. Die Klinik ist bekannt für individuelle Therapie. Morgen will sogar das Fernsehen zu uns kommen.«
»Wirklich?« fragte Annemarie gleichgültig. Schwester Ingeborg nickte stolz. »Der Chef hat es erst heute erfahren; sie wollen eine große Reportage über die Klinik bringen und auch Gäste interviewen. Natürlich nur solche, die damit einverstanden sind. Falls Sie nachts einmal Durst bekommen: auf jedem Flur steht ein Kühlschrank mit alkoholfreien Getränken; Sie können davon nehmen, was Sie wollen. Das ist alles im Preis inbegriffen.« Sie verabschiedete sich freundlich. Augenblicke später kam der Chef herein; er trug einen schwarzen Anzug mit einer schwarzen Krawatte. Sie fragte, weil sie noch im Morgenrock war: »Wer ist gestorben?«
»Was soll das?« erkundigte er sich verärgert. Sie zuckte mit den Schultern und wollte sich, um ein Kleid anzuziehen, dem Schrank zuwenden, aber er hielt sie zurück und sagte: »Du brauchst dich nicht umzuziehen. Was haben wir denn da Schönes?« Er betrachtete die Aufschnittplatte. »Auf Diät haben sie uns jedenfalls noch nicht gesetzt; das kommt vielleicht erst morgen, wenn du deine Untersuchung hinter dir hast.«
»Ich dachte, das hätte ich schon«, sagte sie und setzte sich an den Tisch. Er trat hinter sie, küßte sie auf die Wange und streifte ihr den Morgenrock bis zu den Hüften von den Schultern. »Es ist warm genug im Zimmer«, sagte er. »Das behindert dich doch nicht beim Essen?« Er roch nach einem herben Rasierwasser; sie

blickte ihn stumm an. Mit einem Lächeln setzte er sich ihr gegenüber an den Tisch und sagte: »Du wirst dich noch an meine kleinen Eigenheiten gewöhnen. Würdest du mir bitte vorlegen?«
Beim Essen ließ er sie keine Sekunde lang aus den Augen. Das Brot schien ihm, obwohl es ganz frisch war, Mühe zu bereiten; er kaute auf jedem Bissen auffallend lange herum. Angewidert stellte sie fest, daß er die Teetasse mit abgewinkeltem kleinem Finger hielt. Weil er kein Wort sprach und sie keinen Anlaß sah, von sich aus eine Unterhaltung zu beginnen, verlief das Essen schweigsam. Nach dem Dessert, das er hastig hinunterlöffelte, wischte er sich mit der Serviette den Mund ab und sagte: »Ich habe dir versprochen, dich zu heiraten, und ich werde es auch tun. Verhalte dich dementsprechend. Ich komme in zehn Minuten zu dir; leg dich schon hin.«
»Wozu?« fragte sie.
Er warf die Serviette auf den Tisch und verließ das Zimmer. Weil das Geschirr sicher nicht vor morgen früh abgeräumt werden würde, stellte sie es auf das Tablett und trat auf den Balkon hinaus. Es wurde bereits dämmrig; die weißen Berggipfel hatten sich mit Wolkenschleiern behängt, die in der untergehenden Sonne rosafarben aufleuchteten. Von weiter unten, wo hinter einer Talkrümmung der Kurort lag, bimmelte eine kleine Kirchenglocke hysterisch dem versinkenden Tag nach.
Sie merkte plötzlich, daß sie fröstelte, und kehrte rasch ins Zimmer zurück. Sie legte sich im Morgenrock aufs Bett und sah zu, wie es dunkel im Zimmer wurde. Als der Chef hereinkam, konnte sie ihn schon nicht mehr sehen. Sie hörte, wie er etwas auszog, dann kam er zu ihr und sie fühlte seine tastende Hand an der Schulter. Sie rückte auf die Seite und fragte: »Warum redet dich die Schwester immer mit ›Doktor‹ an? Bist du einer?«
»Das war bei uns eine alte Familientradition«, sagte er und legte sich zu ihr. Er war so ungeduldig, daß sie kaum Zeit fand, sich auf ihn einzustellen. »Ich war lange bei keiner Frau mehr«, sagte er flüsternd. »Hilf mir ein bißchen.«
»Vorhin bist du ganz gut ohne meine Hilfe ausgekommen«, sagte sie und drehte sich, ihm das Gesicht zuwendend, auf die Seite. Er flüsterte heiser: »Da wollte ich auch noch nicht mit dir schlafen. Ich bin ein alter Mann; ihr Frauen habt es da viel einfacher.«
»Du lieber Himmel«, sagte sie. »Soll ich dich beweinen? Frauen haben es, wenn sie alt werden, sogar noch schwerer als ihr!«
»Du hast ja keine Ahnung davon«, flüsterte er und bewegte sich

unruhig. »Altwerden ist grausam. Du hättest mich mal vor dreißig Jahren sehen sollen! Da war ich auch äußerlich noch wer.«
»Jugend und Schönheit vergehen«, bestätigte sie. »Ich weiß gar nicht, worüber du dich beklagst! Du solltest dem lieben Gott sogar dankbar dafür sein, daß er dich noch so rasch ansprechen läßt.«
»Bin ich ja auch«, sagte er atemlos.

10

Unter der Post, die Werner C. Merklin am nächsten Morgen auf seinem Schreibtisch vorfand, war auch der Brief eines anonymen Absenders. Er forderte die verantwortlichen Redakteure auf, einmal nachzuprüfen, ob der Inhaber der Rectanus-Werke tatsächlich in einem Krankenhaus liege oder sich nicht schon längst, aus gewissen Gründen, zu seiner Tochter in die Schweiz abgesetzt habe. Unterzeichnet war der mit Maschine geschriebene Brief von einem Mann, dem es um das Schicksal von über dreitausend Werksangehörigen ging.
Der Brief erschien Merklin so wichtig, daß er die Angelegenheit umgehend mit dem Studioleiter, Dr. Haberbusch, durchsprach. Er sagte: »Wenn an dieser Geschichte wirklich etwas dran sein sollte, dann handelt es sich, im Zusammenhang mit den Verkaufsabsichten, möglicherweise um eine Steuermanipulation. Mir scheint diese Angelegenheit so wichtig zu sein, daß wir sie unbedingt verfolgen sollten.«
Haberbusch, ein dünnlippiger Mann mit hoher Stirn und gelben Nikotinfingern, gab zu bedenken, daß sich das Fernsehen in einer so wichtigen Angelegenheit und bei einer so bedeutenden Persönlichkeit wie Herrn Rectanus allein auf Wunsch eines anonymen Briefeschreibers keinesfalls zu einem Engagement mit möglicherweise unübersehbaren Konsequenzen hinreißen lassen dürfe. Erst als Merklin von den Ereignissen des gestrigen Tages und der einmaligen Tatsache berichtete, daß ein angesehener Repräsentant der deutschen Industrie mit gezogenem Messer auf seinen Betriebsratsvorsitzenden losgegangen war, wurde Haberbusch hellhörig. Er fragte: »Haben Sie diesen Kirschner schon interviewen lassen?«
»Der Mann war bereits nach Hause gegangen und hätte uns erfahrungsgemäß dort sicher nicht empfangen«, antwortete Merklin. »Als Betriebsratsvorsitzender wird er sich gegenüber der

Geschäftsleitung keine Blöße geben, die sich vielleicht arbeitsrechtlich gegen ihn verwenden ließe. Wir wußten ja auch noch gar nicht, aus welchen Gründen Herr Rectanus in ein Krankenhaus eingeliefert werden mußte. Ich habe Mandel mit Recherchen beauftragt; ich nehme an, er ist in dieser Sache noch unterwegs, sonst hätte er sich schon gemeldet. Er hat sich bereits gestern im Laufe des späten Nachmittags und Abends damit beschäftigt. Vorsichtshalber habe ich für heute ein Team zurückgehalten; die Produktion ist damit einverstanden. Mein persönlicher Eindruck ist der, daß wir hier auf eine ziemlich heiße Sache gestoßen sind. Ich hielt es jedoch, bevor wir unsere Recherchen intensivieren, für klüger, zuerst einmal dem Firmeninhaber in einem Interview oder Statement Gelegenheit zu einer persönlichen Stellungnahme zu geben. Sollte es allerdings zutreffen, daß er sich in die Schweiz abgesetzt hat, müßten wir die Angelegenheit neu überdenken. Dazu möchte ich Ihre Einwilligung haben.«
Dr. Haberbusch, der, obwohl er täglich vier Päckchen Zigaretten verbrauchte, einen so gesunden und frischen Eindruck machte, daß Merklin als dienstältester Redakteur die Erfüllung geheimer Hoffnungen in weite Ferne gerückt sah, nickte zustimmend. »Dies wäre eine akzeptable Möglichkeit. Es wäre mir allerdings lieb, Sie würden Mandel nicht ohne Aufsicht lassen. Ich schätze ihn genauso wie Sie. Wenn er es jedoch mit Leuten wie Rectanus zu tun hat, ist er mir oft zu emotionell. Sie werden ihn doch sicher wieder einsetzen wollen?«
»Ja, unbedingt«, sagte Merklin. »Er hat für so etwas die richtige Nase. Ich werde mich persönlich darum kümmern, daß alles korrekt verläuft. Weil wir vielleicht Innenaufnahmen drehen müssen, brauche ich ein komplettes Team.«
»Sprechen Sie das mit der Produktionsleitung ab«, beschied ihn Haberbusch. »Bevor wir grünes Licht geben, müssen wir erst die bisherigen Recherchen von Mandel abwarten. Verständigen Sie mich bitte umgehend davon.«
Merklin verabschiedete sich erleichtert. Obwohl mit Dr. Haberbusch zweifellos der richtige Mann auf dem richtigen Platz saß, war er Merklin mitunter zu pedantisch. Als er in sein Büro kam, wurde er bereits von Mandel erwartet. Ein Blick in sein Gesicht zeigte ihm, daß seine Recherchen erfolgreich gewesen waren. Er forderte ihn zum Sitzen auf und fragte erwartungsvoll: »Haben Sie etwas herausbekommen?«

»Und ob!« Mandel grinste. »Er lag bis heute morgen in der Universitätsklinik! Ich habe es schon gestern abend erfahren; da wußten die aber noch nicht, daß er in aller Frühe entlassen werden soll.«
»Dann paßt ja alles wunderbar zusammen«, sagte Merklin erfreut und gab Mandel den anonymen Brief. Der schüttelte, nachdem er ihn gelesen hatte, den Kopf. »Herr Rectanus ist nicht in die Schweiz, sondern in eine Privatklinik abgereist. Ich habe es vor einer Viertelstunde von seiner Haushälterin erfahren. Sie wollte zuerst nicht damit herausrücken. Erst als ich ihr meinen Ausweis zeigte und erzählte, wir wollten eine große Reportage über eine führende Persönlichkeit der papierverarbeitenden Industrie bringen, gab sie mir seine Telefonnummer. Wo er sich aufhält, wollte sie mir nicht verraten. Sie ist eine ziemlich schwierige alte Dame. Schwerhörig ist sie auch; ich mußte ihr alles ein paarmal wiederholen. Zuerst dachte ich, sie sei seine Frau; die lebt aber anscheinend nicht mehr.«
Merklin, der neue Hoffnung schöpfte, ließ sich die Telefonnummer geben, und sagte: »Das kann ja nicht weit weg sein; vielleicht nur eine Deckadresse. Warten Sie!« Er griff rasch zum Telefon, wählte und fragte: »Sonst haben Sie nichts erfahren können?«
Mandel grinste wieder. »Das Beste wissen Sie noch gar nicht. Herr Rectanus wurde gestern in der Klinik dabei überrascht, wie er eine Krankenschwester bei sich im Bett hatte.« Merklin starrte ihn ungläubig an. Er konnte sich jedoch für den Augenblick nicht näher damit befassen, weil sich im Hörer eine weibliche Stimme meldete. Er legte die Hand auf die Sprechmuschel und sagte zu Mandel: »Privatklinik Professor Eschenburger. Schon mal davon gehört?«
»Gehört schon«, sagte Mandel und beobachtete, wie Merklin noch einige Fragen stellte und dann das Gespräch unvermittelt beendete. Er machte sich einige Notizen und reichte Mandel den Zettel über den Tisch: »Waren Sie schon einmal in der Gegend?«
»Direkt nicht«, antwortete Mandel. »Ein Bekannter von mir verbringt da manchmal seinen Urlaub. Ich schätze, daß man in zwei Stunden dort sein kann. Was wollen Sie tun?«
»Das weiß ich noch nicht«, sagte Merklin und starrte unschlüssig vor sich hin. Dann hob er schnell den Kopf: »Wenn das mit der Krankenschwester stimmt, das wäre ja unglaublich! Woher haben Sie denn das?«

Mandel gab ihm den Zettel zurück. »Sie erinnern sich doch sicher noch an Dr. Brauchle, der uns damals den Tip von dem Kunstfehler Professor Faulhabers gegeben hat?« Merklin nickte. »Natürlich. Das war doch in der Universitätsklinik, wo ihm die Sache mit dem fünfzehnjährigen Mädchen passiert ist?«
»Ja, diese Blinddarmgeschichte«, sagte Mandel und schlug die Beine übereinander. »Dr. Brauchle ist noch immer als Assistenzarzt dort beschäftigt. Ich habe ihn noch gestern abend telefonisch erreichen können. Da wußte er noch nicht, daß Rectanus heute entlassen werden soll. Er erzählte mir die Geschichte von der Krankenschwester; anscheinend ein blutjunges Ding, das sofort gefeuert wurde. Niemand weiß, wie der alte Herr es geschafft hat, sie ins Bett zu bekommen. Wahrscheinlich hat er ihr einen Haufen Geld geboten; diese Typen haben es ja. Übrigens interessant, daß er in der psychiatrischen Abteilung lag. Über seinen Befund konnte Dr. Brauchle verständlicherweise nichts sagen, aber es ist doch ganz offensichtlich, daß bei ihm eine Schraube los ist. Ich verstehe nicht, wieso man einen solchen Mann wieder frei 'rumlaufen läßt. Wer weiß, was der noch alles anstellt!«
»Vielleicht können wir es verhindern«, sagte Merklin mit nur mühsam unterdrückter Erregung. Er stand auf, trat ans Fenster und starrte einige Sekunden lang hinaus. »Er wird uns nach allem, was er sich bisher geleistet hat, kaum ein Interview geben.«
»Wenn wir uns vorher bei ihm anmelden, bestimmt nicht« räumte Mandel ein. »Vermutlich kommen wir in die Klinik gar nicht erst hinein, es sei denn . . .« Er brach ab. Merklin drehte sich rasch nach ihm um. »Woran denken Sie?«
»Mir ist gerade eingefallen, daß wir schon einmal eine Reportage über eine Privatklinik gebracht haben, und wenn wir erst einmal im Haus wären . . .«
»Das ist eine großartige Idee, Mandel!« sagte Merklin fasziniert. »Ja, so könnte es gehen.«
Er verließ, ohne ein Wort der Erklärung, das Zimmer, und als er eine Viertelstunde später zurückkam, strahlte er. »Wir haben grünes Licht, Mandel. Passen Sie auf: Sie werden jetzt sofort diesen Professor Eschenburger anrufen und ihm sagen, daß wir morgen ein Team auf seine Klinik ansetzen. Schmusen Sie ihm was unter die Weste; Sie können das ja. Falls er wissen will, weshalb wir uns so kurzfristig anmelden, sagen Sie meinetwegen, daß wir ohnehin eine Reportage über den Kurort bringen wollten und dabei zufällig auf seine Klinik gestoßen sind. Er wird sich

diese Reklame auf keinen Fall entgehen lassen. Sie können gleich von hier aus telefonieren; ich verständige rasch die Produktionsleitung. Kümmern Sie sich um ein komplettes Team; Eichler und Rimmele kommen selbstverständlich wieder mit. Wir fahren gleich nach dem Mittagessen; sie sollten sich bis dahin reisefertig machen. Kann sein, daß wir zwei, drei Tage wegbleiben.«
»Wenn wir uns in der Klinik erst für morgen anmelden . . .« warf Mandel ein. Merklin schnitt ihm das Wort ab: »Ich möchte mich vorher schon etwas umsehen. Falls es schiefgehen sollte, bringen wir eine andere Reportage mit nach Hause.«
Er rannte aus dem Zimmer und unterhielt sich eine halbe Stunde lang mit dem Produktionsleiter. Dort erreichte ihn von Mandel die Nachricht, daß sich Professor Eschenburger über die in Aussicht gestellte Reportage hocherfreut gezeigt und jegliche Unterstützung zugesagt hatte.
Den Rest des Vormittags verbrachte Merklin mit Routinearbeiten. Er besichtigte das von Mandel und seinem Team eingebrachte Filmmaterial und widmete seine besondere Aufmerksamkeit den turbulenten Szenen am Fabriktor der Rectanus-Werke. Mandel hatte in sehr geschickter Weise mehrere Interviews mit Werksangehörigen festgehalten, die ihrer Empörung über die Verkaufsabsichten des Firmeninhabers in kräftigen Worten Luft verschafften. Besonders die Äußerungen des Pförtners, den die Kamera mehrfach in Großaufnahme eingefangen hatte, stimmten Merklin zuversichtlich. Er ordnete an, das Material vorläufig unbearbeitet zu lassen, und widmete sich dann seinen Reisevorbereitungen.
Beim häuslichen Mittagsmahl erfuhren auch seine Frau und die beiden halbwüchsigen Kinder von seinen Reiseplänen und nahmen sie, weil sie an dergleichen gewöhnt waren, ohne Überraschung zur Kenntnis. Von seiner Frau nach dem Reisezweck befragt, gab er eine ausweichende Antwort. Zu seinen wenigen negativen Erfahrungen mit ihr gehörte, daß die unmittelbare Nachbarschaft über wichtige Reportagen oft früher informiert war als der Studioleiter persönlich.
Weil die Autobahn ziemlich leer und Merklin ein zügiger Fahrer war, überholte er, obgleich mit viertelstündiger Verspätung gestartet, den roten Kombi seines Teams noch vor der Autobahnausfahrt und erreichte nach angenehmer Fahrt durch eine reizvolle Landschaft mit blühenden Obstbäumen sein Reiseziel ohne erwähnenswerten Aufenthalt. Zu seiner Genugtuung stellte er

fest, daß der in einem sichelförmigen Hochtal gelegene Kurort mit seinen schmucken Fachwerkhäusern einen rundum erfreulichen Anblick bot – ein Eindruck, der erst abgeschwächt wurde, als Merklin entdecken mußte, daß alle so einladend wirkenden Gasthöfe geschlossen waren. Eine Frau mittleren Alters erklärte das mit der ortsüblichen Gepflogenheit der Hoteliers, zwischen Ostern und Pfingsten vierwöchige Betriebsferien einzulegen. Merklins konsternierte Frage, ob ein unangemeldet eintreffender Kurgast deshalb auf dem Heuboden schlafen müsse, beantwortete sie mit dem Hinweis auf das am Ortsende gelegene Landhaus ›Wiedner Hof‹, das seine gastliche Pforte erst ab kommende Woche schließen werde. Weil Merklin bisher noch kein größeres Gebäude entdeckt hatte, erkundigte er sich auch gleich noch nach der Privatklinik von Professor Eschenburger, und setzte dann seine Fahrt fort.

Am Ortsende verengte sich die Straße; hier war ihr weiterer Verlauf für den öffentlichen Verkehr gesperrt. Von Viehkoppeln gesäumt, verschwand sie weiter oben hinter einer Talkrümmung aus Merklins Augen. Er betrachtete sie mit den Blicken des erfahrenen Jägers, der auf eine frische Fährte gestoßen ist. Hinter den letzten Häusern führte ein geteerter Fahrweg zum ›Wiedner Hof‹ hinauf. Das Haus stand, etwas abgesetzt vom Ortsrand, auf einem kleinen Hügel und machte mit seinen großen Fenstern und den markisengeschützten Balkonen sofort einen günstigen Eindruck auf ihn. Über dem Hoteleingang schmückte das naive Gemälde eines vermutlich einheimischen Künstlers, ein äsendes Rehlein auf grüner Wiese darstellend, die weißverputzte Hauswand. Auf dem hauseigenen Parkplatz fielen Merklin ein großer, dunkelblauer Mercedes und ein weinroter Jaguar auf. Diesem entstieg soeben ein schlanker, sportlich gekleideter Herr mit braungebranntem Gesicht und weißen Schläfen, der sich für Merklin wenig später als Besitzer des Hotels entpuppte. Er hieß Rombach und reagierte auf Merklins Wunsch nach mehreren Zimmern fast schockiert: »Wir sind auf Wochen hinaus belegt.« Und nicht ohne Besitzerstolz setzte er hinzu: »Im ganzen Ort sind wir das einzige Haus, das Zimmer mit Bad und WC hat.«

»Wir sind vom Fernsehen und wollen über Ihren Kurort eine Reportage bringen«, sagte Merklin. »Wenn Sie aber keinen Platz für uns haben, verzichten wir eben auf die Reportage.«

Rombach rang um Fassung. »Vom Fernsehen?« vergewisserte er sich. »Warum denn gerade in der ruhigsten Jahreszeit?«

Merklin sagte: »Für eine Reportage, die Landschaft und Atmosphäre zeigen soll, brauchen wir keinen Touristenrummel.«
»Ja, das leuchtet mir ein«, sagte Rombach und tupfte sich mit einem Taschentuch die Stirn. Er lächelte entschuldigend. »Sie müssen das verstehen: der Mai ist hier ein ganz toter Monat, und da wir nächste Woche Betriebsferien machen ...«
»Wollen Sie sich wegen der paar Tage keine neuen Gäste aufhalsen«, unterbrach ihn Merklin trocken. »Ja, dann eben nicht.« Er wandte sich zum Gehen. Rombach sagte hastig: »Bitte warten Sie einen Augenblick; ich rede mit meiner Frau.« Er lief ins Haus. In weniger als zwei Minuten kam er zurück. »Sie können bis einschließlich Sonntag bleiben. Ich muß zwar am Freitag zu einem Kongreß nach Garmisch, aber meine Frau wird das Hotel bis Sonntag abend offenhalten. Wieviel Zimmer brauchen Sie?«
»Kann ich sie sehen?« fragte Merklin und folgte ihm. Die Anwesenheit des Fernsehens schien sich bereits herumgesprochen zu haben; auf dem kurzen Weg zur Rezeption luchsten aus dunklen Winkeln und halbgeöffneten Türen ein Ober, zwei Kellnerinnen, zwei Köche und ein Wurzelzwerg von Hausdiener hervor. Rombach machte Merklin mit seiner Frau bekannt. Sie trug ein giftgrünes, hautenges Kleid und eine blonde Perücke; Merklin hatte für Perücken ein untrügliches Auge. Mit einem verbindlichen Lächeln reichte sie ihm die Hand und fragte: »Dann werden Sie vielleicht auch von unserem Haus Aufnahmen machen wollen?«
»Das ist nicht ausgeschlossen, gnädige Frau«, sagte Merklin galant. Ihr Mann sagte impulsiv: »Sie können hier filmen, soviel wie Sie wollen. Selbstverständlich sind Sie, wenn Sie unser Hotel im Fernsehen herausstellen, unsere Gäste.«
»Das ist bei uns nicht üblich«, sagte Merklin. Rombach geleitete ihn eine Treppe hinauf und zeigte ihm die Zimmer. Merklin entschied sich für eins mit Südbalkon und sagte: »Die beiden anderen sind für meine Kollegen; sie müssen jeden Augenblick eintreffen.«
Er kehrte mit ihm an die Rezeption zurück, wo sich Frau Rombach mit einem etwa vierzigjährigen, unauffällig gekleideten Mann unterhielt. Bei Merklins Eintreffen entfernte er sich rasch. Merklin, der einen scharfen Blick für Menschen und ihren Beruf hatte, sah ihm aufmerksam nach. »Ein Gast Ihres Hauses?« Frau Rombach antwortete mit einem feinen Lächeln: »Nicht ganz das, was sonst bei uns absteigt; Herr Maier ist nur der Fahrer eines

Patienten von Professor Eschenburger. Sicher haben Sie von seiner Klinik schon gehört?«
Merklin nickte. »Dort wollen wir uns morgen umsehen.« Er füllte die Anmeldung aus und ging, vom Hausdiener begleitet, zu seinem Wagen. »Das ist alles«, sagte er und gab ihm eine Tasche. Fast gleichzeitig sah er unten auf der Straße den roten Kombi seines Teams anrollen. Er winkte ihn herauf und sagte zu Mandel, der als erster heraussprang: »Wir bleiben hier.« Sein Blick fiel auf den Hoteleingang, wo Rombach und seine Frau das Eintreffen des Teams mit gespannter Aufmerksamkeit verfolgten. Er nahm Mandel einige Schritte zur Seite und sagte: »Die beiden dort sind die Besitzer; ich möchte sie auf dem Streifen haben. Zusammen mit dem Jaguar; er gehört ihnen. Versuchen Sie das einzurichten. Aber verlieren Sie, solange das Licht noch so gut ist, keine Zeit damit. Ich möchte den Kurort bei Sonnenschein mitnehmen; die geschlossenen Hotels und Geschäfte. Wer weiß, wie das Wetter morgen ist. Vielleicht können Sie noch den einen oder anderen Besitzer der geschlossenen Gasthöfe vor die Kamera bekommen. Den Mercedes montieren wir auch ein; möglichst so, daß der Eindruck entsteht, er gehöre einem von ihnen. Das läßt für die Zuschauer am Bildschirm dann um so deutlicher werden, weshalb die Hoteliers wochenlang auf keine Kurgäste angewiesen sind. Achten Sie aber darauf, daß das amtliche Kennzeichen nicht zu sehen ist. Wenn ich richtig liege, gehört er unserem gemeinsamen Freund.« Mandel blickte aufmerksam in sein Gesicht. »Er wohnt hier?«
»Sein Fahrer«, sagte Merklin und nahm eine Zigarre aus der Tasche. »Er heißt Maier. Wir müssen in seiner Nähe vorsichtig sein, damit er nichts mitbekommt.« Er zündete die Zigarre mit einem Streichholz an. Mandel fragte: »Werden Sie dabei sein?«
»Nein«, sagte Merklin. »Ich möchte mir einen ersten Eindruck von der Klinik verschaffen. Fangen Sie schon an!« Er blieb stehen und beobachtete, wie Mandel zu dem Team ging und mit ihm sprach. Aus den Augenwinkeln stellte er fest, daß Rombach rasch näherkam. »Sie sind bereits bei der Arbeit?« fragte er überrascht.
Merklin antwortete: »Wir wollen das schöne Wetter ausnützen. Mein Kollege, Herr Mandel, möchte ein Interview mit Ihnen machen.« Er sah sich prüfend um. »Am besten gleich auf dem Parkplatz; hier haben wir auch Ihr Hotel im Bild.«
Rombach zupfte nervös an seiner Krawatte. »Was wird Ihr Kollege denn fragen? Wir sind doch überhaupt nicht vorbereitet!«

»Das gibt erfahrungsgemäß die besten Interviews«, beruhigte Merklin ihn und klopfte die Asche von der Zigarre. Er trug an diesem Tag eine saloppe Jacke aus rostfarbenem Veloursleder mit Gürtel und aufgesetzten Brusttaschen. Dazu einen weißen Rollkragenpullover und eine körpernahe Jeanshose. Wie die meisten Redakteure des Landesstudios bevorzugte er einen kurzen Bürstenhaarschnitt, der ihm, korrespondierend mit einer auffallend großen Sonnenbrille, eine interessante Note verlieh. Befriedigt stellte er fest, daß auch das Team seine Anweisung befolgt und die Kleidung den besonderen Umständen angepaßt hatte. Selbst Mandel, der sich, wenn es um sein Äußeres ging, kaum beeinflussen ließ, trug wenigstens einen seidenen Schal unter dem offenen Hemdkragen.
Es dauerte noch einige Minuten, bis die letzten technischen Vorbereitungen für das Interview getroffen waren. Rombach sah nach seiner Frau. Sie war, als er mit ihr zurückkam, in dezentes Rot gekleidet, das augenfällig zum blonden Haar kontrastierte. Mandel baute sie routiniert vor der Kamera auf und fing ohne Umschweife an zu sprechen: »Wir unterhalten uns hier vor dem ›Wiedner Hof‹ mit Frau und Herrn Rombach. Sie und Ihre Frau, Herr Rombach, sind die Besitzer dieses landschaftlich reizvoll gelegenen Hotels im schönen Fischbachtal. Würden Sie unseren Zuschauern bitte sagen, wie viele Betten Ihr Hotel hat.«
»Vierzig«, sagte Rombach und rückte mit einem angestrengten Lächeln an der Krawatte. Mandel sagte: »Sie haben, soweit wir das beurteilen können, ein sehr florierendes Hotel, Frau Rombach. Finden Sie es denn in Ordnung, daß in einem Kurort mit so gutem Namen ausgerechnet im Monat Mai und noch dazu bei diesem schönen Frühlingswetter nur ein einziges Hotel geöffnet ist?«
Rombach antwortete mit einem kleinen Unterton von Gereiztheit: »Die hiesige Hotellerie paßt sich damit lediglich den saisonbedingten Gegebenheiten an.«
Mandel wechselte einen kurzen Blick mit Merklin, der sich, seine Zigarre rauchend, betont im Hintergrund hielt und ihm jetzt beifällig zunickte. Er fuhr fort: »Ist es nicht auch denkbar, Herr Rombach, daß es in Wirklichkeit die Kurgäste sind, die sich den von Ihnen erwähnten saisonbedingten Gegebenheiten anpassen müssen, weil Sie ihnen gar keine andere Wahl lassen?«
»Aber erlauben Sie mal!« platzte Rombach mit rotem Kopf heraus. »Diese Fragestellung ist doch absolut inkorrekt! Meine Frau

und ich sind während der Saison – und die dauert bei uns zehn Monate im Jahr – oft bis zu achtzehn Stunden täglich auf den Beinen ...«

»Sie sind ein Dienstleistungsunternehmen, auf freiwilliger Basis«, warf Mandel ein. »Ich sage ja gar nichts dagegen, daß sie und Ihre Frau auch ein- oder zweimal im Jahr einen verdienten Urlaub machen dürfen. Was mir nicht einleuchtet, ist die doch ganz offensichtlich praktizierte Absprache der hiesigen Hoteliers, zur gleichen Zeit Ferien zu machen, und dafür haben Sie mir und unseren Zuschauern am Bildschirm noch keine einleuchtende Erklärung gegeben.« Er machte eine kleine Pause und gab Eichler, der an der Kamera arbeitete, ein Zeichen. Dann ging er zu Merklin und fragte: »Vielleicht wäre es wirkungsvoller, hier aufzuhören.«

»Schneiden können wir immer noch«, sagte Merklin und trat die Zigarre aus. Während Mandel das Interview fortsetzte, bestieg Merklin seinen Wagen und fuhr auf die Straße hinunter. Dort, wo sie mit einer kleinen Tafel als Privatstraße deklariert war, folgte er ihr talaufwärts. Hier wurde es bereits schattig. Ein kühler Wind kam das Tal herab. Auf den grünen Koppeln beiderseits der Straße wurde Vieh eingetrieben; Merklin mußte die Fahrt mehrmals unterbrechen. Weiter oben, wo das Tal sich verengte, rückte Fichtenwald bis an die Straße. Unter den dichten Bäumen lag noch Schnee in harten Brettern, bedeckt von einem Teppich dürrer Fichtennadeln. Im Talgrund rauschte ein kleiner Bach. Größere Steigungen nahm die Straße in engen Serpentinen. Dann lichtete sich der Wald, ein kleiner Talkessel, auf drei Seiten von schneebedeckten Berggipfeln gesäumt, gab den Blick auf die Klinik von Professor Eschenburger frei. Sie stand am Waldrand oberhalb einer von Frühlingsblumen übersäten Wiese, ein dreistöckiges, im klassizistischen Stil errichtetes Gebäude mit hohen Fenstern und schönen Balkonen. Eine große, auf Säulen ruhende Terrasse überspannte die Eingangspforte. Merklin vermutete, daß das Haus schon immer als Sanatorium gedient hatte.

Die Straße mündete hinter der Klinik in einen großen Parkplatz, auf dem einige Dutzend hochkarätiger Autos abgestellt waren. Merklin musterte sie befriedigt: ein dankbares Motiv für die Kamera. In dieser Umgebung konnte er es sich ausnahmsweise leisten, seinen BMW 320 nicht abzuschließen. Er betrat die Klinik durch einen Hintereingang und fand nach einigem Suchen den Empfang, einen gläsernen Kasten mit einer in Weiß gekleideten

attraktiven Schwester, die sich höflich nach seinen Wünschen erkundigte. Als er ihr seine Karte gab, wurde sie noch höflicher und bat ihn, sich in einem der bequemen Ledersessel neben dem Eingang ein paar Augenblicke zu gedulden. Sie sagte: »Wir haben Sie erst für morgen erwartet, Herr Merklin.«
»Das ist richtig«, sagte er. »Ich möchte mich aber, wenn das möglich ist, mit Herrn Professor Eschenburger schon vorher ein wenig unterhalten.«
»Ich glaube bestimmt, daß sich das einrichten läßt«, sagte sie und griff nach dem Telefon. Merklin sah sich in der Halle um. Er stellte fest, daß die Klinik vor noch nicht allzu langer Zeit renoviert worden war. Eine andere, ebenfalls sehr attraktive Schwester, die ihn wenig später zu Professor Eschenburger führte, bestätigte es ihm: »Ursprünglich war das Haus ein Privat-Sanatorium für Tb-Kranke. Herr Professor Eschenburger hat es für seine Zwecke umbauen lassen. Die Zimmer haben jetzt alle eigenes Bad.«
»Sehr hübsch«, sagte Merklin.
Professor Eschenburger empfing ihn mit betonter Herzlichkeit und ließ sich mit ihm in einer Sitzecke seines geräumigen Büros nieder. Durch die hohen Fenster fiel der Blick auf ein imposantes Gipfelpanorama. Die beiden Bücherregale, die bis zur Decke reichten, waren mit medizinischer Fachliteratur gefüllt. Der blankpolierte Diplomatenschreibtisch wirkte kahl wie ein Getreidefeld nach der Ernte.
Professor Eschenburger stellte Merklin eine Tasse Kaffee oder einen echten Cognac zur Auswahl. Merklin entschied sich für Kaffee und beantwortete, während eine Schwester servierte, Professor Eschenburgers Frage nach dem Grund für das unerwartete Interesse des Fernsehens gerade für seine Klinik mit dem Hinweis auf eine schon seit längerer Zeit geplante Reportage über Kurbetrieb und Kurmöglichkeiten in einer noch relativ unberührten süddeutschen Landschaft.
Professor Eschenburger lachte: »Da sind Sie bei uns ja gerade an die richtige Adresse gekommen, Herr Merklin. Daß die Landschaft bei uns noch nicht durch Skilifts und ähnliche Randerscheinungen des Massentourismus verunstaltet ist, verdanken wir unserem Gemeinderat und nicht zuletzt auch dem bescheidenen Einfluß, den ich dort ausüben darf. All jene, die sich von der Hektik unseres technisierten Zeitalters erholen und einmal richtig ausspannen wollen, finden bei uns, was sie suchen: Abso-

lute Ruhe, eine unberührte Landschaft, bequeme Wanderwege und kein sogenannter Trimm-dich-Pfad, der oft mehr Unheil anrichtet als daß er gesundheitliche Versäumnisse wettmacht.«
»Sie sind dagegen?« warf Merklin überrascht ein. Eschenburger nickte nachdrücklich: »Ein unverantwortlicher Unfug, der da modisch geworden ist. Heute meint doch jede kleine Kurgemeinde, die etwas auf sich hält, ohne Trimm-dich-Pfad nicht mehr auskommen zu können. Hier werden Leute – und das ohne jede ärztliche Aufsicht –, die sich oft das ganze Jahr über nicht einmal zu einem kleinen Spaziergang aufraffen, zu Langstrekkenläufen mit anstrengenden gymnastischen Einlagen animiert, statt daß man sie erst einmal wieder behutsam daran gewöhnt, ihre Beine zu benutzen!«
Er sah, daß Merklin seine Tasse leer getrunken hatte, und sagte: »Wenn Sie es wünschen, zeige ich Ihnen jetzt erst einmal unser Haus und seine medizinischen Einrichtungen.«
Merklin wehrte ab: »Das hat bis morgen Zeit. Ich wollte mir nur einen ersten Eindruck verschaffen: Über die Anzahl Ihrer Patienten, ihre Krankheiten und Heilbehandlungen, über ihre soziologische Struktur. Erfahrungsgemäß lassen sich Details viel besser durch persönliche Interviews ins Bild setzen. Dazu bedarf es natürlich ebenso Ihrer wie der Einwilligung der Patienten.«
Eschenburger zögerte: »Meiner Einwilligung dürfen Sie natürlich sicher sein; für unsere Patienten kann ich begreiflicherweise nicht entscheiden. Ich werde mich aber bis morgen umhören und Sie mit den Patienten, die damit einverstanden sind, bekannt machen. Und was Ihre Fragen betrifft: Wir haben neunzig Betten, davon sind zur Zeit etwa siebzig belegt.«
»Das will ich mir aufschreiben«, sagte Merklin und zog ein Notizbuch aus der Tasche.
Er verbrachte eine gute halbe Stunde damit, sich Einblick in die in der Klinik behandelten Krankheiten und ihre Therapie zu verschaffen, besprach anschließend den zeitlichen Ablauf der vorgesehenen Reportage und kam dann wieder auf die Patienten zurück: »Es ist sicher kein Geheimnis, daß es sich in Ihrer Klinik um durchweg zahlungskräftige Patienten handelt. Oder könnte sich auch eine Sekretärin einen Aufenthalt bei Ihnen leisten?«
Eschenburger, dem seine Fragestellung mißfiel, antwortete indigniert: »Die meisten Patienten unserer Klinik kommen aus freien Berufen: Handelsvertreter, Immobilienmakler, Gastronomen. Selbstverständlich auch leitende Herren aus der Industrie.«

»Auch Unternehmer?« warf Merklin beiläufig ein. Eschenburger zögerte wieder. »Sie werden verstehen, daß ich keine Namen nennen kann, aber auch solche Patienten sind für uns durchaus nichts Außergewöhnliches. Unternehmer neigen genauso zu Kreislaufleiden und anderen gesundheitlichen Beschwerden wie ihre leitenden Angestellten.«
»Es wäre auch schlimm, wenn das anders wäre«, sagte Merklin lächelnd und stand auf. »Wir werden uns morgen darum bemühen, Ihren normalen Tagesablauf sowenig wie möglich zu stören. Je mehr Patienten Sie für unsere Reportage gewinnen können, desto größer sind die Aussichten, daß sie auch ausgestrahlt wird.«
»Dann ist das noch gar nicht sicher?« fragte Eschenburger unangenehm überrascht.
Merklin schob das Notizbuch in die Tasche zurück. »Das hängt nicht zuletzt von Ihrer und der Mitarbeit Ihrer Patienten ab. Unsere Zuschauer am Bildschirm wollen nicht nur wissen, wie Ihre Klinik aussieht, sie wollen auch Ihre Patienten und deren persönliche Probleme kennenlernen: Weshalb sie hier sind, was sie sich von dem Aufenthalt in Ihrer Klinik versprechen, was zu ihrer Erkrankung geführt hat und anderes mehr. Ob eine Reportage tatsächlich gesendet wird, hängt allein von ihrem Informationswert ab.«
»Das wußte ich nicht«, sagte Eschenburger und begleitete ihn zur Tür. Er wirkte, als Merklin sich von ihm verabschiedete, leicht verstimmt.
Draußen wurde es bereits dunkel. Merklin schaltete die Scheinwerfer ein und fuhr langsam auf die Straße. Bevor sie in den Wald führte, trat er auf die Bremse und blickte zurück. Die Konturen der Klinik hoben sich nur noch schwach von den dunklen Wäldern ab; hinter ihren großen Fenstern brannte jetzt überall Licht. Während er sie betrachtete, fiel ihm die junge Krankenschwester ein, die vom Inhaber der Rectanus-Werke um ihre Stellung gebracht worden war, und nun saß dieser Mann in einem der komfortablen Zimmer da oben und ließ sich mit sicher ungeschmälertem Appetit das Abendessen schmecken. Wenn alles so lief, wie Merklin es sich erhoffte, würde sein Appetit bis morgen abend gelitten haben.
Er fuhr weiter und nahm sich vor, die Krankenschwester, koste es, was es wolle, vor die Kamera zu bringen. Sie sollte mit ihren derzeitigen Problemen nicht allein sein.

Vor dem ›Wiedner Hof‹ wurde er bereits ungeduldig von Mandel erwartet. Er sagte, noch ehe Merklin den Wagenschlag geöffnet hatte: »Es gibt Neuigkeiten, Herr Merklin; wir haben wieder Gäste bekommen. Raten Sie mal, wer es sein könnte?«
Merklin, der sich nicht gern auf die Folter spannen ließ, fragte zurück: »Haben Sie alles auf dem Streifen?«
»Jeden geschlossenen Gasthof und jedes geschlossene Ladengeschäft«, antwortete Mandel. »Sie werden damit zufrieden sein. Ein Interview mit einem anderen Hotelbesitzer haben wir auch noch mitgebracht.« Er kam wieder auf die neuen Gäste zu sprechen und zeigte Merklin einen hellblauen Opel-Commodore, der heute nachmittag noch nicht auf dem Parkplatz gestanden hatte. »Mit dem sind sie vor einer Viertelstunde angekommen. Sie sitzen jetzt mit einem Dr. Huber am selben Tisch; der traf schon vor einer Stunde hier ein. Anscheinend führen sie ein wichtiges Gespräch.«
»Ich weiß noch immer nicht, von wem Sie überhaupt reden«, sagte Merklin und schloß den BMW ab. Mandel lachte. »Entschuldigen Sie, aber das hat mich vorhin, als sich unter den neu eingetroffenen Gästen eine junge Dame befand, die der Wirt mit Fräulein Rectanus anredete, doch fast umgehauen. Jetzt haben wir also auch noch die Tochter von Herrn Rectanus hier!«
»Nein!« sagte Merklin und sonst nichts. Mandel nickte. »Das hat mir auch fast den Boden unter den Füßen weggezogen. Sie wird von einem gewissen Kiene begleitet. Welche Rolle der dabei spielt, habe ich noch nicht herausfinden können. Ich saß am Nebentisch und trank ein Bier. Als sie merkten, daß ich ihnen zuhören konnte, setzten sie sich an einen anderen Tisch. Um nicht aufzufallen, habe ich dann hier auf Sie gewartet. Sie können sie sehen, wenn Sie hier durchs Fenster schauen.«
Merklin trat an das Fenster und blickte eine Weile in die Gaststube hinein. Dann kam er zurück und fragte: »Haben Sie feststellen können, ob sie in irgendeiner Verbindung mit dem Fahrer des Mercedes stehen?«
»Sie haben ihn alle drei begrüßt«, antwortete Mandel. »Unterhalten haben sie sich aber nicht weiter mit ihm. Nur dieser Dr. Huber nahm ihn einmal auf die Seite und wechselte einige Worte mit ihm. Sie kennen sich jedenfalls alle. Der Dr. Huber ist mit einem VW gekommen; scheint keine große Nummer zu sein.«
»Das kann auch zur Tarnung dienen«, sagte Merklin. »Wo sind die anderen von uns?«

»Auf ihren Zimmern. Sie wollten mit dem Abendessen auf Sie warten. Was werden Sie jetzt tun?«
»Das weiß ich noch nicht«, sagte Merklin gedehnt. »Das kann uns eventuell alles verderben. Wir müssen herausbekommen, wer die beiden Männer sind. Der Huber könnte einer vom Werk sein, der im Auftrag von Rectanus die Verkaufsverhandlungen führt.«
Mandel nickte. »Daran habe ich auch schon gedacht. Ich bin davon überzeugt, sie werden sich spätestens morgen alle mit Rectanus treffen. Diese Geschichte mit der Universitätsklinik und jetzt mit der Privatklinik, das war vielleicht nur ein Trick, um die Verkaufsverhandlungen zu verschleiern. Dies würde auch die Sache mit der jungen Krankenschwester in ein anderes Licht rücken.«
»Wie meinen Sie das?« fragte Merklin, der ihm nicht sofort folgen konnte. Mandel zündete sich aufgeregt eine Zigarette an. »Ich habe mich gleich darüber gewundert, daß ein Mann in seiner gesellschaftlichen Position wegen einer Krankenschwester ein solches Risiko eingegangen ist. Aber wenn er die Absicht hat, die Fabrik abzustoßen und mit dem Geld ins Ausland zu verschwinden, dann kann es ihm egal sein, was die Leute hier über ihn reden. Als Fabrikbesitzer konnte er sich vielleicht keinen Skandal leisten, aber jetzt . . .«
»Psychologisch nicht indiskutabel«, sagte Merklin fasziniert. »Wenn Sie damit recht hätten . . .«
»Ich habe ein todsicheres Gefühl«, sagte Mandel und hustete. Merklin klopfte ihm freundschaftlich auf den Rücken. »Sie werden sich hier erkälten. Ich muß eine halbe Stunde auf mein Zimmer und mir das noch einmal gründlich durch den Kopf gehen lassen. Kiene, der Name kommt mir irgendwie bekannt vor! Ihnen nicht?«
»Doch«, sagte Mandel. »Die Kiene-Werke! Ob da irgendeine . . .« Er brach verwundert ab. Merklin lächelte. »Sie haben heute fast nur geniale Einfälle!«
»Ist mein kreativer Tag«, wehrte Mandel bescheiden ab.

11

Kiene wurde im schönen St. Gallen schon an der Haustür von einer resolut wirkenden Dame in der landeseigenen Mundart abgefertigt. Sie teilte ihm mit, daß Fräulein Rectanus noch beim Packen und noch nicht einmal sicher sei, ob sie überhaupt mitfahren könne, weil das Semester bereits wieder angefangen und sie eigentlich gar keine Zeit habe. Kiene, auf solch unfreundlichen Empfang nicht vorbereitet, beschied sie mit der Erwiderung, daß er genausowenig Zeit und auch keine Lust habe, ewig vor der Haustür zu warten. Er blickte auf seine Armbanduhr und sagte: »Wenn sie in zehn Minuten nicht unten ist, fahre ich ohne sie zurück.«

Die fremde Dame, eine kleine, rundliche Person mit Posaunenbacken, sagte schockiert: »Sie sind doch nur der Fahrer? Oder wer sind Sie?«

»Der zweite Sohn eines großen Mannes«, antwortete Kiene und stieg die Treppe hinunter. Er setzte sich in das Auto, zündete sich eine Zigarette an und behielt die Uhr im Auge. Nach genau neun Minuten wurde die Haustür geöffnet, und ein schlankes Mädchen mit langen Beinen und langen Haaren kam zu ihm an den Wagen und sagte durch das offene Fenster: »Wenn es Ihnen nicht paßt, auf mich zu warten, nehme ich mir ein Taxi.«

»Ihr Vater wird es schon bezahlen«, sagte Kiene und musterte sie aufdringlich. Er hatte sie sich ganz anders vorgestellt, wesentlich hübscher und erwachsener; sie sah aus wie viele Mädchen, aber wenigstens trug sie keine Jeans, sondern einen, wenn auch reichlich kurz geratenen, frechen Rock, und was sich unter ihrer dünnen Bluse versteckte, sah auch nicht sehr aufregend aus. Sie sagte: »Daß Ihr eigener Vater nicht viel Freude an Ihnen gehabt hat, ist mir jetzt schon viel verständlicher geworden. Sie warten hier, bis ich herunterkomme, sonst können Sie wieder zu ihm oder dorthin zurückkehren, wo Sie sich die ganzen Jahre herumgetrieben haben. Ist das klar?«

»Darüber haben vorläufig nicht Sie zu befinden«, sagte Kiene überrascht. Sie erwiderte: »Vorläufig nicht, aber das kann sich sehr bald ändern.«

Ohne sich länger mit ihm zu befassen, verschwand sie wieder im Haus. Es machte auf Kiene einen ebenso bürgerlichen Eindruck wie die pausbäckige, resolute Dame: ein zweistöckiges Gebäude mit einem Satteldach und kleinen Erkern an der Seite. Im Garten sonnten sich ein paar Blümlein im frisch geschorenen Rasen. An einem der oberen Fenster hing auf einem Kleiderbügel ein Herrenhemd; anscheinend war es gerade erst gewaschen worden. Die Straße machte fast den Eindruck, als sei sie unbewohnt; nur eine jüngere Frau mit auffallend großem Busen schob einen Kinderwagen spazieren, und auf der anderen Straßenseite kläffte ein kleiner Hund einen für Kiene unsichtbaren Gegner an. Er warf die aufgerauchte Zigarette in den Rinnstein und fing an, sich zu ärgern. Weniger über die Abfuhr, die ihm soeben erteilt worden war, als über die Indiskretion des Chefs, seiner ungeratenen Tochter Dinge weiterzuerzählen, die diese genausowenig angingen wie die Geschäftsleitung der Rectanus-Werke. Sein Ärger wurde schließlich so groß, daß er den Motor startete, fest entschlossen, nicht länger auf sie zu warten. Fast im gleichen Augenblick kam sie mit einem mittelgroßen roten Lederkoffer aus dem Haus gelaufen und rief: »So warten Sie doch! Was fällt Ihnen ein!«

Kiene sah, daß sie jetzt eine Brille trug; er stieg aus und sagte: »Auch das noch!«

»Was soll das heißen?« fragte sie und gab ihm den Koffer. Er verstaute ihn, warf den Deckel zu und kehrte an seinen Platz hinter dem Lenkrad zurück. Sie öffnete ihre Tür selbst, setzte sich neben ihn und sagte in der nächsten halben Stunde kein Wort mehr. Erst als sie an die Grenze kamen, öffnete sie wieder den Mund: »Ich will zu meinem Vater. Fahren Sie mich zu ihm.« Kiene sagte: »Ich habe Anweisung, Sie nach Hause zu bringen.«

»Ihre Anweisungen bekommen Sie heute von mir«, sagte sie kalt. »Wenn Sie sich mit mir unterhalten, müssen Sie sich Ihren Ton abgewöhnen. Ich weiß genau, was ich von Ihnen zu halten habe. Er muß seine Sinne nicht mehr beisammen gehabt haben, als er sich einredete, Sie könnten auf mich Eindruck machen!«

»Sollte ich das?« fragte Kiene verwundert. Sie blickte ihn rasch an. »Tun Sie doch nicht so! Er hat mir oft genug zu verstehen gegeben, daß Sie der richtige Mann für mich seien. Falls Sie mir einreden wollen, daß Sie nichts davon gewußt haben – das können Sie sich ersparen!«

Kiene schwieg. Er war viel zu überrascht, um etwas sagen zu können. Als sie die Zollabfertigung passiert hatten, fragte sie: »Wie lange werden wir brauchen?«

»Vor heute abend schaffen wir es nicht; die direkte Route führt über Innsbruck.« Er beobachtete, wie sie die Handtasche öffnete, eine Packung herausnahm und sich eine Zigarette anzündete. Dann sagte sie: »Sobald wir bei meinem Vater sind, können Sie nach Hause fahren; ich brauche Sie dann nicht mehr.« Kiene lächelte. »Vielleicht brauchen Sie mich doch. Oder hat er Ihnen das nicht erzählt?« Sie wandte ihm das Gesicht zu. »Wovon reden Sie?«

»Daß es Leute geben könnte, die sich für Sie interessieren«, sagte Kiene. »Kidnapper, Mafia und was sonst noch alles herumläuft.«
Sie zog verwundert die Augenbrauen hoch. »Spinnen Sie?«
»Ich weiß nicht mehr, wer hier spinnt«, sagte Kiene. »Von wem erfuhren Sie, daß ich Sie abholen würde und daß Ihr Vater in der Klinik ist? Hat er mit ihnen telefoniert?« Sie öffnete ihr Fenster um eine Handbreit. »Dr. Mauser hat mich angerufen. Er sagte, es ginge meinem Vater nicht gut, und ich würde heute von Ihnen abgeholt werden.« Kiene vergewisserte sich ungläubig: »Sonst nichts?«
Sein Ton ließ sie aufmerken: »Was hätte er sonst noch sagen sollen?« Kiene biß sich auf die Lippen.
Sie fragte: »Was fehlt ihm wirklich? Dr. Mauser wollte sich nicht näher äußern.«
»Ich mich auch nicht«, sagte Kiene. »Fragen Sie ihn selbst.« Sie blies ihm den Rauch ihrer Zigarette ins Gesicht. »Er hat Sie mir jedesmal, wenn er mich besucht hat, vorstellen wollen. Ich habe ihm gesagt, daß ich an Ihrer Bekanntschaft nicht interessiert bin.«
Kiene lachte ein wenig. »Und nun ist sie Ihnen doch nicht erspart geblieben. Üblicherweise bin ich Damen gegenüber kein ungeselliger Typ. Ich lasse mich nur nicht gern anschnauzen. Auch von Ihnen nicht.«
Zum erstenmal lächelte sie und betrachtete ihn mit unmittelbar erwachtem Interesse. »In einer Beziehung muß ich meinem Vater zustimmen: Sie sind ein Typ, auf den manche Frauen 'reinfallen. Warum sind Sie von daheim weggelaufen? Oder darf man das nicht fragen?«
»Ich frage Sie ja auch nichts«, sagte er. Sie schnippte die Asche von der Zigarette. »Ich weiß nicht, welche Pläne mein Vater mit Ihnen hat. Sie scheinen größeren Einfluß auf ihn zu haben, als er mir gegenüber zugibt. Anders kann ich es mir nicht erklären, daß er es bis heute nicht aufgegeben hat, mich mit Ihnen zu verkuppeln. Sicher bin ich ebensowenig Ihr Typ wie Sie der meine, und Geld werden Sie eines Tages selbst genug haben. Es muß zwischen ihm und Ihnen eine Art obskurer Interessengemeinschaft geben, die ich noch nicht durchschaut habe. Ich habe mich auch schon gefragt, was Sie bewogen hat, die Offizierslaufbahn aufzugeben. Sie hätten es sicher noch zum General bringen können. Wollten Sie das nicht?«

Sie fing an, ihn zu amüsieren. »Und was haben Sie wirklich gegen ihn?«
»Nichts«, antwortete sie. »Wir verstehen uns halbwegs. Ich möchte mir nur meine Individualität bewahren und keine Fusionsehe eingehen müssen. Wir haben verschiedene Vorstellungen von der Zweckbestimmung einer Frau, wenn sie zufälligerweise Alleinerbin einiger Fabriken ist.«
»Vielleicht sind Sie das nicht mehr lange«, sagte Kiene belustigt. Sie fragte schnell: »Was wollen Sie damit sagen?« Kiene hob die Schultern. »Haben Sie nie daran gedacht, daß er noch einmal heiraten könnte?« Sie verzog abfällig die Mundwinkel. »Sie sind ja nicht recht bei Trost; er ist einundsiebzig.«
»Ein Grund mehr, nicht noch länger zu warten«, sagte Kiene. Mit einer Drehung ihres Oberkörpers wandte sie ihm voll das Gesicht zu. »Wer ist sie? Kennen Sie sie?« Kiene grinste. »No comment.«
Sie blickte ihn eine Weile stumm an. Dann drückte sie die Zigarette aus, lehnte sich in ihrem Sitz zurück und sprach kein Wort mehr. Viel später, als sie schon auf österreichischem Boden waren, äußerte sie den Wunsch nach einem Kaffee. Kiene blickte auf die Uhr. »Wollen Sie nichts essen?« Sie schüttelte den Kopf. Er sagte: »Aber ich«, und hielt vor dem nächsten Gasthaus. An der Grenze hatte er hundert Mark umgetauscht. Er bestellte für sie eine Portion Kaffee und für sich ein Mittagessen. Sie fragte: »Wo sind wir hier? Ich habe nicht darauf geachtet.«
»Reutte«, antwortete er. »Nach Innsbruck sind es noch etwa achtzig Kilometer. Wollen Sie wirklich nichts essen?«
»Nein«, sagte sie und betrachtete durch das Fenster die Berge. Im Gasthaus war es warm; hinter der Theke klang aus einem kleinen Radio ländliche Musik. Zwei urige Gestalten mit Lederhosen und grobkarierten Hemden saßen vor großen Biergläsern und unterhielten sich einsilbig. Auf einer Ofenbank schnurrte eine dicke, weiße Katze.
Kiene griff nach seinem Glas, trank einen Schluck und wischte sich mit dem Zeigefinger die Unterlippe ab. »Verstehen Sie mein ›no comment‹ von vorhin nicht falsch«, sagte er. »Ich möchte Ihrem Vater nicht den Spaß verderben, Sie mit Ihrer künftigen Stiefmutter zu überraschen. Vielleicht haben Sie ihn zu oft allein gelassen.«
Sie gab keine Antwort; er war nicht einmal sicher, ob sie ihm überhaupt zuhörte. Er erinnerte sich, daß sie ihm beim Grenz-

übergang ihren Paß gegeben und er ihn mit seinem eigenen in die Brieftasche gesteckt hatte. Er nahm ihn heraus, schlug ihn auf und betrachtete, ohne daß sie Einspruch erhob, ihr Foto. »Die schöne Ursula«, sagte er. »Ursula Rectanus; klingt ein bißchen nach Geld und ein bißchen nach Hochmut. Gesichtsform länglich, Augen dunkel, Größe einsneunundsechzig, besondere Kennzeichen keine.« Er blickte auf. »Sie hatten gestern Geburtstag! Eine etwas eigenartige Duplizität.«
»Wer hat Ihnen das erlaubt?« fragte sie ohne Ärger in der Stimme. Er gab ihr den Paß und sagte: »Sie hätten mich ja daran hindern können. Wenn ich Sie schon heiraten soll, muß ich wenigstens Ihren Vornamen und Ihr Geburtsdatum wissen. Seien Sie unbesorgt: ich werde, wenn überhaupt, nicht viel jünger heiraten, als Ihr reizender Papa. Daß Sie, wie Sie vorhin voraussetzten, nicht mein Typ seien, stimmt insofern nicht, als ich keinen habe.«
Sie griff nach ihrer Tasse und fragte, ihn über den Tassenrand hinweg ansehend: »Ein bißchen verwöhnt?« Kiene lächelte. »Nur gebranntes Kind. Meine Verlobte schlug sich damals auf die Seite meiner Familie. Sie hatte ganz andere Träume, als nur die Frau eines Luftwaffenoffiziers zu werden. Dabei habe ich sie wahnsinnig geliebt, aber sie wollte mich nicht verstehen. Falls es Ihnen jetzt auf der Zunge liegt, sich nach ihrem weiteren Schicksal zu erkundigen: sie hat später meinen großen Bruder geheiratet und ihre Träume doch noch wahr gemacht. Wenn ich richtig informiert bin, hat sie ihm inzwischen einen ganzen Stall kleiner Kienes geschenkt und damit wesentlich dazu beigetragen, den Clan am Leben zu erhalten. Soll ich Ihnen noch ein Kännchen bestellen?«
Sie schüttelte den Kopf. »Dann ist Ihr Bruder jetzt der große Mann?« Kiene aß, bevor er antwortete, seinen Teller leer. Er wischte sich mit der Serviette sorgfältig den Mund ab und faltete sie ebenso sorgfältig zusammen. »Das war er schon immer«, sagte er. »Er war schon als fünfzehnjähriger Junge einen ganzen Kopf größer als ich. Damals holte ich mir meinen ersten Minderwertigkeitskomplex und beschloß, Flieger zu werden, damit mir keiner mehr auf den Kopf spucken kann.«
Sie mußte lächeln. »Warum sind Sie es dann nicht geblieben?«
Er betrachtete durchs Fenster den blauen Himmel über den Bergen. »Ich war insgesamt zehn Jahre oben und habe mich immer wohl dabei gefühlt. Vor zwei Jahren klappte ich nach einem

Routineflug ohne jeden ersichtlichen Grund zusammen und wurde automatisch zu einem Sicherheitsrisiko. Die Ärzte werden wohl gewußt haben, was mit mir los war. Mir haben sie es nicht gesagt, und ich weiß es bis heute noch nicht. Da ich nur wegen der Fliegerei zur Luftwaffe gegangen bin und nicht, wie Sie es mir unterstellen, um dort General zu werden, habe ich meinen Abschied genommen.« Er winkte der Kellnerin und bezahlte.
Während sie weiterfuhren, fragte er: »Waren Sie schon einmal in dieser Gegend?« Sie schüttelte den Kopf. »In den vergangenen zehn Jahren bin ich kaum aus der Schweiz herausgekommen. Zuerst ein Internat bei Lausanne und dann die Hochschule in St. Gallen. Wirtschafts- und Sozialwissenschaften.« Sie wandte ihm das Gesicht zu. »Vielleicht hatte ich Sie falsch eingeschätzt. Ich dachte, Sie seien so eine Art von Berufssoldat gewesen. Was bedeutet Ihnen Fliegen?«
»Alles«, sagte er.
Sie sagte: »Das tut mir leid, Manfred.«
»Macht nichts, schöne Ursula.«
In Innsbruck wollte sie ein Eis haben. Er bummelte mit ihr durch die Maria-Theresien-Straße und zeigte ihr die Triumphpforte und die Universität. Das Eis aßen sie in einem kleinen Café mit holzgetäfelter Decke und getäfelten Wänden. Dort fragte sie ihn: »Was fehlt meinem Vater wirklich?«
Kiene betrachtete die Beine der hübschen Serviererin. »Er fühlt sich verfolgt. Von seinem Betriebsrat, von der Werks-Mafia, von Gewerkschaftsbonzen und von unbekannten Burschen, die ihm die Radieschen aus dem Garten klauen und ihm vor der Haustür auflauern wollen. Gestern morgen hat er seinen Betriebsratsvorsitzenden mit dem Brieföffner angefallen und . . .« Er brach ab und blickte in ihr ungläubiges Gesicht. »Hat er Ihnen gegenüber nie von solchen Dingen gesprochen?«
»Ich habe sie nie ernst genommen«, sagte sie. »Wie war das mit dem Betriebsratsvorsitzenden?«
Kiene erzählte es ihr. Sie hörte ihm stumm zu. Dann stand sie plötzlich auf. »Ich möchte so rasch wie möglich zu ihm.«
Sie hatte nicht einmal ihren Eisbecher ausgelöffelt. Im Wagen sagte sie: »Ich verstehe das nicht. Als er mich zuletzt besucht hat, war er nicht anders als sonst. Vielleicht hängt das alles mit dieser Frau zusammen. Wer ist sie? Ich möchte es wissen.«
Sie wirkte jetzt zum erstenmal unsicher. Kiene sagte: »Mich beschäftigt eine ganz andere Frage. Er hat Sie, seit ich ihn kenne,

mindestens zweimal im Monat besucht, und ausgerechnet gestern, an Ihrem Geburtstag, ist er, statt zu Ihnen, eine Stunde früher als sonst ins Büro gefahren und hat dort durchgedreht. Waren Sie gestern nicht mit ihm verabredet?« Sie sagte schroff: »Mein Vater wußte schon lange, daß ich an diesem Tag mit einem Freund verabredet war. Ich sehe da keinen Zusammenhang. Ich habe Sie jetzt zweimal nach dieser Frau gefragt, und ich frage Sie noch einmal: Kennen Sie sie?«
Kiene schwieg. Sie wartete eine halbe Minute, dann sagte sie: »Ich möchte es nicht erst von ihm, sondern schon von Ihnen erfahren. Sie werden es mir noch sagen.«
»Dessen bin ich mir nicht sicher«, sagte Kiene. Sie blickte ihn merkwürdig an, sagte jedoch nichts mehr.
Als er wieder einmal zu ihr hinschaute, hatte sie die Beine übereinandergeschlagen. Obwohl sie dünne Beine hatte: ihre Schenkel konnten sich sehen lassen, und je länger Kiene Gelegenheit hatte, sie zu betrachten, desto schwerer fiel es ihm, den Blick abzuwenden. Er hatte sie selbst dann noch vor Augen, wenn er einmal nicht hinschaute, und irgendwann wurde ihm klar, daß sie es darauf abgesehen hatte, ihn zu provozieren.
Nun war Kiene kein Mann, der sich schon nach zwei Minuten provozieren ließ, und er nahm sich vor, was immer auch sie damit erreichen wollte, diese Provokation gar nicht erst zur Kenntnis zu nehmen. Dies gelang ihm auch bis nach Wörgl, wo sie die Autobahn verließen und die Straße, vorbei am schönen St. Johann, durch eine weniger stark befahrene, eindrucksvolle Gebirgslandschaft führte. Dort konnte er der Versuchung, die Hand auf ihr Knie zu legen, nicht länger widerstehen. Er fragte: »Das stört Sie doch nicht?« Sie antwortete nicht. Er nahm die Hand zurück und fragte: »Was wollen Sie wissen?«
»Alles«, antwortete sie. »Wer sie ist und seit wann er sie kennt. Hat er Ihnen befohlen, nicht über sie zu sprechen?«
»Er hat es mir nicht erlaubt«, sagte Kiene.
»Das ist alles?« fragte sie.
Kiene lächelte. Zwischen Epfendorf und Waidring bog er auf einen Waldweg ein, folgte ihm ungefähr fünfzig Meter weit und trat dann auf die Bremse. Er stellte den Motor ab und sagte: »Nehmen Sie an, Sie hätten mich neugierig darauf gemacht, wie wichtig Ihnen meine Kenntnisse über die Affäre Ihres Vaters sind. Oder liege ich falsch?«
Sie wandte sich ihm zu. »Warum vergewissern Sie sich nicht?«

»Das tue ich gern«, sagte Kiene und nahm sie in die Arme. Sie sagte: »Sie sind genauso, wie ich Sie mir vorgestellt habe, Manfred.«
»Das tut mir leid, Ursula«, sagte er. Sie ist fünfundzwanzig und Krankenschwester. Ihr Vater hat sie im Krankenhaus kennengelernt und ihr innerhalb von zehn Minuten einen Heiratsantrag gemacht. Was wollen Sie sonst noch wissen?«
»Wann war das?«
»Gestern. Inzwischen ist sie bei ihm in dieser Klinik. Er will einen Notar kommen und einen Ehevertrag aufsetzen lassen. Mehr kann ich Ihnen nicht sagen.«
»Wozu tragen Sie eine Pistole?« fragte sie.
Er merkte jetzt erst, daß sein Schulterhalfter verrutscht war, und schob ihn zurück. »Auf Wunsch Ihres Vaters. Er hält mich für einen todsicheren Schützen.« Sie musterte ihn belustigt. »Sind Sie einer?«
»Nein«, sagte Kiene. »Ich treffe nicht einmal ein Haus. Außerdem ist sie nie geladen. Ich trage sie nur, weil ich sie Ihrem Vater jedesmal vorzeigen muß.«
»Er fängt an, mir Sorgen zu machen«, sagte sie und öffnete die Tür. Kiene beobachtete, wie sie zwischen den Bäumen verschwand. Ein paar Sekunden lang überlegte er, ob er das Spiel fortsetzen sollte, aber sie war ihm zu unberechenbar, und er verspürte keine Lust, ihretwegen seinen Job zu riskieren. Als sie kurze Zeit später zurückkam, sagte sie: »Wir fahren jetzt weiter. Ihren Spaß haben Sie ja gehabt.«
»Ich habe mir viel mehr darunter vorgestellt«, sagte er. Sie setzte sich neben ihn und sah ihn an. »Bevor ich Sie persönlich kennenlernte, habe ich nicht glauben können, daß ein Mann ausgerechnet bei seiner Verlobungsfeier die Freundin seines Bruders verführt. Jetzt glaube ich es.«
Er starrte betroffen in ihr Gesicht.
»Interessiert es Sie, was ich sonst noch über Sie erfahren habe?«
»Eigentlich nicht«, sagte Kiene, der seine Betroffenheit schnell überwunden hatte. Dann kamen ihm Bedenken. Er fragte: »Was denn alles?«
Sie lehnte sich in ihren Sitz zurück und erwiderte amüsiert seinen Blick. »Daß Sie schon mit achtzehn ein Dienstmädchen verführt haben . . .«
»Sie hat mich verführt«, warf Kiene ein. »Außerdem war ich damals erst sechzehn und noch wesentlich schöner als heute.«

»Meinetwegen«, sagte Ursula. »Sie haben das Abitur gemacht, anschließend zwei oder drei Semester Volkswirtschaft abgesessen, für die Sie, weil Sie ständig mit Liebesaffären beschäftigt waren, fast vier Jahre gebraucht haben, und als Ihre Eltern Ihre Affären endgültig satt hatten, wurden Sie mit Ihrer damaligen Tagesfreundin verlobt.«
»Sie kommt aus einem recht guten Stall«, räumte Kiene ein. »Ihr Vater ist irgendein Herr von Dingsbums; mit seinem heutigen Schwiegersohn, meinem älteren Bruder, soll er sich ganz gut verstehen.«
Ursula nickte lächelnd. »Das habe ich auch gehört. Herr von Steffen ist sogar Konsul. Um so schlimmer, was Sie diesem Herrn von Dingsbums angetan haben.«
Kiene sagte gleichgültig: »Er hatte ohnehin große Bedenken gegen die Verlobung. Mein Bruder war ihm als Schwiegersohn wesentlich sympathischer als ich.«
»Sie Ärmster!« Sie berührte mitfühlend seinen Arm. »Und dann auch noch diese traurige Geschichte mit Ihrer abgebrochenen Generalslaufbahn! Erzählen Sie die allen Frauen?«
Ihr Ton machte ihn stutzig. »Was gefällt Ihnen nicht daran?«
»Alles«, sagte sie. »Sie sind nämlich nicht nach einem Routineflug zusammengeklappt, sondern erst als Ihr Regimentskommandeur Sie im Bett seiner Frau erwischt hat. Stimmt's?«
»Diese Geschichte wußte Ihr Vater auch schon?« fragte Kiene, und diesmal war er ehrlich überrascht. Sie blickte lachend in sein Gesicht. »War sie wenigstens hübsch?«
»Sie wurde vom halben Regiment angebetet«, sagte Kiene übertreibend. »Ich war öfter bei ihnen eingeladen; ihr Mann hatte ein Faible für mich.«
»Wie mein Vater auch«, sagte sie amüsiert. »Und dann hat man Sie gefeuert?« Kiene winkte ab. »Nur zum Bodenpersonal versetzt, aber dazu bin ich ja nicht zur Luftwaffe gegangen. Darf ich mich über etwas wundern?« Sie nickte ihm aufmunternd zu. »Worüber?«
»Daß Ihr Vater, obwohl er das alles wußte, mich dennoch mit Ihnen verkuppeln möchte«, sagte Kiene.
»Vielleicht gerade deshalb«, sagte sie. »Er hatte für Frauen nie viel Zeit und bewundert Männer, die in der Liebe so erfolgreich sind wie Sie. Übrigens meint er, daß Frauenhelden oft die besten Ehemänner abgeben. Ich möchte mich dieser Ansicht nicht anschließen. Vielleicht habe ich da eine viel bessere Idee als er.«

»Sie machen mich neugierig«, sagte Kiene. »Haben Sie etwas dagegen, wenn wir jetzt weiterfahren?«
»Ganz im Gegenteil«, sagte sie. »Ich wollte Sie gerade darum bitten.«
Er fuhr auf die Straße zurück und lächelte. Sie fragte: »Warum lachen Sie?« Kiene wurde ernst. »Ich dachte gerade über Ihre Idee nach. Wollen Sie mich auf Ihre künftige Stiefmutter ansetzen?«
Sie fragte überrascht: »Wie haben Sie das erraten?«
»Ihre Nasenspitze hat es mir verraten«, sagte Kiene und betrachtete durch die Windschutzscheibe einen besonders hohen Berggipfel. »Sie glauben doch nicht im Ernst daran, daß ich mir noch mal die Pfoten verbrenne?«
»Auch nicht für einen angemessenen Preis?« fragte sie und sah ihn unverwandt an. Er strich ihr mit dem Handrücken über die Wange. »Das ist mir zu vage.«
»Das vorhin auch?« fragte sie. Er lächelte. »Kommt darauf an, was Sie meinen.«
»Vielleicht haben wir uns mißverstanden«, sagte sie.
Ihr geschicktes Taktieren, indem sie ihm Hoffnungen machte, um sie fast im selben Atemzug wieder in Frage zu stellen, erinnerte ihn an ihren Vater. Er sagte: »Dann vergessen Sie es.« Sie sagte eine ganze Weile nichts, während er den Wagen durch die engen Kurven steuerte. Als sie wieder sprach, merkte er, daß ihre Gedanken sich ausschließlich mit dem letzten Thema beschäftigt hatten. Sie sagte: »In diesem Fall gäbe es so gut wie kein Risiko für Sie. Mein Vater hört auf mich. Er würde Sie, wenn ich mich für Sie einsetze, auch nicht wegen dieser Frau entlassen. Und ich würde es Ihnen nicht vergessen. Ist das keine Basis?«
»Nicht für mich«, sagte er. »Wenn ich Geschäfte mache, dann keine halben.« Sie sah von ihm weg. »Was könnte Sie daran reizen? Nur wieder mal eine Frau mehr?« Kiene schüttelte den Kopf. »Nicht jede Frau.«
Sie dachte mit gerunzelter Stirn darüber nach, dann fragte sie beiläufig: »Hat es vielleicht damit zu tun, daß es einmal die Verlobte Ihres Bruders und beim zweiten Mal die Frau Ihres Kommandeurs war?«
Wieder erstaunte ihn ihre Fähigkeit, ihn zu durchschauen. Es fiel ihm auf, daß er sich zum erstenmal in seinem Leben nicht mehr darum bemühte, eine Frau, die er eben erst kennengelernt hatte, beeindrucken zu wollen.
Er sagte achselzuckend: »Damit kompensiere ich den Umstand,

daß ich bis zum Tod meiner Eltern von anderen Leuten abhängig bin.«
»Und dann?« fragte sie. Er wich einem entgegenkommenden Lastwagen aus und sagte: »Dann werde ich meinen großen Bruder das Gruseln lehren. Er zittert schon heute davor, daß er sich eines Tages wieder mit mir an einen Tisch setzen und über mein Erbteil unterhalten muß. Vor zwei Jahren hat er mir die Stellung eines Hauptabteilungsleiters anbieten lassen. Das klingt nach viel, wäre aber in der Praxis kaum mehr als die Position eines Laufburschen in einer gehobenen Gehaltsgruppe gewesen. Wenn ich mich mal mit ihm über dieses Thema unterhalte, dann nur aus einer besseren Position heraus als heute. Bis dahin darf er die Tausender noch alleine springen lassen.«
»So, wie Sie die Frauen springen lassen«, sagte Ursula. »Oder ist es vielleicht umgekehrt?« Er berührte wieder ihr Knie. »Hübschen Frauen habe ich noch nie einen Wunsch abschlagen können. Ich weiß jetzt, daß Sie mich für einen Schwächling halten. Kann sein, daß ich einer bin. Mein Kapital ist vorläufig noch, daß andere Frauen es nicht wissen. Bei Ihnen war ich insofern in einer schlechteren Ausgangsposition, als Sie bereits umfassend über mich informiert waren. Das Problem ist jetzt, bei wem ich auf die Dauer besser fahre: Bei Ihnen oder bei Ihrer Stiefmutter.«
Sie blickte auf seine Hand nieder. »Bei ihr bestimmt nicht. Meinem Vater könnten Sie vielleicht etwas vormachen – mir nicht. Wieso sind Sie eigentlich so sicher, daß Sie auch bei ihr landen werden?« Ihr Knie fühlte sich heiß an. Er erinnerte sich, wie sie bei seiner Liebkosung stillgehalten hatte, und sagte mit belegter Stimme: »Bis jetzt unterhalten wir uns ja nur hypothetisch, stolze Ursula.«
»Wir haben uns nie anders als hypothetisch unterhalten«, sagte sie. »Würden Sie bitte Ihre Hand da wegnehmen.«
Kiene gehorchte mit dem Gefühl eines Feldherren, der zwar eine entscheidende, jedoch noch lange nicht die letzte Schlacht verloren hat.

12

Für einen Mann, der mindestens zehn Stunden täglich bemüht sein muß, nicht nur überschäumende Zuversicht und dynamisches Wesen auszustrahlen, sondern beides auch noch durch überzeugende Verkaufserfolge zu legitimieren, gibt es im grauen

Alltag des eingefahrenen Familienlebens nur noch wenig Möglichkeiten, neue psychische Kraft zu schöpfen, ohne die kreatives Schaffen kaum denkbar ist. Zwar gab sich Ella Kolb alle erdenkliche Mühe, ihrem streßgeplagten Ehegatten fürsorgliche Frau und zärtliche Geliebte zu sein, zumal ihr das traurige Schicksal ihrer Vorgängerin, die an derselben schwierigen Aufgabe gescheitert war, nie aus dem Sinn gehen wollte, aber selbst die seelische Kraft einer liebenden Frau wird überfordert, wenn neben dem anspruchsvollen Ehegatten auch noch zwei lebhafte Kinder zu betreuen sind. Auch wenn Michael Kolb nie ein Wort darüber verlor, registrierte er doch die geringste Vernachlässigung mit der Empfindlichkeit eines Seismographen genauso sorgsam wie die nachlassende Fähigkeit seiner Frau, sich auch dann einfühlsam seiner beruflichen Probleme anzunehmen, wenn er sie einmal nicht von sich aus zur Sprache brachte. Während sie in den ersten Jahren ihrer Ehe auch die kleinste Sorgenfalte sogleich mitfühlend von seiner hohen Stirn abgelesen hatte, bedurfte es heute oft bedrückten Schweigens oder tiefer Seufzer ihres Mannes, um sie auf seinen depressiven Gemütszustand aufmerksam zu machen. Und sogar dann brach sie ein Gespräch oft an der entscheidenden Stelle ab, um sich Unpäßlichkeiten der Kinder oder sonstigen Belanglosigkeiten zu widmen. So sehr Michael Kolb zwar von dem Wunsch nach Kindern besessen und so heiß er ihnen in väterlicher Liebe zugeneigt war, so schmerzlich hatte ihn doch die Erfahrung getroffen, daß Kinder auch zur schwindenden Kommunikationsbereitschaft der Ehefrau und damit zur Vereinsamung des Gatten beitragen konnten. Denn wie sehr sie auch ihrem intelligenten Vater zu dessen Genugtuung nachschlugen: den einfühlsamen Gesprächspartner vermochten sie ihm noch nicht zu ersetzen. Kein Wunder also, daß er nach einem Menschen suchte, der sich, unbelastet von häuslichen Banalitäten, für seine Probleme interessierte.

Einen solchen Menschen in einer Zeit zu finden, in der jeder sich selbst der nächste und mit eigenen Problemen hinlänglich beschäftigt ist, konnte nur durch einen glücklichen Zufall oder durch eine besonders günstige Fügung des Schicksals gelingen. Daß die Menschen allzuoft mit Blindheit geschlagen sind, so daß sie sich der wichtigsten Begegnungen ihres Lebens entweder nie oder erst sehr spät bewußt werden, hatte auch Michael Kolb am eigenen Leibe erfahren müssen. Hatte er doch in all den vergangenen Jahren nie einen aufmerksameren Zuhörer für seine aktuellen Probleme gehabt als die ebenso schöne wie feinsinnige Ehegefährtin seines Geschäftsführerkollegen Ferdinand Wekkerle. Zunächst noch verstrickt in die leidvollen Enttäuschungen seiner geschiedenen Ehe, dann abgelenkt durch eine feurige Liaison mit seiner nachmaligen Frau Ella, hatte er Sibylle Weckerle früher nie jene Beachtung geschenkt, die sie aufgrund ihres verständnisvollen Wesens längst verdient gehabt hätte. Erst als ihre Freundschaft mit Ella zu einer wesentlichen Intensivierung der Familienkontakte führte und wiederholtes geselliges Beisammensein ihm die Augen für Sybilles überragende Qualitäten öffnete, war sie ihm auch im Herzen nähergekommen. Daß es nicht dabei geblieben war, hatte verschiedene Ursachen. Einmal füllte Ferdinand Weckerle seine ohnedies knapp bemessene Freizeit mit so zahlreichen Hobbys aus, daß Sibylle sich nach zehnjähriger kinderloser Ehe nur noch als eines unter vielen in seinem Leben betrachtete, zum anderen war er weniger tiefsinnig veranlagt als sie, während Michael Kolb, allem Schöngeistigen aufgeschlossen, ihrem Wunschbild von einem idealen Ehepartner schon bedeutend näherkam. Dies hätte jedoch nicht zwangsläufig zu einer intimen Beziehung führen müssen, aber je näher Michael Kolb den kritischen Jahren kam, um so mehr entsprach Sibylle auch rein äußerlich immer stärker seinem Idealbild. Nachdem er längere Zeit hindurch in der irrigen Vorstellung gelebt hatte, nur eine sehr junge Frau könnte einen Mann in seinem Alter noch richtig glücklich machen, fühlte er sich mit den Jahren, für ihn selbst überraschend, weitaus stärker von reiferen Frauen angezogen. Sibylle verkörperte in seinen Augen eine selten harmonische Synthese von reifer Weiblichkeit und erotischer Ausstrahlung. Ihr beiderseitiges Verhältnis hatte sich fast mit der Gesetzmäßigkeit eines Naturereignisses entwickelt – und nicht nur deshalb, weil Ferdinand Weckerle am Abend seines vorletzten Geburtstages völlig betrunken vom Stuhl gefallen und gemeinsam von Sibylle und Michael Kolb ins Schlafzimmer gebracht worden war, wo sie sich, kaum daß er schnarchend auf dem Bett lag, wie selbstverständlich in die Arme gesunken waren.

Nach dem aufwühlenden Gespräch mit seinem Geschäftsführerkollegen Jürgen Meissner hatte Kolb mit Sibylle telefoniert. Da sie für den Abend zu einer kleinen Grillparty in ihrer Wochenendhütte verabredet waren und Kolb den Wunsch äußerte, sie vorher noch unter vier Augen zu sprechen, schlug sie ihm vor,

das Büro früher zu verlassen und sich mit ihr in der Hütte zu treffen. Kolb, der für diesen Nachmittag ausnahmsweise keine unaufschiebbaren Termine hatte und dank der Abwesenheit des Chefs nach eigenem Gutdünken über seine Zeit verfügen konnte, stimmte zu. Er verständigte seine Frau davon, daß er zum Essen nicht nach Hause kommen und sie gegen achtzehn Uhr zu der Party bei Weckerles abholen würde. Fürsorglich erkundigte er sich auch nach den Kindern und erfuhr, daß sie beide wohlauf waren und am Abend wie immer in den guten Händen seiner Schwiegermutter sein würden. Nachdem er sich mit einem schmatzenden Küßchen von Ella verabschiedet hatte, widmete er sich bis zum frühen Nachmittag konzentriert seinen Geschäften. Bevor er das Büro verließ, ging er noch auf einen Sprung bei Weckerle vorbei, der in einer wichtigen Sitzung steckte, diese jedoch kurz unterbrach, um ihm zu sagen, daß Sibylle ihm vor einer Stunde telefonisch ihre Absicht mitgeteilt habe, schon nach dem Mittagessen zur Hütte zu fahren. Er sagte: »Falls Ella Lust hat, kann sie ihr dabei Gesellschaft leisten.«
Wie immer, wenn sie sich unbeobachtet wußten, duzten sie sich auch am Arbeitsplatz. Kolb wehrte ab: »Ihre Mutter hat erst heute abend Zeit, sich um die Kinder zu kümmern. Da habt ihr es eben einfacher als wir.«
»Ich wußte genau, weshalb ich keine in die Welt gesetzt habe«, sagte Weckerle und blickte nervös auf die Armbanduhr. »Ich komme vor sechs Uhr kaum weg; ihr braucht, falls es etwas später werden sollte, mit dem Essen nicht auf mich zu warten. Mußt du noch wohin?«
»Ich habe noch ein paar Außentermine«, sagte Kolb und verabschiedete sich. Auch diesmal benutzte er nicht den Aufzug, sondern lief leichtfüßig die Treppe hinunter. Auf dem Parkplatz blieb er einen Augenblick stehen und ließ sich die warme Sonne ins Gesicht scheinen. Er fühlte sich glücklich und bedrückt zugleich. Vorsorglich benutzte er nicht den eigenen, sondern einen Dienstwagen. Dem Pförtner wäre es aufgefallen, wenn er, in Abwesenheit des Chefs, zu so früher Stunde in seinem Privatauto die Fabrik verlassen hätte; Kolbs Empfindungen für Fritz Arnauer waren mit jenen des Chefs identisch: Wie immer, wenn er die Pforte passierte, stand Arnauer in wichtigtuerischer Pose neben der geöffneten Schranke und legte grüßend die rechte Hand an den Mützenschirm. Kolb nickte ihm freundlich zu und sagte durch die Zähne: »Scheißkerl!«

Er hatte eine etwa halbstündige Fahrt vor sich, die ihn durch eine waldreiche und hügelige Landschaft führte. Als Weckerle das Wochenendhaus gekauft hatte, war es eine Jagdhütte gewesen. Ihr früherer Besitzer, ein Industrieller aus Mannheim, hatte zwei Jahre lang von seinem Jagdrecht so ausgiebig Gebrauch gemacht, daß es dort außer ein paar verschreckten Eichhörnchen nichts mehr zu schießen gab. Oft war er mit einer Jagdgesellschaft von über hundert Personen, zu denen auch bekannte Landespolitiker zählten, angereist und hatte mit ihnen ein Feuerwerk veranstaltet, daß den Einwohnern der umliegenden Gemeinden noch tagelang die Ohren dröhnten. Inzwischen war das Waldgebiet unter Landschaftsschutz gestellt worden, und Weckerle hatte die Jagdhütte durch einen günstigen Zufall erwerben und für seine Zwecke umbauen können. Dafür hatte er an anderer Stelle gespart und wohnte heute noch in dem kleinen Einfamilienhaus, das seine Eltern ihm hinterlassen hatten. Kolb, der in billigen Mietwohnungen aufgewachsen war, hatte sich vor sechs Jahren einen Vierhunderttausend-Mark-Bungalow mit integrierter Schwimmhalle gebaut und lebte seither in der Furcht, bei einem Verlust seiner gutdotierten Stellung die restlichen Hypotheken nicht mehr abstottern zu können.
Die Hütte stand an einem kleinen, bananenförmigen Waldsee, dessen Wasser, von unterirdischen Quellen gespeist, trotz des ihn umgebenden sumpfigen Bodens erstaunlich klar war. Als Kolb eintraf, war Sibylle damit beschäftigt, den Grillrost zu säubern. Sie küßte ihn, ohne ihre Arbeit zu unterbrechen, auf die Wange und sagte: »Geh schon hinein, Michael. Ich komme gleich.«
Sie gehörte zu den Frauen, die selbst im einfachen Freizeitanzug noch wie eine Dame aussehen. Kolb konnte es sich nicht versagen, ihr rasch unter den Lumber zu greifen. Dankbar stellte er fest, daß sie sonst nichts auf der Haut trug. Er betrat die Hütte und ging in den Wohnraum. Dieser hatte drei große Fenster. Von einem fiel der Blick direkt auf den See. Die Einrichtung hatte Weckerle vom früheren Besitzer übernommen. Außer einigen bequemen Ledersesseln gab es noch zwei breite, mit Fellen bedeckte Liegen. Unter den Fenstern zog sich eine durchgehende Bank bis zum offenen Kamin hin. Die Schränke und der Tisch waren aus rohbehauenen Stämmen. An den holzgetäfelten Wänden hingen Bilder. Die Hütte hatte zwei Schlafzimmer, die ähnlich eingerichtet waren, eine Küche und einen kleinen Keller.

Dort waren die Wasserpumpe und das Stromaggregat untergebracht.
Kolb zog das Jackett aus, setzte sich auf eine der Liegen und zündete sich eine Zigarette an. Hier war er schon oft allein mit Sibylle gewesen, hier fühlte er sich frei von Angst und weit entfernt vom Alltag. Er hatte bereits daran gedacht, sich eine ähnliche Hütte zuzulegen. Vielleicht später, wenn er die Hypotheken vom Hals hatte. Noch sechs oder sieben Jahre, dann war er über dem Berg. Aber bis dahin konnte noch viel passieren.
Er starrte, als Sibylle hereinkam, düster vor sich hin. Sie setzte sich zu ihm, legte eine Hand auf seine Schulter und fragte: »Probleme, Michael?«
Keine andere Frau konnte mit zwei so einfachen Worten ihr Mitgefühl überzeugender ausdrücken als sie. Er griff nach ihrer Hand, preßte sie an den Mund und sagte: »Ich habe einen miesen Tag. Schiß hab' ich auch.«
»Wovor?« fragte sie und streichelte sein Haar. Er erzählte ihr von seinen Erlebnissen am Fabriktor und fuhr fort: »Ich wollte erst gar nicht hingehen; Ferdinand und Meissner haben mich dazu gedrängt. Wenn ich geahnt hätte, daß sie dort eine Fernsehkamera aufgebaut hatten, hätten mich keine zehn Pferde hingebracht. Ich war so schockiert, daß ich überhaupt nicht mehr wußte, was ich sagte. Ich habe mich, glaube ich, wie ein Idiot angestellt. Wenn die das ausstrahlen, das bekommt ja nicht nur der Chef, das kriegt auch die ganze Branche mit.«
»Warum sollten sie es ausstrahlen?« fragte Sibylle beruhigend. »Dazu besteht doch überhaupt kein Anlaß! Es wäre etwas anderes, wenn Herr Rectanus tatsächlich die Absicht hätte, zu verkaufen.«
Kolb nahm ihre Hand von seinem Mund. »Da bin ich mir jetzt nicht mehr so sicher; etwas tut sich im Hintergrund.« Er schilderte ihr sein Gespräch mit Meissner und setzte hinzu: »Heute traue ich keinem mehr; schon gar nicht Meissner. Wenn der so etwas von sich gibt, wissen er und Kiene sicher schon mehr als wir alle. Ich bin bestimmt keiner von denen, die nach mehr Mitbestimmung rufen, aber es gibt Fälle, da sollte der Betriebsrat oder wenigstens die Geschäftsleitung eingeschaltet werden. Es ist ein untragbarer Zustand, daß sie von einem Wechsel der Unternehmensleitung vielleicht erst aus der Zeitung erfahren. Übrigens ist Meissner heute ganz schön aus sich herausgegangen. Er hat da über Ferdinand so ein paar Bemerkungen fallenlassen, die

doch recht aufschlußreich für seine Einstellung zu ihm sind. Von wegen Opportunismus und so. Nur weil Ferdinand sich hinter die Entscheidung des Betriebsrats gestellt hat, diesen verrückten Huber zum Chef zu schicken!«
»Davon weiß ich noch gar nichts«, sagte Sibylle überrascht. Kolb legte einen Arm um ihre Taille und streichelte unter dem Lumber ihre Haut. »Das hat sich erst heute früh ergeben«, sagte er und berichtete ihr ausführlich von der Auseinandersetzung zwischen Kirschner und der Geschäftsleitung. Sibylle erwiderte seine Liebkosung und sagte: »Ich verstehe das ja auch nicht, und von Meissner habe ich noch nie viel gehalten. Er ist ein unangenehmer, kalter Typ.«
»Erzkonservativ dazu!« sagte Kolb abfällig. »Einer von den ewig Gestrigen. In dieser Beziehung denke ich genauso wie Ferdinand. Es hat keinen Zweck, sich gegen Entwicklungen stemmen zu wollen, die doch nicht aufzuhalten sind. Ich habe mir gestern die halbe Nacht den Kopf darüber zerbrochen, was den Chef dazu veranlaßt haben könnte, Kirschner gegenüber dermaßen aus der Rolle zu fallen. Vermutlich hängt es mit den neuen Akkordzeiten zusammen oder mit dem Mitspracherecht des Betriebsrats bei Kündigungen. Er hat das eine wie das andere mit allen Mitteln zu verhindern versucht, ohne sich natürlich durchsetzen zu können. Ein Mann mit seinem hierarchischen Selbstverständnis, der seinen Betrieb ein Leben lang nie anders als patriarchalisch geführt hat, kann sich da einfach nicht mehr umstellen. Ebensowenig wie Meissner.« Er verstummte und blickte sie fragend an. »Hast du schon Lust?« Sie nickte.
Er ging mit ihr in eines der kleinen Schlafzimmer und schloß vorsorglich den Laden. Als er sich nach ihr umdrehte, erwartete sie ihn bereits auf dem Bett. Er legte sich rasch zu ihr. Jedesmal, wenn er ihre Hände an den Schenkeln fühlte und etwas später die kurzen, liebkosenden Berührungen ihrer Fersen im Rücken, stellte er Vergleiche mit Ella an, die nur in der ersten Zeit ihrer Ehe seine Begierde ähnlich einfühlsam gesteigert hatte. Seit die Kinder da waren, begnügte sie sich damit, sich ihm mit einer nachgerade stoischen Verzückung hinzugeben. Er kam auch diesmal sehr bald zum Höhepunkt und blieb, den Mund in Sibylles feuchter Achselhöhle vergraben, noch eine Weile auf ihr liegen. Später küßte er sie und fragte: »Zufrieden?« Sie streichelte sein Gesicht und sagte: »Bleib noch ein bißchen hier, Michael. Vielleicht werden wir es eines Tages nicht mehr tun können.«

»Wie kommst du darauf?« fragte er betroffen. Sie schob ihn zur Seite. »Mir wäre es lieber, wenn Ferdinand eine Freundin hätte. Ich komme mir jedesmal ein klein wenig schuldbewußt vor. Machst du den Laden auf?«
Er ging zum Fenster und öffnete ihn. Die Socken hatte er vorhin in der Eile anbehalten. Er streifte sie, bevor er sich wieder zur ihr legte, von den Füßen, und fragte: »Woher willst du wissen, daß er keine hat?«
»So etwas fühlt man als Frau«, sagte sie und küßte ihn. Sie setzte sich aufrecht hin, öffnete den Knoten und ließ die Haare über die schmalen Schultern fallen. Kolb war sich nie ganz sicher, was er mehr an ihr bewunderte: ihre Schönheit oder ihr ruhiges, immer ausgeglichenes Wesen. Er zog sie an sich. »So etwas wie vorhin darfst du nie mehr sagen, Liebes. Ich könnte heute nicht mehr ohne dich sein. Wie bist du nur darauf gekommen?«
»Ich weiß nicht«, sagte sie. »Seit er uns vor ein paar Wochen beinahe überrascht hätte . . .« Er verschloß ihr den Mund mit einem Kuß. »Wir waren damals ausnahmsweise leichtsinnig; das wird uns nicht mehr passieren. Möchtest du eines Tages wieder ohne das auskommen müssen?«
Sie schüttelte nachdenklich den Kopf. »Irgendwie hilft es mir. Vielleicht nimmt es mir meine Angst.« Er lächelte beruhigend. »Du brauchst keine Angst zu haben. Er hat bestimmt keine Ahnung, daß zwischen uns was ist.«
»Davon rede ich jetzt nicht«, sagte sie. »Ich habe zwar heute öfter ein ungutes Gefühl als früher, aber mit Angst hat das nichts zu tun. Ich habe vor anderen Dingen Angst. Vor Krebs, vor dem Altwerden. Bevor das zwischen uns anfing, hatte ich ein Gefühl, als wollte mir das Leben wie Sand zwischen den Fingern zerrinnen. Das ist anders geworden. Ich freue mich auf jedes Beisammensein mehr als auf alles andere, und je länger ich einmal auf dich warten muß, desto weniger Angst habe ich. Ich kann mich heute wieder mit Dingen beschäftigen, die mir früher viel bedeutet haben und für die ich dann jahrelang kein Interesse mehr aufgebracht habe. Du hast mein Leben verändert, Michael, und ich bin dir dankbar dafür.«
»Ich dir auch«, sagte er und preßte sie, von seiner Zärtlichkeit überwältigt, heftig an sich. Er betrachtete durch das Fenster den Wald mit seinen lichtgrünen Blättern und sagte: »Ich habe dich mehr gebraucht, Sibylle, als ich dir jemals mit Worten erklären kann. Ich habe genauso Angst wie du, aber in solchen Augenblik-

ken fühle ich mich frei davon, und ich möchte jeden einzelnen für immer festhalten können. Dieser Scheiß-Job macht mich fertig; ich weiß nicht, wie lange ich ihn noch durchstehe, aber solange ich dich habe und mich täglich darauf freuen kann, dich in meinen Armen zu halten, solange wirft mich nichts um.« Er lachte. »Ich glaube, ich könnte schon wieder. Vielleicht macht das der Frühling!« Sie küßte ihn. »Dann tu es doch, mein tapferer Michael.« Es war dann aber nicht mehr so wie beim erstenmal, er lächelte entschuldigend: »Mir geht heute zuviel im Kopf herum. Bist du enttäuscht?«
»Für mich war es sehr schön«, sagte sie. »Willst du einen Kaffee?«
»Eine gute Idee«, sagte er erleichtert. Sie stand auf und zog sich an. »Du kannst warmes Wasser haben«, sagte sie. »Es dauert nur ein paar Minuten.«
»Laß dir Zeit«, sagte er und beobachtete, wie sie hinausging. Sekunden später kam sie mit schneeweißem Gesicht zurück und sagte tonlos: »Ferdinand! Ich glaube, er hat alles mitbekommen.«
Kolb starrte sie ungläubig an. Er richtete sich auf und fragte: »Wo?« Sie zeigte mit dem Kinn über ihre Schulter. »Im Zimmer. Er muß ohne Wagen gekommen sein, sonst hätten wir ihn gehört.« Kolb stand stumm auf und griff nach seinen Kleidern; er war wie vor den Kopf geschlagen. Er zog sich langsam an und fragte dann: »Hast du mit ihm gesprochen?«
»Nein«, sagte sie. »Als ich ins Zimmer kam, saß er in einem Sessel und blickte mich nur an. Was sollen wir tun, Michael?«
Er sah, daß sie Tränen in den Augen hatte. »Laß mich mit ihm reden; warte hier.«
»Nein, ich möchte dabeisein«, sagte sie, und ihre Stimme klang plötzlich sehr fest. Sie wischte sich über die Augen und ging mit ihm in das Zimmer hinüber, wo Weckerle mit übereinandergeschlagenen Beinen saß und eine Zigarre rauchte. Er sagte trocken: »Tut mir leid, daß ich euch gestört habe. Vielleicht versöhnt es euch ein bißchen, daß ich schon mindestens eine halbe Stunde hier sitze. Irgendwann mußte ich mir ja mal Gewißheit verschaffen; geahnt habe ich es schon lange. Wollt ihr euch nicht setzen?«
»Wie kommst du hierher?« fragte Kolb mit belegter Stimme. Weckerle lächelte. »Mit dem Auto. Ich habe es rechtzeitig stehenlassen. Wieso wußte der Chef von euch beiden?«

Kolb setzte sich hin und blickte angestrengt in sein braungebranntes Playboygesicht. »Wieso der Chef?«
»Er hat vor einer Stunde angerufen, wollte dich sprechen«, antwortete Weckerle. »Als ich ihm sagte, daß ich nicht wüßte, wo du steckst, empfahl er mir, dich bei Sibylle zu suchen. Hat er euch mal zugeschaut?«
»So lasse ich trotzdem nicht mit mir reden!« sagte Sibylle scharf. »Nun gut, jetzt weißt du es. Wenn du es willst, kannst du die Scheidung haben.«
Er griff lächelnd nach ihrer Hand, küßte sie und sagte: »Aber wozu denn, Liebling! Das würde auf den Chef nur einen schlechten Eindruck machen. Er ist nun mal von gestern und sieht es vielleicht nicht gern, wenn seine Geschäftsführer die Ehefrauen ständig gegen neue eintauschen. Von ihnen erwartet er im Interesse eines untadeligen Firmennamens einen seriösen Lebenswandel. Ich weiß, Sibylle, daß deine Seele der von Michael näher ist als der meinen. Da findet sich oft auch der irdische Rest rasch zusammen. Ich habe nichts dagegen, ich wollte nur endlich einmal Klarheit haben.« Zu Kolb sagte er: »Hast du eigentlich eine Ahnung, wo dieser Kiene steckt? Der Chef hat nach ihm gefragt. Ich habe ihm gesagt, daß ich ihn seit mindestens zwei Tagen nicht mehr gesehen habe. Merkwürdigerweise schien ihn das aber eher befriedigt als beunruhigt zu haben.«
»Ich habe mich noch nie dafür interessiert, wo Kiene steckt«, sagte Kolb. »Wenn die beiden zusammen eine Leiche im Keller haben, so ist das ihre und nicht meine Angelegenheit. Wie stellst du dir das jetzt weiter vor?«
»Genau wie bisher auch«, sagte Weckerle und ließ Sibylles Hand los. Er stand auf und drückte die Zigarre aus. »Ich muß noch mal ins Büro. Wenn du Ella noch abholen willst, wird es für dich auch bald Zeit. Das soll nicht heißen, daß ihr hier vorzeitig Abschied nehmen müßt. Bei mir wird es auf alle Fälle spät. Fangt also schon mit dem Essen an.«
Sibylle vergewisserte sich ungläubig. »Du willst, daß es bei heute abend bleibt?« Er küßte sie lächelnd auf die Wange. »Aber warum denn nicht, mein Schatz? Wir werden uns wie immer einen netten Abend machen und über diese Sache hier kein Wort verlieren. Du schläfst doch sicher schon lange mit ihm, und wir haben uns in der Vergangenheit trotzdem immer nette Abende gemacht. Oder nicht?«
Sie blickte wortlos in sein freundliches Gesicht. Er klopfte Kolb

kameradschaftlich auf die Schulter und verschwand mit einem: »Bis heute abend also«, aus dem Zimmer. Kolb trat ans Fenster und beobachtete, wie er, ohne noch einmal zurückzuschauen, zwischen den Bäumen untertauchte. Als er sich umdrehte, saß Sibylle mit käsigem Gesicht in einem Sessel. Sie fragte: »Warum tut er das?«

»Weil er dich auf jeder Messe mit einer anderen betrügt, und weil er genau weiß, daß ich das ebensogut weiß wie er«, sagte Kolb mit rotem Kopf. Sie sah rasch zu ihm auf. »Auf der Messe? Stimmt das?«

Er merkte sofort, daß er einen Fehler begangen hatte, aber nun war er nicht mehr ungeschehen zu machen. Er setzte sich zu ihr auf die Lehne, griff nach ihrer Hand und sagte: »Gott, ich war nie dabei, wenn er mit einer im Bett gelegen hat; ich weiß nur, daß er abends regelmäßig aus dem Hotel verschwand und oft erst am nächsten Morgen zurückkehrte. Was, glaubst du wohl, hat er in dieser Zeit getrieben?«

»Und das sagst du mir erst jetzt?« fragte sie leise. »Du schläfst seit fast zwei Jahren mit mir, und du weißt, daß ich mir deshalb Vorwürfe mache und daß es mir nicht gleichgültig ist, ob ich Ferdinand mit dir betrüge oder nicht, und du sagst mir kein einziges Wort davon, daß er mit anderen Frauen ins Bett geht! Soll ich dir sagen, was du bist, Michael? Du bist genauso ein Voyeur wie er, und wenn du wieder einmal Angst davor hast, allein zu sein, dann kriech zu deiner Ella ins Bett; die hat es vielleicht nötiger als ich. Scher dich zum Teufel!«

Sie stieß seine Hand von sich, stand schnell auf und suchte nach ihrer Handtasche. Als sie wenig später das Haus verließ, hinderte Kolb sie nicht daran; zu tief hatte sie ihn verletzt. Er blieb reglos stehen. Erst als er ihren Wagen abfahren hörte, rannte er zum Fenster, spuckte hinaus und rief bleich vor Zorn in den stillen Wald: »Scheißweiber, beschissene!«

Hinterher überlegte er betroffen, ob sie ihn vielleicht gehört haben könnte.

13

Der Chef hatte schlecht geschlafen. Als Schwester Ingeborg am Morgen nach ihm schaute, lag er noch im Bett und sagte unwirsch: »Stören Sie mich nicht; ich fühle mich nicht wohl.«

Sie entfernte sich wortlos. Fünf Minuten später erhielt der Chef

Besuch von Oberarzt Dr. Schneider. Er grüßte höflich, stellte sich vor und griff dann sofort nach seinem Puls. Mit seinem sonnengebräunten Gesicht und dem dichten blonden Haar gehörte er zu jenen Ärzten, die von manchen Frauen öfter konsultiert werden, als ihre Gesundheit es eigentlich erforderlich macht. Der Chef fragte ihn gereizt: »Was soll der Unfug? Sie sehen doch, daß ich kerngesund bin.«
»Schwester Ingeborg sagte mir, daß Sie sich nicht wohl fühlten«, sagte Dr. Schneider. »Würden Sie wohl Ihren Oberkörper freimachen? Bitte haben Sie Verständnis dafür, daß ich es als verantwortlicher Klinikarzt nicht allein unseren Patienten überlassen kann, ob sie sich gesund fühlen oder nicht. Lassen Sie mich wenigstens Ihr Herz abhören und Ihren Blutdruck messen. Falls dort alles in Ordnung ist, sind Sie mich innerhalb von fünf Minuten los. Würden Sie sich bitte aufrichten?«
Der Chef, durch seinen bestimmten Ton beeindruckt, gehorchte mürrisch. Für die Untersuchung brauchte Dr. Schneider nur vier Minuten; er sagte: »Rauchen Sie nicht, gehen Sie täglich mindestens eine Stunde spazieren und schlafen Sie viel.«
»Ist das alles?« fragte der Chef mißtrauisch. Dr. Schneider nickte. »Ihr Herz scheint noch einigermaßen in Ordnung zu sein, und Ihr Blutdruck ist für Ihr Alter fast normal. Mehr kann ich Ihnen im Augenblick nicht sagen. Es sei denn, Sie würden sich doch noch zu einer gründlicheren Untersuchung bereit finden.«
»Auf keinen Fall«, sagte der Chef. »Ich möchte jetzt baden; Sie entschuldigen mich.« Er schlug die Bettdecke zurück, fuhr in seine Hausschuhe und ging in einem seidenen Fünfhundert-Mark-Pyjama ins Badezimmer. Dort hielt er sich etwa eine halbe Stunde auf und traf bei seiner Rückkehr Schwester Ingeborg beim Servieren des Frühstücks an.
»Ihre Frau hat bereits gefrühstückt, Herr Doktor«, sagte sie. »Sie ist jetzt bei Dr. Schneider. Falls Sie noch ein weiches Ei haben wollen . . .«
»Ich esse morgens keine Eier«, sagte der Chef. »Ich trinke morgens auch keinen Tee, sondern Kaffee, und den möglichst stark.«
Die Schwester lächelte. »Das ist Kaffee und kein Tee, Herr Doktor. Haben Sie sonst noch einen Wunsch?«
»Nein, mein Kind«, sagte der Chef und betrachtete zufrieden das Frühstück. »Ich hatte schon befürchtet, Sie würden mir eine Haferschleimsuppe servieren!«
»Doch nicht so jungen Leuten!« sagte die Schwester. Er drohte

ihr scherzhaft mit dem Finger. »Gehen Sie in Ihrem Leben nicht mit zu vielen Männern ins Bett, Schwester, dann bleiben Sie auch im hohen Alter genauso rüstig wie ich.«
»Das werde ich mir ganz bestimmt merken«, sagte die Schwester und ging lachend hinaus. Er setzte sich schmunzelnd an den Tisch. Nach dem Frühstück empfing er zwei Anrufe und führte anschließend mehrere Gespräche. Dann trat er auf den Balkon hinaus und sog tief die klare Luft in sich hinein. Als Annemarie zu ihm ins Zimmer kam, hatten sich seine Gedanken gerade mit ihr beschäftigt. Er deutete auf einen Stuhl und sagte: »Ich habe mit dir zu reden; setz dich hin. Ich weiß nicht, worüber du dich beklagst; du hast doch ganz hübsche Kleider!«
Sie hatte sich vor dieser Begegnung gefürchtet; jetzt atmete sie erleichtert auf. »Es tut mir leid, daß ich mich gestern abend so benommen habe«, sagte sie. »Aber du hast mich geärgert.«
»Du mich auch«, sagte er. »Dann sind wir quitt.« Er setzte sich ihr gegenüber und betrachtete sie eine Weile. Dann sagte er: »Du weißt inzwischen, daß ich noch nicht zu alt für so etwas bin. Kostet es dich große Überwindung?« Sie schüttelte stumm den Kopf. Er sagte: »Ich bin über zwanzig Jahre lang ohne das ausgekommen. Inzwischen habe ich wieder Gefallen daran gefunden. Du hast einen hübschen Körper. Ich liebe so großgewachsene Frauen wie dich. Paß auf, was ich dir sage: Ich kann mich in meiner Position und in meinem Alter nicht zum Gespött der Leute machen, indem ich ein fünfundzwanzigjähriges Mädchen heirate. Andererseits möchte ich aus ganz persönlichen Gründen bei einem bestimmten Personenkreis vorübergehend den Eindruck erwecken, als wollte ich dich tatsächlich heiraten. Es ist sehr wichtig für mich, daß du da mitspielst. Kannst du mir folgen?«
Sie erwiderte, ohne etwas zu sagen, seinen Blick.
Er beugte sich zu ihr hinüber und griff nach ihrer Hand. »Du hast mich gestern abend sehr glücklich gemacht, Annemarie, und ich möchte, daß du das noch sehr oft tust. Für einen Mann in meinem Alter bedeutet das mehr, als du jemals begreifen wirst. Ich werde dich, um den Schein zu wahren, offiziell als meine Privatsekretärin einstellen. Du bekommst monatlich dreitausend Mark auf ein Konto überwiesen, über das du jederzeit verfügen kannst. Nach meinem Tod wirst du mein Haus erben und, egal, was du dann tun wirst, ob du heiratest oder nicht, lebenslänglich eine monatliche Rente von fünftausend Mark erhalten. Was ich dir bis dahin an Kleidern und Schmuck schenke, gehört alles dir, und niemand

wird es dir jemals streitig machen. Du wirst, wenn das dein Wunsch ist, auch einmal mit einem jüngeren Mann schlafen können, solange kein festes Verhältnis daraus wird. Du wirst bei mir in meinem Haus wohnen und immer da sein, wenn ich dich brauche. Falls du aber nicht damit einverstanden bist, würde ich dich bitten, wenigstens noch so lange bei mir zu bleiben, bis ich die Kur abbreche. In diesem Fall würdest du einen bestimmten Betrag, sagen wir zwanzigtausend, bekommen. Ich würde dafür sorgen, daß du wieder eine Stellung findest und daß deine Mutter nicht mehr in meiner Fabrik zu arbeiten braucht. Bei meinem Tode würde ich dich mit einem weiteren Betrag in meinem Testament berücksichtigen. Dies aber nur, wenn du von diesem Gespräch keinem Menschen etwas erzählst, auch deiner Mutter nicht. Überleg es dir bis heute abend, wofür du dich entscheidest. Habe ich mich verständlich genug ausgedrückt?«
Sie stand auf, trat ans Fenster und blickte eine Weile hinaus. Dann drehte sie sich nach ihm um und sagte: »Das mit der Heirat habe ich dir nie ganz geglaubt; es ging mir nicht in den Kopf. Das andere ist nicht so schwer zu verstehen, aber auch dazu möchte ich noch etwas sagen. Fünftausend Mark ab sofort bis an mein Lebensende wären mir lieber. Und daß meine Mutter auch dann nicht länger in deiner Fabrik zu arbeiten braucht, wenn ich mich für die erste Möglichkeit entscheide. Sie verdient dort zwölfhundert Mark. Gib sie mir, solange sie lebt, zu den monatlichen fünftausend dazu, und ich bin mit allem einverstanden.«
Er lächelte. »Du bist genauso, wie ich dich eingeschätzt habe, Annemarie. Du weißt, was du willst, und du mußt nicht lange nachdenken. Ich erwarte übermorgen meinen Anwalt, dann werden wir das alles festlegen. Ich habe nur noch eine einzige Bedingung: du hast diesen Kiene kennengelernt. Bei ihm hältst du dich zurück. Ich habe bereits eigene Pläne mit ihm. Wirst du das beherzigen?«
»Für siebentausend Mark im Monat beherzige ich alles«, sagte sie. Er stutzte, zögerte und lächelte dann wieder. »Nun gut; weil du so unverfroren bist. Dann bedinge ich mir aber auch die Spielregeln aus, und ich hoffe, du weißt, wovon ich rede.«
Sie nickte. »Ich kann es mir denken. Aber glaube nicht, daß du mich, wenn du einmal genug von mir hast, einfach abschieben kannst. Dann würde ich den Mund nicht halten. Und wenn du mich noch einmal so behandelst wie gestern, werde ich vier Wochen lang keinen Finger mehr für dich krumm machen.«

»Das täte mir leid, denn du tust das sehr schön«, sagte er heiter. »Du bist ein geschicktes und talentiertes Mädchen. Gestern war ich mir noch nicht sicher, ob du wirklich das bist, was ich suchte. Aber seit heute weiß ich es. Und künftig werde ich immer ein höflicher und rücksichtsvoller Kavalier sein. Hast du dich bei der Untersuchung vor diesem Oberarzt ausziehen müssen?« Sie lachte ein wenig. »Es war noch eine Schwester dabei. Er meinte, ich sei gesund wie ein Fohlen.«

»Mit einem Fell, das sich wie Seide anfühlt«, sagte der Chef. »Komm her zu mir, Annemarie.« Sie gehorchte und blieb, während er ungeduldig nach ihr griff, unschlüssig neben ihm stehen. Er sagte: »Auch in meinem Alter möchte man einen schönen Körper nicht nur anbeten dürfen. Sag mal, bist du noch Jungfrau?« Sie lachte auf. »Wie kommst du darauf?«

»Ich weiß nicht«, sagte er zögernd. »Nun, vielleicht kenne ich mich da heute nicht mehr so gut aus wie früher. In meiner Jugend waren die meisten Mädchen deines Alters noch Jungfrauen. Du bist jetzt mein Eigentum, Annemarie, und du wirst es nicht bereuen. Ist es angenehm für dich, wenn ich das tue?«

Sie blickte nur stumm auf ihn hinab.

»Du bist erregt. Ich hätte es nicht für möglich gehalten, daß ein alter Mann wie ich ein Mädchen wie dich noch erregen könnte. Ich möchte nachher mit dir spazierengehen; hol mich in zehn Minuten ab.« Er gab sie frei und beobachtete, wie sie das Kleid über den Schenkeln glattstrich. »Du wolltest mich heute vormittag einkaufen lassen«, erinnerte sie ihn. Er blickte auf die Uhr. »Ich erwarte heute nachmittag Besuch. Während ich mit ihm beschäftigt bin, wird Hans dich in den Ort fahren. Geh jetzt.«

Er blickte ihr lächelnd nach. Dann ging er ins Bad und warf einen Blick in den Spiegel. Sein Gesicht war fleckig. Er nahm die Brille ab, massierte mit beiden Händen die welke Haut und befeuchtete sie mit einem scharfen Rasierwasser. Als er damit fertig war, kam Annemarie, um ihn abzuholen. Sie sagte: »Da sind Leute vom Fernsehen im Haus; sie haben Kameras und Scheinwerfer aufgebaut. Vielleicht sollten wir besser warten, bis sie weg sind.«

»Wozu?« fragte der Chef. »Was gehen uns diese dummen Leute an!« Er griff nach dem Hut, vergewisserte sich, daß er die Brieftasche eingesteckt hatte, und wandte sich der Tür zu. Auf dem Flur begegneten sie Schwester Ingeborg. Sie sagte: »Falls Sie spazierengehen wollen, nehmen Sie lieber Schirm und Mantel mit. Das Barometer fällt.«

»Ich sah eben noch die Sonne durchs Fenster scheinen«, sagte der Chef. »Wir gehen nicht weit. Nur ein wenig an die frische Luft. Bei Ihnen ist das Fernsehen?« Schwester Ingeborg nickte nicht ohne Stolz. Sie war damit beschäftigt, das Frühstücksgeschirr aus den Zimmern zu holen und auf einen Servierwagen zu stellen. »Mich haben sie auch schon gefilmt«, sagte sie. »Übrigens hat einer der Herren nach Ihnen gefragt. Wenn Sie ihm nicht begegnen wollen, können Sie das Haus durch die hintere Tür verlassen. In der Halle wird noch gedreht.«
»Ich habe noch nie in meinem Leben ein Haus durch den Hinterausgang verlassen«, sagte der Chef und ging zum Lift. Annemarie folgte ihm zögernd. Im Lift sagte sie: »Das ist merkwürdig, daß man nach dir gefragt hat. Vielleicht sollten wir doch den Hinterausgang nehmen.«
»Nicht wegen solcher Leute«, sagte der Chef abfällig. »Ich habe noch nie richtig ferngesehen. Was drehen die hier überhaupt? So einen dummen Film?«
»Eine Reportage über die Klinik«, sagte Annemarie und zupfte ein langes, weißes Haar von seinem dunklen Jackett. Er blickte zu ihr auf und sagte: »Das war sehr aufmerksam, Annemarie. Ich danke dir.«
Als sie unten aus dem Lift traten, liefen sie unmittelbar in das gleißende Licht eines Scheinwerfers und Merklin in die Arme. Er war gerade damit beschäftigt, Regieanweisungen zu geben, und blieb, als er den Chef bemerkte, wie angewurzelt stehen. Dann kam er rasch zu ihm und sagte: »Entschuldigen Sie, daß ich Sie anspreche. Ich muß Sie schon einmal gesehen haben. Sind Sie nicht Herr Dr. Rectanus?«
In der Halle standen noch vier Schwestern, Oberarzt Dr. Schneider und das vollständige Fernsehteam. Im Hintergrund unterhielt sich Professor Eschenburger angeregt mit einigen Patienten. Als der Chef zu einer Antwort ansetzte, näherte sich Mandel mit dem Mikrophon und hielt es ihm unter das Kinn.
»Was soll das?« fragte der Chef verärgert. Annemarie, die selbst Mandel und Merklin noch um einige Zentimeter überragte, griff geistesgegenwärtig nach seinem Arm und versuchte, ihn von der Kamera wegzuziehen, aber der Chef riß sich unwillig los und sagte zu Merklin: »Ich entsinne mich nicht, Ihnen schon einmal begegnet zu sein. Wer sind Sie denn?«
»Merklin vom Fernsehen«, sagte Merklin und gab Eichler, der die Kamera jetzt voll auf den Chef schwenkte, hastig ein Zeichen.

Rimmele und Limberger, der zweite Assistent zurrten blitzschnell ein schwarzes Kabel über den spiegelblanken Hallenboden. Der Chef fragte gemessen: »Und, was wünschen Sie?«
»Mein Kollege, Herr Mandel, möchte Ihnen gern einige Fragen stellen«, sagte Merklin und trat diskret einen Schritt zurück. Mandel sagte in die Kamera: »Ja, meine Damen und Herren, das ist also Herr Robert Rectanus, Inhaber der bekannten Rectanus-Werke, der sich zur Zeit hier in der Klinik von Professor Eschenburger aufhält.« Er richtete das Wort an den Chef: »Ist Ihnen bekannt, Herr Rectanus, daß in Ihrer Hauptniederlassung gestern eine spontane Arbeitsniederlegung der Belegschaft stattgefunden hat, die sich gegen Ihre angebliche Verkaufsabsicht richtete, und würden Sie, falls dies zutreffen sollte, unseren Zuschauern am Bildschirm einige Worte dazu sagen?«
Der Chef starrte ihn verdutzt an, dann wandte er sich an Annemarie und fragte verwundert: »Filmen die mich etwa?«
»Ich glaube, ja«, sagte sie nervös. Mandel brachte mit einem langen Arm das Mikrophon unter ihr Kinn und sagte: »Würden Sie sich bitte unseren Zuschauern bekannt machen? Sind Sie die Sekretärin von Herrn Rectanus?«
»Nein«, sagte sie. »Das heißt . . .« Sie brach verwirrt ab. Der Chef drückte Mandels Arm auf die Seite und sagte mit rotem Gesicht: »Was fällt Ihnen ein! Ich bin zu meiner Erholung hier und nicht, um dumme Fragen zu beantworten.«
»Sie wollen die erwähnten Verkaufsverhandlungen also nicht dementieren?« fragte Mandel schnell. Dann stand plötzlich Dr. Schneider zwischen ihnen und sagte scharf: »Sie sehen doch, daß Herr Rectanus nicht belästigt werden möchte. So geht das nicht, meine Herren! Wenn Sie sich nicht an die zwischen uns getroffenen Vereinbarungen halten, muß ich Sie bitten, Ihre Reportage augenblicklich abzubrechen.« Er wandte sich, während Eichler die ganze Szene mit der Kamera festhielt, an den Chef: »Entschuldigen Sie bitte diese Belästigung, Herr Rectanus. Ich vermute, Sie wollten einen Spaziergang machen. Darf ich Sie zur Tür bringen?«
»Ja, bitte«, sagte der Chef und rückte an seiner Brille. Er folgte Dr. Schneider zum Ausgang; Annemarie schloß sich ihnen an. Während der ganzen Zeit hörte sie die Kamera laufen. Dr. Schneider, der sich inzwischen ausgerechnet hatte, daß es für die Klinik vielleicht billiger käme, nur einen Gelegenheitspatienten statt die kostbare Reportage zu verlieren, murmelte noch eine

Entschuldigung und kehrte dann eilig in die Halle zurück. Der Chef blickte ihm nach und sagte: »Wenn ich nicht unbedingt hierbleiben müßte, würde ich noch heute abreisen. Diese Fernsehmenschen haben Manieren wie die Holzfäller.« Er kicherte. Annemarie blickte ihn verständnislos an. »Warum lachst du? Ich finde das überhaupt nicht komisch!« Der Chef wurde ernst. Er betrachtete den Himmel und sagte: »Das ist eine ganz eigenartige Beleuchtung. Rede ich mir das nur ein oder findest du es auch etwas kühl?«

»Es ist saukalt«, sagte sie. »Willst du die Fabrik tatsächlich verkaufen?« Der Chef winkte ab. »Reden wir nicht von Geschäften, mein Kind. Bis vor einigen Stunden habe ich selbst noch nicht gewußt, daß ich sie verkaufen will. Wohin gehen wir?«

»Vielleicht auf diesen Waldweg dort drüben«, sagte Annemarie. Der Chef betrachtete ihn. »Ja, der sieht ganz schön und bequem aus. Scheint in dieses schmale Tal zu führen. Ich möchte diesen Taugenichtsen nicht mehr begegnen. Machen wir einen ordentlichen Spaziergang, dann wird uns warm werden, und bis wir zurückkommen, ist dieses Gelichter hoffentlich abgezogen.«

»Sie haben uns tatsächlich gefilmt!« sagte Annemarie und lachte etwas hysterisch auf. »Weißt du, daß ich noch nie gefilmt worden bin? Ich meine, vom Fernsehen.« Der Chef holte eine Zigarre aus der Brusttasche, biß ihre Spitze ab, nahm sie mit Daumen und Zeigefinger aus dem Mund und ließ sie angewidert fallen. »Ich auch nicht«, sagte er. »Ich werde mit ihrem Intendanten reden.«

Sie fragte beeindruckt: »Du kennst ihn?«

»Von der Schlaraffia«, sagte der Chef und zündete die Zigarre an. »Ich war allerdings seit fast zwei Jahren nicht mehr dort. Keine Zeit. Weiß gar nicht, ob mir die Mütze überhaupt noch paßt.«

Sie sah ihn neugierig an. »Du trägst dort eine Mütze?«

»Ja, so eine hohe«, sagte der Chef und hielt die rechte Hand über den Kopf. »Erinnere mich später daran, daß ich ihn anrufe. Machen wir uns auf den Weg!« Er überquerte, vorbei an verlassenen Liegestühlen, die mit Frühlingsblumen übersäte Wiese, und sagte zu Annemarie, die ihm fröstelnd folgte: »Diese Landschaft gefällt mir. Als Junge war ich oft in den Bergen. Ich habe welche bestiegen, davon hast du keine Ahnung.«

»Nein«, sagte sie und rieb sich fröstelnd die bloßen Arme.

»Einer, ich weiß nicht mehr, wie er hieß, war fast dreitausend Meter hoch. Unwahrscheinlich, wie ich da hinaufgekommen bin.« Er schüttelte verwundert den Kopf und hustete.

»Du solltest die Zigarre ausmachen«, sagte Annemarie. »Das ist doch das reinste Gift in dieser kalten Luft.«
»Ich bin ein zäher alter Bursche«, sagte der Chef. »Es ist so eigenartig dunkel hier. Findest du nicht auch?«
Sie hatten inzwischen den Waldweg erreicht. Annemarie betrachtete die dichten Fichtenzweige über ihren Köpfen. »Wir hätten doch besser einen Schirm mitnehmen sollen.«
»In Rußland hatten wir auch keinen«, sagte der Chef. »Ich war zwei Jahre Kommandeur einer Artillerieabteilung.« Sie blickte ihn maßlos überrascht an. »Du?!«
Er nickte. »EK Eins und so weiter. Auf dem Rückzug habe ich sämtliche Geschütze verloren. Na ja, heute haben wir ja wieder welche. Ein wirklich schöner Waldweg.«
»Ein bißchen steil«, sagte sie unlustig. »Man sieht ja auch nichts von der Landschaft. Nur Wald.«
»Vielleicht weiter oben«, sagte er und hustete. Sie nahm ihm die Zigarre aus den Fingern und warf sie zwischen die Bäume auf den verharschten Schnee. »Du bist total verrückt«, sagte sie.
In der nächsten Viertelstunde mühten sie sich wortlos den immer steiler werdenden Weg durch den düsteren Fichtenwald hinauf. Einmal sagte Annemarie: »Hier rauscht irgendwo ein Bach. Hörst du?« Er antwortete: »Muß derselbe sein, der an der Klinik vorbeifließt. Vielleicht sind wir jetzt bald oben und haben einen schönen Ausblick.«
»Wo oben?« fragte sie ärgerlich. »Hast du nicht gesehen, wie hoch die Berge sind? Oben liegt ja noch alles voller Schnee.«
»Als Junge habe ich oft Schneewanderungen gemacht«, sagte der Chef. »Immer talaufwärts, und wenn wir dann oben waren, haben wir ein Lied gesungen.«
»Dazu brauche ich nicht erst auf einen Berg zu steigen«, sagte Annemarie. »Wir sind bald eine halbe Stunde unterwegs!« Er lächelte zufrieden. »Da staunst du, was? Hast du mir gar nicht zugetraut.«
»Zurück brauchen wir noch einmal eine halbe Stunde«, gab sie zu bedenken. Er lockerte den Krawattenknoten. »Mach kleinere Schritte! Dr. Schneider hat mir ausgedehnte Spaziergänge empfohlen. Kannst du noch?«
»Na hör mal!« sagte sie. Er sagte geringschätzig. »Ihr jungen Dinger seid doch nichts mehr gewohnt. Höchstens im Bett, und auch dort geht euch nach spätestens fünf Minuten die Luft aus.« Sie lächelte mitleidig. »Du mußt es ja wissen!«

»Was ich weiß, daß weiß ich«, sagte er. »Ich bin gar nicht so schwach auf der Brust, wie du es dir vielleicht einredest. Was ich in meinem Leben alles durchgestanden habe, das muß mir ein anderer erst mal nachmachen.«
»Ich glaub' es dir ja«, sagte sie. »Ich weiß nur nicht, wohin du noch laufen willst. Das zieht sich doch ewig! Es wird auch immer dunkler. Gleich wird es regnen, und dann stehen wir da und werden bei der Saukälte klitschnaß. Paß nur auf, wie schnell du dann auf der Nase liegst. Und ich habe nicht einmal etwas Schriftliches von dir.« Er kicherte. »Ist deine einzige Sorge, was? Noch fünf Minuten. Wenn wir dann keinen Ausblick haben, kehren wir um.«
Sie stiegen noch etwa fünf Minuten den steilen Weg hinauf, dann lichtete sich vor ihnen der Wald, und der Chef sagte erfreut: »Siehst du, es hat sich doch gelohnt! Da vorn sehen wir sicher etwas!«
Tatsächlich sahen sie vom Waldrand aus den sich nach oben verjüngenden Teil eines schmalen, mit Gesteinsbrocken bedeckten Tals, auf dessen Sohle ein kleiner Bach floß. Von den Bergen konnten sie allerdings nichts sehen; sie waren bis tief herab in schwarze Wolken eingehüllt, die den Eindruck einer unmittelbar bevorstehenden Naturkatastrophe erweckten. Der Chef betrachtete fasziniert die öde Landschaft und sagte: »Nun bin ich doch froh, daß wir nicht schon früher umgekehrt sind. Schau dir das an!«
»Ich weiß nicht, was du daran findest«, sagte Annemarie. »Hier möchte ich nicht leben und auch nicht sterben. Da oben ist eine Hütte!«
»Wo?« fragte der Chef interessiert. Annemarie zeigte ihm die Hütte. Sie stand hoch an die steile linke Talwand gelehnt, ungefähr dort, wo die tief herabreichenden Wolken gerade noch den Blick auf sie freiließen. Der Chef sagte enthusiastisch: »Die werden wir uns noch ansehen. Da muß doch irgendwo ein Weg hinaufführen!«
»Aber doch nicht jetzt!« sagte Annemarie schockiert. »Weißt du, wie spät es ist?«
»Dem frohen Wanderer schlägt keine Stunde«, sagte der Chef in eigenwilliger Abwandlung eines alten Sprichworts. Ehe Annemarie noch etwas sagen konnte, ging er eilig weiter. Sie mußten dem Weg noch etwa zehn Minuten folgen, dann zweigte auf der linken Seite ein schmaler, steiniger Pfad ab, der direkt zur Hütte

führte. Er war jedoch so steil, daß dem Chef schon nach wenigen Dutzend Schritten der Atem kurzging. Dennoch bestand er mit der Eigensinnigkeit eines alten Mannes darauf, die mühsame Wanderung fortzusetzen. Annemarie, die erkannte, daß er sich um nichts auf der Welt davon abbringen lassen würde, griff unter seinen Arm und sagte: »Mit dir mache ich so rasch keinen Spaziergang mehr. Du bist ja noch sturer als meine Mutter.«
»Das macht sie mir sympathisch«, sagte der Chef keuchend. »Ich schätze willensstarke Menschen. Ja, hilf mir ein wenig. Diese dummen Steine sind so schrecklich glatt.«
»Man zieht auch keine Halbschuhe an, wenn man eine Bergwanderung vorhat«, sagte Annemarie, deren Schuhsohlen etwas stabiler waren als die des Chefs. Es gelang ihr, ihn halb ziehend und halb drückend, wobei sie immer wieder größere Pausen einlegen mußten, im Laufe der nächsten zwanzig Minuten bis zur Hütte zu schaffen. Sie war aus roh behauenen Baumstämmen errichtet. Aus dem schindelgedeckten, flachen Dach, ragte ein kleiner Schornstein. Die Fenster waren mit Holzläden verschlossen. An der Tür wies eine kleine Tafel den Wanderer darauf hin, daß die Hütte Privateigentum der Klinik und ihre Benutzung für Unbefugte verboten war. Der Chef sagte keuchend: »Eine vorzügliche Idee von diesem Professor Eschenburger. Hoffentlich ist sie nicht verriegelt.«
Die Tür war jedoch unverschlossen und führte in einen rustikal eingerichteten Raum mit Strohsäcken auf zwei Holzpritschen, einem großen Eisenofen und einem Tisch mit zwei Holzbänken. Der Chef ließ sich auf eine fallen und sagte: »Bitte, öffne doch die Läden, Annemarie. Ich habe mir schon lange gewünscht, wieder einmal in einer Berghütte zu sein. Es ist sehr gemütlich hier! Findest du das nicht auch?«
Sie zog es vor, keine Antwort zu geben. Er beobachtete, wie sie die Fenster und die massiven Eisenriegel der Läden öffnete, sie aufstieß und die Fenster wieder schloß. »Vielleicht finden wir irgendwo was Brennbares«, sagte er. »Dann könnten wir uns, bevor wir den Heimweg antreten, ein bißchen aufwärmen. Vielleicht dort drinnen!« Er wies auf eine schmale Tür an der Rückseite der Hütte, die zu einem Nebenraum führte. Der war jedoch nur eine winzige Kammer, in der Annemarie neben mancherlei Gerümpel auch Brennholz und einen Packen alter Zeitungen entdeckte. Der Chef sagte angenehm überrascht: »Man hat wirklich an alles gedacht! Hier hast du Streichhölzer, mein

Kind. Ich muß mich jetzt wirklich ein wenig aufwärmen. Hier ist es ja noch kälter als draußen. Ich glaube, ich habe mir das Hemd naßgeschwitzt.«
»Das wundert mich überhaupt nicht«, sagte Annemarie. »Du wirst dir noch den Tod holen.«
»Man holt sich nicht den Tod, man wird von *ihm* geholt«, sagte der Chef und sah zu, wie sie sich eine Weile abmühte, zwei der schweren Holzscheite zum Brennen zu bringen. Glücklicherweise waren sie so trocken, daß sie bald Feuer fingen, und Minuten später strahlte der Ofen eine angenehme Wärme aus. Der Chef rieb sich erwartungsvoll die dünnen Hände, zog eine Zigarre aus der Tasche und zündete sie an. »Es ist wie früher«, sagte er angeheimelt. »Schade, daß uns Schwester Ingeborg nichts von der Hütte erzählt hat. Wir hätten uns sonst etwas zu essen und zu trinken mitnehmen und bis heute nachmittag hierbleiben können. Findest du es nicht auch sehr . . .« Er verstummte, weil ihm auffiel, daß Annemarie aufmerksam zum Fenster blickte. Dann sagte sie: »So ein Mist! Jetzt fängt es auch noch an zu schneien!«
»Aber doch nicht Mitte Mai!« sagte der Chef betroffen. Er ging zu ihr und blickte an ihrer Schulter vorbei verwundert durch das Fenster. »Das ist ja unwahrscheinlich!« sagte er, während er die großen Schneeflocken betrachtete, die das Tal innerhalb weniger Sekunden hinter ihrem dichten Schleier völlig verschwinden ließen. »Schau dir das nur an!« sagte er fasziniert. »Wie zu Weihnachten.«
Annemarie sagte verärgert: »Was heißt hier Weihnachten! Das ist eine große Scheiße, wenn du meine Meinung hören willst.«
Er fragte pikiert: »Wie bitte? Gebrauch in meiner Gegenwart solche Ausdrücke nicht; das paßt nicht zu dir, Annemarie. Ich verstehe gar nicht, worüber du dich aufregst! Ich finde es hier sehr romantisch. Es erinnert mich an meine schönsten Jahre. Mein Gott, wie lange ist das her!« Er blickte bewegt in das dichte Schneetreiben hinaus. »Ein halbes Jahrhundert und noch länger«, murmelte er. Annemarie blickte besorgt auf ihn hinab. »Fühlst du dich nicht wohl?« Er erwiderte ungeduldig: »Du verstehst mich nicht! Es gibt im menschlichen Leben Augenblicke, mein Kind . . .«
»Du weißt, daß ich kein Kind mehr bin«, unterbrach sie ihn. »Du scheinst überhaupt nicht zu begreifen, daß wir bei diesem Wetter unmöglich den ganzen Weg zurücklaufen können. In meinem

kurzärmeligen Kleid würde ich mir nach zehn Minuten eine Lungenentzündung holen. Du hast wenigstens ein Jackett an.« Er lächelte. »Und einen Hut dabei.« Er nahm ihn ab, legte ihn auf den Tisch und sagte: »Damit hat ja zu dieser Jahreszeit niemand mehr gerechnet. Ich werde dir nachher mein Jackett geben.« Sie lachte nervös. »Und dir selbst eine Lungenentzündung holen! Der Weg ist jetzt auch schon viel zu glatt. Wenn er wenigstens eben wäre, aber so . . . Ich war noch nie in einer so beschiss . . .« Sie brach ab und korrigierte sich: »In einer so blödsinnigen Situation. Was man mit dir alles erlebt, das glaubt einem doch kein Mensch.«
»Du sollst auch mit keinem darüber sprechen«, sagte der Chef und blickte sich suchend um. »Ich habe Durst. Hier gibt es wohl kein Wasser?«
»Da drin hab ich ein paar alte Tassen gesehen«, sagte sie und holte eine aus der Kammer. Sie betrachtete sie unschlüssig. Dann verließ sie plötzlich die Hütte. Er lief besorgt zum Fenster und beobachtete, wie sie sich vorsichtig den glatten Weg hinuntertastete. Der Schnee lag bereits so hoch, daß ihre Schuhe tiefe Eindrücke hinterließen. Vorübergehend verschwand sie aus seinem Blickfeld, tauchte jedoch eine halbe Minute später wieder auf und kehrte, die Tasse vorsichtig vor sich hertragend, in die Hütte zurück. Sie sagte: »Neben der Hütte fließt eine Quelle vorbei; ich habe sie vorhin zufällig gesehen. Es liegen auch noch zwei oder drei alte Töpfe in der Kammer. Wenn wir Kaffee hätten, könnte ich uns einen kochen.«
Sie gab ihm die Tasse, klopfte sich den Schnee aus den Haaren und vom Kleid und trat fröstelnd an den Ofen. Sie legte frisches Holz auf und wärmte die Hände über der Platte, die sich langsam rot färbte. Der Chef trank die Tasse hastig leer, lächelte dann bestürzt und sagte: »Ich hätte auch an dich denken sollen.«
»Ich habe keinen Durst«, sagte sie. »Ich überlege mir, was wir tun könnten. Vielleicht vermissen sie uns beim Mittagessen und suchen uns. Schwester Ingeborg wird es sicher auffallen, daß wir nicht da sind. Ist dein Hemd noch feucht?«
»Das Unterhemd«, antwortete er. »Es klebt am Rücken.« Sie sagte: »Zieh es aus. Es ist schon ziemlich warm hier.«
»Das möchte ich nicht«, sagte der Chef abweisend. Sie ging zu ihm, knöpfte sein Jackett auf und half ihm heraus. »Wovor hast du Angst?« fragte sie. »Daß ich dich vergewaltigen könnte?« Er kicherte, verstummte jedoch, als er ihre Hand im Rücken fühlte,

augenblicklich. »Du kannst es nicht anbehalten«, sagte sie und versuchte, sein Oberhemd aufzuknöpfen. Er hinderte sie daran. »Laß das! So schön bin ich heute nicht mehr. Kannst du das nicht verstehen?«

»Nein«, sagte sie. »Als du gestern abend zu mir ins Bett gekommen bist, hast du dich auch nicht darum gekümmert, wie du aussiehst. Stell dich nicht so an. Du bist nicht der erste, den ich sehe.«

»Gestern war es dunkel«, sagte der Chef. Trotzdem duldete er jetzt, daß sie ihm beide Hemden über den Kopf streifte. Sie betrachtete seine von Alterspigmenten gesprenkelte Haut und seine schlaffe Brust. »Ein Adonis bist du zwar nicht mehr, aber es könnte schlimmer sein«, sagte sie und half ihm in das Oberhemd zurück. Er sagte: »Dann tu es wenigstens richtig, wenn du es schon tust.«

Im ersten Moment verstand sie ihn nicht, und als sie ihn verstand, verspürte sie keine Lust, sich deshalb mit ihm zu streiten. Sie zog seinen Reißverschluß auf, schob das Hemd in die Hose und sagte, als er ihre Hand festhielt und sie an sich preßte: »Überleg dir lieber, wie wir von hier wegkommen.«

»Nur einen Augenblick«, sagte er heiser. »Bitte!« Sie zögerte, gab ihm jedoch schließlich nach. Zu ihrer Überraschung stellte sie fest, daß es sie, wenn sie an sein Haus und an sein vieles Geld dachte, kaum mehr Überwindung kostete, ihm gefügig zu sein. Sie beobachtete durch das Fenster das Schneetreiben; es schien inzwischen noch heftiger geworden zu sein.

Irgendwann wurde ihr bewußt, daß seine einsetzende Erregung auf sie übersprang. Fast schockiert darüber, daß ihre lustlose Liebkosung eines alten Mannes Einfluß auf ihre eigenen Empfindungen hatte, stand sie rasch auf und sagte: »Vielleicht suchen sie uns schon. Ich habe keine Ruhe hier. Sei vernünftig, Robert.«

Er blickte sie, mit einem merkwürdigen Glänzen in den Augen, eine Weile schweigend an. Dann fragte er: »Ist dir bewußt, daß du mich zum erstenmal mit dem Vornamen angesprochen hast?«

Sie lachte nervös auf. »Du machst es einem ja leicht.«

»Du mir auch«, sagte er. »Für mich war es vielleicht noch schwieriger als für dich. Von einem gewissen Alter an hat ein Mann nur noch Komplexe. Du brauchst vorläufig keine zu haben, Annemarie. Ich habe für diesen Schritt viele Jahre gebraucht, und ohne dich hätte ich ihn vielleicht nie mehr getan. Komm her, setz dich

zu mir!« Er brachte seine Kleider in Ordnung und deutete neben sich auf die Bank. Sie gehorchte. Er griff nach ihrer Hand und sagte: »Erzähl mir, wer du bist, Annemarie. Was du dir wünschst, welche Probleme du hast, womit du dich bisher, außer mit deinem Beruf, beschäftigt hast. Ich bin sicher, du weißt schon viel mehr über mich als ich über dich. Gehst du gern ins Kino, ins Theater? Liest du gern? Wie verstehst du dich mit deinen Eltern? Du hast bisher nur von deiner Mutter gesprochen.«
»Und du noch nicht in diesem Ton mit mir«, sagte sie. »Meine Mutter ist geschieden. Fürs Kino und Theater hatte ich in meinem Beruf kaum Zeit. Fürs Lesen, ja. Was mir so in die Finger kommt. Du willst wissen, was ich mir wünsche?«
Er nickte. »Rede offen darüber. Ich war auch offen zu dir. Es ist nicht nur, daß du mir etwas gibst, woran ich schon nicht mehr zu denken gewagt habe. Es ist auch das Erlebnis, sich wieder einmal mit einem jungen Menschen unterhalten zu können. Was wünschst du dir also? Geld, ein luxuriöses Leben, schöne Reisen? Ist es das oder ist es noch etwas anderes?«
»Nein«, sagte sie. »Ich habe mir immer nur gewünscht, mein bisheriges Leben ändern zu können. Mit dir kann ich es. Es ist mir egal, was andere von mir denken. Dies ist mein Leben, und ich wollte es auf keiner Krankenstation verbringen. Wenn ich schon früher einen Mann gefunden hätte, der mir da 'raushilft, hätte ich auch schon früher damit Schluß gemacht.«
»Ist das alles?« fragte er, und seine Stimme klang fast enttäuscht. Sie erwiderte seinen Blick. »Ich bin nicht oberflächlich, falls du das jetzt denkst. Ich habe genug über mich nachgedacht. Vielleicht ist es etwas anderes, in einem Büro oder in einer Werkshalle als auf einer Krankenstation zu arbeiten. Dort bekommst du früher oder später den Eindruck, daß die meisten Menschen das, was sie sind und was sie tun, nur deshalb so wichtig nehmen, weil es ihnen hilft, ihre Angst vor dem Sterben zu verdrängen. In einem Krankenhaus kannst du das nicht. Wenn das Sterben nicht wäre, würden die Leute ihr Leben und das, womit sie es ausfüllen, vielleicht nur halb so wichtig nehmen. Mit zwanzig habe ich mir einen Mann und Kinder gewünscht. Dann: anderen Menschen, die krank sind, helfen zu können. Heute bin ich mir nicht mehr sicher, ob ich mir das wirklich gewünscht oder meine geheimen Wünsche damit verdrängt habe. Vielleicht wünsche ich mir in fünf oder zehn Jahren wieder etwas anderes als heute. Was ich mir heute wünsche, hat nichts mehr mit Romantik oder Mäd-

chenträumen zu tun. Vielleicht gibt es Dinge, die mich besser ausfüllen und befriedigen würden, aber um sie zu sehen, muß man mit dem Kopf zuerst einmal aus dem Wasser. Ich hatte es bisher nicht geschafft, mich freizuschwimmen. Nun versuche ich es einmal mit dir, und wenn es wieder schiefgeht, kann ich auch nichts dran ändern. Ich finde, was man sich wirklich wünscht, das kann man vorher doch gar nicht sagen. Man weiß es erst dann, wenn man mit sich und seinem Leben zufrieden ist. Ich möchte eigentlich keine so komplizierten Fragen beantworten. Vielleicht fühle ich mich noch nicht erwachsen genug dafür. Wenn ich einmal so alt bin wie du, weiß ich sicher, was ich mir wirklich gewünscht und was ich davon erreicht habe und was nicht. Hast du dir deine Wünsche stets erfüllen können?«
Er nickte. »Ja. Wenigstens die meisten. Aber wenn du erst einmal auf etwas zurückschaust, gehört es dir auch schon nicht mehr. Es gibt heute nur noch eins, was ich mir wünsche.« Sie blickte ihn forschend an. »Wieder jung zu sein?«
»Nein«, sagte er. »Mich in einen bestimmten Augenblick meines Lebens zurückzuversetzen und ihn dann mit beiden Händen festhalten zu können. Das hat aber mit Jungsein oder Altwerden nichts zu tun.« – Er stand auf, trat ans Fenster und blickte hinaus. Annemarie fragte: »Vielleicht mit deiner Tochter?«
»Möglicherweise wird es einige Probleme zwischen euch geben«, sagte er. »Sie ist ein etwas schwieriges Mädchen. Ich möchte nicht sagen, daß du mir heute schon wichtiger seist als sie. Ich möchte es aber auch nicht darauf ankommen lassen, mich zwischen euch entscheiden zu müssen.« Er drehte sich nach ihr um. »Sie ist ein Mensch, der mir begreiflicherweise nahesteht und auf den ich trotzdem wenig Einfluß habe. Laß dich von ihr, falls sie es darauf anlegen sollte, nicht provozieren und zu unüberlegten Handlungen hinreißen. Würdest du mir das, wenn ich dich darum bitte, versprechen?«
»Ja«, sagte sie. Er ging zu einer der beiden Holzpritschen, betastete prüfend die Strohmatratze und sagte: »Ich bin plötzlich müde; es stört dich doch nicht, wenn ich mich ein paar Minuten hinlege?« Sie kam rasch zu ihm und faßte nach seinem Handgelenk. Er sagte: »Die Pumpe ist es nicht. Ich habe nur ein lästiges Ohrensausen. Es muß an der dünnen Luft liegen.«
»Es war unverantwortlich von dir, hier heraufzusteigen«, sagte sie. »Ich laufe jetzt zur Klinik und verständige Dr. Schneider, damit er dich hier abholt. Gib mir dein Jackett.« Er griff so hart

nach ihrem Arm, daß sie Mühe hatte, einen Schrei zu unterdrükken. »Du bleibst hier«, sagte er. Dann merkte er, daß er ihr weh tat. Er lockerte den Griff und lächelte entschuldigend. »Das tut mir leid, Annemarie. Es war nur . . .« Er sprach nicht weiter und legte sich hin. Sein merkwürdiges Verhalten beunruhigte sie noch mehr. Sie setzte sich zu ihm und fragte: »Was wolltest du eben sagen?«
»Ich habe einen regelmäßig wiederkehrenden Alptraum«, antwortete er. »Ich träume immer, daß ich von einem Arzt abgeholt werde, und es ist jedesmal derselbe. Versprich mir, mich niemals von einem Arzt abholen zu lassen?«
»Wenn du es willst«, sagte sie zögernd. Er blickte wieder zum Fenster. »Hör mal, wie schön still es hier ist!« sagte er ergriffen.

14

Das Zimmer gefiel Ursula, sie sagte zu Herrn Rombach, der sie heraufbegleitet hatte: »Wir nehmen es.«
»Leider schließen wir am Sonntag abend für einige Wochen«, sagte Rombach. »Hoffentlich fühlen Sie sich nicht gestört; wir haben zur Zeit einige Herren vom Fernsehen im Haus. Sie wollen über unser Hotel eine Reportage bringen.«
»Wie schön für Sie«, sagte Ursula und ging ins Bad. Kiene, der durch ihr Verhalten völlig überrumpelt worden war, räusperte sich und sagte: »Fräulein Rectanus ist meine Verlobte.«
»Das dachte ich mir, Herr Kiene«, sagte Rombach lächelnd. »Ich hoffe, es gefällt Ihnen bei uns.« Er wünschte ihm noch einen schönen Abend und verabschiedete sich. Als Ursula aus dem Bad zurückkam, saß Kiene auf dem Bett und rauchte eine Zigarette. Sie nahm sie ihm aus der Hand, zog daran und fragte: »Warum hast du unten ein dummes Gesicht gemacht?«
Daß sie ihn neuerdings wieder duzte, wunderte Kiene schon nicht mehr. Er sagte: »Es war nicht nötig, daß du dich unter deinem Namen eingetragen hast.«
»Warum nicht?« fragte sie. »Daß wir verheiratet wären, hätte er uns doch nicht geglaubt. Es wundert mich, daß es einen Mann wie dich erschreckt, wenn ich für uns ein Doppelzimmer verlange. Hast du Angst vor mir?«
Kiene wurde immer weniger klug aus ihr: »Wenn dein Vater es erfährt . . .« Sie fiel ihm ungeduldig ins Wort: »Da er mich unbedingt mit dir verheiraten möchte, kann es ihm nur recht sein,

wenn wir in einem Zimmer schlafen.« Sie gab ihm die Zigarette zurück, öffnete ihren Koffer und nahm ein Kleid heraus. Kiene fragte: »Und wie stellst du dir das vor?«
»Ich stelle mir gar nichts vor«, sagte sie und verschwand mit dem Kleid ins Badezimmer. Es handelte sich um ein sehr figurfreundliches Kleid mit reizvollem Dessin; Kiene starrte sie, als sie wieder zu ihm kam, beeindruckt an. »Gefällt es dir?« fragte sie.
»Du spielst mit dem Feuer«, sagte er. Sie lächelte. »Bilde dir nichts ein. Ich wollte nur mal sehen, wie du reagierst. Bis jetzt hast du mich enttäuscht. Vor dem Essen möchte ich gerne einen Aperitif haben. Würdest du dich bitte darum kümmern?« Er drückte seine Zigarette aus und griff zum Telefon. Dann fiel ihm ein, daß die Schachtel leer war. Er verließ das Zimmer und ging die Treppe hinunter. Am Empfang wurde er von Frau Rombach begrüßt; sie fragte freundlich: »Gefällt es Ihnen bei uns, Herr Kiene?«
»Doch, recht gut«, bestätigte er, bestellte den Aperitif und holte sich Zigaretten. Sein Blick fiel durch die offene Tür zum Speisesaal, wo bereits die ersten Gäste beim Abendessen saßen. In einem von ihnen erkannte er Dr. Huber; er mußte zweimal hinsehen, bevor er es glauben konnte. Er ging rasch zu ihm. »Was führt Sie denn hierher?« fragte er verwundert. Huber sah von seiner Suppe auf, schien jedoch von Kienes Anwesenheit nicht im geringsten überrascht zu sein. Er wies auf einen leeren Stuhl an der anderen Seite des Tisches. »Ich bin dienstlich hier. Oder wissen Sie noch nicht, daß Herr Rectanus mich zu seinem Stellvertreter gemacht hat?«
»Nein«, sagte Kiene und setzte sich langsam hin. Es gab zwischen ihm und Dr. Huber eine latente, mit rationalen Gründen nicht erklärbare Aversion. »Wann hat er das getan?«
Huber schlürfte seine Suppe. »Gestern vormittag, als ich ihn im Krankenhaus besuchte. Mir ist noch nicht recht klar, wen er damit ärgern will: den Betriebsrat oder die Geschäftsleitung?«
»Und was wollen Sie hier?« fragte Kiene. Huber erzählte es ihm und fügte hinzu: »Ich habe bereits versucht, Herrn Rectanus anzurufen; er ist jedoch nicht zu sprechen. Jetzt versuche ich es morgen vormittag noch einmal, und wenn es auch dann nicht klappt, fahre ich unangemeldet zu ihm. Ist Ihnen etwas davon bekannt, daß er verkaufen will?« Kiene antwortete ausweichend: »Solange ich nicht weiß, wie es zu diesem Gerücht gekommen ist, möchte ich mich nicht dazu äußern.«

»Ich habe es auch nicht erwartet«, sagte Huber. Er war mit der Suppe fertig und griff zur Serviette. Er wischte sich Lippen und Bart ab, lehnte sich zurück und blickte Kiene prüfend an. »Sie sind allein hier?« Kiene zögerte einen Moment. »Auch darüber möchte ich nicht reden.«
»Sie haben noch nie viel geredet«, sagte Huber lächelnd. »Ich hoffe, Sie nehmen mir meine Neugierde nicht übel, aber seit Sie für Herrn Rectanus arbeiten, ergab sich für mich kaum einmal eine so günstige Gelegenheit, Sie zu fragen, ob Gerüchte zutreffen, wonach er Sie möglicherweise als seinen Nachfolger aufbauen will. Ist da etwas Wahres dran?«
»Das fragen Sie ihn am besten selbst«, sagte Kiene und stand auf. »Sicher sehen wir uns noch?«
»Das ist möglich, Herr Kiene«, sagte Huber.
Während er zu Ursula zurückkehrte, rang Kiene um Fassung. Sie saß auf dem Bett, lackierte ihre Fingernägel und fragte: »Wo hast du so lange gesteckt?«
»Kümmere dich lieber um deinen Vater«, sagte Kiene und ließ sich in einen Sessel fallen. Sie runzelte die Stirn. »Hast du etwas Neues von ihm gehört?«
»Von seinem Stellvertreter«, sagte Kiene. Es lag ihm auf der Zunge, sie zu fragen, weshalb sie bei ihrem Vater noch nicht angerufen hatte, aber vielleicht hatte sie es inzwischen getan. Er sagte: »Er heißt Huber und sitzt unten beim Abendessen. Morgen will er deinen Vater aufsuchen. Ist dir etwas davon bekannt, daß er seine Fabriken verkaufen will?« Sie unterbrach ihre Beschäftigung. »Wer behauptet das?«
»Dr. Huber«, antwortete Kiene. »Gestern kam es im Werk wegen angeblicher Verkaufsabsichten deines Vaters zu einer Arbeitsniederlegung. Ich wußte das nicht. Vielleicht interessiert es dich, daß Dr. Huber unser Betriebsarzt ist und von kaufmännischen Dingen genausoviel versteht wie ich von Medizin. Wenn dein Vater ihn trotzdem für die Zeit seiner Abwesenheit zu seinem Stellvertreter ernannt hat, muß er sich etwas dabei gedacht haben – oder er hat tatsächlich den Verstand verloren. An deiner Stelle würde ich mich mal dafür interessieren, wo es ihn erwischt hat.«
»Kann man diesen Dr. Huber sprechen?« fragte sie.
»Sicher«, sagte Kiene. »Er ist auch nur ein Angestellter deines Vaters. Laß ihm noch zehn Minuten Zeit, bis er mit dem Essen fertig ist.« Es wurde an die Tür geklopft. Ein Mädchen brachte

den Aperitif. Kiene bat sie, Dr. Huber zu verständigen, er möge nach dem Essen unten auf ihn warten. Er gab ihr ein Trinkgeld und sagte zu Ursula: »Ich habe ihm nichts von dir erzählt. Irgendwann wird er mitbekommen, daß wir zusammen in einen Zimmer wohnen.«
»Und das ist dir peinlich?« fragte sie. Kiene zuckte nur mit den Achseln. Sie schraubte das Fläschchen mit dem Nagellack zu, betrachtete ihre Nägel und sagte: »Was ist er für ein Mann? Kennst du ihn näher?« Kiene schüttelte den Kopf. »Im Betrieb habe ich kaum mit ihm zu tun. Er ist um die Dreißig, war drei Jahre in einem Krankenhaus als Assistenzarzt tätig und hat sich dann bei uns als Betriebsarzt beworben. Vermutlich liegt ihm das mehr als eine eigene Praxis. Er versteht sein Handwerk als soziale Aufgabe; aus Geld scheint er sich nichts zu machen.«
»Im Gegensatz zu dir«, sagte Ursula. »Ist er verheiratet?« Kiene schloß, weil es im Zimmer zu frisch wurde, die Balkontür. »Ich glaube nicht, daß er verheiratet ist«, sagte er. »Morgen wird, falls dein Vater es nicht verhindert, das ganze Werk erfahren, daß der Chef eine Tochter hat. Der Geschäftsleitung habe ich es bereits wissen lassen. Es sah gestern mal so aus, als ob dein Vater nicht so bald aus der Universitätsklinik herauskäme. Hat Dr. Mauser dir am Telefon gesagt, daß dein Vater voraussetzt, du würdest nicht mehr nach St. Gallen zurückfahren?«
»Wie kommst du darauf?« fragte sie überrascht. Kiene zuckte mit den Achseln. »Mir gegenüber hat er diesen Eindruck erweckt. Er wünschte, daß ich bei dir in eurem Haus wohne und auf dich aufpasse.« Sie starrte ihn verwundert an, dann lächelte sie und sagte: »Bei dir piept es wohl!«
»Die Piepserei findet in einem ganz anderen Kopf statt«, sagte Kiene. Sie wurde ernst. »Na schön. Ich werde das morgen klären. Du weißt nicht alles, was ich weiß. Und jetzt möchte ich diesen Dr. Huber kennenlernen.« Sie trank ihr Glas leer und stand auf. Kiene folgte ihr stumm die Treppe hinab. Dr. Huber erwartete sie an seinem Tisch. Als er Ursula sah, stand er rasch auf. Kiene machte sie mit ihm bekannt und sagte: »Mich entschuldigen Sie einen Augenblick.«
Er kehrte auf das Zimmer zurück, zündete sich eine Zigarette an und legte sich aufs Bett. Für eine Weile wußte er nicht weiter. Es gab ebenso viele Gründe dafür, sofort nach Hause zu fahren wie fürs Hierbleiben. In seiner Position konnte er die Ernennung von Dr. Huber zum Stellvertreter des Chefs nur als Brüskierung

empfinden. Andererseits – er wohnte mit seiner Tochter in einem Hotelzimmer . . .
Nachdem er lange genug über diesen Widerspruch nachgedacht hatte, entschloß er sich zum Bleiben und ging wieder in die Gaststube hinunter. Ursula empfing ihn mit einem kühlen Blick, verlor jedoch kein Wort über sein langes Wegbleiben. Sie sagte nur: »Herr Maier ist auch hier.«
Kiene hatte den Fahrer des Chefs bereits bemerkt; er saß am Ende des Saals und richtete sich, als Kiene ihm zunickte, halb auf. Ursula sagte: »Wir haben uns gerade über dich unterhalten. Herr Dr. Huber kann nicht verstehen, weshalb mein Vater ihn und nicht dich zu seinem Stellvertreter gemacht hat. Ich habe ihm erklärt, daß du mit mir beschäftigt warst.«
Huber lächelte. »Eine Beschäftigung, um die ich Herrn Kiene beneide. Sie kennen ihn schon lange?«
»Schon sehr lange«, antwortete Ursula. Zu Kiene sagte sie: »Nicht wahr?«
Er wußte nie, was in ihrem Kopf gerade vor sich ging. Es fiel ihm auf, daß ihnen am Nachbartisch ein nachlässig gekleideter junger Mann mit unscheinbarer Brille und einem seidenen Halstuch aufmerksam zuhörte. »Könnte einer vom Fernsehen sein«, sagte er zu Ursula. »Es ist besser, wir setzen uns an einen anderen Tisch.« Sie war sofort einverstanden; Huber folgte ihnen. Beim Essen unterhielt sich Ursula mit ihm über seine Arbeit. »Was hat Sie daran gereizt? Oder gefiel es Ihnen im Krankenhaus nicht mehr?«
»Als Betriebsarzt bin ich selbständiger«, antwortete Huber. »Außerdem habe ich es da mit den Problemen der Arbeiter zu tun, für die ich mich schon immer interessiert habe. Ich wollte sie an Ort und Stelle studieren.«
Ursula sagte lächelnd: »Dann stehen Sie sicher mehr auf ihrer als auf der Seite der Geschäftsleitung.«
Huber, der ihnen beim Essen zusah, schüttelte den Kopf. »Ich sehe meine Aufgabe nicht darin, auf der einen oder auf der anderen Seite zu stehen, sondern mich für medizinisch vertretbare Arbeitsbedingungen einzusetzen. Beispielsweise gegen die Akkordarbeit. Solange die Produktionsquoten mit dem Zeitmesser festgelegt werden, läßt sich keine wesentliche Verbesserung für die Beschäftigten erzielen.« Er blickte Kiene an. »Sie werden sicher anders darüber denken.«
»Sie wissen so gut wie ich, daß Produktionskosten und Produk-

tionsquoten korrelat sind«, sagte Kiene gleichgültig. »Schaffen Sie uns die böse Konkurrenz vom Hals, und Ihr Problem ist vom Tisch.«
»Es ist unser aller Problem«, sagte Huber. »Sicher ein globales und nur als solches zu lösen.« Kiene lächelte nachsichtig. »Dann viel Spaß.« Er merkte, daß Ursula ihn aufmerksam ansah, und sagte: »Tut mir leid. Ich kann seinen Standpunkt nicht teilen.« Huber wandte ihm das Gesicht zu. »Ihren eigenen kenne ich noch nicht.«
»Warum unbedingt global?« fragte Kiene. »Sie haben im Augenblick die einmalige Chance, ein Zeichen zu setzen.« Ursula fragte verständnislos: »Darf man wissen, worüber gesprochen wird?«
»Herr Kiene spielt auf meine neue Eigenschaft als Stellvertreter Ihres Vaters an«, sagte Huber heiter. »Ich wäre es allerdings keine Stunde länger, würde ich ohne sein Einverständnis an den Akkordzeiten etwas zu ändern versuchen.«
Kiene fragte: »Ist das Ihr Problem?«
»Ich sehe Ihr eigenes«, sagte Huber. »Wir sollten sie nicht gegeneinander aufrechnen. Wenn Sie von der Geschäftsleitung . . .« Er wurde durch Herrn Rombach unterbrochen, der mit einem entschuldigenden Lächeln an ihren Tisch kam und sie um Verständnis dafür bat, daß die Herren vom Fernsehen noch einige Innenaufnahmen des Speisesaals und der Gäste machen wollten. Dr. Huber lachte. »Es war schon immer mein Wunsch, einmal auf den Bildschirm zu kommen.« Zu Ursula sagte er: »Sie werden sich dort bestimmt auch sehr gut ausnehmen.«
»Wenn Sie meinen«, sagte sie unschlüssig.
Kiene stand auf. »Ich muß telefonieren.« Er wartete keine Antwort ab, sondern verließ rasch den Speisesaal. Als er die Treppe zu seinem Zimmer hinaufstieg, kamen ihm drei Männer mit Scheinwerfern und Kabelrollen entgegen. Sie hatten es so eilig, daß sie ihn kaum beachteten.
Im Zimmer war es bereits dunkel. Er schaltete das Licht ein, schloß die Vorhänge und griff zum Telefon. An der Rezeption meldete sich Frau Rombach. Er bestellte eine Flasche Rotwein aufs Zimmer, setzte sich in einen Sessel und streckte die Beine von sich. Als das Mädchen den Wein brachte, gab er ihr wieder ein Trinkgeld, füllte das Glas und trank es auf einen Zug leer. Hinterher überlegte er, wie der Chef reagieren würde, wenn er erfuhr, daß er mit seiner Tochter geschlafen hatte. Er nahm sich vor, die Entscheidung darüber von ihrem weiteren Verhalten ab-

hängig zu machen. War sie darauf aus, ihm eine Demütigung zu verpassen? Er mußte, als er das erwog, über sich selbst lächeln. Als sie hereinkam, hatte er bereits das zweite Glas geleert. Sie warf, ohne ihm einen Blick zu schenken, die Handtasche aufs Bett, zündete sich am Tisch eine von seinen Zigaretten an und sagte mit abgewandtem Gesicht: »Warum hast du mich unten sitzenlassen?«

»War dir das nicht ganz recht?« fragte er.

Sie ließ sich neben ihrer Handtasche auf das Bett nieder und sagte mit vor Ärger heiserer Stimme: »Dieser Huber ist ein Dummkopf. Der hat gar nicht mitbekommen, daß die Kerls es nur auf mich abgesehen hatten. Sie kamen sofort an unseren Tisch und fragten mich, ob ich ihnen ein Interview geben würde. Der eine mit dem Halstuch, der heute abend neben uns am Tisch gesessen hatte, war auch dabei. Er wußte sogar, wer ich bin und fragte mich, ob mein Vater seine Fabriken verkaufen würde.«

»Hast du ihm geantwortet?« fragte Kiene.

Sie schüttelte den Kopf. »Als mir klar wurde, daß sie es nur auf mich abgesehen hatten, bin ich aufgestanden. Ich hätte es gleich tun sollen, aber ich war im ersten Augenblick so überrascht, daß mir überhaupt nichts mehr einfiel. Warum bist du 'raufgegangen? Weil du nicht wolltest, daß sie erfahren, für wen du arbeitest?«

»Nicht nur deshalb«, sagte Kiene. »Bisher weiß im Werk nur dein Vater, wer ich bin. Die anderen sind noch nicht dahintergekommen.«

»Warum eigentlich nicht?« fragte sie und blickte ihn an. Er lächelte. »Auf das Nächstliegende kommt man nur selten. Haben sie dich gefilmt?«

»Dazu habe ich ihnen keine Gelegenheit mehr gegeben«, sagte sie. »Ich verstehe überhaupt nicht, wie die herausgefunden haben, wer ich bin. Sicher hängt es mit dem Streik zusammen. Vielleicht werden sie jetzt auch versuchen, meinen Vater zu interviewen. Ich halte es für völlig ausgeschlossen, daß er verkaufen will. So etwas hätte er mir gesagt.«

Kiene setzte sich neben sie auf das Bett. »Sagt er dir alles?«

»So eine wichtige Sache auf jeden Fall«, antwortete sie und streifte die Schuhe von den Füßen. »Kann ich auch ein Glas haben?«

Er gab es ihr. Während sie trank, berührte er mit den Lippen ihre Wange und sagte: »Auf welcher Seite willst du schlafen?«

»Anscheinend liegt hier ein Mißverständnis vor«, sagte sie. »Ich hatte nicht die Absicht, mit dir in einem Zimmer zu schlafen.«
»Nein?« fragte er überrascht.
Sie mußte lachen. »Eben hast du ein unbeschreiblich dummes Gesicht gemacht, Manfred. Ich habe nichts dagegen, wenn du hierbleibst. Vorausgesetzt, du benimmst dich anständig.«
»Wie anständig?« fragte er.
»So wie ich es meine«, sagte sie und gab ihm das leere Glas zurück. »Es beunruhigt mich, daß Dr. Huber unten geblieben ist. Hoffentlich hat er sich zu keinem Interview überreden lassen. Würdest du einmal nachsehen?«
»Wenn es sein muß«, sagte Kiene und stand auf.
Unten stellte er mit einem Blick fest, daß Dr. Huber und die Männer vom Fernsehen nicht mehr da waren. An den Tischen saßen nur noch wenige Gäste. Frau Rombach kam, als sie ihn bemerkte, aus dem Büro. »Es tut mir leid, daß das passiert ist, Herr Kiene. Die Herren hatten meinem Mann und mir zugesichert, keine Interviews zu machen; wir wissen beide, daß viele Gäste das nicht wollen. Mein Mann hat nach diesem Vorfall Herrn Merklin sofort gebeten, das Filmen einzustellen. Wir hatten auch keine Ahnung, wer Fräulein Rectanus ist; das erfuhren wir erst von Herrn Merklin. Würden Sie ihr bitte sagen, daß wir den Zwischenfall sehr bedauern?«
»Das tue ich gern«, sagte Kiene.
Er kehrte zu Ursula zurück und sagte: »Sie sind bereits abgezogen, Huber auch. Was tun wir jetzt?«
»Keine Ahnung«, sagte sie. »Ich war noch nie mit einem Mann allein in einem Hotelzimmer. Willst du mich küssen?«
»Das ist ein brauchbarer Vorschlag«, sagte Kiene und setzte sich wieder zu ihr. Er nahm ihr Gesicht in die Hände, preßte die Lippen auf ihren Mund und knöpfte, als sie seine Küsse erwiderte, ihre Bluse auf. Sie hatte eine zwar kleine, jedoch sehr gut geformte Brust, und als er sie streichelte, sagte sie: »Das ist also deine ganze Masche?«
Er nahm ernüchtert die Hand von ihr und sagte: »Ich hätte es mir denken können.«
»Ich war nur neugierig, wie du das machst«, sagte sie und knöpfte ihre Bluse zu. »Mich wundert, daß Frauen auf so etwas hereinfallen.«
»Vielleicht bist du keine«, sagte er mit mühsam unterdrücktem Ärger. Sie lächelte. »Sicher keine von der Sorte, die es dir immer

so leicht macht. Was hast du davon, wenn du einer die Brust streichelst? Regt dich das auf?«
Er starrte sie eine Weile verdrossen an. Dann verließ er das Zimmer und ging aus dem Haus. Draußen war es unangenehm kühl. Er ging unschlüssig zur Straße hinunter, schob die Hände in die Taschen und betrachtete mit zurückgelegtem Kopf den Sternenhimmel und die schwarzen Silhouetten der Berge. Obwohl er sich vorgenommen hatte, so rasch nicht wieder ins Hotel zurückzukehren, hielt er es nur zehn Minuten aus. Als er in das Zimmer kam, war sie im Bad; er hörte dort Wasser laufen. Die Weinflasche hatte sie während seiner Abwesenheit leer getrunken. Er nahm sie in die Hand und sagte so laut, daß Ursula es hören mußte: »Es ist verdammt kühl draußen.«
»Was sagst du?« fragte sie durch die geschlossene Badezimmertür. Als er nicht antwortete, öffnete sie die Tür einen Spaltbreit und streckte den Kopf heraus. »Hast du etwas gesagt?« Sie hatte nichts an. Er konnte zwar nur ihre Schultern sehen, aber er war sich jetzt sicher, daß sie es darauf anlegte, mit ihm zu schlafen. Spätestens in diesem Augenblick wurde es ihm gleichgültig, was ihr Vater dazu sagen würde. Er sagte: »Ich war auf der Straße. Es ist ziemlich frisch draußen.«
»Na schön«, sagte sie. »Und was interessiert das mich?« Er zog lächelnd das Jackett aus und legte sich aufs Bett. Sie sagte: »Du kannst gleich ins Bad«, und verschwand. In den nächsten Minuten versuchte er sich vorzustellen, wie sie nackt aus dem Bad kommen würde, aber als sie dann herauskam, war sie im Pyjama.
»Würdest du bitte aufstehen?« fragte sie. Kiene gehorchte. Er beobachtete, wie sie das Bett aufdeckte, sich hineinlegte und die Hände im Nacken verschränkte. »Ich bin müde«, sagte sie. »Entweder du legst dich jetzt auch hin oder du verschwindest in ein anderes Zimmer. Und noch etwas, Manfred. Laß die Finger von mir, sonst kleb' ich dir eine. Das ist mein Ernst.«
»Okay«, sagte er und ging ins Bad. Sie hatte, als er zurückkam, bereits das Licht ausgemacht.
Am nächsten Morgen war sie, als er aufwachte, bereits im Bad. Er hörte sie gutgelaunt pfeifen.
Ihr Pyjama lag neben ihm auf dem Bett. Er nahm ihn in die Hand, roch daran und fand, daß er gut roch; sie benutzte ein unaufdringliches Parfüm. Als sie aus dem Bad kam, betrachtete er sie zufrieden; sie sah genauso aus, wie er sie sich vorgestellt hatte. Er war sich nicht sicher, ob sie damit gerechnet hatte, ihn wach

anzutreffen. Jedenfalls verzog sie keine Miene und fragte: »Hast du gut geschlafen?«
»Zufriedenstellend«, sagte er und beobachtete, wie sie unbefangen nach ihrem Slip griff und ihn anzog. Dann streifte sie ein Kleid über und sagte: »Bestell das Frühstück aufs Zimmer.«
Er griff zum Telefon und ging dann ins Bad. Als er zurückkam war sie bereits beim Frühstück. »Ich hatte Hunger. Mit meinem Vater habe ich telefoniert. Wir werden ihn heute nachmittag besuchen.«
»Das ist nett«, sagte Kiene. »Wann etwa?« Sie hörte auf zu kauen und sah ihn unverwandt an. Schließlich antwortete sie: »Gegen vier.«
»Da wird er sich freuen, dich wiederzusehen«, sagte Kiene. Er setzte sich ihr gegenüber an den Tisch und sagte, das Frühstück betrachtend: »Das sieht doch ganz lecker aus!« Sie blickte ihn weiter unverwandt an. »Du hast eine hübsche Figur«, sagte er. »Sicher hast du auch sehr viel Erfahrung mit Männern. Ich nehme an, du hast mehr als nur einen Freund.«
»Bei Männern ist es ganz amüsant, Vergleiche anstellen zu können«, sagte sie. Er lächelte. »Da bin ich aber neugierig, wie ich bei dir abschneiden werde. Schönen Dank für das Eingießen.«
»Gerne geschehen«, sagte sie. »Was machen wir bis heute nachmittag?«
»Was du willst«, sagte er. »Du brauchst nur zu befehlen.«
»Mal sehen«, sagte sie. »Vielleicht fahren wir spazieren, schauen uns die Landschaft an. Willst du noch eine Tasse?«
»Sonst tun wir nichts?« fragte er. Sie sagte: »Tut mir leid; bist mir zu primitiv.«
Er beobachtete, wie sie aufstand, zum Schrank ging und einen Trenchcoat herausnahm. Sie zog ihn an und verließ, ohne noch ein Wort zu sagen, das Zimmer. Ein paar Sekunden lang blieb er unschlüssig sitzen, dann trat er auf den Balkon hinaus. Wenig später bog sie um die Hausecke und ging, die Hände in den Manteltaschen, zur Straße hinunter. Sie hatte sie noch nicht ganz erreicht, als sie von einem VW eingeholt wurde. In dem Fahrer erkannte Kiene Dr. Huber. Er beobachtete, wie dieser das Tempo drosselte, sich aus dem Fenster beugte und einige Worte mit Ursula wechselte. Sie ging zur anderen Seite hinüber und stieg ein. Kiene blickte ihnen nach, solange er den Wagen sehen konnte. Er betrachtete noch eine Weile die Häuser und einen kleinen Berg mit einer Kapelle auf dem Gipfel und kehrte dann ins Zim-

mer zurück. Er griff nach der Kaffeekanne, überlegte es sich jedoch anders und zog einen Lederblouson an. Auf dem Weg zum Parkplatz begegnete er keinem Menschen. Er fuhr zur Straße hinunter und dann talaufwärts zur Klinik von Professor Eschenburger. Für die Landschaft hatte er diesmal kein Auge. Als er den Parkplatz der Klinik erreichte, fing es an zu schneien. Ein roter Kombi erregte seine Aufmerksamkeit. Er ging hin und betrachtete ihn von allen Seiten. Dann ging er durch den Hintereingang zur Aufnahme und fragte nach dem Chef. Die Schwester sagte, Herr Rectanus habe schon vor über einer Stunde zusammen mit seiner Frau die Klinik verlassen.
»Wohin ist er gegangen?« fragte Kiene. Sie bat ihn, einen Augenblick zu warten. Sie führte einige Telefongespräche und schickte dabei immer wieder besorgte Blicke zum Fenster. Nach dem letzten Gespräch sagte sie: »Unser Oberarzt, Herr Dr. Schneider, möchte Sie sprechen. Gedulden Sie sich bitte ein wenig.« Kiene setzte sich in einen der bequemen Ledersessel. Als Dr. Schneider zu ihm kam, waren kaum mehr als drei Minuten verstrichen. »Sie kennen Herrn Rectanus?« fragte er hastig. Kiene nickte. »Ich wollte ihn besuchen.«
»Das ist eine unangenehme Sache«, sagte Dr. Schneider. »Ich sah Herrn Rectanus vor etwa einer Stunde mit seiner Begleiterin weggehen, nahm jedoch an, er sei inzwischen längst zurückgekehrt. Sie waren beide nur dünn angezogen, ich glaube, sogar ohne Mantel. Wie Sie vielleicht schon gemerkt haben, ist zur Zeit das Fernsehen bei uns. Ich konnte mich deshalb nicht weiter mit Herrn Rectanus und seiner Begleiterin befassen, sonst hätte ich ihnen empfohlen, Schirm und Mantel mitzunehmen. Ich bin beunruhigt, weil sie noch nicht zurück sind.«
»Haben Sie eine Ahnung, wohin sie gegangen sein könnten?« fragte Kiene. Dr. Schneider antwortete: »Eine unserer Schwestern hat sie vom Fenster aus dem Weg zu unserer Picknickhütte folgen sehen. Normalerweise kann man sie bequem in fünfundvierzig Minuten erreichen. Wir vermuten, daß Herr Rectanus und seine Begleiterin dorthin gegangen sind. Ich habe bereits veranlaßt, daß sich zwei unserer Pfleger um sie kümmern. Wenn Sie sich solange hier gedulden wollen . . .« Kiene unterbrach ihn: »Ich werde die Pfleger begleiten.«
»Sie sind schon unterwegs«, sagte Dr. Schneider. »Ich würde Ihnen mit Ihren Halbschuhen auch nicht empfehlen . . .«
»Das hätten Sie Herrn Rectanus empfehlen sollen«, sagte Kiene

ungeduldig. »Wie finde ich sie?« Dr. Schneider ging mit ihm vor die Tür und zeigte ihm den Weg. Das Schneetreiben war inzwischen so heftig geworden, daß der Rasen vor der Klinik völlig zugedeckt war. »Das sieht nicht gut aus«, sagte Kiene besorgt. »Führt der Weg steil bergan?« Dr. Schneider wischte sich einige große Flocken aus dem Gesicht. »Nur in seinem oberen Teil. Wir haben für solche Fälle einen Schlitten, so daß Herr Rectanus gefahren werden kann. Wollen Sie sich nicht wenigstens einen Mantel mitgeben lassen?«

»Meine Lederjacke ist bequemer«, sagte Kiene und lief die Treppe hinunter. Dort fiel ihm noch etwas ein. Er kehrte zurück und fragte: »Haben sich die Fernsehmenschen auch für Herrn Rectanus interessiert?«

Dr. Schneider antwortete betreten: »Ja, es kam zu einem unangenehmen Zwischenfall. Man hat versucht, ihn gegen seinen Willen zu interviewen.«

»Scheint eine Spezialität des Fernsehens zu sein«, sagte Kiene und machte sich auf den Weg. Die frischen Spuren im Schnee konnten nur von den beiden Krankenpflegern sein. Obwohl er trotz des immer steiler werdenden Weges rasch ausschritt, hatte er den Eindruck, daß er ihnen kaum näher kam; weiter oben wurden die Spuren sogar undeutlicher, und als er merkte, daß er sie vor der Hütte kaum mehr einholen würde, verlangsamte er das Tempo. Die Sicht reichte hier kaum viel weiter als fünfzig Meter; er mußte immer wieder stehenbleiben und sich den nassen Schnee aus den Augen wischen. Schon fast vierzig Minuten war er unterwegs, als er vor sich im Schneetreiben Bewegungen bemerkte. Wenig später stellte er fest, daß es zwei Männer waren, die einen Schlitten zwischen sich hatten. Während der hintere ihn mit einem Seil abbremste, hatte der vordere das Seil um die Sitzstreben geschlungen und steuerte ihn. Auf dem Schlitten, eingehüllt in Wolldecken, saßen der Chef und Annemarie. Sie saß hinter ihm und hielt ihn mit vor der Brust verschränkten Armen fest. Da es sich um einen relativ kleinen Schlitten handelte, bot der Chef der Rectanus-Werke mit angezogenen Knien und dem schwarzen Hut auf seinem weißen Haar, einen etwas seltsamen Anblick. Zu Kienes Erleichterung stellte es sich bald schnell heraus, daß es ihm besserging, als der erste Eindruck befürchten ließ, denn bei Kienes Anblick sagte Rectanus mit ziemlich munterer Stimme: »Sollten Sie nicht bei meiner Tochter sein?« Kiene lächelte erleichtert. Die beiden Krankenpfleger, zwei junge Män-

ner mit Wollmützen und wattierten Jacken, waren stehengeblieben und blickten Kiene neugierig an. Er erzählte dem Chef, weshalb er hier war. Als er Dr. Huber erwähnte, sagte Rectanus: »Er hat mich angerufen; ich habe ihn für heute nachmittag zu mir bestellt. Kommen Sie nachher auf mein Zimmer; ich habe mit Ihnen zu sprechen.« Den beiden Männern sagte er, daß die Fahrt weitergehen könne.
Weil der Weg hier sehr schmal war, hielt sich Kiene hinter dem Schlitten. Annemarie drehte sich ein paarmal nach ihm um. Sie sagte jedoch nichts. Die beiden Krankenpfleger kamen mit dem Schlitten so rasch voran, daß Kiene in dem hohen Schnee Mühe hatte, dicht hinter ihnen zu bleiben. So brauchten sie für den Rückweg nicht einmal eine halbe Stunde. Als sie den Schlitten über die Liegewiese vor der Klinik zogen, wurden sie am Eingang bereits von Dr. Schneider und zwei Schwestern erwartet. Halb verdeckt von ihnen, stand ein Mann mit einer Kamera. Neben ihm noch zwei oder drei andere. In einem erkannte Kiene den Fernsehreporter mit dem seidenen Halstuch wieder. Auch der Chef schien sie jetzt gesehen zu haben; er rief Kiene zu sich und sagte: »Halten Sie mir diese Burschen vom Leibe, Kiene. Ich will nicht, daß ich in dieser erbärmlichen Situation gefilmt werde.«
»Ich auch nicht«, sagte Kiene. Mit einem Blick stellte er fest, daß an den Fenstern der Klinik neugierige Gesichter auftauchten. Rasch stieg er die Treppe hinauf. Oben erst merkte er, daß der Kameramann bereits filmte. Er riß ihm die Kamera aus den Händen und sagte: »Ich weiß nicht, was so ein Ding kostet. Wollen Sie es kaputt zurückhaben?«
Merklin, der sich bisher im Hintergrund gehalten hatte, sagte scharf: »Was fällt Ihnen ein! Wir haben von Herrn Professor Eschenburger die ausdrückliche Genehmigung, hier drehen zu dürfen.«
»Meine haben Sie nicht«, sagte Kiene und trat, als der Kameramann sich ihm nähern wollte, einen Schritt zurück. »Versuchen Sie das nicht«, sagte er. »Sobald wir im Haus sind, können Sie Ihre Arbeit fortsetzen; vorher nicht.« Es fiel ihm auf, daß der Mann mit dem seidenen Halstuch ein Mikrophon in der Hand hielt. Bevor er jedoch auch dagegen etwas unternehmen konnte, ergriff Dr. Schneider das Wort. Er sagte zu Merklin: »Herr Rectanus hat Ihnen schon einmal erklärt, daß er nicht gefilmt werden möchte. Ich muß Sie jetzt ganz energisch darum ersuchen, seinen

Wunsch zu respektieren.« Er wandte sich dem Chef zu, der, geführt von den beiden Schwestern, die Treppe heraufkam. Dr. Schneider begleitete ihn und Annemarie sofort ins Haus. Kiene gab Eichler die Kamera zurück und sagte: »Filmen Sie Ihren Boß. Der sieht sich vielleicht ganz gern auf dem Bildschirm. Ist er das?« Er blickte Merklin an.
»Sie werden noch von uns hören«, sagte dieser. Kiene lachte. »Diese Befürchtung habe ich nicht; ich schaue mir Ihr Programm aus grundsätzlichen Erwägungen nicht an. »Zu Mandel sagte er: »Ist das genug für ein Interview?«
Mandel verzog keine Miene. »Von Ihnen haben wir genug, Herr Kiene. Hat es Ihnen bei der Luftwaffe nicht mehr gefallen?« Kiene stutzte, dann grinste er beeindruckt. »Bei Ihrer Cleverness werden Sie es bestimmt eines Tages noch zum Stellvertreter des Intendanten bringen.«
Er folgte dem Chef ins Haus. Weil er ihn nicht entdecken konnte, ließ er sich von der Aufnahme die Zimmernummer geben und fuhr mit dem Lift hinauf. Als er oben nach der Tür suchte, wurde eine geöffnet, und Annemarie sagte: »Komm einen Augenblick herein; er hat sich hinlegen müssen. Ich glaube nicht, daß er dich sofort sehen will.«
»Du bist mir auch viel lieber als er«, sagte Kiene und betrat hinter ihr das Zimmer. Sie forderte ihn zum Sitzen auf und sagte: »So rasch habe ich dich nicht erwartet.«
»Ich mich auch nicht«, sagte Kiene und sah sich im Zimmer um. »Sieht fast wie ein Hotelzimmer aus.«
»Ist auch eins«, sagte Annemarie und setzte sich ihm gegenüber.
»Wie kommst du mit ihm zurecht?« fragte Kiene.
Sie wich seinem Blick aus. »Er ist nicht so schlimm wie ich dachte. Kann sogar ganz lustig sein. Aber einen Knall hat er doch! Von wegen Weihnachten mitten im Mai, und so weiter.«
»Da kann ich nicht folgen«, gestand Kiene. Sie berichtete ihm von der gemeinsamen Wanderung zur Hütte und sagte dann: »Manchmal ist er wie ein Kind. Auf eine gewisse Art mag ich ihn sogar. Verpatz mir das nicht, sonst werde ich sauer.« Kiene lächelte überrascht. »Das ging aber schnell!«
»Nicht so, wie du jetzt denkst«, sagte sie. »Heiraten will er mich jedenfalls. Dann werden wir weitersehen.«
»Schon mit ihm geschlafen?« fragte Kiene. Diesmal erwiderte sie seinen Blick. »Wenn man dich näher kennenlernt, verlierst du. Ich bin dir jetzt dankbar, daß nichts zwischen uns war. Vorge-

stern abend muß ich gesponnen haben. Ich hatte mir da eine Menge dummes Zeug eingeredet.«
»Was ihn betrifft?« fragte Kiene.
»Ja«, sagte sie. Er griff nach seinen Zigaretten, ließ sie aber doch liegen und sagte: »Du magst das nicht. – Wenn ich dich richtig verstanden habe, kommst du jetzt allein zurecht?«
»Du hast mich richtig verstanden«, sagte sie. Er stand auf und küßte sie auf die Wange. »Das freut mich sehr für dich, kleine Annemarie. Schade, daß es zwischen uns nicht geklappt hat. Ich war gerade scharf auf dich geworden.«
»Tut mir leid, daß sich meine eigenen Empfindungen nicht ähnlich entwickelt haben«, sagte sie. »Wirst du mich jetzt bei ihm madig machen?«
»Im Gegenteil«, sagte er. »Solange du bei ihm bleibst, kann ich noch immer hoffen.«
»Dann hoffe nur nicht vergebens«, sagte sie und lachte. Er ging schmunzelnd hinaus und klopfte an die Tür des Chefs. Der empfing ihn im Bett und sagte: »Es fehlt mir nichts; ich muß mich nur ein wenig aufwärmen. Wußte gar nicht mehr, daß es auf Schlitten so kalt ist.« Er kicherte. Kiene setzte sich unaufgefordert neben ihn. »Ich glaube nicht, daß Sie mit Dr. Huber den richtigen Mann auf den richtigen Platz gestellt haben. Wenn sich Ihre Entscheidung, womit Sie rechnen müssen, inzwischen im Werk herumgesprochen hat, kommt es vielleicht zu weiteren Arbeitsniederlegungen.«
»Es ärgert Sie wohl, daß ich Sie übergangen habe?« fragte der Chef lächelnd. Kiene lächelte auch. »Nur auf den ersten Blick. Inzwischen habe ich erfahren, daß Sie mich mit Ihrer Tochter verheiraten wollen.«
»Wären Sie damit einverstanden?« fragte der Chef ohne eine Zeichen von Überraschung. »Holen Sie mir mal meine Zigarren aus der Tasche!« Kiene tat es und gab ihm Feuer. »Auch eine?« fragte der Chef. Kiene schüttelte den Kopf und zündete sich eine Zigarette an. Der Chef sagte: »Es ist schon sehr viel, wenn sie Ihnen das überhaupt erzählt hat. Die Sache mit Huber paßt mir nicht. Sie hat eine Schwäche für diese politischen Wirrköpfe.«
»Er auch für sie«, sagte Kiene. »Er war ziemlich hingerissen von ihr.«
»Das sind die meisten Männer«, sagte der Chef und zog an seiner Zigarre. »Glücklicherweise verliert sie auch dann nicht den Kopf, wenn sie einmal an einen gerät, der sie beeindruckt.« Kiene hü-

stelte. »Wissen Sie das genau?« Der Chef nickte nachdrücklich. »Von ihrer Wirtin. Eine zuverlässige Frau, die gut an mir und an ihren Informationen verdient. Ursula hatte noch nie Herrenbesuch, und wenn sie einmal ausgeht, dann nur mit Freundinnen.«

»Wie an ihrem Geburtstag«, sagte Kiene. Der Chef blickte ihn prüfend an. »Wie kommen Sie darauf?« Kiene zögerte, dann zuckte er mit den Achseln. »Sie hat es mir erzählt.«

»Das erzählte sie auch mir«, sagte der Chef. »Ich weiß es besser. Sie hat vorgestern, wie alle Tage, die Schule besucht, und ist am Abend mit einer Freundin ins Kino gegangen. Wenn Sie es schaffen, daß sie sich in Sie verliebt, haben Sie ausgesorgt, Kiene. Es sei denn, sie schlafen auch dann noch mit anderen Weibern. Im Augenblick sind es zwar nur zwei, aber nach einer Heirat wären das genau zwei zuviel. Ich würde Sie wie eine Rakete hochgehen lassen. Ich sage das nur vorsorglich, denn obwohl Sie für eine Heirat mit meiner Tochter meines väterlichen Segens gewiß sein könnten, liegt die Entscheidung letzten Endes bei Ihnen.«

»Und bei Ihrer Tochter«, erinnerte ihn Kiene. Er dachte ein paar Augenblicke nach, dann fragte er: »Was versprechen Sie sich davon?«

»Eine ganze Menge«, sagte der Chef. »Ich habe Sie jetzt über ein Jahr lang eingearbeitet. Sie kennen den Betrieb schon fast genausogut wie ich. Sie wären jederzeit imstande, meine Nachfolge anzutreten. Heiraten Sie meine Tochter, und Sie haben es geschafft.«

Kiene stand auf und suchte nach einem Aschenbecher. Weil er keinen fand, ließ er die Asche in die hohle Hand fallen und trug sie auf den Balkon. Als er zurückkam, sagte er: »Ob man es wirklich geschafft hat oder nicht, weiß man in der Regel erst hinterher. Was ich nicht verstehe: einerseits haben Sie eine so hohe Meinung von der Tugendhaftigkeit Ihrer Tochter, und andererseits trauen Sie ihr ohne weiteres zu, daß sie sich ausgerechnet in mich verlieben könnte. Was ich bisher mit ihr erlebt habe, spricht eigentlich dagegen.« Der Chef richtete sich erwartungsvoll im Bett auf. »Was haben Sie erlebt?« Kiene winkte ab. »Nichts Aufregendes. Daß sie mich nicht mag, hat sie Ihnen schon oft genug selbst erzählt. Warum haben Sie mich ihr nicht schon früher vorgestellt?« Der Chef gab ihm seine Zigarre: »Die können Sie auch auf dem Balkon abstreifen. Besorgen Sie mir noch heute einen Aschenbecher; ich würde dieses Hotel nicht

einmal meiner Konkurrenz empfehlen. Und merken Sie sich für die Zukunft eins: Wenn Frauen sich auffällig dagegen sträuben, einen bestimmten Mann kennenzulernen, steckt fast immer Unsicherheit dahinter, und Unsicherheit ist oft schon der erste Schritt auf dem holden Pfad der Liebe. Ich habe ihr soviel von Ihnen erzählt . . .«
»Zumeist nichts Gutes«, sagte Kiene. Der Chef kicherte. »Ihre bisherigen Gespräche mit ihr scheinen bereits viel substantieller gewesen zu sein, als ich zu hoffen wagte. Was Sie, trotz Ihrer vielen Weibergeschichten, bis heute anscheinend nicht mitbekommen haben, ist der Umstand, daß gerade Ihre Affären Sie in den Augen mancher Frauen interessant werden lassen. Und wenn Sie meine Tochter so gut kennen würden wie ich, dann wüßten Sie auch, daß sie niemals mit einem Mann, der ihr gleichgültig ist, die Nacht in einem Hotelbett verbringen würde. Ich betrachte diesen einmaligen Vorgang als Ihre inoffizielle Verlobung. Und jetzt sehen Sie zu, daß sie nicht auch noch mit diesem Huber schläft. Könnte ja sein, daß sie inzwischen auf den Geschmack gekommen ist. Klopfen Sie mir aber vorher noch auf dem Balkon die Asche von meiner Zigarre.«
Als Kiene kurz darauf das Zimmer verließ, überlegte er sich, ob Ursula selbst es gewesen sein könnte, die ihrem Vater von dem gemeinsamen Hotelzimmer erzählt hatte. Vielleicht hatte es sich bei alledem um ein feingestricktes Komplott gehandelt, zu keinem anderen Zweck, als ihn endgültig an die Kette zu legen. Es gab jedoch noch einen anderen Weg, auf dem der Chef seine Informationen bezogen hatte. Und der erschien Kiene unter den gegebenen Umständen als wahrscheinlicher.

15

Für Dr. Huber war dies ein ereignisreicher Tag. Nicht allein, daß ihm ein unerwarteter Glücksfall einen höchst angenehmen Vormittag mit Ursula Rectanus beschert hatte, der in einem gemeinsamen Mittagsmahl im schönen Ramsau gipfelte, er war auch von ihrem Vater zu Außergewöhnlichem berufen worden. Dies erfuhr er jedoch erst im Laufe des Nachmittags, als seine Gedanken sich noch immer mit Ursula beschäftigten und er sich darüber klarzuwerden versuchte, ob ihr Lächeln beim Abschied ein ganz gewöhnliches oder ein verheißungsvolles Lächeln gewesen war. Diese Frage beschäftigte ihn so sehr, daß sie ihn noch bis zur Kli-

nik von Professor Eschenburger verfolgte, wo ihn der Chef umgehend in sein Zimmer bitten ließ. Er saß, korrekt angezogen wie immer, an einem Tisch und empfing Huber mit freundlichem Händedruck. Dann bat er ihn, Platz zu nehmen und hörte sich zehn Minuten lang die Sorgen und Probleme seines Betriebsrats an, in dessen Auftrag Dr. Huber zu ihm gekommen war. Danach sagte er: »Ich finde, es war eine ausgezeichnete Idee, daß man gerade Sie zu mir geschickt hat. Wenn ich mich recht entsinne, lieber Herr Huber, haben Sie sich schon immer in sehr engagierter Weise für die Interessen der Belegschaft . . .«
»Für ihre gesundheitlichen Interessen«, gab Dr. Huber zu bedenken. Der Chef nickte gönnerhaft. »Für ihre gesundheitlichen, für ihre sozialen, für ihre privaten. Das sind doch, wenn ich richtig informiert bin, Dinge, die heutzutage in einem unmittelbaren Zusammenhang stehen. Ich habe auch nicht vergessen, wie selbstlos Sie sich damals für eine zusätzliche Teepause verwendet haben. Um so mehr freue ich mich, Ihnen eine Entscheidung mitteilen zu können, die Sie nicht zuletzt als Ihr persönliches Verdienst betrachten dürfen. Ich habe mich entschlossen, in meinem Hauptwerk ab sofort, das heißt ab morgen, die Vier-Tage-Arbeitswoche einzuführen. Und ich wüßte keinen anderen, der es mehr verdient hätte als Sie, der Geschäftsleitung ebenso wie der Belegschaft diese Nachricht zu überbringen. Sollte sich diese Regelung dort bewähren, so werde ich auch unsere Zweigniederlassungen einbeziehen.«
Er stand lächelnd auf, drückte Huber, der kein Wort zu sagen wußte, wieder freundlich die Hand und begleitete ihn bis zur Tür. »Da ich meine Tochter erwarte«, sagte er, »bitte ich Sie um Verständnis für die Kürze Ihres Besuchs, aber ich nehme doch an, Sie wollen ohnehin so rasch wie möglich zurückfahren. Wenn Sie sich beeilen, können Sie die Geschäftsleitung noch heute von meinem Entschluß benachrichtigen und ihn, mit meinem Einverständnis, als Ihr alleiniges Verdienst, als Ergebnis einer intensiven Unterhaltung mit mir darstellen. Grüßen Sie Ihre Frau schön.« Huber sagte verwirrt: »Ich bin noch nicht verheiratet, Herr Rectanus.«
»Dann wird es aber höchste Zeit«, sagte der Chef mit mahnend erhobenem Zeigefinger. »Wenn es zutrifft, was man mir erzählt hat, müssen Sie seit mindestens zwei Jahren verlobt sein. Lassen Sie das arme Mädchen nicht viel länger warten.« Er nickte ihm abermals lächelnd zu.

Auf dem Flur mußte Huber einen Augenblick stehenbleiben und tief Luft holen. Vor Überraschung und Freude war er wie betäubt. Mit großen Schritten verließ er die Klinik. Auf dem Parkplatz wurde er von Mandel angesprochen, der nach vollzogener Reportage mit seinen Kollegen damit beschäftigt war, das Gerät in den Wagen zu verladen. Nachdem Huber ihm gestern abend ein Interview verweigert hatte, reagierte er auf den neuesten Versuch Mandels, ihm ein Wort zu entlocken, mit größter Zurückhaltung, zumal ihm nicht entging, daß auch die vier anderen Männer ihre Arbeit unterbrochen hatten und einer von ihnen plötzlich eine Kamera in den Händen hielt. Mandel sagte: »Guten Tag, Herr Dr. Huber. Ich nehme an, Sie kommen soeben von Herrn Rectanus und haben sich mit ihm über den beabsichtigten Verkauf der Rectanus-Werke unterhalten. Würden Sie bitte unseren Zuschauern ein Wort dazu sagen?«
Huber, dem jetzt erst bewußt wurde, daß er über diese Angelegenheit mit dem Chef überhaupt nicht mehr gesprochen hatte, wollte sich ärgerlich abwenden, besann sich aber und sagte, in die Kamera blickend: »Es ist richtig, daß ich soeben mit Herrn Rectanus gesprochen habe, jedoch nicht, wie Sie annehmen, über einen Verkauf, sondern über die Absicht des Inhabers der Rectanus-Werke, in seinen Fabriken bereits ab morgen die Vier-Tage-Woche einzuführen. Dies dürfte, meine ich, allen Spekulationen über angebliche Verkaufsabsichten den Boden entziehen.«
»Das wäre allerdings eine ganz außergewöhnliche Entscheidung!« sagte Mandel beeindruckt. »Darf ich fragen, in welcher Eigenschaft Sie für Herrn Rectanus tätig sind?«
»Ich bin der Betriebsarzt«, antwortete Huber und wandte sich seinem VW zu. Beim Wegfahren stellte er fest, daß die fünf Männer einen verstörten Eindruck machten.
Zu seiner Enttäuschung fand er keine Gelegenheit mehr, sich von Ursula Rectanus zu verabschieden. Sie war, wie ihm Frau Rombach erzählte, mit Herrn Kiene in den Ort gefahren, um dort einen Aschenbecher zu kaufen. Mehr wußte sie nicht, auch nicht, wozu Fräulein Rectanus den Aschenbecher benötigte. »In unseren Zimmern stehen ja genügend herum«, sagte sie pikiert. Sie quittierte seine Rechnung und verabschiedete sich von ihm. Auf dem Parkplatz bemerkte er, daß auch der Mercedes des Chefs fehlte. Vielleicht hatte Rectanus den Fahrer inzwischen nach Hause geschickt.

Vom Schnee des Vormittags war auf den Straßen nichts mehr zu sehen. Nur auf den Dächern und Wiesen lag noch eine weiße Decke. Obwohl Huber sehr langsam durch den Ort fuhr und nach allen Seiten Ausschau hielt, konnte er weder Kienes Wagen noch ihn selbst oder Ursula Rectanus sehen. Am Ortsausgang drückte er das Gaspedal energisch durch; es gab jetzt wichtigere Dinge zu erledigen.

Während der ganzen, über zweistündigen Fahrt legte er sich seine Worte zurecht. Als er das Werksgelände erreichte, war gerade Betriebsschluß. Er fuhr bis zum Verwaltungsgebäude und hatte das Glück, Michael Kolb und Dr. Meissner anzutreffen. Er ließ sie und den Betriebsratsvorsitzenden Kirschner von Frau Martin in den Konferenzraum bitten und sagte, als sie alle versammelt waren: »Ich habe eine kleine Überraschung für Sie, meine Herren: Herr Rectanus hat verfügt, daß bei uns ab sofort die Vier-Tage-Arbeitswoche eingeführt wird. Ich hoffe, Sie freuen sich genauso darüber wie ich.« – Er blickte erwartungsvoll in ihre ungläubigen Gesichter. »Das haut Sie um, was?« fragte er lachend.

»Das hat der Chef Ihnen wörtlich gesagt?« vergewisserte sich Kolb, der als erster die Sprache zurückfand. Huber antwortete: »Ja, er sagte, daß sie bereits ab morgen eingeführt wird.«

»Moment mal!« sagte Kirschner und hob wie ein Schuljunge den Zeigefinger. »Wieso ab morgen? Morgen ist doch Donnerstag! Soll das heißen, daß der Betrieb donnerstags stillgelegt werden soll?« Huber sagte betroffen: »Daran habe ich gar nicht gedacht. Ich nehme aber an, Herr Rectanus meinte mit seiner Formulierung, daß die Verfügung bereits für diese Woche gilt. Logischer wäre es natürlich, wenn der Freitag als Arbeitstag wegfiele.«

Meissner meldete sich zu Wort; er sagte mit krebsrotem Gesicht: »Das finden Sie logisch, Mann? Ja, wissen Sie denn überhaupt, wovon Sie da reden? Eine Vier-Tage-Arbeitswoche, das würde doch sämtliche Kalkulationen auf den Kopf stellen und die Produktion innerhalb kurzer Zeit vollkommen unwirtschaftlich machen!« Kolb sekundierte ihm fassungslos: »Es ist heller Wahnsinn!«

»Ich begreife Sie nicht«, sagte Huber befremdet. »Was hat das mit der Vier-Tage-Woche zu tun? Verstehen Sie denn nicht, worum es hier geht? Dies ist ein Durchbruch von fast historischer Dimension! Wenn die Rectanus-Werke mit einer so gravierenden Arbeitsverkürzung Schrittmacherdienste leisten, werden auch andere Unternehmen früher oder später nachziehen müssen.« Meissner sagte brutal: »Sie sind entweder ein kompletter Ignorant, Huber, oder ein Traumtänzer. Der Chef weiß so gut wie ich, daß wir in einem Alleingang die Firma nur kaputtmachen würden. Ich muß mit ihm telefonieren!« Er sprang auf die Beine und rannte aus dem Zimmer. Kolb folgte ihm augenblicklich. Huber wandte sich betroffen an Kirschner: »Sehen Sie das genauso?«

»Was ich sehe«, sagte Kirschner, »ist eine Ungeheuerlichkeit, die von der Belegschaft nicht widerspruchslos hingenommen werden wird. Die Lokalpresse stellt in ihrer heutigen Ausgabe bereits Spekulationen darüber an, ob im Zusammenhang mit dem gestrigen Streik bei den Rectanus-Werken Massenentlassungen bevorstünden. Mich interessiert jetzt eine ganz andere Sache: Hat sich der Chef zu Verkaufsabsichten geäußert?« Huber wich seinem forschenden Blick betreten aus. »Dazu ergab sich keine Gelegenheit mehr. Als er mir . . .«

»Sie haben ihn nicht danach gefragt?« erkundigte sich Kirschner fassungslos. Huber sagte rasch: »Natürlich habe ich ihm erklärt, daß es deshalb große Unruhe in der Belegschaft gibt, aber als er dann plötzlich auf die Arbeitsverkürzung zu sprechen kam, haben wir dieses Thema nicht mehr aufgegriffen. Ich dachte, das hätte sich damit erledigt.«

»Dachten Sie!« sagte Kirschner mühsam. »Wozu haben wir Sie denn zu ihm geschickt, wenn Sie bei einer so elementaren Frage auf keiner verbindlichen Auskunft bestanden haben! Soll ich Ihnen sagen, was hier gespielt wird, Herr Dr. Huber? Hier wird ein ganz infames Spiel gespielt, und das auf dem Rücken von dreitausend Arbeitnehmern! Was der Chef mit dieser absurden Idee einer Vier-Tage-Woche erreichen will, ist in meinen Augen nichts anderes, als eine ganz üble Beutelschneiderei, die der Belegschaft den Blick vernebeln soll für die tatsächlichen Hintergründe . . .«

»Aber das sind doch alles nur Vermutungen!« warf Huber betroffen ein. Kirschner schüttelte energisch den Kopf. »Das weiß ich besser als Sie, Herr Dr. Huber. Ich kenne die schäbigen Tricks der Unternehmer genausogut wie sie, und ich weiß auch, was ich unter einer kalten Aussperrung zu verstehen habe, aber diese Suppe werden wir ihm gründlich versalzen, so wahr ich Kirschner heiße.«

Er schob den Stuhl zurück, betastete, bevor er aufstand, das Pfla-

ster an seinem Kinn, und ging dann schweren Schrittes hinaus. Huber machte keinen Versuch, ihn daran zu hindern. Er blieb eine Weile unschlüssig sitzen und rief sich jedes Detail seiner Unterhaltung mit dem Chef ins Gedächtnis. Aber es fiel ihm nichts Wesentliches mehr dazu ein. Falls er sich tatsächlich, wie es nun aussah, von ihm wie ein grüner Junge hatte übers Ohr hauen und abschieben lassen, rückten auch seine Erlebnisse mit Ursula Rectanus in ein ganz neues Licht. Möglicherweise war sie von ihrem Vater nur dazu ausersehen gewesen, ihn arglos zu stimmen und ihm Sand in die Augen zu streuen. Er erinnerte sich, wie rasch der Chef ihn aus dem Zimmer komplimentiert und sich auf einen bevorstehenden Besuch seiner Tochter berufen hatte. Sah dies nicht alles nach einem abgekarteten Spiel aus? Er konnte vor Zorn kaum mehr atmen, und als Kolb mit hochrotem Kopf hereinstürzte, blickte er ihn nur stumm an. »War Herr Weckerle nicht hier?« fragte Kolb. Huber verneinte.
»Er soll vor fünf Minuten im Werk eingetroffen sein«, sagte Kolb und ließ sich neben ihm auf einen Stuhl fallen. Mit zitternden Händen zündete er sich eine Zigarette an und sagte: »Herr Meissner hat den Chef erreichen können. Es ist tatsächlich so, wie Sie sagten. Er will den Donnerstag für die Belegschaft zum arbeitsfreien Tag machen. Ausgerechnet den Donnerstag! Das ist doch absurd. Der Mann ist nicht mehr bei Sinnen.«
»Vielleicht doch!« sagte Huber mühsam beherrscht. »Herr Kirschner ist der Meinung, daß es sich um eine kalte Aussperrung handelt.«
»Um eine kalte . . .« Kolb verstummte mitten im Satz und starrte Huber wie eine Erscheinung an. Huber sagte: »Je länger ich darüber nachdenke, desto mehr neige ich dazu, Herrn Kirschner recht zu geben. Damit erreicht er, daß die Leute erst einmal nach Hause gehen, und wenn sie am übernächsten Tag wieder zur Arbeit wollen, ist das Fabriktor geschlossen.«
»Aber wozu denn das?« fragte Kolb atemlos.
Huber zuckte mit den Schultern. »Kann ja sein, daß es so ist, wie Sie vermuten: daß Rectanus nicht mehr zurechnungsfähig ist. Kann aber genausogut sein, daß er der Belegschaft nur den wilden Streik von gestern heimzahlen will. Und wenn dann an den Verkaufsabsichten noch etwas Wahres sein sollte . . .« Er ließ den angefangenen Satz bedeutungsvoll verschweben.
Kolb wischte mit einem Taschentuch dünnen Schweiß von der Stirn. »Herr Kirschner ist ein alter Hase im Bau«, sagte er heiser.

»Der hat vielleicht einen besseren Riecher als wir alle. Wir müssen unbedingt mit Kiene sprechen, und zwar so schnell wie möglich. Haben Sie eine Ahnung, wo er steckt?«
»Ich habe ihn gestern abend im Hotel getroffen«, antwortete Huber. »Sicher ist er noch dort. Die Tochter von Herr Rectanus übrigens auch. Sie wollte heute nachmittag ihren Vater in der Klinik besuchen.«
»Dann muß ich mit ihr sprechen«, sagte Kolb entschlossen. »Oder haben Sie das schon getan?« Huber antwortete ausweichend: »Kaum. Nicht über geschäftliche Dinge.«
»Sie haben alles verpatzt«, sagte Kolb und verließ ihn. In seinem Büro erkundigte er sich wieder nach Weckerle; seine Sekretärin hatte noch nicht herausfinden können, wo er steckte. Dafür legte sie ihm kurze Zeit später ein privates Gespräch auf den Apparat. Es war Sibylle, sie fragte: »Bist du allein?«
»Und du?« fragte er mit Herzklopfen. Sie antwortete: »Ich bin immer allein, wenn du nicht bei mir bist, Michael. Bist du mir noch böse?« Er schüttelte den Kopf. Dann fiel ihm ein, daß sie das nicht sehen konnte; er sagte: »Ich bin so froh, daß du anrufst, Liebes; du hast mir seit gestern wahnsinnig gefehlt. Wie war er, als du nach Hause kamst?«
»Wie immer«, sagte sie. »Wir müssen uns sehen. Was hast du Ella erzählt?«
»Daß du dich unpäßlich gefühlt hättest und wir die Party bald nachholen würden«, sagte Kolb. »Tun wir es?«
»Wann immer du willst«, sagte sie. »Heute abend ist er wieder im Tennisclub.«
»Warte einen Augenblick«, sagte Kolb und blickte zur Tür, wo seine Sekretärin auftauchte. »Herr Weckerle ist hier«, sagte sie. Er nickte ihr zu und wartete, bis sie die Tür hinter sich geschlossen hatte. Dann sagte er: »Er sitzt eben in meinem Vorzimmer. Ich komme gegen neun.«
»Ich freue mich, Michael«, sagte sie mit warmer Stimme und beendete das Gespräch. Kolb ließ Weckerle hereinbitten. Er sah abgespannt aus und setzte sich sofort hin. »Ein Sautag. Bin heute noch keine fünf Minuten zum Sitzen gekommen; habe mir in Nürnberg zwei Maschinen angesehen. Genau das, was wir brauchen. Was hältst du von unserem Alten? Meissner hat mir alles erzählt.« Kolb berichtete ihm von Kirschners jüngster Mutmaßung. »Halte ich für ausgeschlossen«, sagte Weckerle entschieden. »Wenn er die Belegschaft aussperren wollte, könnte er das

viel unauffälliger am Montagmorgen tun. Ich glaube, er weiß nicht mehr, was er tut. Er wußte es schon nicht, als er Kirschner angefallen hat.«

»Seine Tochter ist bei ihm«, sagte Kolb. »Sie ist die einzige, die einen Antrag auf seine Geschäftsunfähigkeit durchbringen könnte. Bist du damit einverstanden, wenn ich morgen zu ihr fahre?« Weckerle stimmte sofort zu. »Sibylle hat übrigens heute morgen nach dir gefragt. Hattet ihr Streit?«

»Wundert dich das?« fragte Kolb und wischte den Finger am Taschentuch ab. Weckerle lächelte. »Ich habe doch gemerkt, daß sie darunter gelitten hat. Jetzt braucht sie das nicht mehr. Ihr solltet mir sogar dankbar sein.« Er stand auf. »Vielleicht redest du zuerst mit dem Chef und dann mit seiner Tochter. Er könnte sich sonst, wenn er davon erfährt, übergangen fühlen. Sehen wir uns heute abend?«

»Ich denke, du bist im Club?« fragte Kolb. Weckerle schlug sich an die Stirn. »Hätte ich völlig vergessen. Wird mindestens zwölf, bis ich nach Hause komme. Falls du Lust hast, kannst du Sibylle besuchen.«

»Ich weiß noch nicht, ob ich Zeit habe«, sagte Kolb zurückhaltend.

»Ich wollte es dir nur gesagt haben«, sagte Weckerle und ging hinaus.

Die nächste halbe Stunde verbrachte Kolb mit dringenden Arbeiten. Er wurde durch Meissner gestört, der unangemeldet sein Büro betrat. »Der Betriebsrat ist zu einer Sitzung zusammengetreten«, sagte er aufgeregt. »Haben Sie es schon gehört?«

»Gehört nicht, ich habe es mir aber gedacht«, antwortete Kolb und forderte ihn zum Sitzen auf. Meissner zündete sich eine Zigarre an. »Reitter soll sich bereits mit der Gewerkschaft in Verbindung gesetzt haben.«

»Das war zu erwarten«, sagte Kolb. Richard Reitter war nicht nur Angehöriger des Betriebsrats, sondern auch Vertrauensmann der Industriegewerkschaft Chemie, Papier, Keramik in den Rectanus-Werken und Kolb daher wohlbekannt. Meissner sagte: »Sicher wird die Gewerkschaft etwas unternehmen. Sie würde sonst Ärger mit den eigenen Mitgliedern bekommen.«

»Den hat sie auch so«, sagte Kolb. »Ich habe keine Ahnung mehr, wie wir von der Geschäftsleitung uns da verhalten sollen.« Meissner nickte sorgenvoll. »Mit einem Aufsichtsrat an der Spitze könnte so was nicht passieren. Weckerle sagte mir eben,

daß Sie morgen zum Chef fahren wollen. Hat er Sie dazu aufgefordert?«
Kolb betrachtete seine Fingernägel. »Wollen Sie zu ihm fahren?«
»Uneingeladen auf keinen Fall!« wehrte Meissner ab. »Ich verbrenne mir doch nicht den Mund. Dieser Huber hat sich angestellt wie ein Idiot. Ich mache mir ernsthafte Sorgen, Kolb.«
»Ich mir auch«, sagte Kolb, dessen Gedanken sich bereits mit dem heutigen Abend beschäftigten. Meissner sagte: »Vor allem wissen wir noch gar nicht, wie unsere Lieferanten und Kunden auf die Vier-Tage-Woche reagieren werden. Ich mache mir wirklich Sorgen, Kolb.«
Seine gelegentlichen Vertraulichkeiten waren Kolb zuwider. Er nahm, weil das Telefon läutete, den Hörer ab, lauschte eine Weile, und legte ihn dann zurück. »Es war Kirschner«, sagte er. Meissner ahnte sofort Schlimmes. »Was sagt er?« Kolb sah auf. »Teile der Belegschaft bestehen darauf, das Werk morgen mit Streikposten zu besetzen. Kirschner befürchtet, daß er die Leute nicht davon abbringen kann.«
Sie sahen sich eine Weile stumm in die Augen. Dann drückte Meissner seine Zigarre aus und sagte mit belegter Stimme: »Das ist vielleicht der Anfang vom Ende, Kolb.«

16

Nach Sichtung des heimgebrachten Filmmaterials kam Merklin am nächsten Vormittag zu dem Schluß, daß sich die Reise kaum gelohnt hatte. Er unterhielt sich zuerst mit Mandel und später mit Dr. Haberbusch darüber. Während Mandel die Auffassung vertrat, daß sich wenigstens das Interview mit Herrn und Frau Rombach sowie die Filmaufnahmen von den geschlossenen Hotels zu einem wirkungsvollen Feature verarbeiten ließen, winkte Dr. Haberbusch, als Merklin nach der Redaktionskonferenz noch einmal unter vier Augen die Sprache darauf brachte, sofort ab. »Wen treffen wir denn damit? Doch neben den wenigen schwarzen Schafen auch die vielen anderen, die ihre Hotels und Gasthöfe jahraus, jahrein geöffnet haben. Wir würden uns hinterher vor empörten Telefonanrufen und Beschwerdebriefen kaum retten können. Auch das, was Sie aus der Klinik mitgebracht haben, ist weder wichtig noch originell genug, um es im

Abendprogramm des Studios einzusetzen. Die gesunden Zuschauer wollen nichts von Kliniken sehen, und die kranken haben sie auch so täglich vor Augen. Man hätte, mit der Rectanus-Story als Mittelpunkt, diese Dinge beiläufig einfließen lassen können. Welche Kliniken solche Leute besuchen, in welchen Kurorten sie sich am liebsten aufhalten, und so weiter, und so fort, et cetera, et cetera. Ohne Rectanus als Aufhänger sind die Sachen bestenfalls fürs Archiv gut. Lassen Sie sie dort einbringen. Sie haben eben falsch gelegen. Künstlerpech, Herr Merklin.« Er wollte sich seiner Arbeit zuwenden, aber als Merklin sitzenblieb, sah er wieder auf. »Ist noch etwas?«
»Diese Sache mit der jungen Krankenschwester«, sagte Merklin verbissen. »Es will mir nicht in den Kopf, daß solche Leute sich, sogar wenn ein ahnungsloses Mädchen dabei seine Stellung los wird, einfach alles erlauben können. Auf der einen Seite spielen sie die sozialen Wundertäter, kommen dafür in die Presse und in den Rundfunk, vielleicht auch noch ins Fernsehen . . .«
»Wieso ins Fernsehen?« warf Dr. Haberbusch ein. »Sie haben doch erlebt, daß er überhaupt keinen Wert darauf legt, sich interviewen zu lassen. Das spricht doch für so einen Mann! Ein anderer läßt sich, wenn er für seinen Betrieb die Vier-Tage-Arbeitswoche einführt, von aller Welt ganz groß feiern! Nein, Merklin, dieser Rectanus imponiert mir irgendwie, und was die Krankenschwester betrifft: sie wird ihre guten Gründe gehabt haben, mit ihm ins Bett zu gehen. Gezwungen hat er sie bestimmt nicht dazu. Da gibt es auch sehr viel Spreu unter dem Weizen. Vielleicht war sie es, die ihn verführt hat. Für Geld tun manche Frauen alles, wobei ihr Alter überhaupt keine Rolle spielt. Beruhigen Sie sich also; ich habe jetzt wirklich zu tun.«
Merklin verließ ihn. Draußen traf er Mandel an, der ihn in höchster Erregung erwartete. »Ich wollte nicht stören«, sagte er. »Wissen Sie schon das Neueste?«
»Was ich weiß, genügt mir«, sagte Merklin. Seit gestern war er auf Mandel nicht mehr so gut zu sprechen wie früher. Mandel sagte beschwörend: »Das können Sie noch gar nicht wissen, Herr Merklin. Ich habe es auch erst vor ein paar Minuten erfahren. In den Rectanus-Werken hat die Belegschaft die Fabrik besetzt. Sie sollte heute auf Befehl von Herrn Rectanus ausgesperrt werden. Merken Sie etwas?« Sein Gesicht glühte vor Genugtuung. Merklin faßte sich geistesgegenwärtig. »Von wem haben Sie es erfahren?«

»Ein Bekannter meines Schwagers arbeitet in der Fabrik«, erzählte Mandel. »Er hat ihn vor zehn Minuten angerufen.« Merklin starrte ein paar Augenblicke lang vor sich auf den Boden. Dann sah er schnell auf: »Und die Adresse der Krankenschwester?«

»Habe ich«, sagte Mandel. »Dr. Brauchle, unser Informant aus der Universitätsklinik, hat sie mir besorgt.«

»Dann fahren wir zuerst dort vorbei«, sagte Merklin und setzte sich in Bewegung. Ein weiteres Gespräch mit Dr. Haberbusch schien ihm jetzt nicht mehr erforderlich zu sein; diesmal würde er facts schaffen und sonst nichts. Weil Limberger heute anderweitig eingeteilt war, begnügte sich Merklin mit Eichler und Rimmele.

Während sie zur Wohnung der entlassenen Krankenschwester fuhren, unterhielt sich Merklin mit Mandel über Kiene. Seinetwegen hatte Merklin gestern abend noch ein langes Telefongespräch mit einem befreundeten Kollegen aus der Zeit seiner Pressearbeit geführt. Dieser Lokalredakteur wußte über die Kiene-Werke und ihren Familienclan schon aus geographischen Gründen gut Bescheid, waren sie doch beide in derselben Kleinstadt im schönen Westfalenland ansässig und auch insofern weitläufig verbunden, als die Frau eines der Redakteure vor ihrer Ehe in den Kiene-Werken eine ähnliche Schlüsselposition innehatte wie Frau Martin in den Rectanus-Werken. Stadtbekannt als der ›Hirsch von Wipperfürth‹ genoß Kiene selbst heute noch – besonders bei den weiblichen Einwohnern – einen solchen Bekanntheitsgrad, daß Merklin keine Mühe hatte, sich einen umfassenden Einblick in die verschiedenen Stationen seines Lebensweges bis zu seiner jüngsten Luftwaffenaffäre zu verschaffen. Über sein weiteres Schicksal herrschte jedoch in der Zeitungsredaktion noch Unklarheit. So würde Merklins Mitteilung, daß Kiene neuerdings seine Nächte in diversen süddeutschen Kurorten mit der Tochter eines anderen Großunternehmers verbringe, in der Redaktion seines Kollegen als Sensation empfunden, die sich zu einer Story verarbeiten ließ. Merklin überlegte jetzt, in welcher Beziehung Manfred Kiene zu den neu entfachten Unruhen innerhalb der Rectanus-Werke stehen mochte. Er sagte zu Mandel: »Mein Kollege meinte, daß eine Firmenfusion schon deshalb nicht von der Hand zu weisen sei, weil die Kiene-Werke zu den größten deutschen Papiermühlen zählen.«

Mandel spitzte die Lippen. »Dann wäre es aber doch nichts mit dem Ausland!«
»Das weiß man bei solchen Fusionen nie«, sagte Merklin. »Da kommt es oft vor, daß zwei deutsche Unternehmen fusionieren, und dann stellt sich eines Tages heraus, daß eine ausländische Kapitalgruppe dahintersteckt. Dieser Kiene ist eine zentrale Figur hinter den Kulissen. Ich bin davon überzeugt, wir kriegen es noch einmal mit ihm zu tun, und dann kommt er mir nicht mehr so ungeschoren davon wie gestern.«
»Ein arroganter Pinsel«, sagte Mandel. »Typischer Weiberheld. Solche Burschen landen immer wieder auf den Beinen. Diesmal scheint er sich ja die richtige Frau unter den Nagel gerissen zu haben. Pecunia non olet.«
»Vespasian zu seinem Sohn Titus«, sagte Merklin.
Die drei Männer blickten ihn bewundernd an.
Das Haus stand in einer unscheinbaren Straße im Norden der Stadt und machte einen recht alten Eindruck. Merklin sagte: »Hier ist auch noch keiner reich gestorben«, und stieg aus dem Wagen. Er wies Mandel, der sich ihm anschließen wollte, zurück: »Ich rede erst einmal allein mit ihr; hoffentlich ist sie daheim.«
Die Männer beobachteten, wie er die Namensschilder an der Tür studierte und dann im Haus verschwand. Als er nach etwa fünf Minuten zurückkam, wirkte sein Gesicht merkwürdig verschlossen. Er sagte: »Zur Fabrik!« Und sonst nichts.
Irgendwas stimmte nicht. Mandel, der ein todsicheres Gefühl für dramatische Entwicklungen hatte, rückte erwartungsvoll an seiner Brille. »Ist ihr etwas zugestoßen?«
»Sie war nicht da«, antwortete Merklin. »Ihre Mutter auch nicht. Ich habe es von einer Frau im ersten Stock erfahren. Sie hat Fräulein Steidinger seit zwei Tagen nicht mehr gesehen.«
»Und ihre Mutter?« fragte Mandel gespannt. Merklin wandte ihm das Gesicht zu. »Arbeitet in einer Fabrik. Jetzt müssen Sie nur noch raten, in welcher.«
Mandel schwieg, und auch die beiden anderen Männer sagten kein Wort. Erst als sie schon die Stadt hinter sich gelassen hatten, sagte Mandel. »Werden Sie mit ihrer Mutter sprechen?«
»Worauf Sie sich verlassen können«, sagte Merklin. Mandel murmelte. »Ein dicker Hund.« Rimmele und Eichler nickten; ihre Gesichter sahen hart aus.
Vor dem verschlossenen Fabriktor wurden sie von zwei Männern angehalten, die weiße Armbinden trugen. »Das können wir

nicht entscheiden«, sagte der eine, als Merklin sein Anliegen vorbrachte. Während er zum Telefonieren im Pförtnerhaus verschwand, versuchte Merklin ein Gespräch mit dem zweiten Posten. Der wollte sich nicht äußern und auch nicht filmen lassen.
»Aber das geschlossene Tor dürfen wir doch filmen?« fragte Mandel. Der junge Mann zuckte mit den Schultern und trat auf die Seite. Bevor Eichler jedoch die Kamera ansetzen konnte, kehrte der andere Posten zurück und sagte: »Herr Kirschner wird mit Ihnen sprechen. Er ist unser Betriebsratsvorsitzender. Die Presse hat sich auch schon bei uns angemeldet.«
»Sie wollten das geschlossene Tor filmen«, sagte der junge Arbeiter. »Dürfen sie das?«
»Das soll Kirschner entscheiden«, sagte der ältere. Zu Merklin sagte er: »Er wird gleich hier sein.«
Merklin fragte ihn, wie lange er schon in der Fabrik arbeite. »Seit fünfundzwanzig Jahren«, antwortete der Arbeiter. »Und jetzt soll sie verkauft werden, aber das lassen wir uns nicht gefallen. Es sind schon zwei Kollegen von der Gewerkschaft hier; sie reden mit dem Betriebsrat. Wir werden das Werk nicht eher freigeben, als bis die Aussperrung aufgehoben ist.«
»Sie wurden ausgesperrt?« fragte Merklin fasziniert. Der Mann nickte. »Hätte angeblich ein freier Tag werden sollen, Vier-Tage-Arbeitswoche. Aber so schlau wie die da oben, sind wir auch. Wo gibt es denn das: Vier-Tage-Woche! Da könnten wir den Laden gleich dichtmachen.«
Merklin vergewisserte sich rasch, daß Mandel jetzt das Mikrophon in der Hand hielt und Eichler die Kamera angesetzt hatte. Er fragte: »Dürfen wir Ihren Namen erfahren, Herr . . .«
»Benz«, sagte der Mann. »Das hier ist mein Sohn Wilhelm; er arbeitet auch in der Fabrik, seit einem Jahr.« Er wandte Eichler das Gesicht zu und rückte an seiner Mütze. »Filmen dürften Sie eigentlich noch nicht; erst wenn Kollege Kirschner kommt.«
Merklin beruhigte ihn: »Wir machen nur eine Probeaufnahme, Herr Benz. Gesendet wird das nicht. Was fabrizieren Sie hier alles?« Benz lachte. »Was Ihre Frau so braucht. Vom Toilettenpapier bis zu Damenbinden. Auch Lösch- und Filterpapier.«
»Papierhandtücher auch«, sagte sein Sohn. »Die finden Sie in fast allen schnellen Zügen. Die Bundesbahn bezieht hauptsächlich von uns.« Seine Stimme verriet Stolz. Merklin fragte: »Dann stimmt das also nicht mit der Vier-Tage-Woche? Wir haben es von Herrn Dr. Huber gehört.«

Benz räusperte sich. Er war ein etwa fünfzigjähriger Mann von zurückhaltendem Wesen, mit einer heiser klingenden Stimme. Er sagte: »Wissen Sie, Herr Dr. Huber ist ein patenter Mann und hat etwas für die Belegschaft übrig, aber vielleicht ist er zu gutgläubig. Wenn wir hier in Zukunft nur noch vier Tage in der Woche arbeiten würden, dann könnte die Konkurrenz in absehbarer Zeit die ganze Fabrik für ein Butterbrot aufkaufen. Natürlich gibt es auch in der Belegschaft Leute, die für eine radikale Arbeitszeitverkürzung sind. Aber die denken nicht weiter, als ihre Nase reicht.«
Merklin sagte verständnislos: »Aber dann könnte die Vier-Tage-Arbeitswoche doch gar nicht im Interesse des Firmeninhabers sein?«
»Falls er überhaupt noch Inhaber ist!« sagte Benz bedeutungsvoll. »Es gibt Leute, die meinen, daß der Chef die Firma bereits auf seine Tochter überschrieben hat. Bis gestern wußten wir nicht einmal, daß er eine hat.«
»Eine Tochter?« vergewisserte sich Merklin.
»Niemand hat es gewußt«, bestätigte Benz. »Nicht einmal die Geschäftsleitung. Hier läuft eine Menge krummer Sachen. Und was im Interesse des Firmeninhabers liegt, das stellt sich meistens erst dann heraus, wenn die Belegschaft schon das Nachsehen hat. Da kommt Herr Kirschner!«
Merklin drehte sich rasch um und begrüßte Kirschner, der eben aus der Pforte trat. Mit einer fast schmerzhaften Genugtuung betrachtete er das große Pflaster an seinem Kinn und sagte: »Merklin vom Fernsehen. Das sind meine Kollegen Mandel, Rimmele und Eichler. Wir haben gehört, Herr Kirschner, daß Sie hier der Betriebsratsvorsitzende sind. Hätten Sie die Freundlichkeit, uns, im Zusammenhang mit den derzeitigen Geschehnissen in der Fabrik, ein Interview zu geben? Selbstverständlich brauchen Sie meine Fragen nur zu beantworten, wenn Sie das vor sich selbst und der Geschäftsleitung vertreten können.«
Kirschner schüttelte energisch den breiten Kopf. »Die Beratungen des Betriebsrats sind noch nicht abgeschlossen. Vorher bin ich nicht befugt, mich zu äußern.« Eichler, der ihn bereits filmte, sagte zu Merklin: »Etwas weiter nach rechts.«
»Wenigstens ein paar Worte«, sagte Merklin und befolgte Eichlers Anweisung. »Uns interessiert zum Beispiel, ob es zutrifft, daß Sie in Ihrer Eigenschaft als Betriebsratsvorsitzender von Herrn Rectanus tätlich angegriffen worden sind.«

Kirschner wechselte die Gesichtsfarbe. »Das ist dummes Gerede. Wer hat Ihnen das erzählt?«
»Ihr Pförtner, Herr Arnauer«, antwortete Merklin. »Es ist doch ziemlich unwahrscheinlich, daß er eine solche Geschichte einfach erfindet.« Kirschner starrte ihn ein paar Sekunden lang verunsichert an, dann sagte er gereizt: »Ich bleibe dabei, daß es sich um dummes Gerede handelt. Mehr habe ich Ihnen nicht zu sagen. Falls es im Zusammenhang mit den derzeitigen Maßnahmen der Belegschaft und des von ihr gewählten Betriebsrats etwas zu sagen geben sollte, so werden Sie das rechtzeitig erfahren. Im Augenblick bin ich weder von der Belegschaft noch von der Geschäftsleitung ermächtigt, eine Erklärung abzugeben.«
»Vielleicht könnte das ein Herr der Geschäftsleitung tun?« fragte Mandel dazwischen. Kirschner wandte ihm das kräftige Kinn zu.
»Die Herren der Geschäftsleitung verhandeln noch mit den Vertretern der Gewerkschaft, und es wird dann zwischen ihnen und dem Firmeninhaber ein weiteres Gespräch geben. Erst danach wird sich erweisen, ob es überhaupt etwas zu sagen gibt.«
»Sie bestreiken das Werk?« fragte Mandel. Kirschner sagte ungeduldig: »Hier wird nicht gestreikt. Die Belegschaft ist vollzählig an ihren Arbeitsplätzen; wir sind hier nicht in Italien oder sonstwo.« Er wollte sich der Pforte zuwenden. Merklin hielt ihn am Rockärmel fest und sagte: »Dann geben Sie uns wenigstens die Möglichkeit, Frau Irma Steidinger zu sprechen; sie arbeitet hier.«
»Das weiß ich nicht«, sagte Kirschner abweisend. »Was glauben Sie wohl, wie viele Kolleginnen hier beschäftigt sind! Was wollen Sie von ihr?«
»Eine private Angelegenheit«, antwortete Mandel für Merklin. »Sie betrifft nur Frau Steidinger und ihre Tochter. Hier ist ihre Anschrift.« Er gab Merklin das Mikrophon, schrieb die Adresse in sein Notizbuch, riß das Blatt heraus und überreichte es Kirschner. Der blickte mit gerunzelter Stirn darauf nieder. Dann sagte er: »Ich werde die Personalabteilung benachrichtigen. Versprechen kann ich Ihnen nichts. Ich darf Sie auch nicht auf das Werksgelände lassen.«
»Wir warten hier«, sagte Merklin. Kirschner verabschiedete sich mit einem Kopfnicken und winkte die beiden Männer am Fabriktor zu sich. Er betrat mit ihnen das Werksgelände und sprach dort auf sie ein.
»Jetzt vergattert er sie zum Dichthalten«, sagte Merklin zu Man-

del. »Gut, daß wir vorher noch mit ihnen reden konnten. Natürlich steckt er, wenn es um die Zukunft des Werks geht, als Betriebsratsvorsitzender mit der Geschäftsleitung unter einer Decke. Irgendwann werden sie aber Farbe bekennen müssen. Wir warten jetzt auf Frau Steidinger. Anschließend fahre ich zum Studio und benachrichtige Haberbusch und die Produktionsleitung. Wenn die Arbeiter bei Betriebsschluß die Fabrik verlassen, erfahren wir vielleicht noch etwas mehr. Das übernehmen dann wieder Sie, Mandel.«
Mandel grinste. »Für den Anfang fand ich's gar nicht so schlecht. Wir haben sicher schon mehr herausbekommen, als denen lieb sein kann. Wenn Frau Steidinger jetzt auch noch auspackt . . .« Er verstummte vielsagend.
Sie merkten, wie Kirschner das Gespräch mit den beiden Männern beendete und zum Verwaltungsgebäude ging. Die beiden kamen jetzt nicht mehr auf die Straße, sondern hielten sich neben dem Pförtnerhaus auf und blieben schweigsam. Merklin, der, weil er die Produktionsleitung von seinem Vorhaben nicht unterrichtet hatte, unruhig von einem Bein aufs andere trat, war bereits halb entschlossen, nicht länger auf Frau Steidinger zu warten, als sie doch noch an der Pforte erschien. Sie war etwa fünfzig, auffallend groß, und während Merklin in ihr verhärmt aussehendes Gesicht blickte, empfand er tiefe Betroffenheit. Auch Mandel hatte plötzlich viel von seiner Heiterkeit verloren; er sagte, ohne dabei die Lippen zu bewegen: »Das könnte direkt ihre Mutter sein!«
»Warum sollte sie es nicht sein?« fragte Eichler, der ihm nicht folgen konnte. Weder Merklin noch Mandel antworteten ihm. Statt dessen sagte Mandel: »Scheiße! Auf diese Idee wäre ich nie gekommen. Sie sieht ihr so ähnlich, daß ich . . .« Er sprach, weil Frau Steidinger rasch zu ihnen kam, den Satz nicht zu Ende. »Sie wollen mich sprechen?« fragte sie. Merklin, der noch immer um Fassung rang, nickte.
»Anscheinend handelt es sich um ein Mißverständnis«, sagte Mandel geistesgegenwärtig. »Ich glaube nicht, daß Sie die Dame sind, die wir suchen. Vermutlich nur eine Namensgleichheit. Vielleicht können Sie uns helfen, das Mißverständnis aufzuklären. Haben Sie eine Tochter, die bei der Post arbeitet?«
Frau Steidinger schüttelte den Kopf. »Meine Tochter arbeitet als Krankenschwester in der Universitätsklinik.«
»Ach!« Mandel tat überrascht. »Dann ist es möglich, daß ich sie

kenne, Frau Steidinger. Ich habe beruflich oft in der Klinik zu tun und erinnere mich an eine Schwester Annemarie, die Ihnen sehr ähnlich sieht. Ist das zufällig Ihre Tochter?« Frau Steidinger, die nicht recht wußte, was sie von diesem Gespräch zu halten hatte, nickte zögernd. Mandel lachte. »Das ist aber ulkig! Ich kenne Ihre Tochter nämlich recht gut; wir haben uns schon oft unterhalten. In der letzten Zeit habe ich sie allerdings in der Klinik nicht mehr gesehen. Arbeitet sie woanders?«
»Sie mußte für einige Wochen verreisen«, antwortete Frau Steidinger zurückhaltend, Mandel schlug sich an die Stirn. »Ach ja, sie sprach mal davon, daß sie vielleicht bald heiraten würde.«
»Sagte sie Ihnen auch, wen?« fragte Frau Steidinger schnell. Mandel mimte Überraschung: »Das hat sie Ihnen nicht erzählt?«
»Sie machte nur einige Andeutungen«, sagte Frau Steidinger. »Anscheinend handelt es sich um einen Mann, der wesentlich älter ist als sie. Kennen Sie ihn?«
Mandel bewegte bedauernd den Kopf. »Das hat sie mir nicht verraten. Es tut uns leid, Frau Steidinger, daß wir Sie umsonst bemüht haben, aber ganz offensichtlich liegt hier eine Verwechslung vor. Entschuldigen Sie bitte.« Sie zögerte, als wollte sie noch eine Frage an ihn richten, ließ es dann jedoch sein und entfernte sich. Merklin sagte mit blassen Lippen: »Das haben Sie sehr geschickt gemacht, Mandel. Vielleicht kannte ihre Tochter ihn schon, bevor er in die Klinik kam. Anders kann ich mir das nicht erklären.«
»Ich mir auch nicht«, sagte Mandel.
Eichler, der sich unfair auf die Folter gespannt fühlte, fragte: »Um wen geht es hier eigentlich?« Mandel feixte. »Um die große Puppe, die wir zusammen mit ihm bei Professor Eschenburger gesehen haben. Ich weiß nicht, was die an ihm findet. Ist doch eine fesche Person!«
»Vielleicht drei Nummern zu groß für ihn«, sagte Merklin verdrossen. »Und was sie an ihm findet: dreimal dürfen Sie raten.«
»Dann war das diese Annemarie?« fragte Eichler betroffen. Merklin nickte grimmig. »Man sollte eben nie auf das Gerede der Leute hören, wenn sie eine, die es faustdick hinter den Ohren hat, als ahnungsloses, blutjunges Mädchen ausgeben.«
»So hat sie Dr. Brauchle mir jedenfalls geschildert«, sagte Mandel eingeschnappt. »Der mußte sie schließlich besser kennen als ich. Das war Reinfall, Menschenskind!« Er zündete sich eine Zigarre

an. Merklin, der ihn nicht verärgern wollte, sagte einlenkend: »Es war nicht Ihre Schuld, Mandel. Es beweist nur wieder einmal mehr, daß man sich, wenn es darauf ankommt, sogar auf einen Mann wie Dr. Brauchle nicht hundertprozentig verlassen kann. Wir sind auf diese Sache jetzt auch gar nicht mehr angewiesen; die andere ist wichtiger. Wartet hier auf mich, bis ich zurückkomme. Rimmele fährt mich bis zur nächsten Bus-Station. Ich komme dann im eigenen Wagen.« Er stieg mit Rimmele in den Kombi, und sie fuhren rasch davon.
Mandel sagte: »Vom Mittagessen hat er nichts gesagt, der Arsch. Da kommt ein Wagen! Sieht nach Presse aus.«
Eichler drehte sich um und betrachtete ein sich auf der Straße näherndes Auto. »Woran siehst du, daß es von der Presse ist?« Mandel lächelte. »Dafür hab' ich eine Nase. Laß uns verschwinden, sonst fragen sie uns ein Loch in den Bauch.«
»Wohin?« fragte Eichler unschlüssig. Mandel hängte sich das Tonbandgerät über die Schulter und sagte: »Komm!« Sie folgten der Straße bis dorthin, wo der hohe, aus Maschendraht bestehende Werkszaun rechtwinklig von ihr abbog und auf einen grünen Waldrand zuführte.
»Von da hinten können wir uns alles in Ruhe anschauen, ohne selbst gesehen zu werden«, sagte Mandel. Eichler befeuchtete mit der Zunge den Zeigefinger und mit dem Zeigefinger den gepflegten Oberlippenbart. »Eine gute Idee, Erich. Wie du die vorhin ausgehorcht und abgeschoben hast, das war wieder mal einsame Klasse.«
»Gelernt ist gelernt«, wehrte Mandel bescheiden ab.
Am Waldrand hockten sie sich ins Gras, streckten die Beine bequem von sich und sahen zu, wie drei Männer an der Straße um den Zaun bogen und sich ihnen näherten. »Was suchen die hier?« fragte Eichler verwundert. Mandel blinzelte gegen die Sonne und sagte: »Ist besser, wir verschwinden.«
Sie gingen unter die Bäume und beobachteten von dort aus die drei Männer weiter. Sie hielten sich immer dicht am Zaun. Als sie näher kamen, konnte Mandel erkennen, daß einer von ihnen eine schwere Fototasche schleppte. Er sagte: »Paß auf, jetzt kannst du gleich die Kollegen von der schwarzen Zunft im Fronteinsatz erleben. Wenn es sich lohnt, schließen wir uns ihnen vielleicht an.«
Erwartungsvoll sahen sie zu, wie die drei Männer hin und wieder stehenblieben, augenscheinlich Eindrücke austauschten und mit

offensichtlicher Unschlüssigkeit ihren Weg fortsetzten. Sie hatten sich etwa bis auf Rufweite genähert, als sie wieder stehenblieben, um einander über den Zaun zu hieven. Mandel sagte beeindruckt: »Hemmungen haben sie jedenfalls keine. Gemessen an denen sind wir die reinsten Waisenknaben. Sie scheinen zum Verwaltungsgebäude zu wollen.«

»Da wäre ich jetzt auch gern«, sagte Eichler und befeuchtete seinen Schnurrbart. Mandel sagte: »Was nicht ist, kann noch werden, mein Freund.« Sie blickten sich lächelnd an; ein zwar kleines, jedoch eingespieltes Team. Sie warteten, bis die Männer auf der zum Verwaltungsgebäude führenden Birkenallee verschwunden waren, dann taten sie es ihnen nach. Mandel half Eichler zuerst hinüber, ließ Kamera und Tonbandgerät folgen und setzte hinterher. Eichler sagte: »Wenn Merklin uns jetzt sehen könnte . . .«

»Der sieht immer nur seine Beförderung zum Studioleiter«, sagte Mandel und peilte die Lage. Um zu dem Verwaltungsgebäude zu kommen, mußten sie hinter einer langgestreckten Werkshalle vorbei, deren Fenster jedoch so weit oben saßen, daß sie von drinnen nicht bemerkt werden konnten. Sie verloren keine Zeit mehr und pirschten weiter. Als sie das Ende der Halle erreichten, sahen sie auch die drei Männer wieder. Sie konnten kaum mehr als hundert Schritte vom Verwaltungsgebäude entfernt sein und bewegten sich auf der Birkenallee mit der Gelassenheit von Routiniers. »Schneid haben sie«, murmelte Eichler und hielt sie mit dem Teleobjektiv fest. Dabei wurden er und Mandel von ihnen bemerkt. Sie blieben stehen und starrten herüber.

»Wozu machst du das?« fragte Mandel verwundert. Eichler filmte unverdrossen weiter. »Für mein Poesiealbum. Schade, daß du durchs Tele nicht ihre dummen Gesichter sehen kannst.«

»Mir genügt mein eigenes«, sagte Mandel. Dann vernahmen sie einen lauten Ruf. Eichler setzte rasch die Kamera ab. »Kam von links«, sagte er. Mandel schaute dorthin, konnte jedoch nichts Verdächtiges feststellen. Erst als die drei Männer auf der Allee zu rennen anfingen und dabei eine Richtung einschlugen, die sie unweigerlich in ihre Nähe führen mußte, erkannten auch Mandel und Eichler den Anlaß ihrer jähen Flucht. Aus dem offenen Tor einer anderen Werkshalle kamen mehrere Arbeiter gelaufen. Einige waren mit merkwürdig geformten Eisenrohren bewaffnet, andere schwangen nicht minder gefährlich aussehende Holzlatten. Sie näherten sich mit raumgreifenden Schritten.

»Darauf möchte ich es eigentlich nicht ankommen lassen«, sagte Mandel und beobachtete besorgt, wie Eichler die Kamera von den drei flüchtenden Männern auf ihre Verfolger schwenkte. Beide Gruppen bewegten sich, wenn auch aus verschiedenen Richtungen, auf ihren eigenen Standort zu. Eichler sagte, den Sucher am Auge: »Einmaliges Material, Erich! Spring schon über den Zaun, damit ich dir die Kamera hinüberwerfen kann.«
»Sie werden dich samt der Kamera hinüberwerfen«, sagte Mandel warnend.
Die drei Männer waren ihnen jetzt schon so nahe, daß er deutlich ihre angstvollen Gesichter erkennen konnte. Ihr Vorsprung war bereits bedenklich geschmolzen. Eichler sagte hastig: »Bau endlich einen Türken, Erich! Die sehen nicht nach Kooperationsbereitschaft aus; das ist ein vom Werk organisierter Schlägertrupp, die fragen nicht erst lange, ob du vom ersten oder vom zweiten Programm bist.«
Mandel setzte sich in Bewegung. Er spurtete an der Rückseite der langgestreckten Werkshalle vorbei auf den Zaun zu und hangelte sich hastig hinüber. Erleichtert ließ er sich auf der anderen Seite zu Boden fallen und beobachtete mit angehaltenem Atem, wie Eichler, die schwere Kamera auf der Schulter und unmittelbar gefolgt von den drei fliehenden Pressemännern, auf ihn zugejagt kam und noch im Laufen die Kamera in die Luft stieß, so daß sie über den Zaun flog. Nur dank seiner Geistesgegenwart konnte Mandel verhindern, daß sie auf dem Boden aufschlug. Augenblicke später landete auch Eichler neben ihm. Zwei der drei Pressemänner schafften es ebenfalls über den Zaun, während der dritte, der ihnen, beladen mit einer schweren Fototasche, in einigem Abstand folgte, von den erbosten Werksangehörigen eingeholt, zu Boden gerissen und festgehalten wurde. Auch diese Szene wurde von Eichler, der sich sofort wieder seiner Kamera bemächtigt hatte, im Bild festgehalten. Erst als einige Holzlatten und Eisenrohre über den Zaun flogen und zwei der Belegschaftsmitglieder sich anschickten, den Zaun in gleicher Weise zu überwinden, gab Eichler dem energischen Drängen Mandels nach und folgte ihm in den nahen Wald.
»Im Dritten Reich wärst du auch einer von jenen gewesen, die zuerst das Ritterkreuz und dann einen kalten Arsch bekommen haben«, sagte Mandel. Eichler sagte: »Dienst ist Dienst.«
Im Wald stießen sie auf die beiden Presseleute. In gemeinsamer Erleichterung stellten sie fest, daß kein Arbeiter ihnen über das

Werksgelände hinaus gefolgt war. »Abendblatt?« fragte Mandel einen der Journalisten. Der schüttelte den Kopf. »Morgenpost«, sagte er außer Atem. »Die sind wohl verrückt geworden! Bringen einen, zum Dank dafür, daß die Presse sich für die Werktätigen einsetzt, beinahe um.« Gemeinsam mit seinem Kollegen entfernte er sich eilends. »Hab' die beiden noch nie gesehen!« wunderte sich Eichler. »Du vielleicht?« Mandel schüttelte den Kopf. »Muß ein neues Top-Team sein. Die meisten Reporter der ›Morgenpost‹ kenne ich. Weißt du, was ich jetzt machen werde?« Eichler blickte ihn erwartungsvoll an.
»In den Wald«, sagte Mandel und verschwand zwischen den Bäumen.

17

Beim Einkaufen verhielt sich Ursula wortkarg. Sie erzählte ihm nichts von ihrem Rendezvous mit Dr. Huber – und Kiene wiederum erzählte ihr nichts von seinem Besuch bei ihrem Vater. Er fand, daß sie nur überflüssige Dinge kaufte: ein Paar Handschuhe, eine Wollmütze, eine aus Holz geschnitzte Zigarettenspitze und ähnlichen Unfug, schließlich auch den Aschenbecher für ihren Vater. In einem Kleidergeschäft sah sie sich, ohne etwas zu kaufen, ein paar Blusen und lange Hosen an, und als Annemarie hereinkam, sagte sie gerade: »Etwas Gescheites haben sie hier auch nicht.«
Kiene, der Annemarie sofort bemerkte, sagte: »Wie wär's denn mit einer attraktiven Stiefmutter?« Sie blickte verständnislos in sein Gesicht. Dann drehte sie sich langsam um und betrachtete Annemarie, die zögernd an der Tür stehengeblieben war, von oben bis unten. »Würdest du mich bitte der Dame vorstellen, Liebling?« sagte sie dann.
»Annemarie«, antwortete Kiene. »Oder interessiert dich auch ihr Familienname?«
»Den muß sie bei meinem Vater sowieso ablegen«, sagte Ursula und ging, ihn am Arm mit sich ziehend, zu ihr hin. Sie streckte ihr die Hand entgegen und sagte: »Ich bin deine künftige Stieftochter. Guten Tag, Annemarie. Ich heiße Ursula. Manfred kennst du ja schon. Wir haben gerade ein paar Sachen eingekauft. In unserem Hotelzimmer fehlt ein Aschenbecher.« Sie blickte lächelnd zu ihr auf. »Du bist aber groß! Zwei Meter?« Annemarie erwiderte ihren Händedruck: »Eins achtzig.« Zu Kiene, sagte sie: »Sie wohnen zusammen in einem Hotelzimmer?«

»Es hat sich so ergeben«, sagte er, nach Fassung ringend.
»Dann meinen Glückwunsch«, sagte Annemarie. »Davon haben Sie mir gestern mittag gar nichts erzählt!« Ursula fragte: »Hätte er es dir erzählen müssen?«
»Er erzählt mir sonst alles«, versicherte Annemarie und blickte neugierig in ihr Gesicht. »Du bist sehr nett. Dein Vater hatte Angst, wir würden uns nicht vertragen.«
»Wie dumm von ihm«, sagte Ursula. »Ich bin ja froh, daß er endlich eine gefunden hat, die sich auf seine alten Tage um ihn kümmert. Hast du keine Probleme mit ihm?«
»Überhaupt nicht«, sagte Annemarie heiter. »Er ist für sein Alter noch sehr rüstig.«
»Das freut mich für dich«, sagte Ursula mit warmer Stimme. »Im Augenblick macht er mir ein wenig Kummer.«
»Mir nicht«, sagte Annemarie. »Der Klinikarzt findet, daß er völlig gesund ist, und seit wir hier sind, bin ich Tag und Nacht bei ihm.«
Ursula wurde um die Nase herum blaß und blickte die nicht mehr ganz junge Verkäuferin an, die ihnen wie erstarrt zuhörte. Dann verließ sie, ohne sich weiter um Annemarie und Kiene zu kümmern, das Geschäft. Kiene sagte mit belegter Stimme: »Mach nur so weiter, dann wirst du dich großartig mit ihr verstehen.«
»Sie hat damit angefangen«, sagte Annemarie gleichgültig. »Du wohnst wirklich mit ihr in einem Hotelzimmer?«
»Da ich bei dir keine Chancen mehr habe . . .«, sagte er.
»Davon war keinen Augenblick lang die Rede«, sagte Annemarie und wandte sich der Verkäuferin zu. »Ich möchte ein Kleid haben.«
Kiene folgte Ursula. Sie stand zusammen mit Hans Maier vor dem Geschäft. Maier war etwa vierzig, ein schlanker, dunkelhaariger Mann. Wenn er ohne den Chef fuhr, trug er keine Chauffeurmütze. Kiene grüßte ihn kühl. Seit er ihn im Verdacht hatte, heimlicher Informant des Chefs zu sein, waren seine Sympathien für ihn erloschen. Auch für Hans Maier schien die Begegnung peinlich zu sein; er zog sich sofort zurück. Ursula fragte: »Wie gut kennst du sie wirklich?«
»Geschlafen habe ich noch nicht mit ihr«, antwortete Kiene. Sie sagte schroff: »Bring mich zu meinem Vater.«
Während sie durch den Ort und später zur Klinik fuhren, mußte Kiene daran denken, daß sie sich nach ihrem Eintreffen im Hotel eine ganze Nacht lang Zeit gelassen hatte, ehe sie mit ihrem Vater

telefonierte. Er fragte: »Warum interessiert es dich, wie gut ich sie kenne?«
»Du wirst mich nicht mehr lange für dumm verkaufen«, sagte sie. »Ich komme noch dahinter. Vielleicht kennst du sie schon lange und hast das Zusammentreffen zwischen ihr und meinem Vater arrangiert. Vielleicht steckt ihr insgeheim unter einer Decke.«
Er tat überrascht: »Wie hast du das nur so schnell herausgefunden?«
»Ich werde noch mehr herausfinden«, sagte sie. »Es ist absurd, daß mein Vater ausgerechnet auf sie verfallen sein soll! Ich möchte nicht wissen, was sie in der Klinik über ihn reden.«
»Was stört dich an ihr?« fragte Kiene. »Daß sie so groß ist?«
Sie wandte ihm das Gesicht zu. »Er macht sich doch nur zum Gespött der Leute. Ich kann durchaus verstehen, daß ein Mann in seinem Alter sein Leben noch genießen will, aber dazu hätte er auch eine finden können, die besser zu ihm paßt. Sie ist ein unmöglicher Typ.«
»Unmöglicher als du?« fragte Kiene. Sie biß sich auf die Lippen und sprach kein Wort mehr. Vor der Klinik stieg sie sofort aus und ging rasch hinein. Weil er annahm, daß sie allein mit ihrem Vater sprechen wollte, blieb Kiene im Wagen sitzen und zündete sich eine Zigarette an. Als Annemarie zu ihm kam, waren kaum mehr als fünf Minuten vergangen. Sie öffnete die Tür und fragte: »Wartest du auf mich?«
»Auf dich immer«, sagte er verwundert. »Schon eingekauft?«
»Ich fand nichts Passendes«, sagte sie. »Herr Maier hat mich hergefahren. Ich sah dich zufällig im Auto sitzen. Wartest du auf sie?«
Er nickte. Sie sagte: »Dann kannst du auch oben in meinem Zimmer warten. Hast du Lust?«
»Warum nicht«, sagte er und kletterte aus dem Wagen. Er trat die Zigarette aus und schob die Hand unter Annemaries Arm. »Nett, dich wiederzusehen.«
»Hattest du Ärger mit ihr?« fragte sie neugierig. Er lächelte. »So kann man es auch nennen.«
In der Klinik kam Dr. Schneider zu ihnen; sein weißer Mantel kontrastierte mit seinem sonnengebräunten Gesicht. An Annemarie gewandt, sagte er: »Ich hoffe, Sie haben sich von Ihrem morgendlichen Ausflug erholt?«
»Vollkommen«, sagte Annemarie. Er blickte sie geistesabwesend an und dann auf seine Armbanduhr. »Ja, dann alles Schöne!«

sagte er und ging eilig, mit wehendem Mantel weiter. Kiene sagte: »Scheint ein bißchen durcheinander zu sein?«
»Das sind Ärzte oft«, meinte Annemarie. »Sie haben immer Angst, sie könnten etwas falsch gemacht haben.«
»So geht es mir zur Zeit auch«, sagte Kiene.
In ihrem Zimmer setzte sich Annemarie in einen Sessel und schlug die langen Beine übereinander. »Ich wußte, daß sie heute nachmittag ihren Vater besuchen wird«, sagte sie. »Er hat es mir erzählt. Wie hast du es geschafft, so bald schon mit ihr zu schlafen? Du hast mir doch erzählt, du hättest sie vorher nicht gekannt.«
»Habe ich auch nicht«, sagte Kiene und setzte sich zu ihr an den Tisch. »Als wir gestern abend eintrafen, bestand sie auf einem Zimmer für uns beide. Ich habe sie trotzdem die ganze Nacht nicht angerührt.«
Annemarie zog verwundert die Augenbrauen hinauf. »Wirklich nicht?« Er lächelte. »Es klingt verrückt, ich weiß. Das ist mir vorher auch noch nie passiert. Vielleicht will sie mich mürbe machen oder andere Komplexe an mir abreagieren. Sie ist die Tochter ihres Vaters, unberechenbar, exzentrisch und nicht leicht zu durchschauen.«
»Vielleicht auch noch unschuldig«, sagte Annemarie. Er starrte sie überrascht an. »Wie kommst du darauf?«
»Hört sich so an«, sagte sie achselzuckend. »Hast du dich nicht getraut oder hat sie es dir verboten?« Er antwortete unschlüssig: »Ich schlaf nicht gern mit einer, bei der ich nicht weiß, woran ich bin. Falls sie ein Auge auf mich hat: ich habe vorläufig keines für sie. Sieht so aus, als ob ihr Vater nichts dagegen hätte, wenn ich sie heiratete.«
»Und das würdest du tun?« fragte Annemarie rasch. Er zuckte mit den Schultern. »Darüber habe ich noch nicht nachgedacht. Sie interessiert mich nicht sonderlich, aber vielleicht hängt jetzt mein Job davon ab.
Annemarie stand auf, setzte sich auf die Sessellehne und legte einen Arm um seine Schultern. Sie sagte: »Ich weiß jetzt, daß sie mich haßt. Ich habe allerdings keine Ahnung, wie groß ihr Einfluß auf ihren Vater ist.«
»Ich denke, er will dich heiraten«, sagte Kiene. Sie schüttelte den Kopf. »Ich wollte es dir heute mittag nicht sagen. Er will mich nur fürs Bett haben. Für siebentausend Mark monatlich.« Kiene grinste. »Ist doch korrekt?«

»Falls sie es mir jetzt nicht kaputtmacht«, sagte sie. »Seit vorhin bin ich mir nicht mehr sicher. Mir wäre es jetzt sogar lieb, wenn sie mit dir schlafen würde. Wenn sie wirklich noch unschuldig ist, könntest du sie so abhängig von dir machen, daß sie auf dich hört.«
»Warum sollte ich dir einen Gefallen erweisen?« fragte Kiene. Sie küßte ihn und murmelte: »Vielleicht deshalb.«
»Das ist allerdings ein gutes Argument«, sagte Kiene und zog sie auf seinen Schoß. Als sie sich küßten, kam Ursula herein. Kiene entdeckte sie zuerst. Er sagte: »Wir haben Besuch bekommen.«
»Ich warte am Auto auf dich«, sagte Ursula und ging hinaus. Annemarie richtete sich mit schreckensblassem Gesicht auf, wischte sich die Haare aus der Stirn und fragte heiser: »Wieso hat sie dich ausgerechnet hier gesucht?«
»Keine Ahnung«, sagte Kiene. »Ich hatte sie auch noch gar nicht erwartet.« Für ein paar Augenblicke lang wußte er nicht mehr weiter. Dann lief er zur Tür und vergewisserte sich, daß Ursula auf dem Weg zum Lift war. Sie blickte kein einziges Mal zurück.
»Sie wird es ihrem Vater erzählen«, sagte Annemarie. »Er hat mir ausdrücklich verboten, mich mit dir einzulassen. Wenn er es erfährt, schickt er mich wieder nach Hause.«
»Das ist noch nicht sicher«, sagte Kiene. Sie legte ihm die Hände auf die Schultern und sagte ruhig: »Wir sind jetzt beide von ihr abhängig, Manfred. Hast du sie schon gefragt, ob sie dich heiraten will?«
»Vorläufig geht es nur darum, ob ich es will«, sagte er. »Ich bin mir auch nicht sicher, ob sie mich nicht nur zum Narren hält. Nach allem, was sie bisher geäußert hat, halte ich es für ziemlich unwahrscheinlich, daß sie ernsthaft daran interessiert ist.«
»Vielleicht, weil du noch nicht mit ihr geschlafen hast«, sagte Annemarie. »Frauen ändern dann oft ihre Meinung. Du brauchst sie ja gar nicht zu heiraten, wenn du es nicht willst. Du müßtest sie nur dazu bringen, daß sie dir nachläuft. Tu es für mich; es wird dir nicht leidtun. Ich brauche nur noch ein paar Tage Zeit, bis sein Anwalt hier war. Solange ich die siebentausend Mark nicht schriftlich habe, kann er jederzeit wieder davon abrücken. Erst recht, wenn sie ihm erzählt, daß sie uns hier erwischt hat.«
»Und was habe ich davon?« fragte Kiene. »Sie ist mir nicht so wichtig, daß ich unbedingt mit ihr schlafen müßte.«
»Ich auch nicht?« fragte Annemarie. Er nahm ihr Gesicht in die Hände, küßte sie und fragte: »Wann?«

»Ich werde es mir noch überlegen«, sagte sie. »Hier ist es zu gefährlich und in deinem Hotel auch. Ruf mich morgen früh gegen acht an. Ich werde mir bis dahin etwas einfallen lassen. Geh jetzt, sonst kommt sie vielleicht noch einmal zurück.«
»Diese Gans macht mich noch fertig«, sagte Kiene und ging. Ursula erwartete ihn neben dem Wagen. Er schloß ihr die Tür auf und setzte sich hinters Lenkrad. Auf dem Parkplatz lagen zwischen den Autos noch Schneereste. Der Himmel war bedeckt, die verschneiten Berge versteckten ihre Gipfel in tiefhängenden Wolken. Auf der Rückfahrt sagte Ursula: »Ich überlege mir gerade, was für ein Mensch du bist, Manfred. Mein Vater setzt großes Vertrauen in dich. Ist das, was ich vorhin gesehen habe, deine Art, es ihm zu danken?«
»Wolltest du nicht, daß ich mit ihr schlafe?« fragte er. Sie blickte ihn stumm an. Er sagte: »Damit das zwischen uns klar ist: ich pfeif auf deinen Vater. Daß er mich bei sich eingestellt hat und mich mit dir verheiraten will, ist sein persönliches Risiko. Außerdem bist du erwachsen genug, um selbst zu wissen, was du tust. Du brauchst mir auch nicht zu erzählen, was für einer ich bin; ich weiß das besser als du. Meine Mutter hat mich noch gebadet, als sie es besser nicht mehr getan hätte. Später hat sie mich von unserem Dienstmädchen baden lassen, und die machte sich jedesmal einen Spaß daraus. So weit ich zurückdenken kann, wurde von allen möglichen Leuten, einschließlich Tanten und Großmüttern, an mir herumgefummelt, und als ich dann selbst zu fummeln anfing, waren sie allesamt schockiert, einen wie mich in ihrer Familie zu haben.«
»Du verachtest deine Familie?« fragte Ursula. Er lächelte. »Weshalb? Ich habe von ihr nur gelernt, wie man angenehm leben kann. Auch ich habe nur immer auf eine möglichst bequeme Art und Weise zu leben versucht, ohne mir etwas dabei zu vergeben, und ich werde auch deinem Vater dafür, daß er irgendwelche eigennützigen Pläne mit mir hat, keinesfalls in den Hintern kriechen. Ich hoffe, du weißt jetzt, was für einer ich bin.«
»Ich habe keine Ahnung«, sagte sie lächelnd. Kiene lächelte auch. »Das ist eben mein Problem, daß ich's niemanden erklären kann. Aber du bist noch komplizierter als ich. Bei dir schaue ich weder hinten noch vorne durch. Bist du eine Linke?«
»Wie kommst du darauf?« fragte sie und schob sich das lange Haar aus der Stirn. Er zuckte mit den Schultern. »Ist heute doch schick, wenn man einen reichen Vater hat.«

»Ich habe ganz andere Probleme«, sagte sie. Aber welcher Art sie waren, verriet sie ihm nicht.
Im Hotel erfuhren sie von Frau Rombach, daß die Fernsehleute abgereist waren. Weil es draußen bereits dunkel wurde, schaltete Kiene im Zimmer das Licht an und fragte: »Wo willst du essen? Hier im Hotel?«
Sie schüttelte den Kopf. »Laß uns irgendwo hinfahren. Irgendwo, wo es nett und gemütlich ist.« Sie nahm ihren Trenchcoat aus dem Schrank. Im Auto sagte sie: »Mein Vater hat Dr. Huber heute nachmittag ins Werk zurückgeschickt. Er muß der Geschäftsleitung mitteilen, daß in den Fabriken ab sofort die Vier-Tage-Arbeitswoche eingeführt wird.«
Kiene starrte sie ungläubig an. »Soll das ein Scherz sein?«
»Ist das nicht in Ordnung?« fragte sie verwundert. Er öffnete den Mund, schloß ihn wieder und preßte die Lippen zusammen. Ursula sagte: »Ich verstehe von solchen Dingen nichts. Ich dachte, er hätte es dir schon selbst gesagt. Für die Leute, die in seinen Fabriken arbeiten, ist das doch gut? Oder sehe ich das falsch?«
Kiene gab keine Antwort. Erst viel später, als sie den Ort bereits hinter sich gelassen hatten und einer kurvenreichen Straße folgten, sagte er: »Es sind auch deine Fabriken. Wenn du nicht willst, daß er sie mit seinen Einfällen kaputtmacht, mußt du etwas gegen ihn unternehmen.«
»Zum Beispiel?« fragte sie. Er betrachtete durch die Windschutzscheibe die verschneiten Berggipfel in der Abenddämmerung und sagte: »Rede mit seinem Anwalt darüber.«
Sie wandte ihm das Gesicht zu. »Das läuft doch auf eine Entmündigung hinaus?«
»Er ist verrückt«, sagte Kiene fassungslos. »Du großer Gott, die Vier-Tage-Woche! Ich könnte mich totlachen.«
»Du siehst aber nicht so aus«, sagte Ursula und zündete sich eine Zigarette an. »Ich habe mich noch nie um seine geschäftlichen Dinge gekümmert, und selbst wenn er verrückt wäre, würde ich deshalb zu keinem Anwalt gehen. Meinetwegen kann er tun und lassen, was er will.«
»Weil du genauso verrückt bist wie er«, sagte Kiene. »Es geht hier nicht nur um dein Taschengeld, sondern um dreitausend Arbeitsplätze. Aber das berührt dich wohl nicht.«
Sie sagte gereizt: »Verdammt noch mal, wenn du es besser weißt als er, dann rede doch du mit ihm darüber. Wenn er verrückt geworden ist, dann steckt sicher nur diese Annemarie dahinter. Als

er mich zum letztenmal in St. Gallen besucht hat, war er völlig normal. Vielleicht gibt es da auch noch etwas anderes, aber das finde ich schon heraus.« Sie betrachtete die tiefverschneiten Fichtenwälder beiderseits der Straße und fragte: »Wo fahren wir überhaupt hin? Nach Ramsau?«
»Ich habe nicht darauf geachtet«, sagte Kiene, der noch immer wie unter Schock stand. Sie fragte: »Wieso hast du nicht darauf geachtet? Ich habe dir gesagt, daß ich irgendwo essen möchte. Wenn dich das mit der Vier-Tage-Woche aufregt, dann kannst du morgen mit ihm darüber reden. Ich lasse mir deshalb nicht den Abend verderben. Außerdem habe ich Kopfschmerzen.«
»Ich auch«, sagte Kiene. Er trat auf die Bremse, schaltete den Motor aus und öffnete die Tür. Auf der Straße lag kein Schnee mehr.
Mit zurückgelegtem Kopf betrachtete er die abendliche Winterlandschaft, und als er wieder klar denken konnte, setzte er sich ins Auto zurück und sagte: »Nun gut, das hätten wir hinter uns. Meinetwegen kann er jetzt auch noch die Drei-Tage-Arbeitswoche einführen. Und wenn du es genau wissen willst: Morgen werde ich mit Annemarie schlafen, und es ist mir egal, ob du es ihm erzählst oder nicht. Und wenn du mich heute abend nicht aus dem Zimmer schickst, werde ich auch mit dir schlafen, ob du mir eine klebst oder nicht. Hast du das kapiert?«
Sie drückte ihre Zigarette aus und schwieg. Kiene griff nach ihrer Hand und sagte: »Ich habe keine Ahnung, worüber du heute nachmittag mit deinem Vater gesprochen hast. Du warst nicht länger als eine Viertelstunde bei ihm. Ich nehme an, du hast ihm Annemarie ausreden wollen und bist abgeblitzt. Steck deine vorwitzige Nase nicht in fremde Betten, dann passiert dir das nicht. Wie kommst du überhaupt dazu, ihm vorschreiben zu wollen, mit wem er schlafen darf und mit wem nicht?«
Sie riß verärgert ihre Hand los. »Und wie kommst du dazu, in einem solchen Ton mit mir zu reden? Wer und was bist du überhaupt, daß du dir einbildest, ich würde mit dir schlafen?«
»Und wer bist du außer der Tochter deines Vaters?« fragte Kiene. »Hast du vielleicht etwas Besonderes aufzuweisen, das dich ganz persönlich auszeichnet? Etwas, das dich, wenn er nur Straßenbahnschaffner wäre, von anderen Mädchen unterscheiden würde? Du bist nicht einmal besonders hübsch, auch wenn du einen hübschen kleinen Hintern hast. Den haben andere aber auch.«

Sie blickte ihn eine Weile schweigend an, dann sagte sie: »Ich möchte ins Hotel zurück.«
»Ich nicht«, sagte Kiene. »Wenn dir mein Ton nicht paßt, dann gewöhne dir selbst einen anderen an. Mich kannst du nicht damit beeindrucken.«
»Dich beeindrucken!« Sie lachte gereizt auf. »Du lieber Himmel! Als ob ich mir für deinen Typ die Beine ausreißen müßte. Um zu wissen, wer und was du bist, brauche ich gar nicht lange nachzudenken. Für mich bist du ein Bumser, sonst nichts!«
»Ein ...« Kiene sprach nicht weiter. Er blickte verwundert in ihr wütendes Gesicht und sagte: »Hast du mich deshalb vergangene Nacht bei dir behalten?«
»Idiot«, sagte sie. Kiene sagte lächelnd: »Du bist ein ganz merkwürdiges Mädchen, und das reizt mich maßlos. Darf ich?« Er griff zu ihr hinüber. Sie versetzte ihm augenblicklich eine heftige Ohrfeige und sagte: »Nein, das darfst du nicht.« Für Kiene kam ihre Reaktion so überraschend, daß er verwundert seine getroffene Wange befühlte. »Es war unfair, mich vorher nicht zu warnen«, sagte er.
»Ich habe dich schon gestern abend gewarnt«, sagte sie. Kiene lächelte bereits wieder. »Das bezog ich nur auf die Nacht. Verdammt, so etwas ist mir noch bei keiner anderen passiert. Ehrlich!«
Sie mußte lachen. »Dann war es höchste Zeit.«
»Hör mal«, sagte er, »ich finde es ziemlich ruchlos, einen Mann mit deinem nicht unüblen Fahrgestell aufzuheizen und ihm dann, wenn er dich ein bißchen streicheln will, aufs Ohr zu hauen. Wenn es einen gibt, der dir deine künftige Stiefmutter vom Halse schaffen kann, bin ich es. Dein Vater wird bestimmt andere Absichten mit ihr haben als du. Oder hast du sie ihm schon ausreden können?« Sie gab keine Antwort. Er legte, ohne daß sie ihn daran hinderte, einen Arm um ihre Schultern und sagte: »Umsonst tu ich es natürlich nicht. Ich riskiere zwar nicht gleich Kopf und Kragen dabei, aber immerhin meinen schönen Job, der es mir ermöglicht, dir, wenn du hin und wieder Lust und Laune hast, eine Hand dahin legen zu können. Natürlich nur, wenn du es erlaubst!« Sie wandte ihm wieder, ohne etwas zu sagen, das Gesicht zu, und als er ihre Brust berührte, blickte sie ihn weiter wortlos an. Sie trug einen Pullover, er schob eine Hand darunter und fragte: »Einverstanden?« Weil sie auch diesmal nichts sagte, sondern nur stumm seinen Blick erwiderte, beugte

er sich zu ihr hinüber und küßte sie. Dann nahm er sie in die Arme und küßte sie ausdauernd. Er hörte auch nicht auf, als sie vom Scheinwerferlicht eines entgegenkommenden Wagens erfaßt wurden, der hupend an ihnen vorbeifuhr. Sie hielt den Mund zuerst fest zusammengepreßt, aber dann öffnete sie doch die Lippen und fing an, seine Küsse zu erwidern. Sie erregte ihn nicht mehr als andere Frauen vor ihr, aber er war bei kaum einer so ungeduldig gewesen wie bei ihr. Als er unter ihren kurzen Rock griff, hielt sie seine Hand fest und fragte mit ruhiger Stimme: »Hätten wir das in unserem Zimmer nicht viel bequemer?«
»Im Prinzip schon«, sagte er. »Aber so lange möchte ich nicht mehr warten. Du erlaubst?«
Diesmal hinderte sie ihn nicht daran, und während er sie liebkoste, hörte er ihren Atem schneller werden. Er flüsterte: »Du kannst sie lieben oder hassen, du kriegst sie doch nie recht zu fassen.« Sie kicherte.
Bei ihrer bisherigen Sprödheit hatte er es nicht für möglich gehalten, daß sie seine Zärtlichkeiten erwidern würde, und als sie es dann von ganz allein und mit einer fast unbezähmten Neugierde tat, hielt er unwillkürlich den Atem an. Sie schreckte sogar, um ihre Neugierde noch besser befriedigen zu können, nicht davor zurück, ihn zu entblößen. Ihre dünnen, langen Finger fühlten sich kühl an und ihre Liebkosung wie die eines unerfahrenen Mädchens. Einmal, nach einem langen Kuß, sagte sie leise: »Laß uns zum Hotel fahren. Ich möchte es nicht hier im Auto. Bitte, hör auf damit, Manfred.« Er nahm widerstrebend die Hand von ihr.
»Im Auto ist es mir zu gewöhnlich«, sagte sie und küßte ihn rasch auf die Wange.
Er fuhr bis zum nächsten Waldweg, wendete dort und griff im Dunkeln nach ihrer Hand. Obwohl es auf der kurvenreichen Straße nicht einfach war, einerseits den Wagen zu lenken und andererseits ihre Hand festzuhalten, ließ er sie keinen Augenblick lang los. Manchmal spürte er, wie sie den Druck seiner Hand erwiderte. Erst vor dem Hotel öffnete sie wieder den Mund: »Gib mir zehn Minuten Vorsprung, Manfred, ja?«
Er nickte und beobachtete, wie sie rasch im Hotel verschwand. Dann kletterte er aus dem Wagen, schloß ihn ab und ging, in tiefen Zügen die kühle Abendluft einatmend, zur Straße hinunter. Er folgte ihr etwa fünfhundert Meter talaufwärts, blieb manchmal stehen und blickte zum Hotel zurück. Hinter einigen Fen-

stern brannte Licht, auch in seinem und Ursulas Zimmer. Er versuchte sich vorzustellen, wie sie im Bett liegen und ihn erwarten würde. Bei keiner anderen Frau hatte er erlebt, daß sie auf seine Liebkosungen so heftig reagierte wie Ursula; als hätte er einer verborgenen Quelle den Weg geöffnet. Seine Schläfen brannten; er konnte vor Ungeduld kaum mehr atmen. Nach genau zehn Minuten betrat er den Hoteleingang. Herr Rombach begrüßte ihn am Empfang und sagte: »Fräulein Rectanus läßt Sie bitten, mit dem Essen nicht auf sie zu warten; sie fühlt sich nicht wohl und hat sich ein eigenes Zimmer genommen.«
»Ich weiß es«, sagte Kiene mechanisch und stieg die Treppe hinauf. Er ging in sein Zimmer und vergewisserte sich, daß Ursula ihre sämtlichen Sachen mitgenommen hatte. Er setzte sich eine Weile in einen Sessel und rauchte hintereinander drei Zigaretten. Die letzte drückte er schon nach wenigen Zügen angewidert aus. Bevor er zum Essen hinunterging, stellte er sich unter die Dusche.

18

Die langerwartete Katastrophe erfolgte am Donnerstag abend. Michael Kolb erlebte sie sehenden Auges am häuslichen Bildschirm. Sie setzte mit dem ausführlichen Kommentar eines Fernsehsprechers ein, der den ahnungslosen Zuschauern zu vermelden hatte, daß sich in den Rectanus-Werken dramatische Ereignisse zutrugen. Augenblicke später erlebte Kolb nicht nur die tumultartigen Szenen mit, die sich bereits Montag nachmittag am Werkstor ereignet hatten, sondern auch die geschäftsschädigenden Äußerungen des Pförtners Fritz Arnauer, der dem Reporter von einem tätlichen Angriff des Firmenchefs auf den Betriebsratsvorsitzenden und von Verkaufsverhandlungen berichtete, die schon lange im Gange seien. Gleich danach erlebte Kolb seinen eigenen Auftritt. Er hörte seine Stimme, obwohl die eingestellte Lautstärke nichts zu wünschen übrigließ, wie aus weiter Ferne, und er fühlte wie Ella, die bei seinem Anblick auf dem Bildschirm in stolze Bewunderung versank, die Hand auf seine Schulter legte. Er erlebte ferner, nach einigen Interwies mit verschiedenen Werksangehörigen, deren Zeitpunkt ihm nicht recht ersichtlich wurde, den Chef in höchsteigener Person, zuerst an der Tür einer ›Luxus-Klinik‹ neben einem hochgewachsenen Mädchen bei einer barschen Diskussion mit einem Fernsehreporter, der Kolb merkwürdig bekannt vorkam, und seine spätere

Rückkehr auf einem Schlitten, als er, von zwei Männern gezogen und von dem hochgewachsenen Mädchen festgehalten, über eine verschneite Wiese fuhr. Er konnte auf dem Bildschirm sehen, wie Kiene mit großen Schritten auftauchte, eine Treppe heraufgestürmt kam, und dann brach die Szene jäh ab. Danach sah er in rascher Zeitfolge hochkarätige Autos auf dem Bildschirm, darunter auch den Wagen des Chefs, den hellblauen Mercedes von Ferdinand Weckerle und seinen eigenen an einen weinroten Jaguar gereiht vor dem Verwaltungsgebäude der Rectanus-Werke stehen.
Ella fragte verstört: »Gehört der Jaguar dem Dr. Meissner? Seit wann fährt der den?« Kolb fauchte: »Kannst du nicht den Mund halten, verdammt noch mal!« Sie sagte gekränkt: »Ich habe doch gar nichts gesagt!« Aber Kolb hörte es schon nicht mehr, er verfolgte mit angehaltenem Atem die grimmigen Äußerungen von Vater Benz und Sohn Wilhelm, von denen der Reporter zu berichten wußte, daß sie stellvertretend für alle jene einfachen Arbeiter und Angestellten der Rectanus-Werke sprächen, die in diesen Stunden um ihren langjährigen Arbeitsplatz bangen müßten. Und als dramatischer Höhepunkt der Sendung lief vor den erstarrten Augen Michael Kolbs eine Szenenfolge ab, die ihn an die finstersten Zeiten gnadenlosen Klassenkampfes gemahnte, als aufgebrachte Arbeiter, bewaffnet mit mancherlei handlichen Gegenständen, auf Menschen einschlugen und sie zu Boden prügelten, die augenscheinlich leitende Angestellte waren: die optische Nebenwirkung eines Teleobjektivs mit extremer Brennweite. Und erst gegen Schluß der Sendung erfuhren die Zuschauer, daß es sich bei den Verfolgten und scheinbar Geprügelten nicht um leitende Angestellte, sondern um Journalisten gehandelt habe, die unerlaubterweise in das Werksgelände eingedrungen waren. Krönender Höhepunkt der Sendung war eine ins Überdimensionale gesteigerte Reproduktion des Verwaltungsgebäudes der Rectanus-Werke, die mittels eines Weitwinkelobjektivs mit ebenfalls extremer Brennweite den Eindruck eines dreißigstöckigen Hochhauses erweckte. Mit eindringlich mahnender Stimme betonte der Sprecher, daß hinter dieser unpersönlich wirkenden Glasfassade über das Schicksal von rund dreitausend Belegschaftsangehörigen und deren Familien entschieden und die Redaktion von ›Blick in die Heimat‹ es nicht verabsäumen werde, die interessierten Zuschauer auch über die weiteren Geschehnisse und Entwicklungen auf dem laufenden zu

halten. Zum Schluß verabschiedete sich die als besonders attraktiv bekannte Sprecherin von ›Blick in die Heimat‹ mit ungewohnt ernstem Gesicht und wünschte den verehrten Zuschauern einen schönen Abend. Der jedoch war für Michael Kolb bereits verdorben, und als Sekunden später Ferdinand Weckerle anläutete und mit fassungsloser Stimme Kolbs Meinung über die unverantwortlichen Äußerungen von Fritz Arnauer erfahren wollte, sagte dieser erschöpft: »Frag mich lieber gar nichts; ich bin buchstäblich am Ende.« Weckerle sagte: »Aber du selbst, ich finde, das war doch prima! Du hast einen ausgezeichneten Eindruck hinterlassen, sehr souverän und unverbindlich zugleich. Sibylle meint das auch.«
»Ich weiß nicht«, sagte Kolb, obwohl er jetzt, da er das Schlimmste hinter sich hatte, ebenfalls der Ansicht war, sein Konterfei auf dem Bildschirm sei gar nicht so übel ausgefallen und seine Verhaltensweise kaum anfechtbar. Er sagte: »Es ist ein dummes Gefühl, vor einer Fernsehkamera zu stehen, Ferdinand. Ich möchte das nie mehr mitmachen müssen. Beim nächsten Mal bist du oder Meissner an der Reihe. Das gibt, wenn mich nicht alles täuscht, noch ein Riesenspektakel. Hast du den Chef auf diesem Schlitten gesehen? Ich verstehe überhaupt nicht, wie er sich für solche Aufnahmen zur Verfügung stellen konnte! Da heißt es doch nur wieder: Und so etwas ist Unternehmer und Arbeitgeber von dreitausend Lohnabhängigen! Das Mädchen hinter ihm muß wohl seine Tochter gewesen sein?«
»Das vermute ich auch«, sagte Weckerle. »Sie scheint ziemlich groß und recht knusprig zu sein! Du hast recht: er hockte auf dem Schlitten wie ein Ziegenbock auf der Henne. Absolut indiskutabel! Aber das andere, was sie da noch alles gebracht haben! Ich weiß gar nicht, was im Werk wirklich los war! Hast du das von Journalisten gesehen und gehört?« Kolb befeuchtete, bevor er antwortete, den trockenen Mund mit einem Schluck Bier: »Keine Ahnung! Nicht die geringste! Als Kirschner uns einmal mit den Gewerkschaftssäcken allein gelassen hat und wieder zurückkam, erzählte er doch nur etwas vom Fernsehen, das er weggeschickt habe?«
»So hatte ich es auch verstanden«, bestätigte Weckerle. Kolb sagte: »Diesem Kirschner kannst du auch nicht über den Weg trauen. Der spielt vielleicht mit gezinkten Karten und hat die Brüder heimlich ins Werk gelassen, damit sie uns vor die Kamera kriegen können, und nachher haben ihm die eigenen Leute das

Spielchen verpatzt.« Er fragte besorgt: »Ob sich das nachteilig auf den Absatz auswirken kann?«

»Ich befürchte es«, antwortete Weckerle, und Kolb konnte hören, wie er ein paar Worte mit Sibylle wechselte, deren warme Altstimme angenehm sein Ohr streichelte. Er sagte, ohne den Satz zu Ende zu führen: »Wenn ich da an die Reaktion vom Arbeitgeberverband denke . . .«

»Daran habe ich auch schon gedacht«, sagte Weckerle. »Was glaubst du wohl, wie die dem Alten einheizen werden! Da möchte ich nicht in seiner Haut stecken. Ist dir nicht aufgefallen, daß er die Verkaufsabsichten mit keinem Wort dementiert hat? Danach mußt du ihn, wenn du morgen zu ihm fährst, unbedingt fragen.«

»Das war auch mein erster Gedanke«, sagte Kolb und nickte Ella, die fürsorglich sein Glas nachfüllte, dankend zu. »Offen gestanden, Ferdinand, ich glaube jetzt auch, daß etwa Wahres daran ist.«

»Mein persönlicher Eindruck«, sagte Weckerle in ernstem Tonfall. »Die ganze Sache stinkt zum Himmel, Michael.«

Sie unterhielten sich noch eine Weile besorgt über Details. Dann sagte Ferdinand: »Sibylle will dir noch ein Wort sagen. Bleib dran!«

»Okay«, sagte Kolb. Weckerle sagte: »Wenn du morgen abend vom Chef zurückkommst, sehen wir vielleicht weiter. Jetzt ist es ganz gut, daß er dich nicht schon heute empfangen hat. Vielleicht hat ihn, falls er die Sendung dort mitbekommen hat, inzwischen der Schlag getroffen.«

»Manchmal wünschte ich es ihm«, sagte Kolb vertraulich. Dann vernahm er die Stimme von Sibylle, sie sagte: »Ferdinand ist hinausgegangen, Liebster. Ich kann offen reden. Du auch?« Kolb sah sich nach Ella um. »Mußt du nicht mal nach den Kindern schauen?«

»Sie schlafen fest«, sagte sie und blieb demonstrativ sitzen. Kolb sagte in den Hörer: »Nein. Eine wirklich schlimme Sache das. Hast du alles mitbekommen?«

»Natürlich«, sagte Sibylle. »Wir saßen beide vor dem Gerät. Bist du gestern abend gut nach Hause gekommen?«

»Doch, doch«, sagte er. »Überhaupt keine Probleme.« Sie sagte: »Du hast mich wieder sehr glücklich gemacht, Michael.«

»Ja, du auch«, sagte er. »Eine unangenehme Sache das. Wir werden uns bald etwas ausführlicher darüber unterhalten müssen.«

»Vielleicht am Samstag nachmittag im Wochenendhaus«, schlug sie vor. »Ferdinand fährt nach Frankfurt.«
»Das wird sich bestimmt einmal einrichten lassen«, meinte er. »Ich werde Ella fragen, wann sie Zeit hat.« Sibylle schwieg einen Augenblick lang, dann fragte sie: »Du willst sie mitbringen? Ich bin doch schon für Freitag nachmittag mit ihr verabredet.«
»Ja, sie sitzt immer noch neben mir und hört zu«, sagte Kolb. Zu Ella sagte er: »Einen Gruß von Sibylle.« Sie sagte: »Bitte auch von mir.«
»Einen schönen Gruß von Ella«, sagte Kolb ins Telefon. Sibylle lachte leise. »Ich war dumm. Entschuldige bitte.«
»Keine Ursache«, sagte Kolb und sprach wieder mit Ella: »Sie freut sich darauf, dich am Freitag nachmittag zu sehen.«
»Sag ihr, daß ich mich auch freue«, sagte Ella. Kolb sagte: »Ella freut sich auch auf Freitag nachmittag.«
»Und ich mich auf den Samstag«, sagte Sibylle. »Schlaf schön, Liebster, aber bitte nicht mit ihr.«
»Heute abend bestimmt nicht«, sagte Kolb und beendete das Gespräch. Ella fragte neugierig: »Was ist heute abend nicht?«
»Sie meinte, ich solle heute abend nicht mehr so viel arbeiten, weil ich morgen diese unangenehme Reise vor mir habe«, antwortete Kolb. »Holst du mir noch eine Flasche Bier aus dem Kühlschrank, Kleines?«
»Ja, gleich, Michael«, sagte sie und stand auf. Sie kam zu ihm, küßte ihn mit feuchten Augen und sagte: »Ich bin richtig stolz auf dich.«
»Man tut, was man kann«, sagte Kolb. »Diese Bildschirmkanaken können mich doch nicht aufs Kreuz legen.« Er gähnte. »Himmel, bin ich müde. Jetzt noch ein Bier, dann falle ich augenblicklich ins Bett.«
»Ich gehe heute auch zeitig schlafen«, sagte sie. »Die Kinder waren den ganzen Tag so unruhig. Du glaubst nicht, was das Nerven kostet.«
Sie ging in die Küche, und als sie zurückkam, fragte sie: »War das seine Tochter auf dem Schlitten?« Kolb antwortete unlustig: »Es ist anzunehmen. Bitte, ich bin wirklich zu müde, um mich heute abend noch über diese Dinge zu unterhalten. Wenn ich die Bürotür hinter mir zumache, ist für mich Feierabend.«
»Mit Ferdinand und Sibylle unterhältst du dich auch nach Feierabend über berufliche Dinge«, sagte sie eingeschnappt. »Erklär mir doch wenigstens, was eigentlich bei euch los ist!«

»Morgen abend, wenn ich vom Chef zurückkomme«, sagte Kolb. »Dann weiß ich mehr als jetzt. Bitte, töte mir nicht den Nerv.«
»Ich habe sowieso noch zu bügeln«, sagte sie und ging verärgert hinaus. Kolb seufzte, setzte die Bierflasche an den Mund und trank sie halb leer. Aus der Flasche schmeckte Bier ihm am besten, nur Ella sah es nicht gern. Es fiel ihm auf, daß sie nicht ins Bügelzimmer, sondern ins Schlafzimmer gegangen war. Sie kam im Bademantel heraus und fragte: »Wie hoch steht die Wassertemperatur?«
Es war ungewöhnlich, daß sie zu dieser Zeit noch einmal schwimmen ging; er fragte: »Wieso willst du baden?«
»Weil ich Lust dazu habe«, sagte sie. Kolb sah ihr zaudernd nach. Später, als er sie planschen hörte, zog er die Schuhe aus und schlich sich, die Bierflasche in der Hand, an die Tür zum Schwimmbad. Er öffnete sie einen Spalt und blickte hinein. Sie hatte nur die Unterwasserbeleuchtung eingeschaltet, und er sah, daß sie ohne Badeanzug war. Früher hatte sie das immer so gehalten. Als sie dann das erste Kind bekam, war sie nicht mehr schwimmen gegangen und nach der Geburt nur noch im Badeanzug. Zartfühlend, wie er war, hatte er sie nie nach den Gründen gefragt. Es erschien ihm eigenartig, daß sie nun plötzlich eingefahrene Gewohnheiten änderte. Er trank, während er heimlich den Blick auf sie gerichtet hielt, einen großen Schluck aus der Flasche und beobachtete mit wachsender Faszination ihre Bewegungen. Wieder einmal stellte er fest, daß sie auch nach der Geburt der beiden Kinder noch immer eine gute Figur hatte. Nur ihr Gesäß war etwas fleischiger geworden, und die Brüste waren voller. Er fing, je länger er sie beobachtete, in zunehmenden Maße Feuer. Als er merkte, daß sie das Becken verlassen wollte, lief er rasch ins Zimmer zurück, legte sich mit der Zeitung, die er schon zweimal gelesen hatte, auf die Couch und rief: »Ella?«
Sie kam im Bademantel herein und fragte: »Hast du gerufen?«
»Ich habe Kopfschmerzen«, sagte er. »Würdest du mir bitte eine Tablette auflösen?«
»Das hättest du auch selbst tun können«, sagte sie und ging zuerst ins Badezimmer, dann ins Schlafzimmer, und als sie aus dem Schlafzimmer kam und wieder ins Badezimmer ging, war sie angezogen. Er starrte ihr enttäuscht nach und zischelte halblaut: »Sture Weibsleut, sture!« Sie kam mit einem Glas zurück und fragte: »Hast du etwas gesagt?«

»Nein, Kleines«, antwortete er und nahm dankend das Glas entgegen. »Mußt du heute abend wirklich noch bügeln?« fragte er. Sie wartete, bis er das Glas leer getrunken hatte, nahm es ihm ab, und antwortete: »Dann habe ich es morgen hinter mir. Frau Keppler macht es nie so sorgfältig wie ich. Warum legst du dich nicht endlich schlafen, wenn du so müde bist?« Sie verschwand wieder im Badezimmer, und Kolb ging, die Zeitung unter dem Arm und auf Socken, zuerst ins Kinderzimmer, vergewisserte sich, daß dort alles in Ordnung war, und dann ins Schlafzimmer. Er ließ die Kleider fallen, betrachtete sich im Spiegel und sagte: »Man sollte zwei haben.« Dann legte er sich ins Bett und schlief eine Weile später bei einem Buch, das er, genau wie die heutige Zeitung, auch schon zweimal gelesen hatte, unvermittelt ein. Sein Schlaf war unruhig. Mitten in der Nacht wachte er auf und beschäftigte seine Gedanken mit der bevorstehenden Reise zum Chef. Einmal machte er, um auf die Uhr zu schauen, die Nachttischlampe an und sah, daß Ella sich halb aufgedeckt hatte. Wegen des geheizten Schwimmbads, das vom Wohnzimmer ebenso wie vom Schlafzimmer zu erreichen war, herrschten im Haus, vor allem dann, wenn die Sonne durch die großen Fenster geschienen hatte, immer leicht überhöhte Temperaturen. Er ertappte sich dabei, daß er Ella mit Sibylle verglich; Ellas Schenkel waren kaum weniger hübsch als die von Sibylle. Ihn erfaßte, während er einerseits Ellas Schenkel vor Augen und andererseits Sibylle im Kopf hatte, eine heftige Begehrlichkeit, der er, obwohl er sich bemühte, an den kommenden Samstag zu denken, nicht länger widerstehen konnte. Behutsam, damit er sie nicht zu früh aufweckte, kroch er zu ihr hinüber, hob zuerst die Bettdecke und dann ihr dünnes Nachthemd an und überlegte, während er fasziniert ihr Gesäß betrachtete, wie er es am besten anstellen solle. Bevor er sich jedoch entscheiden konnte, läutete das Telefon. Erschrocken ließ er Decke und Nachthemd fallen, griff, damit ein zweites Läuten Ella nicht im tiefen Schlaf störte, rasch zum Hörer, nahm ihn ab und legte ihn, in der sicheren Annahme, daß es sich nur um eine Fehlverbindung handeln könne, sofort wieder auf. Als es jedoch kurze Zeit später zum zweiten Male läutete, meldete er sich heiser vor Zorn und sagte: »Sie sind wohl nicht ganz bei Trost!«
»Und ob ich bei Trost bin!« sagte der frühe Anrufer. Als Kolb die Stimme erkannte, stammelte er: »Entschuldigen Sie bitte, Herr Dr. Rectanus, ich wußte ja nicht, daß Sie das sind.«

»Jetzt wissen Sie es«, antwortete der Chef. »Ich möchte Sie sprechen, so rasch wie möglich. Können Sie gegen neun hier sein?«
»Heute früh?« fragte Kolb ungläubig und legte Ella, die nun doch aufgewacht war und eine Frage stellen wollte, schnell die Hand auf den Mund. Der Chef erklärte: »Es ist jetzt fünf Uhr. Bis neun können Sie es bequem schaffen.«
»Selbstverständlich«, stammelte Kolb. »Wenn Sie das wünschen.«
»Ich wünsche es«, antwortete der Chef und beendete das Gespräch. Kolb starrte noch eine Weile den Hörer und dann Ella an, die ihre entblößten Glieder bedeckte und ein ebenso schläfriges wie besorgtes Gesicht machte. »Der Chef!« murmelte er. »Ich soll um neun Uhr bei ihm sein.«
»Heute abend?« fragte sie. Kolb kletterte aus dem Bett. »In vier Stunden. Ich habe ja überhaupt keine Ahnung, wie lange man da fährt.« Sie stand sofort auf und sagte: »Ich habe heute nacht so schrecklich geträumt, daß mich gar nichts mehr wundert.«
Leider versprach auch das Wetter für diesen Tag nichts Erfreuliches. Als Kolb eine Stunde später aus der Stadt fuhr, fing es an zu regnen, und es regnete während der ganzen, etwas über zwei Stunden dauernden Fahrt, ohne Unterlaß. Als er endlich den kleinen Kurort in den Bergen erreichte, war es noch nicht einmal acht Uhr. Er beschloß, zuerst einmal mit Kiene zu sprechen. Weil er sich schon gestern bei Dr. Huber erkundigt hatte, bereitete es ihm keine Mühe, das Hotel zu finden. Am Empfang wurde er von Frau Rombach begrüßt, die an diesem Morgen wieder ihr giftgrünes Kleid und die blonde Perücke trug. Als Kolb, im braunen Kamelhaarmantel, das Hotel betrat, wandte sie kein Auge von ihm. Er mußte seine Frage sogar wiederholen, bis sie sich endlich so weit gefaßt hatte, daß sie ihm antworten konnte: »Ja, Herr Kiene wohnt bei uns. Ich glaube allerdings nicht, daß er schon zu sprechen ist.« Kolb stellte sich ihr vor und sagte: »Herr Kiene und ich sind Geschäftskollegen. Ich habe ein dringendes geschäftliches Gespräch mit ihm.« Es fiel ihm auf, daß ihre Augen, während sie ihn musterte, merkwürdig glänzten. Sie fragte lächelnd: »Dann gehören Sie sicher auch zu den Rectanus-Werken, Herr Kolb?«
»Geschäftsleitung«, antwortete er. Sie griff mit einer fahrigen Bewegung zum Telefon. Während sie mit Kiene sprach, betrachtete Kolb ihren Rücken und was sie ihm sonst noch darbot. Sein erster Eindruck war positiv. Nach dem Gespräch sagte sie: »Herr

Kiene bittet Sie, sich ein paar Minuten zu gedulden; er ruft zurück, solbald er fertig ist. Wollen Sie in meinem Büro warten?«
»Aber gern, tausend Dank, gnädige Frau«, sagte Kolb und folgte ihr. Im Büro bot sie ihm einen Sitzplatz an und sagte, unauffällig den Sitz ihrer Perücke prüfend: »Ich bin sonst zu dieser Stunde noch gar nicht auf; es wird bei uns abends regelmäßig spät. Darf ich fragen, welche Tätigkeit Sie in der Geschäftsleitung ausüben, Herr Kolb?« Sie bot ihm eine Zigarette an. »Mein Mann und ich haben uns gestern ›Blick in die Heimat‹ angesehen.«
»Eine aufgebauschte Sache«, sagte Kolb abfällig und zündete zuerst ihre und dann seine Zigarette an. »Da ist kaum ein wahres Wort dran. Ich als Vertriebsleiter muß das wissen.« Sie sagte beeindruckt: »Dann sind Sie Verkaufsdirektor! Das ist sicher keine einfache Aufgabe, die Sie da übernommen haben?« Kolb nickte. »Zumal ich gleichzeitig so etwas wie die rechte Hand von Herrn Dr. Rectanus bin. Kennen Sie zufällig unsere Produkte?«
»Aber ja«, sagte sie und lachte. »Ich benutze sie sogar ganz persönlich.« Kolb sagte angeregt: »Dann stehen wir ja sozusagen in einer gewissen Korrespondenz miteinander, gnädige Frau!« Er betrachtete sie mit wachsendem Interesse und schlug einen scherzhaften Ton an: »Ist es von Ihrem Gatten nicht sehr leichtsinnig, eine so attraktive Frau über ein ganzes Wochenende allein zu lassen?«
»Das kommt darauf an«, sagte sie. »Ich meine, es kommt vielleicht nur auf den richtigen Mann an.«
Er schätzte wieder ihre Figur unter dem giftgrünen Kleid ab und sagte: »Wie bei uns Männern auf die richtige Frau. Hatten Sie denn keine Lust, Ihren Gatten zu begleiten oder sind Sie, wenn er verreist ist, hier unabkömmlich?«
»Wir haben ein gut eingespieltes Personal«, sagte sie. »Wenn mein Mann zu einem Kongreß fährt, und das geschieht sehr oft, tut er das lieber allein.«
»Doch nicht etwa allein zu zweien?« fragte Kolb scherzhaft. Sie zuckte mit den Schultern. »Danach frage ich ihn nicht. Wissen Sie, wir sind beide sehr selbständig; wir leben jeder unser eigenes Leben.«
»Das finde ich sehr richtig«, sagte Kolb angetan. »Meine Frau und ich denken da ganz ähnlich. Obwohl ich – wenn ich das als Mann sagen darf, der doch viel in der Welt herumkommt und schon so mancher Frau begegnet ist – anstelle Ihres Gatten mein Eigentum nicht vernachlässigen würde.«

»Männer sind nun mal so«, sagte sie in gleichgültigem Tonfall. Kolb widersprach: »Nicht alle.« Er lachte. »Natürlich gibt es ein großes Problem für uns, nämlich dieses: daß uns der liebe Gott so viele hübsche und unwiderstehliche Frauen beschert hat. Ich sage jedesmal: Irgend etwas wird er sich dabei gedacht haben, und warum sollten wir die Gaben, die zu nützen er uns sozusagen auferlegt hat, unbeachtet lassen!«
Sie sagte zustimmend: »Ja, daran ist sicher etwas Wahres. Ich gehöre auch nicht zu den Menschen, die gerne an ihrem Leben vorbeileben. Ich sage mir immer: man hat nur eins.«
»Da stimme ich völlig mit Ihnen überein«, sagte Kolb und überlegte, was er, falls er eine Nacht hierbliebe, Ella erzählen könnte. Das Telefon läutete. Frau Rombach nahm den Hörer ab. »Herr Kiene erwartet Sie.«
»Dann soll er noch etwas warten«, entschied Kolb. »Er hat auch mich warten lassen. Sie sagten, daß Sie noch ein Zimmer frei haben?«
»Sie dürften es sich sogar aussuchen«, antwortete sie vieldeutig. Kolb tupfte sich mit dem Taschentuch die Stirn ab und sagte: »Sobald ich mit Herrn Rectanus gesprochen habe, gebe ich Ihnen Bescheid. Ist es weit bis zur Klinik?«
»Mit dem Wagen eine Viertelstunde«, antwortete Frau Rombach. »Es würde mich freuen, wenn Sie bis morgen bleiben könnten, Herr Kolb.« Er sagte: »Irgendwie werde ich es einrichten. Ich verdanke Ihnen eine angenehme Viertelstunde.«
Sie lächelte. »Werden Sie lange bei Herrn Dr. Rectanus zu tun haben?«
»Kaum länger als eine Stunde«, sagte Kolb und stand auf. Er küßte ihre Hand, hielt sie fest und sagte: »Herzlichen Dank.«
»Ich habe Ihnen zu danken«, sagte sie und begleitete ihn zur Tür. »Ihr Mantel!« Sie ging ihn holen, und als er ihn entgegennahm, berührten sich ihre Hände. Er ließ den Mantel fallen, griff nach ihren Hüften, zog sie an sich und küßte sie mitten auf den Mund. Dann drehte er sich schnell um und lief hinaus. Den Mantel vergaß er. Auf der Treppe fiel ihm ein, daß er Kienes Zimmernummer nicht wußte. Er blieb stehen und drehte sich um. Sie stand in der Tür und lächelte. »Vierunddreißig«, sagte sie.
Kiene erwartete ihn bereits ungeduldig. »Tut mir leid, daß ich Sie vorhin nicht sofort empfangen konnte«, sagte er. »Ich war noch beim Rasieren. Wo brennt es diesmal?«
Für Kolb war Kiene immer nur ein Außenseiter gewesen, ein

Karrierist, der von irgendwoher aufgetaucht und plötzlich in der Chefetage heimisch war. Oft hatte er es unmutig hinnehmen müssen, daß Kiene bei Geschäftsführerbesprechungen den Chef vertreten hatte. Seit nach Dr. Hubers Rückkehr im Werk allerdings durchgesickert war, daß man in Kiene möglicherweise den künftigen Schwiegersohn des Chefs sehen mußte, bemühte sich Kolb um eine neue Einstellung zu ihm.
Er antwortete: »Ich habe keine Ahnung, Herr Kiene. Der Chef hat mich heute in aller Frühe angerufen; ich muß um neun Uhr bei ihm sein. Ich dachte, Sie wüßten mehr.«
Kiene bot ihm Platz an. »Der Hotelbesitzer hat mir gestern abend, als ich zum Essen hinunterkam, von der Fernsehsendung erzählt. Leider habe ich sie versäumt. War sie schlimm?«
»Unbeschreiblich!« sagte Kolb und berichtete ihm davon. Kiene hörte ihm mit verkniffenem Mund zu und sagte dann: »Dieser Arnauer ist jetzt wohl überfällig; Herrn Rectanus wird es nur recht sein. Hat sich die Gewerkschaft schon bei Ihnen gemeldet?«
»Sie schickte uns gleich zwei Funktionäre ins Haus«, antwortete Kolb. »Sie bestanden darauf, daß der freie Donnerstag rückgängig gemacht wird und der Chef ein verbindliches Dementi zu den angeblichen Verkaufsabsichten veröffentlicht. Andernfalls soll das Werk auf Wunsch der Belegschaftsmitglieder ab kommenden Montag bestreikt werden.«
»Etwas anderes war nicht zu erwarten«, sagte Kiene. »Vielleicht gehen Sie davon aus, ich wüßte mehr als Sie. Dies ist nicht der Fall. Von der Vier-Tage-Arbeitswoche habe ich auch erst durch Fräulein Rectanus erfahren.«
Kolb zündete sich eine Zigarette an. »Ich sah sie gestern im Fernsehen. Ich hätte es nicht für möglich gehalten, daß Herr Rectanus noch eine so junge Tochter hat.«
»Im Fernsehen haben Sie sie gesehen?« vergewisserte sich Kiene.
Kolb nickte. »Als sie mit ihm auf diesem Schlitten saß. Offen gesagt, Herr Kiene, wir machen uns seinetwegen die größten Sorgen. Vielleicht sollte man einmal mit seiner Tochter sprechen und sie bitten ...«
Kiene schnitt ihm das Wort ab: »Sie interessiert sich nicht für geschäftliche Dinge. Ich nehme auch an, er hat die Fernsehsendung gestern abend gar nicht mitbekommen. Daß er Sie deshalb angerufen haben könnte, erscheint mir jedenfalls unwahrscheinlich. Sicher handelt es sich um den Streik und sonstige Vorfälle im

Werk. Sehen wir uns nach Ihrem Gespräch mit ihm noch einmal?«
»Ich werde es einzurichten versuchen«, antwortete Kolb und drückte die Zigarette aus. Er stand auf. »Mich haben diese Ereignisse so mitgenommen, daß ich voraussichtlich erst morgen zurückfahren und mich hier eine Nacht ausschlafen werde. Ich lasse auf jeden Fall noch einmal von mir hören.«
»Dafür wäre ich Ihnen dankbar«, sagte Kiene und begleitete ihn zur Tür. Am Empfang wurde Kolb von Frau Rombach erwartet. Sie reichte ihm den Mantel und sagte mit einem warnenden Blick: »Sie haben ihn vergessen, Herr Kolb.«
Der hatte jedoch den in der Nähe stehenden Hausdiener schon selbst bemerkt. Er bedankte sich und sagte: »Vorsorglich können Sie mir ein Zimmer reservieren, Frau Rombach.«
»Das ist schon geschehen«, sagte sie und sah ihm tief in die Augen. Schnellen Schrittes eilte er hinaus.
Vom Schnee des vergangenen Tages sah Kolb auf der Fahrt zur Klinik nur noch wenig, und als er zwanzig Minuten später dem Chef gegenübertrat, hatte er Herzklopfen. Rectanus wirkte unausgeruht und sagte verdrossen: »Die Sendung gestern abend war um halb acht. Ich habe meinen Geschäftsführern acht Stunden lang Zeit gelassen, mich davon zu verständigen. Warum ist das nicht geschehen?«
Kolb, der jetzt wenigstens wußte, weshalb ihn der Chef um fünf Uhr früh aus dem Bett geläutet hatte, sagte blaß: »Wir gingen davon aus, Sie hätten sie selbst gesehen.«
»Ich wurde von meiner Haushälterin davon verständigt«, sagte der Chef und zündete sich eine Zigarre an. Er forderte Kolb zum Sitzen auf und sagte: »Erzählen Sie mir, was Sie darüber wissen und was gestern alles im Werk los war. Ich hörte, die Gewerkschaft hat zwei Funktionäre ins Haus geschickt.«
»Das ist richtig«, antwortete Kolb und gab ihm einen ausführlichen Bericht. Der Chef hörte ihm stumm zu, stellte anschließend einige Fragen und sagte dann: »Wenn die Belegschaft unbedingt streiken will, dann ist das ihr Problem. Es bleibt bei dem, was ich angeordnet habe. Ab sofort tragen Sie für die Geschäftsleitung die alleinige Verantwortung, Herr Kolb. Dieser Huber soll sich wieder auf seine Sanitätsstation begeben; er ist untauglich. Ich habe mir jahrelang anhören müssen, was für ein gutes Verhältnis er zur Belegschaft hat. Dabei ist er nicht einmal in der Lage, sie von diesem dummen Streik abzubringen.«

Kolb sagte behutsam: »Dieser arbeitsfreie Donnerstag . . .« Der Chef schnitt ihm das Wort ab: »Ist meine persönliche Entscheidung, und darüber diskutiere ich nicht; auch nicht mit Ihnen. Falls sie Ihnen nicht paßt, steht es Ihnen frei, zu kündigen. Und was die Verkaufsabsichten betrifft, so habe ich keinen Kommentar dazu zu geben. Verständigen Sie den Betriebsrat entsprechend. Danke für Ihren Besuch.«
Kolb starrte ihn verwundert an. »Sie haben sonst nichts für mich?«
»Im Augenblick nicht«, sagte der Chef und verabschiedete ihn mit einem Kopfnicken. Auf dem Flur fiel Kolb ein, daß er den Betriebsrat auch telefonisch verständigen und eine Nacht im Hotel bleiben könnte. Seine Sorgen waren nach diesem Gespräch zwar nur noch größer geworden, aber sie beflügelten auch seinen Wunsch, sich eine angenehme Zerstreuung zu gönnen. Er hatte sie nötig.

19

Kiene wurde bereits von Annemarie erwartet. Er klopfte vor der Tür den Regen vom Trenchcoat und folgte ihr in die Hütte. Sie war geheizt, der kleine Eisenofen strahlte behagliche Wärme aus. Annemarie sagte: »Ich habe Pulverkaffee mitgebracht. Hier werden wir bestimmt nicht gestört. War es nicht eine gute Idee, uns hier zu treffen?«
»Eine sehr gute«, bestätigte Kiene. Er zog den Mantel aus, sah sich in der Hütte um und lächelte. »Ein richtiges Liebesnest. Ich wundere mich, daß er es geschafft hat, zu Fuß bis hierher zu kommen. Das hätte ich ihm nicht zugetraut.«
»Ich auch nicht«, sagte Annemarie. »Ohne seine Sturheit hätte er es auch nicht geschafft. Willst du gleich einen Kaffee trinken?«
Er blickte sie an. Dann nahm er sie in die Arme und sagte: »Ich habe auf diesen Moment zu lange warten müssen, als daß ich auch nur eine Minute verlieren möchte. Es sei denn, du hättest es dir seit gestern wieder anders überlegt.«
»Wozu hätte ich dich dann hierherkommen lassen?« fragte sie und küßte ihn. Er fragte: »Kann man die Tür abschließen?«
»Es ist kein Schlüssel da«, antwortete sie. »Hier könnten wir nur von einem Klinikgast überrascht werden, und von denen verläßt bei diesem Wetter keiner das Haus. Hast du schon mit ihr geschlafen?«

»Ich habe es für dich aufgehoben«, sagte er und zog an ihrem Reißverschluß. Er streifte ihr das Kleid von den Schultern und fragte, lächelnd ihren Slip betrachtend: »Noch immer dieselbe Größe?«

»Groß genug«, sagte sie. »Oder siehst du etwas?«

»Ich fühle etwas«, sagte er und schob die Hand hinein. Während er sie streichelte, preßte sie die Lippen auf seinen Mund und murmelte: »Ich kann nicht lange bleiben; er wird mich sonst vermissen.«

»Soll er«, sagte Kiene. Er löste sich aus ihren Armen, streifte rasch die Kleider ab und sagte lächelnd: »Ich hoffe, du bist nicht enttäuscht.«

»Im Gegenteil«, sagte sie und legte sich auf eine der schmalen Pritschen. Während sie sich dort küßten, streichelte sie seinen Rücken und sagte: »Ich glaube nicht, daß sie ihrem Vater etwas von uns erzählt hat. Er war seitdem nicht anders als sonst. Wohnst du noch immer in einem Zimmer mit ihr?«

»Stört es dich?« fragte er. Sie schlang lächelnd die Beine um ihn und sagte: »Es enttäuscht mich, daß du noch immer nicht mit ihr geschlafen hast. Wie macht ihr das eigentlich, wenn ihr zusammen die ganze Nacht im Bett liegt? Haltet ihr euch bei den Händchen?«

»Nicht nur«, sagte Kiene. Er beobachtete ihr Gesicht, und als sie es etwas verzog, sagte er: »Vielleicht bist du gar nicht in Stimmung dafür.«

»Zu abgelenkt«, sagte sie. »Ich muß immer an Ursula denken. Laß mir noch ein bißchen Zeit, Manfred. Vergangene Nacht hat er mich nur verrückt gemacht, ohne mir etwas geben zu können. Um fünf ist er endlich in sein eigenes Zimmer gegangen. Ich habe kaum geschlafen. Ich wußte, daß es mit ihm schwierig werden würde, aber er ist noch viel schwieriger, als ich dachte. Sobald ich den Vertrag habe, wird er nicht mehr mit mir tun können, was er will.«

»Was tut er?« fragte Kiene und streichelte ihr Gesicht. Sie küßte seine Hand und murmelte: »Mach schon!«

Als kurze Zeit später Ursula mit klitschnassen Haaren und klitschnassem Trenchcoat hereinkam, die Tür hinter sich schloß, sich mit dem Rücken dagegen lehnte und reglos stehenblieb, bemerkte Annemarie sie. Sie hielt jäh inne, und Kiene, der Ursula wenige Augenblicke später entdeckte, wandte ihr das Gesicht zu und sagte: »Scher dich zum Teufel, du kleine Gans.«

»Hör auf«, sagte Annemarie, und als er trotzdem fortfuhr, schloß sie die Augen und wurde kreidebleich. Dann spürte Kiene plötzlich Ursulas Hand an der Schulter und hörte sie sagen: »Habt keine Angst. Wenn ihr mich nicht wegschickt, verrate ich euch nicht.«
»Es ist mir egal, was du tust«, sagte Kiene, und Annemarie sagte mit geschlossenen Augen: »Sag ihr, sie soll die Hand von meiner Schulter nehmen.«
»Ich dachte, das sei meine Schulter«, murmelte Kiene, und als Annemarie sich unter ihm aufbäumte, vernahm er einen kleinen Schrei in seinem Rücken. Er sank keuchend auf ihr zusammen, rollte sich dann schnell auf die Seite und sah Ursula mit schneeweißem Gesicht an der Tür stehen. Sie stammelte: »Ehrenwort, ich verrate euch nicht.«
»Wolltest du uns nur zuschauen?« fragte er.
»Nein«, antwortete sie. »Ich wollte . . .« Sie verstummte. Annemarie öffnete die Augen. »Was wolltest du?«
Wie in ohnmächtiger Wortlosigkeit schüttelte Ursula den Kopf, öffnete die Tür und lief hinaus. Sie hörten ihre Schritte vor dem Fenster. Annemarie sprang auf die Beine und sah ihr nach. Dann kehrte sie mit blassem Gesicht zu Kiene zurück, setzte sich mit zwischen den Beinen verschränkten Händen zu ihm und fragte: »Wie kommt sie hierher, Manfred?«
Er richtete sich auf, bückte sich nach seiner Hose und nahm Zigaretten heraus. »Sie muß bei ihrem Vater gewesen sein und mich zufällig gesehen haben. Anders kann ich es mir nicht erklären.«
»Dann ist sie dir auf dem ganzen Weg hierher nachgelaufen?« fragte Annemarie. Er zuckte mit den Schultern. »Ich habe mich nie umgesehen. Auf den Gedanken, daß sie mich verfolgen könnte, wäre ich nicht einmal im Traum gekommen. War es sehr unangenehm für dich? Ich konnte nicht mehr bremsen.«
»Ich auch nicht«, sagte Annemarie. »Als ich sie plötzlich an der Tür stehen sah, war mir alles egal. Was ist sie nur für ein Mensch? Ich verstehe dieses Mädchen nicht.«
»Sie hat einen Defekt«, sagte Kiene. »Ich weiß nur noch nicht, welchen. Vielleicht hängt er mit ihrem merkwürdigen Verhältnis zu ihrem Vater zusammen; ich sehe da noch nicht durch.« Er beugte sich zu ihr hinüber, küßte sie auf die Wange und sagte: »Es war trotzdem schön, und es tut mir nicht leid.«
»Mir auch nicht«, sagte sie. »Ich glaube fast, ich liebe dich ein bißchen, Manfred.«

»Tu das nicht«, sagte er. »Bis heute bin ich noch jeder davongelaufen. Einer wie ich kann sich an keine Frau binden.«
»Ich spreche von Liebe und nicht von Binden«, sagte sie und nahm ihm die Zigarette aus der Hand. Sie warf sie auf den Boden, legte die Arme um ihn und sagte: »Wenn sie tatsächlich den Mund hält, können wir uns noch oft sehen. Vielleicht ist sie nur eine, die gerne spannt. Verklemmt ist sie so oder so. Ich brauche dich, Manfred, und ihren Vater brauche ich auch. Aber ohne dich würde ich das bei ihm nicht durchstehen. Bei ihm hole ich mir das Geld, das ich brauche, um angenehm leben zu können, und bei dir hole ich mir die Liebe, ohne die ich es an seiner Seite nicht aushalten würde. Ich bin sehr froh, daß ich dich habe. Ob sie noch einmal hier auftaucht?«
»Das halte ich für unwahrscheinlich«, sagte Kiene. Er legte sie auf die Schultern, und sie küßten sich, bis ihre Erregung zurückkehrte. Diesmal hatte Annemarie keine Probleme, und als Kiene auf ihr zusammensank, hielt sie ihn eine Weile fest an sich gepreßt. Dann kümmerte sie sich um den Kaffee. Während sie ihn tranken, sagte Annemarie: »Meinetwegen könnte es, solange wir in der Klinik sind, jeden Tag regnen. Ich überlege mir noch immer, was im Kopf dieses Mädchens vor sich geht. Es ist jedenfalls nicht normal, daß sie dir, obwohl sie dir erlaubt, in einem Bett mit ihr zu schlafen, nichts erlaubt und dir dann trotzdem nachläuft. Das läßt eher darauf schließen, daß sie in dich verknallt ist und es nicht zugeben will.«
»Würde es dich jetzt stören, wenn ich mit ihr schlafe?« fragte Kiene. Sie schüttelte den Kopf. »An meiner Einstellung hat sich nichts geändert. Es könnte uns dann nur passieren, daß sie, wenn sie mit dir geschlafen hat, eifersüchtig wird. Ich bin jetzt fest davon überzeugt, daß sie es noch nie mit einem Mann hatte.«
Sie saßen nebeneinander auf der Bank und tranken von dem heißen Kaffee. Kiene betrachtete durch das Fenster die tiefhängenden Wolken und sagte: »Bei ihr kann auch etwas anderes dahinterstecken. Sie hat sich gestern abend ein eigenes Zimmer genommen.«
Annemarie blickte ihn rasch an. »Weshalb? Hast du es bei ihr versucht?«
»Ich habe sie vorher im Auto geküßt«, antwortete Kiene. »Es sah so aus, als würde sie keine Schwierigkeiten mehr machen. Frigid ist sie jedenfalls nicht.«
»Als sie vorhin meine Schulter berührt hat, war ihre Hand eis-

kalt«, sagte Annemarie. »Vielen Menschen passiert das, wenn sie stark erregt sind. Ihr Vater hat manchmal auch ganz kalte Hände. Er hat sich heute den ganzen Vormittag und auch zum Mittagessen nicht bei mir sehen lassen.«
»Hatte er einen besonderen Anlaß?« fragte Kiene. Sie wandte ihm das Gesicht zu. »Er hat es zweimal versucht und es nicht geschafft. Es ist nicht so, daß er impotent wäre, im Gegenteil, aber im entscheidenden Augenblick verläßt ihn anscheinend sein Selbstvertrauen. Einmal hat er sogar geflennt. Mir war das . . .« Sie schüttelte den Kopf. »Ich kann es dir nicht erklären. Es war fast wie auf der Intensivstation: die Leute, die dort liegen, tun dir leid, aber du kannst ihnen, wenn sie es nicht selbst schaffen, nicht helfen. Ich bin froh, daß ich mir das nicht mehr mit anzusehen brauche. Es hat mich jedesmal genervt, obwohl man mit der Zeit abstumpft. Früher konnte ich es kaum abwarten, älter zu werden. Seit ich im Krankenhaus arbeite, habe ich Angst davor.«
»Ich werde in absehbarer Zeit auch vierzig«, sagte Kiene und seufzte. Einen Augenblick lang wunderte er sich, wo all die Jahre geblieben waren. Annemarie streichelte seine Hand. »Da hast du noch viel vor dir, Manfred. War es für dich genauso wie für mich?«
»Ich weiß nicht, wie es für dich war«, sagte er. Sie küßte ihn und sagte: »Ich bin sonst empfindlich, und wenn ich dabei gestört werde, habe ich nichts davon. Als ich sie plötzlich an der Tür stehen sah, bin ich im ersten Moment fast zu Tode erschrocken. Aber du hast sie mich dann vergessen lassen.«
»Du mich sie auch«, sagte Kiene. »Wie kommt es, daß du so jungfräulich bist?« Sie lächelte. »Ich habe es nie übertrieben. Es hängt auch mit meiner Anatomie zusammen.«
»Du hast eine sehr hübsche«, sagte Kiene. Sie trank ihre Tasse leer und sagte: »Ich kann nicht länger wegbleiben, sonst vermißt er mich. Kommst du mit?«
»Allein schick ich dich bei diesem Regen nicht in den nassen Wald«, sagte Kiene.
Während sie sich anzogen, sagte sie: »Ich fände es für uns alle gar nicht schlecht, wenn du sie heiraten würdest. Wir könnten dann immer zusammenbleiben.«
»Zusammen mit ihr?« fragte Kiene. Sie streifte das Kleid über den Kopf und sagte: »Ich habe jetzt keine Angst mehr vor ihr. Ich glaube, ich weiß, wie ich mit ihr fertig werden kann.«

»Wie?« fragte Kiene. Sie lächelte nur. Er half ihr in den Trenchcoat und sagte: »In der Fabrik ist gestern einiges schiefgelaufen. Hat er mit dir darüber gesprochen?« Sie schüttelte beunruhigt den Kopf. »Kein Wort. Was war?«

»Ich erzähle es dir draußen«, sagte Kiene und schloß die Läden. Während sie dann im strömenden Regen unter ihrem Schirm den steinigen Weg hinabstiegen, erzählte er ihr alles und schloß: »Vielleicht hast du in geschäftlichen Dingen mehr Einfluß auf ihn als seine Tochter. Versuch es wenigstens einmal. Er macht mit seinen Kapriolen noch die ganze Firma kaputt; ich weiß nicht mehr, was in ihm vorgeht. Bis vor acht Tagen war er ein eiskalter Rechner, der genau wußte, wieviel er riskieren konnte.«

»Das macht dir Sorgen?« fragte sie. Er lachte unfroh. »Es ist noch immer mein Job, und ein gutbezahlter dazu. Was nach diesem kommt, weiß ich nicht.«

»Du hast mir nie etwas von dir erzählt«, sagte sie. Er legte den Arm um ihre Taille. »Es ist besser, du weißt nicht zu viel von mir. Ich habe mir erst vor ein paar Tagen wieder mal den Mund verbrannt.«

»Auch nicht, wie du zu ihm gekommen bist?« fragte sie. Kiene sagte: »Er hatte wegen eines Geschäftsführers inseriert. Ich las es zufällig, habe mich ohne große Erwartungen beworben und wurde von ihm eingestellt. Vermutlich war er schon damals auf der Suche nach einem geeigneten Schwiegersohn. Bis zum vergangenen Sonntag hat er keine wichtige geschäftliche Entscheidung getroffen, ohne sich nach meiner Meinung zu erkundigen. Am Montag morgen kam er ins Büro und drehte durch. Vielleicht kannst du ihn dazu bringen, dir etwas über seine Beweggründe zu erzählen.«

»Das glaube ich nicht«, sagte sie. »Ich habe ihn ein einziges Mal gefragt, was er im Büro so den ganzen Tag zu tun habe. Er wurde sofort unfreundlich und meinte, ich solle mich nicht um Dinge kümmern, von denen ich doch nichts verstünde. Versuchen kann ich's ja, aber ich glaube nicht, daß etwas dabei herauskommt. Hoffentlich taucht sein Anwalt bald hier auf, sonst sehe ich nach allem, was in der vergangenen Nacht war, auch für meine monatlichen siebentausend Mark schwarz.«

Er wandte ihr das Gesicht zu. »War noch mehr außer dem, was du mir bereits erzählt hast?«

»Ich möchte nicht darüber reden«, sagte sie. »Manchmal erinnert er mich an ein Kind, das mit seiner Puppe spielt. Ich bin jedenfalls erst beruhigt, wenn ich den Vertrag in der Tasche habe. Ich werde ihn dir, bevor ich ihn unterschreibe, zeigen, damit er mich nicht 'reinlegt. Ich traue ihm heute fast alles zu und habe deshalb auch schon ein wenig vorgebeugt. Als ich gestern einkaufen war, habe ich ein . . .« Sie brach ab und griff hart nach seinem Arm. »Ist er das nicht?«

Kiene hatte den Chef fast im selben Augenblick gesehen; er kam ihnen mit Hut, Mantel und Schirm auf dem schmalen, vielfach gekrümmten Weg entgegen, und er war, als sie ihn entdeckten, kaum mehr als dreißig Schritte von ihnen entfernt. Annemarie sagte mit heiserer Stimme: »Dann hat sie uns doch verraten, das kleine Aas!«

»Das glaube ich nicht«, sagte Kiene. Er sah blaß, aber ruhig aus. »Laß mich mit ihm reden. Öffne den Mund nur, wenn er dich etwas fragt.«

»Verdammt, was war ich blöd!« sagte sie. »Ich hätte mir denken können, daß er nicht im Zimmer auf mich wartet.«

Kiene nickte. »Ich mir auch. Sei jetzt still.«

Sie setzten, ohne ihre Schritte zu beschleunigen oder zu verlangsamen, ihren Weg fort, und als sie den Chef erreichten, sagte dieser zu Annemarie: »Geht beide auf mein Zimmer. Ich habe, wenn ich zurückkomme, mit euch zu reden.«

»Warum nicht gleich?« fragte Kiene. »Ich lasse mich nicht gerne auf die Folter spannen, und wenn Sie jetzt einen brauchen, der sich Ihretwegen die Hosen vollmacht, dann können Sie meine Person ausklammern. Sie haben mich auch nicht gebraucht, als Sie im Werk diesen Mist gebaut haben.«

Der Chef sagte kühl: »Ich habe Sie nicht um Ihre Meinung dazu gebeten.«

»Vielleicht wird Ihnen das eines Tages noch leid tun«, sagte Kiene. »Sie brauchen mir auch nicht zu kündigen; ich tue es hiermit selbst.«

»Sie werden abwarten, was ich dazu zu sagen habe«, erwiderte der Chef und ging weiter. Kiene blickte ihm unschlüssig nach. Dann schob er die Hand unter Annemaries Arm. »Anhören kostet nichts. Warum sollen wir ihm nicht die kleine Freude gönnen und seine Moralpredigt über uns ergehen lassen!«

Sie fragte mit blassem Gesicht: »Warum hast du das getan? Meinetwegen?« Kiene winkte ab. »Nicht nur. Gekündigt habe ich schon oft. Außerdem hat sich in den vergangenen Tagen so viel in mir angesammelt, daß ich mir Luft schaffen mußte. Falls er dir nachher dumm kommt, drohst du ihm damit, deine Memoiren an ein bekanntes deutsches Nachrichtenmagazin zu verkaufen. Das liest er nämlich selbst; muß eine spezifische Art von Masochismus deutscher Unternehmer sein.« Er lachte. »Obwohl der Redaktion eine einstweilige Verfügung fast ebenso schnell ins Haus stünde wie dein liebreizender Besuch. Er würde ein halbes Dutzend Anwälte gegen dich aufmarschieren lassen und dir nachweisen, daß du dir als seine Pflegerin unberechtigte Hoffnung gemacht und ihn, als nichts daraus wurde, verleumdet hättest.«

»Und wenn ich nachweisen kann, daß ich mehr war als nur seine Pflegerin?« fragte sie. Er blickte rasch in ihr Gesicht. »Kannst du es?«

»Wir reden in meinem Zimmer darüber«, sagte Annemarie.

Von der Schwester am Empfang wurden sie freundlich gegrüßt. Dr. Schneider begegneten sie diesmal nicht, und auch keinem Patienten.

Im Zimmer nahm Annemarie einen Schlüssel aus der Handtasche, schloß die Schranktür auf und ließ Kiene ein kleines Tonbandgerät sehen. »Als ich gestern das Gerät zufällig in einem Schaufenster gesehen habe, da habe ich es gekauft und in der vergangenen Nacht laufen lassen. Willst du seine Stimme hören?«

Kiene zögerte. »Würdest du es mir wirklich vorspielen?«

»Nein«, sagte sie. »Ich wollte dir nur beweisen, daß ich nicht ganz so wehrlos bin wie du glaubst. Ich möchte es auch nie mehr benutzen. Kannst du es mitnehmen und für mich aufbewahren?«

Kiene nickte beeindruckt. »Es ist besser, ich bringe es gleich zum Wagen, damit er es hier nicht findet.«

Als er zurückkam, saß Annemarie auf dem Bett und sagte: »Die Aufnahmen sind nicht sehr gut; trotzdem kann man fast jedes Wort verstehen. Ich hatte mit dem Mikrophon keine Erfahrung.«

Kiene ließ sich in einen Sessel fallen und fragte verwundert: »Und er hat das nicht mitbekommen?«

»Wie sollte er?« fragte sie. »Es war dunkel im Zimmer. Das Mikrophon hatte ich mit dem Tonband unter dem Bett und holte es erst hervor, als er sich zu mir legte. Da sind Dinge drauf, die würdest du bei einem Mann wie ihm nicht für möglich halten.«

»Jetzt schon«, sagte Kiene und musterte sie nachdenklich. »Ich habe dich, scheint mir, doch unterschätzt.«

Sie zuckte mit den Schultern. »Ich habe es erst getan, als er von

seinem Heiratsversprechen plötzlich abgerückt ist. Von der halben Fabrik, die ich bekommen sollte, war auch nicht mehr die Rede. Bevor er jetzt auch noch von den siebentausend Mark abrückt, wollte ich wenigstens eine kleine Sicherheit haben. Ich habe jetzt zwei Nächte mit ihm im Bett verbracht und will es nicht umsonst getan haben. Lieber lasse ich uns beide hochgehen. Meiner Mutter würde ich das so und so nicht erklären können. Wenn er mir jetzt eine Szene macht, sage ich ihm, daß ich ein Tonband von uns beiden habe.«
»Das wäre ein Fehler«, sagte Kiene. »Warte damit, bis es nicht mehr anders geht; du würdest ihn sonst nur vorzeitig warnen. Ich glaube auch nicht, daß er es auf dich abgesehen hat; eher auf mich, und wenn er . . .«
Er sprach nicht weiter, weil der Chef ins Zimmer kam, Hut und Mantel hatte er bereits abgelegt; er setzte sich Kiene gegenüber in einen Sessel, zündete sich eine Zigarre an und fragte: »Wo haben Sie sich mit Annemarie getroffen? Hier oder in der Hütte?«
»Wir sind uns vor der Klinik zufällig begegnet«, antwortete Kiene. Annemarie stand auf, stellte sich hinter Kiene und blickte von dort aus in das unbewegte Gesicht des Chefs. Dieser sagte: »Vor fast drei Stunden. Seitdem steht Ihr Wagen schon unten. Sie sollten sich eine bessere Ausrede einfallen lassen.«
»Ich werde mir einen Dreck einfallen lassen«, sagte Kiene mit gerötetem Gesicht. »Was wollen Sie hören?«
»Ob Sie mit ihr geschlafen haben«, antwortete der Chef. »Haben Sie es getan?«
»Ich habe nicht vor, Ihnen darauf zu antworten«, sagte Kiene. »Ziehen Sie meinetwegen die Konsequenzen daraus.«
»Trotzdem frage ich Sie noch einmal«, sagte der Chef. »Haben Sie mit Annemarie geschlafen?«
»Mit wem sollte sie es sonst . . .« Kiene verstummte. Er hatte sich hinreißen lassen. Der Chef verfärbte sich. Er stand auf und verließ das Zimmer. Kiene blickte ein paar Sekunden lang die Tür an, dann sagte er zu Annemarie: »Es ist besser, du verschwindest von hier. Vielleicht beruhigt er sich später wieder. Nimm nur mit, was in deine Handtasche paßt. Du darfst, falls du noch einml zurückkommst, hier kein Aufsehen erregen. Das Tonband kannst du, wenn sich herausstellt, daß er unversöhnlich bleibt, dann immer noch ausspielen.«
Sie nickte stumm, zog noch ein zweites Kleid und am Schluß den Mantel über.

Sie verließen, ohne angesprochen zu werden, die Klinik, und Kiene fuhr mit ihr direkt zum Hotel. Er half Annemarie aus dem Wagen, nahm das Tonbandgerät mit und öffnete, als sie zwei Minuten vergeblich am Empfang gewartet hatten, die Tür zum Büro. Er murmelte eine Entschuldigung, schloß die Tür wieder und wandte sich geistesabwesend nach Annemarie um. »Was hast du?« fragte sie. Er fuhr sich mit der Hand über das Gesicht und murmelte: »Nichts. Sie wird gleich kommen.«
Tatsächlich kam Frau Rombach mit geröteten Wangen aus dem Büro und sagte mit verlegenem Lächeln: »Sie sind es, Herr Kiene!«
»Mit Ihrer freundlichen Erlaubnis«, sagte er. »Haben Sie für Fräulein Steidinger noch ein Zimmer?«
»Aber leider nur noch bis Sonntag abend«, sagte Frau Rombach und gab Kiene einen Schlüssel. Er bedankte sich und sagte: »Länger werden wir auch kaum bleiben. Bitte grüßen Sie Herrn Kolb von mir.«
Diesmal errötete sie bis zu den Haarwurzeln, sagte jedoch gleichbleibend freundlich: »Das werde ich gerne tun, Herr Kiene.«
Als sie die Treppe hinaufstiegen, fragte Annemarie: »Wer ist Herr Kolb? Der Name kommt mir bekannt vor.« Kiene grüßte einen ihm unbekannten Gast auf der Treppe und sagte: »Anscheinend ihr Hausfreund. Ich habe das selbst nicht gewußt.« Sie blickte ihn verwundert an. Im Zimmer sagte sie: »Ob Ursula im Hotel ist?«
»Der Mercedes stand unten«, sagte Kiene. »Leg dich eine halbe Stunde hin. Ich hole dich zum Essen ab.« Es fiel ihm auf, daß sie nasse Augen hatte. Er fragte betroffen: »Was fehlt dir?«
»Ach nichts«, sagte sie und setzte sich aufs Bett. »Vielleicht bin ich ein bißchen blöd; er tut mir leid. Ich meine, wir können uns, wenn man noch so jung ist wie wir, leicht über ihn lustig machen.«
»Ich fühle mich heute überhaupt nicht jung«, sagte Kiene und setzte sich zu ihr. Er griff nach ihrer Hand. »Das ist doch nicht sein individuelles Problem, Annemarie. Ich hoffe, ich finde, wenn ich mal so alt bin wie er, auch eine wie dich, die sich meinetwegen Gedanken macht. Daß ich mich vorhin habe hinreißen lassen, war nicht fair. Er hat mich aber provoziert. Er provoziert mich, seit ich für ihn arbeitete. Für ihn sind Menschen nur Schachfiguren, die er nach Belieben hin und her bewegen kann.

Möglich, daß er verbittert ist. Das sind heute die meisten, nur mit dem Unterschied, daß nicht alle die Möglichkeit haben, ihre Komplexe oder was sonst dahintersteckt, an anderen, die auf sie angewiesen sind, abzureagieren. Ich glaube nicht, daß er es verdient, sich seinetwegen den Kopf zu zerbrechen. Es war seine Idee, dich an ihn zu binden. Oder hast du dich ihm aufgedrängt?«
»Wofür hältst du mich?« fragte sie. Er streichelte ihre Wange. »Paß auf, damit du dich seinetwegen nicht verrückt machst.«
»Ich habe vorhin vielleicht übertrieben«, sagte sie. »Es war heute nacht gar nicht so schlimm. Ich hatte hinterher nur so etwas wie einen Katzenjammer, und der ist mir den ganzen Tag nachgegangen. Beeil dich; ich habe Hunger.«
»Dann geht es dir schon wieder besser«, sagte Kiene erleichtert und suchte sein Zimmer auf. Dort wurde er von Ursula erwartet; sie lag rauchend auf dem Bett und sagte: »Den Schlüssel habe ich mir von Frau Rombach geben lassen. Herr Kolb war hier und hat nach dir gefragt.«
»Hast du dich ihm vorgestellt?« fragte Kiene. Sie nickte. »Als Ingeborg Wurz. Es geht ihn nichts an, wer ich bin und daß ich mich in deinem Zimmer aufhalte. Soll er von mir denken, was er will.«
Kiene legte das Tonbandgerät in den Schrank und sagte: »Ich habe Annemarie mitgebracht. Wir sind auf dem Rückweg deinem Vater begegnet. Er wollte wissen, ob ich mit ihr geschlafen habe.«
Sie richtete sich rasch auf. »Was hast du ihm geantwortet?«
»Ihm den Job hingeworfen«, sagte Kiene. »Was ist eigentlich aus deiner Mutter geworden? Lebt sie nicht mehr?«
»In Südfrankreich«, antwortete Ursula. »Sie hat dort ein Bordell; mein Vater hat es ihr finanziert.« Kiene lächelte müde. »Das ist ungemein witzig.«
»Vielleicht für dich«, sagte Ursula. »Sie war schon als Zwanzigjährige, als mein Vater sie in sein Hotelzimmer kommen ließ, in diesem Gewerbe tätig. Er hat sie dann später, weil sie ihm gefiel, noch öfter zu sich kommen lassen. Irgendwie muß sie herausgefunden haben, wer er ist. Sie ließ sich von ihm ein Kind verpassen und hat ihn dann ausgenommen. So was konnte auch nur einem Mann passieren, der es sich, wie auch du, in den Kopf gesetzt hatte, ledig zu bleiben. Als ich zur Welt kam, schaltete er einen Anwalt ein, adoptierte mich und ließ meine Mutter mit einer sehr

großen Summe abfinden. Bevor ich in ein Internat kam, wuchs ich bei Pflegeeltern auf. Daß meine Mutter heute in Südfrankreich lebt, habe ich durch Zufall erfahren. Ich hatte mich nie für sie interessiert.«

Kiene blickte sie eine Weile stumm an. Dann fragte er: »Warum erzählst du es mir gerade jetzt?«

»Damit du weißt, wen du heiraten würdest, wenn ich dumm genug wäre, ausgerechnet dich zu heiraten«, sagte sie. »Früher schlief mein Vater nur mit solchen Frauen. Als ihm dann die Sache mit mir passierte, spielte er längere Zeit gebranntes Kind. Mit sechzig erwischte ihn eine Torschlußpanik, und er wollte unbedingt heiraten. Ich habe ihm die Frauen, die er da aufgelesen hat, zum Glück jedesmal wieder ausreden können. Bei Annemarie ist das was anderes: die will er nicht heiraten. Als du mir auf der Fahrt hierher von ihr erzählt hast, wußte ich das noch nicht. Daß er mit ihr schläft, dagegen habe ich nichts einzuwenden.«

»Mir hat er gesagt . . .« begann Kiene. Sie schnitt ihm das Wort ab: »Was er dir gesagt hat, ist unwichtig. Er hat dir auch erzählt, daß er geschieden sei; das erzählt er allen. Wenn ich wirklich auf die Idee käme, dich zu heiraten, müßte Annemarie noch am selben Tag verschwinden. Ich weiß, daß ich nicht besonders hübsch bin. Die Männer, die bis heute mit mir schlafen wollten, waren entweder nur auf das Geld meines Vaters oder auf eine rasche Tour aus. Für so was war ich mir zu schade. Bis vor drei Jahren wollte ich von Männern überhaupt nichts wissen. Ich verachtete sie. Dann begegnete ich einem, in den ich mich verliebte. Als ich ihm von meiner Mutter erzählte, bekam er es mit der Angst zu tun; er kam aus einer stinkfeinen schweizerischen Familie. Seitdem war bei mir, was Männer betrifft, der Ofen aus. Kann sein, daß ich inzwischen ein bißchen verkorkst bin. Du bist doch eine Kapazität auf diesem Gebiet? Gestern abend ist bei mir etwas schiefgelaufen. Ich hatte den Komplex, dir nicht sagen zu können, daß ich noch nie mit einem Mann geschlafen habe. Willst du es heute tun?«

Kiene blickte sie wieder an. Dann fragte er: »Willst du es?«

»Ja«, sagte sie und drückte ihre Zigarette aus. »Aber zuerst möchte ich, daß Annemarie das Hotel verläßt. Schick sie zu meinem Vater zurück.«

»Das geht nicht«, sagte Kiene. »Ich habe sie hierher gebracht. Außerdem lasse ich mir nicht gerne vorschreiben, was ich tun und lassen soll.«

»Und wenn ich dich darum bitte?« fragte sie ruhig.
Er verließ das Zimmer. Auf dem Flur begegnete er Annemarie. Sie sagte: »Ich wollte eben nach dir schauen. Bist du mir sehr böse, wenn ich zu ihm zurückgehe? Er hat mich angerufen und sich entschuldigt. Er sagte, er sei unglücklich ohne mich, er hat . . .« Sie verstummte einen Augenblick. »Er hat am Telefon fast geweint«, sagte sie dann.
»Ich bringe dich zu ihm«, sagte Kiene.
»Hans wartet schon unten auf mich«, sagte sie. »Er hat ihn verständigt. Ich rufe dich wieder an, Manfred. Ja?« Er nickte. Sie küßte ihn rasch und lief davon. Er kehrte in sein Zimmer zurück und sagte: »Dein Vater hat Annemarie angerufen. Herr Maier bringt sie zu ihm.«
»Ich habe es nicht anders erwartet«, sagte sie. »Dich wird er auch noch anrufen, dafür sorge ich.« Kiene setzte sich zu ihr aufs Bett.
»Wenn du so großen Einfluß auf ihn hast, könntest du ihn sicher auch dazu bringen, daß er endlich damit aufhört, Betriebsrat und Belegschaft durch die Mangel zu drehen.«
»Warum sollte ich das tun?« fragte sie gleichgültig. Kiene schüttelte den Kopf. »Du bist genauso verrückt wie er.«
Sie wurde unvermittelt heftig: »Ich scheiß auf die Fabrik, verstehst du? Meinetwegen könnte er sie lieber heute als morgen verkaufen. Ich habe es satt, immer nur als Tochter eines Klopapierfabrikanten belächelt zu werden. Es steht mir bis da oben!« Sie zeigte ihm, bis wohin es ihr stand, und setzte hinzu: »Wenn ich mich als Kind dagegen hätte wehren können, hätte ich mir niemals diesen Drecksnamen anhängen lassen. Deiner fällt wenigstens nicht auf. Dich bringt keiner automatisch mit der Fabrik deines Vaters in Verbindung. Bei mir ist das anders.«
»Aber sein Geld stört dich nicht?« fragte Kiene. »Vielleicht wartest du darauf, daß ich dich bemitleide. Wieso bist du mir heute mittag nachgelaufen?«
Sie schwieg.
Er griff nach ihrem Kinn und zwang sie, ihn anzuschauen. »Gestern abend hätte ich ganz gern mit dir geschlafen«, sagte er. »Jetzt habe ich keine Lust mehr. Du bist mir zu schwierig.«
»Hast du dich heute mittag verausgabt?« fragte sie. »Ich dachte, bei dir gäbe es so etwas nicht. Ich möchte es endlich hinter mich bringen, und zwar mit einem, der mir nichts bedeutet. Überleg es dir nicht zu lange.«
»Tut mir leid«, sagte er. Sie musterte ihn eine Weile prüfend,

dann stand sie auf, schloß die Tür ab und ließ das Kleid fallen. Mehr hatte sie auch nicht auszuziehen. Sie legte sich neben ihn und sagte: »Sei kein Spielverderber.«
»Das ist kein Spiel mehr«, sagte er mit belegter Stimme. Sie winkelte, während sie ihm in die Augen sah, das rechte Bein an und sagte: »Gespielt haben wir jetzt lange genug, Manfred.«

20

Derweil Michael Kolb sich mit Luise Rombach beschäftigte, oblag Meissner die wesentlich undankbarere Aufgabe, den Betriebsrat und die Gewerkschaftsvertretung über das bestürzende Ergebnis von Kolbs Gespräch mit dem Firmeninhaber zu informieren. Dies geschah am Freitag morgen im Konferenzzimmer des Verwaltungsgebäudes nach einer stürmisch verlaufenen Aussprache über die gestrige Fernsehsendung.
Einer der beiden Gewerkschaftsfunktionäre, ein hagerer Mann mittleren Alters mit korrekter Scheitelfrisur, stand auf und sagte: »Wir haben uns jetzt alles angehört, meine Kollegen. Im Namen der Gewerkschaft muß ich den von Herrn Dr. Meissner vorgebrachten Bedenken gegen eine Fortsetzung des Streiks beipflichten. Andererseits ist die Reaktion unserer Mitglieder auf die Einführung einer Vier-Tage-Arbeitswoche in den Rectanus-Werken so einhellig negativ, daß wir uns außerstande sehen, sie zu ignorieren. Ihr wißt so gut wie ich, daß dies im Hinblick auf die ausländische Konkurrenz, wo unsere Kollegen zum Teil noch unter Bedingungen arbeiten, die an das finstere Mittelalter gemahnen, zu katastrophalen Folgen für die Sicherheit der Arbeitsplätze führen müßte. Die Industriegewerkschaft Chemie, Papier und Keramik hat sich immer für eine vertretbare Arbeitszeitverkürzung stark gemacht. Erinnert euch doch nur an die letzte Urlaubszeitverlängerung! Es wird unser Bestreben sein, früher oder später auch die Vier-Tage-Arbeitswoche allgemein durchzusetzen. Dies kann aber nicht im Alleingang eines Unternehmers geschehen, zumal wir Anlaß haben, an der Ehrbarkeit seiner Motive zu zweifeln. Jetzt möchte ich doch einmal eine Frage an die Herren der Geschäftsleitung richten. Ist eigentlich von seiten der Unternehmensleitung für den Fall, daß die Belegschaft an dem sogenannten freien Arbeitstag trotzdem zur Arbeit kommt, eine Aussperrung geplant?«
Meissner, der keine Ahnung hatte, besprach sich hinter vorge-

haltener Hand mit Weckerle und antwortete dann: »Für diesen Fall liegen von Herrn Rectanus noch keine Direktiven vor.«
Der Funktionär, ein Mann namens Schmitt, nickte, als habe er keine andere Antwort erwartet. Er sagte zu allen: »Dann schlage ich dem Betriebsrat vor, daß die Geschäftsleitung bei Herrn Rectanus nachstößt und diese Frage abklärt. Möglichst sofort. Er ist doch sicher telefonisch zu erreichen?«
»Ich erledige das«, sagte Meissner und stand auf. Als er zurückkam, sagte er: »Ich habe Herrn Rectanus erreicht. Er besteht darauf, daß donnerstags die Fabriktore wie an jedem arbeitsfreien Tag geschlossen bleiben.«
Schmitt wollte aufstehen, wurde jedoch durch Weckerle daran gehindert; dieser sagte: »Es ist jetzt ganz offensichtlich, Herr Schmitt, daß es der Chef auf eine Provokation der Belegschaft abgesehen hat. Die Frage ist nur: Muß sie sich unbedingt provozieren lassen?« Schmitt runzelte die Stirn: »Wie meinen Sie das?«
»Ganz einfach«, sagte Weckerle leise. »Wenn ein kleiner Teil der Belegschaft am nächsten Mittwoch abend im Werk bleibt, kann sie auch ohne Fortsetzung des Streiks verhindern, daß die Tore geschlossen und die Anlagen stillgelegt werden.«
Schmitt dachte darüber nach, dann schüttelte er den Kopf. »Diese Lösung wäre nur dann diskutabel, wenn Klarheit darüber bestünde, daß Herr Rectanus nicht verkaufen will. Solange er diese Drohung nicht zurücknimmt, wird die Belegschaft, wie ich sie einschätze, seiner Erpressung, denn um etwas anderes handelt es sich nicht, auf keinen Fall nachgeben. Tut mir leid, Herr Weckerle.«
»Mir auch«, sagte Weckerle und schneuzte in ein Taschentuch. Schmitt sagte zu allen: »Es ist die Absicht von Herrn Rectanus, die Fabriktore am Mittwoch abend zu schließen und erst wieder Freitag morgens zu öffnen. Weil er auch kein verbindliches Dementi der Verkaufsabsichten gegeben hat, wird die Bezirksleitung dem Verbandsvorstand jetzt empfehlen, bis zum Widerruf der derzeitigen Chefanordnungen den Weg für Kampfmaßnahmen freizugeben. Ich glaube, damit können wir die heutige Sitzung beenden.«
Die Betriebsratsangehörigen erhoben sich erregt von ihren Plätzen. Kirschner kam zu Meissner und Weckerle und sagte verdrossen: »Ich habe es zu verhindern versucht, aber die Leute sind nicht mehr zu halten. Was werden Sie jetzt tun?«

»Däumchen drehen«, antwortete Weckerle. »Herr Meissner kann inzwischen seinen Computer befragen, wie teuer uns jeder Streiktag zu stehen kommt, und Herr Kolb wird, wenn er wieder da ist, Beruhigungsbriefe an die Kundschaft verfassen. Wissen Sie etwas Besseres für uns? Wenn die Fabrikationsanlagen in Halle 3 länger als fünf Tage stilliegen, können wir uns nach neuen umsehen. Für Sie wäre das jetzt eine günstige Gelegenheit, mit Ihrem Betriebsrat einen größeren Betriebsausflug zu machen.«
»Ich habe genug andere Sorgen«, meinte Kirschner und verabschiedete sich mürrisch. Meissner wartete, bis er mit Weckerle allein war, dann sagte er: »Das vorhin habe ich nicht verstanden, Herr Weckerle. Stehen Sie nun eigentlich auf unserer Seite oder auf der des Betriebsrats?«
Weckerle lächelte. »Wo würden Sie mich denn am liebsten sehen? Habe ich etwas verpatzt?«
»Nun ja.« Meissner betrachtete durch das Fenster angestrengt den wolkenverhangenen Himmel. »Wenn Sie als Geschäftsführer schon von einer Provokation durch den Chef sprechen und den Leuten dazu noch Empfehlungen geben, die sich gegen seine Anordnungen richten . . . Ich weiß nicht.«
»Auch Sie werden eines Tages entscheiden müssen, auf welcher Seite Sie stehen«, sagte Weckerle. »Einerseits wissen gerade Sie am allerbesten, wohin uns diese hundsföttischen Kapriolen des Chefs innerhalb kürzester Zeit führen werden – andererseits verwahren Sie sich gegen jedes kritische Wort zu seinen verrückten Anordnungen.«
Meissner sagte abweisend: »Wenn der Chef von Ihren Äußerungen erfahren sollte, sind Sie ein toter Mann, Herr Weckerle.«
»Das sind Sie schon lange«, sagte Weckerle. »Sie haben es nur noch nicht gemerkt.«
Er ließ ihn allein und ging in sein Büro. Dort sagte er zu seiner Sekretärin: »Fahr schon voraus und wärm die Betten an. Falls du nichts Besseres vorhast, machen wir uns heute einen schönen Tag.« Sie küßte ihn lachend. »Was sollte es außer dir schon Besseres geben?«
»Ich kann es mir auch nicht vorstellen«, sagte er. »Verbinde mich vorher noch mit Sibylle, Angelika. Ich muß ihr Bescheid sagen. Sie ist zur Zeit ganz allein.«
»Ist sie das nicht immer, wenn du nicht zu Hause bist?« fragte sie verwundert. Er lächelte nur. Während sie die Verbindung herstellte, streichelte er unter dem Kleid ihr Gesäß. Sie sagte:

»Guten Tag, Frau Weckerle, Ihr Gatte möchte Sie sprechen.«
Sie gab ihm den Hörer, setzte sich auf den Schreibtisch und hörte ihm lächelnd zu. Er sagte: »Hübsches, warte nicht mit dem Essen auf mich. Hier geht alles ein bißchen drunter und drüber. Wie geht es dir?« Aus Sibylles Antwort konnte er entnehmen, daß es ihr gutging. Er fragte: »Warum fährst du nicht ein bißchen zur Hütte 'raus, das würde dich ablenken.«
Er legte auf und sagte zu Angelika: »Kauf unterwegs was für ein Picknick ein. Du weißt ja, was ich mag.«
»Wird gemacht, Schatz«, sagte sie und küßte ihn wieder.
Er fand zum ungezählten Male, daß er mit ihr eine vorzügliche Wahl getroffen hatte. Sie war zwar schon neunundzwanzig, aber noch immer zum Anbeißen, ein gertenschlankes, rotblondes Mädchen mit einem kleinen Leberfleck neben der hübschen Nase. »Hast du hier nichts mehr für mich?« fragte sie. Er schüttelte den Kopf. »Laß alles so liegen. In den nächsten Tagen haben wir genügend Zeit, den Schreibtisch aufzuräumen. Sie wollen einen Streik von unbefristeter Dauer beschließen.«
»Meinetwegen«, sagte sie und zog den Mantel an. Sie fragte: »Was soll ich einkaufen? Hühnchen?«
»Darauf habe ich Appetit«, nickte Weckerle. Er beschäftigte sich, nachdem sie gegangen war, noch zehn Minuten am Schreibtisch, telefonierte kurz mit seinem Assistenten und schloß das Büro dann sorgfältig ab. An der Pforte hielt er den Wagen an und sagte zu Fritz Arnauer: »Wissen Sie es schon?«
Arnauer blickte ihn stumm und blaß an.
»Sie kriegen ein blaues Briefchen«, sagte Weckerle. »Der Betriebsrat hat der Personalabteilung bereits grünes Licht gegeben. Was haben Sie sich eigentlich bei diesem Interview gedacht?«
»Ich habe auch nicht mehr gesagt als alle anderen«, antwortete Arnauer verstört. Weckerle lächelte. »Auf dem Bildschirm hat sich das ganz anders angesehen und angehört. Tut mir leid, Arnauer. Ich konnte nichts mehr für Sie tun. Auch Herr Kirschner nicht; er wurde überstimmt, und Ihren Freund, den Dr. Huber, hat man zu der Sitzung gar nicht erst zugelassen. Tut mir wirklich leid für Sie.«
»Das lasse ich mir nicht gefallen«, sagte Arnauer und lief zum Tor hinaus. Weckerle fuhr ihm nach. Draußen sah er ihn bei einigen Männern stehen und, heftig gestikulierend, auf sie einreden. Als Weckerle bei ihnen Fotoapparate und bei den abgestellten Autos auch einen roten Kombi bemerkte, trat er das Gaspedal durch

und ließ den großen hellblauen Mercedes davonschießen. Innerhalb weniger Sekunden hatte er sie aus dem Rückspiegel verloren und atmete erleichtert auf.
Auf der Fahrt zur Hütte beschäftigten sich seine Gedanken mit den Ereignissen im Werk. Er war kein Mann, der in sorgenvollen Zeiten sein Herz auf der Zunge trug, und immer dann, wenn er sich den Anschein gab, als berührten ihn Vorgänge, die unmittelbar seine Existenz betrafen, nur oberflächlich, nahm er nicht weniger Anteil an ihnen als seine Kollegen Kolb und Meissner. Aber Weckerle hatte gelernt, berufliche Veränderungen mit der Gelassenheit eines Mannes ins Auge zu fassen, der eine nicht geringe Meinung von seinen fachlichen Qualitäten besitzt. Auch wenn er nicht mehr zu den Jüngsten zählte, war er sich der Wirkung seiner äußeren Erscheinung noch ebenso sicher wie der Tatsache, daß qualifizierte Diplom-Ingenieure mit der langjährigen Erfahrung eines Geschäftsführers auch in der freien Marktwirtschaft nicht wie Sand am Meer zu finden waren. Es gab nur eines, das Ferdinand Weckerles Gemüt verdüstern konnte: er war überdurchschnittlich wetterfühlig, und wenn der Himmel so verhangen war wie heute, neigte er zu Depressionen, die er jedoch durch angenehme Zerstreuungen zu eliminieren vermochte. So auch jetzt, und je näher er seinem Wochenendhaus kam und je ausgiebiger sich seine Gedanken bereits mit dem kommenden Wochenende beschäftigten, das ihn nicht, wie er es Sibylle erzählt hatte, beruflich nach Frankfurt, sondern mit Angelika in ein gemütliches Hotel im Bayerischen Wald führen sollte, wo er schon öfter ein Wochenende mit ihr verbracht hatte, desto mehr verloren sich die aktuellen beruflichen Probleme aus seinem Bewußtsein. Als er das Wochenendhaus erreichte, war er bereits wieder bei bester Laune. Er stellte den Wagen auf dem kleinen Parkplatz hinter der Hütte ab, schloß sie auf, öffnete die Läden und sorgte zuerst für eine angenehme Innentemperatur. Vom Fenster aus beobachtete er eine Weile, wie der strömende Regen den dunkelgrünen Waldsee in einen brodelnden Geiser unzähliger winziger Fontänen verwandelte. Der Anblick weckte in ihm Jugenderinnerungen an Zeltnächte, als der Regen auf die nassen Planen getrommelt und er im Schlafsack seinem monotonen Lied gelauscht hatte. Als er Angelika in ihrem grasgrünen VW vorfahren sah, wischte er sich das Bild mit einer raschen Bewegung aus den Augen und öffnete ihr die Tür. Sie schleppte eine schwere Einkaufstasche und sagte:

»Es müssen Leute in der Nähe sein; ich habe auf einem Waldweg ein Auto stehen sehen.«

»Sicher Waldarbeiter oder Förster«, sagte Weckerle und nahm ihr die Tasche ab. Sie sagte: »Ja, so ein Auto könnte es gewesen sein; ich habe es nicht richtig sehen können. Es ist schon prima warm hier. Ich habe zwei Hähnchen und für den Kaffee auch Kuchen mitgebracht.«

»Du bist ein Engel«, sagte Weckerle und ging mit ihr in die Küche. Er hatte plötzlich Hunger und sagte: »Wir können gleich essen, dann haben wir es hinter uns und sind den ganzen Nachmittag ungestört.«

»Und das ganze Wochenende«, sagte sie zufrieden. »Ich freue mich sehr darauf, Ferdinand. Furth gefällt mir gut; es ist ein netter Ort. Machst du den Herd an?«

»Für dich tue ich alles, mein Hübsches«, sagte er. Es fiel ihm ein, daß beim letzten Aufenthalt in der Hütte die Gasflasche im Keller fast leer gewesen war. Dabei fiel sein Blick zufällig zum Fenster. Er verstummte mitten im Satz und starrte angestrengt hinaus. »Was ist?« fragte Angelika verwundert. Weil er sich seiner Sache nicht ganz sicher war und er sie nicht unnötig beunruhigen wollte, sagte er: »Nichts. Ich habe meine Zigaretten im Auto liegenlassen.« Er verließ die Hütte, umrundete sie vorsichtig und spähte hinter einer Ecke hervor zum Waldrand jenseits des Sees. Diesmal konnte er den Mann deutlich erkennen. Er stand neben einem dicken Baum und blickte mit einem Fernglas herüber. Kurz darauf entdeckte Weckerle einen zweiten, der von dem Baum halb verdeckt wurde. Er kehrte zu Angelika zurück und sagte: »Wir haben Besuch. Vielleicht sind es nur zwei Spanner, aber auch dann wäre es unangenehm genug. Ich werde mir die Burschen mal ansehen.«

Sie griff bestürzt nach seinem Arm. »Tu das nicht, Ferdinand; es ist zu gefährlich. Du weißt nicht, wer sie sind und was sie vorhaben.«

»Eben das möchte ich erfahren«, sagte er und tätschelte beruhigend ihre Hand. »Mach dir keine Sorgen; ich paß schon auf. Wenn wir nichts gegen sie unternehmen, werden wir sie vielleicht so schnell nicht los.«

»Mir ist trotzdem nicht wohl dabei«, sagte sie. Er lachte. »Mir auch nicht, aber ich lasse mir nicht gern ins Schlafzimmer schauen. Sei ein kleiner Held, und wenn es schießt, dann erschrick nicht; das bin nur ich.«

»Du hast eine Waffe?« fragte sie erleichtert.
»Eine Schrotflinte; der Vorbesitzer hat sie mir als Souvenir hiergelassen.« Er holte das Gewehr aus einer Abstellkammer, vergewisserte sich, daß es mit zwei Patronen geladen war, und verließ das Haus. Die Tür war auf der dem See abgewandten Seite der Hütte, und da kaum zu befürchten war, daß die heimlichen Beobachter den See inzwischen schon umgangen haben könnten, fühlte er sich hier vor ihren Blicken sicher. Während er noch überlegte, wie er sich ihnen unbemerkt nähern könnte, vernahm er plötzlich ein eigenartiges, sich rasch wiederholendes Geräusch. Es hörte sich an wie der Auslöser einer Kamera mit Motorantrieb. Er fuhr herum und sah unmittelbar an der rechten Hausecke einen Mann mit einem Fotoapparat stehen, der eine Aufnahme nach der anderen von ihm schoß. Als Weckerle, mehr einem Reflex als einer Absicht folgend, das Gewehr hochnahm, verschwand er blitzartig. Weil es sich unmöglich um einen der beiden Männer handeln konnte, die er vor wenigen Augenblikken noch jenseits des Sees bemerkt hatte, wurde es für Weckerle offensichtlich, daß es sich um mindestens drei Personen handeln mußte. Die vierte entdeckte er kurz danach, als er das Haus mit großen Schritten in der entgegengesetzten Richtung umrundete, er hoffte, der Flüchtende werde ihm auf diese Weise in die Arme laufen. Statt dessen sah er einen anderen, den er bisher noch nicht gesehen hatte, geduckt unter dem Wohnstubenfenster stehen, und diesen kannte Weckerle. Auch der fünfte, der ihm fast im selben Augenblick mit einer Fernsehkamera beinahe über die Füße gestolpert wäre, erwies sich für Weckerle als kein Unbekannter, und diesmal zögerte er nicht, einen Warnschuß abzugeben.
Die Wirkung war verblüffend; er sah fünf oder sechs Männer fast gleichzeitig vom Haus weg in den Wald laufen. Damit sie ihren Gang noch etwas beschleunigten, gab er einen zweiten Schuß ab. Obwohl er diesen, genauso wie den ersten, in eine Richtung feuerte, die keinem der Flüchtenden gefährlich werden konnte, ertönte ein lauter Schrei, und als er betroffen hinschaute, sah er einen Mann in hüpfender Gangart und mit an das Gesäß gepreßten Händen zuerst aus dem Wald heraus und dann wieder in den Wald hineinlaufen. Er vernahm erregte Stimmen, besorgte Rufe, die sich jedoch, wie es den Anschein hatte, von ihm entfernten. Sekunden später war nur das Rauschen des Regens auf dem grünen Blätterdach der Bäume zu hören. Trotzdem blieb Weckerle

noch eine Weile lauschend stehen, dann kehrte er hastig zu Angelika zurück, die ihn mit blassem Gesicht in der Wohnstube erwartete. Er sagte: »Wir müssen verschwinden. Ich glaube, ich habe einen getroffen.«
»Wer war es?« fragte sie bestürzt. Weckerle grinste unfroh: »Einer vom deutschen Medienwald. Ich verstehe überhaupt nicht, was die von mir wollen. Ich bin doch an dem, was da im Werk geschieht, völlig unbeteiligt. Pack die Hähnchen wieder ein, damit Sibylle sie nicht findet! Und laß um Gottes willen keine Haarnadel oder sonstwas liegen; wenn sie 'rauskriegt, daß wir es ausgerechnet hier treiben, wird sie stocksauer.«
»Ich verwende gar keine Haarnadeln«, sagte Angelika und fing hastig an zu packen. Er sagte: »Es bleibt bei morgen vormittag; ich hole dich gegen neun ab. Diese Scheißer haben mir den ganzen Tag versaut. Geknipst und gefilmt haben sie mich auch. Ich hätte gar nicht erst das Haus verlassen, sondern gleich aus dem Fenster schießen sollen. Bist du noch nicht fertig?«
»Ja, ja«, sagte sie nervös. »Mein Gott, ich kann nicht hexen! Wo habe ich nur mein Dingsda?« Sie lief konfus ins Wohnzimmer und sagte beim Zurückkommen: »Ich hab's. Wir können gehen.«
»Na, dann Gott sei Dank«, sagte Weckerle und stürmte aus dem Haus. Vor der Hütte fiel ihm ein, daß er das Gewehr nicht weggeräumt und die Läden nicht geschlossen hatte. Er lief noch einmal hinein und sagte dann: »Fahr immer dicht hinter mir her; egal, was auch kommt!«
»Ja,ja«, sagte sie aufgeregt. Er wendete auf dem kleinen Parkplatz und folgte dem Seeuferweg in den grünen Wald, wo viele Vögel sangen und der Regen von den Bäumen tropfte. Der Boden war aufgeweicht, Weckerle mußte, damit die Räder nicht durchdrehten, ganz langsam fahren. Etwa fünfhundert Meter weit ging alles gut. Dann sah er einige Männer am Wegrand stehen und auf einem Seitenweg den roten Kombi und zwei andere Wagen. Geistesgegenwärtig schaltete er in den Rückwärtsgang, gab behutsam Gas und konnte trotzdem einen heftigen Zusammenprall mit Angelikas Volkswagen nicht verhindern. Er hatte sie in seinem Schock über den Anblick der Männer einen Augenblick lang völlig vergessen gehabt. Sie kletterten beide aus ihrem Auto und blickten zuerst auf die demolierten Wagenteile und sich dann stumm in die Augen. Schließlich sagte Weckerle: »Es war meine Schuld. Du große Scheiße! Wo nehm ich jetzt für

morgen einen anderen Wagen her! Mit dem können wir doch nicht mehr fahren!«
»Meiner sieht noch schlimmer aus als deiner«, sagte Angelika mit käsigem Gesicht. »Hast du mich vielleicht erschreckt!«
»Ich mich auch«, sagte Weckerle und wischte sich den strömenden Regen aus dem Gesicht. Mandel kam zu ihnen und sagte gehässig: »Sie können von Glück sagen, daß die Streuung auf diese Entfernung schon so groß war, sonst könnte er jetzt genausogut lebensgefährlich verletzt oder sogar tot sein. Dafür wird die ›Morgenpost‹ Ihr Foto sicher auf der ersten Seite bringen.« Wekkerle fragte ebenso erleichtert wie bestürzt: »Er ist nicht vom Fernsehen?«
»Er hat uns nur begleitet«, sagte Mandel. »Wie kommen Sie dazu, auf die Presse zu schießen? Haben Sie etwas zu verheimlichen? Daß Sie vorhin Ihrem Pförtner gekündigt, seine Existenz vernichtet haben und sich anschließend, nachdem Sie einen unbequemen Mitarbeiter losgeworden sind, ein paar schöne Stunden machen? Das werden wir auf alle Fälle veröffentlichen.«
Weckerles Gesicht lief rot an. »Für die Kündigung von Herrn Arnauer sind die Personalabteilung und der Betriebsrat zuständig. Sie stecken Ihre neugierige Nase in Dinge, von denen Sie nichts verstehen. Sie verfolgen Leute, die nichts damit zu tun haben. Sie schnüffeln im Privatleben unbescholtener Bürger herum und reden sich vielleicht gar noch ein, Sie täten das im öffentlichen Interesse! Wissen Sie, wie ich das nenne?«
»Es interessiert mich nicht, wie Sie das nennen«, sagte Mandel und winkte Eichler, der im strömenden Regen mit seiner Kamera angelaufen kam. Als Weckerle ihn bemerkte, packte er Angelika beim Arm, zog sie zu seinem Wagen, öffnete ihr die Tür und flüsterte: »Bedeck dein Gesicht mit den Händen oder mit dem Kopftuch; sie dürfen dich nicht filmen.«
»Die Dame haben wir schon gefilmt«, sagte Mandel, der nicht nur ein ausgeprägtes Gespür für aufregende Storys, sondern auch ein übersensibles Gehör hatte. »Als sie vorhin mit ihrem Wagen angekommen ist«, setzte er hinzu. »Ist sie Ihre Frau?«
Weckerle antwortete nicht. Er lief um den Wagen herum, setzte sich hinters Lenkrad und startete den Motor. Bevor Eichler die Kamera hochnehmen konnte, fuhr der Mercedes mit durchdrehenden Rädern an und auf die Gruppe der Männer zu, die, als er sich näherte, mit finsteren Mienen zur Seite traten. Weckerle erhaschte mit einem flüchtigen Blick einen am Boden liegenden

Mann, dem ein zweiter eine Mullbinde auf das bloße Gesäß drückte. Dann war er an ihnen vorbei. Grimmig sagte er: »Hast du dir jemals eingeredet, daß es für diese Burschen so etwas wie eine Intimsphäre gibt? Die kümmern sich doch den Teufel ums Grundgesetz! Ich verstehe überhaupt nicht mehr, was hier eigentlich los ist!«
»Und was ist mit meinem Wagen?« fragte Angelika verstört. »Da liegen auch noch die Hähnchen drin.« Weckerle sagte gereizt: »Hör auf mit deinen Hähnchen! Als hätten wir jetzt keine wichtigeren Probleme. Deinen Wagen werde ich abschleppen lassen. Hast du gesehen, wie mein Heck aussieht?«
»Mein Kühler sieht noch viel schlimmer aus!« sagte sie.
»Erzähl mir nichts von deinem Kühler!« sagte Weckerle. »Merk dir ein für allemal, daß ein VW keinen Kühler hat. Was willst du denn da vorne kühlen? Den Reservereifen?« Sie schwieg eingeschüchtert. Er schlug sich mit der flachen Hand gegen die Stirn. »Du großer Himmel, wenn die uns zusammen in der ›Morgenpost‹ bringen, kann ich mein Büro ausräumen.«
Angelika verlor auch noch den letzten Rest ihrer Gesichtsfarbe und fragte: »Wollen sie das tun?«
»Es sieht so aus«, sagte er. »Das kommt davon, wenn man sich mit einer Frau verabredet, die einen Fernsehwagen mit einem Försterauto verwechselt. Hast du denn keine Augen im Kopf?«
Sie antwortete verärgert: »Ich habe keine Ahnung, wie ein Fernsehauto aussieht, und wenn du deine Stelle verlierst, dann verliere ich meine auch.« Er nickte. »Das stimmt!« Dann hielt er an, nahm sie in die Arme und sagte: »Ich finde eine neue und hole dich dann wieder zu mir. Bevor sie uns aber feuern, lasse ich mir von Frau Martin den Schlüssel zum Chefzimmer geben. Was glaubst du wohl, was ich dort tun werde?«
Sie blickte ihn fragend an.
»Das weiß ich auch noch nicht«, sagte Weckerle unschlüssig und fuhr weiter.

21

Damit er Ursula am Morgen nicht aufweckte, zog Kiene sich im Badezimmer an. Er verließ auf Zehenspitzen das Zimmer und machte sich auf die Suche nach Kolb. Weil er gestern den ganzen Tag mit Annemarie, Ursula und anderen Problemen beschäftigt gewesen war, hatte er Kolb vorübergehend aus den Augen verloren. Beim Empfang erfuhr er seine Zimmernummer. Dort meldete sich jedoch niemand, obwohl es schon fast neun Uhr war und er mehrfach energisch anklopfte. Schließlich kehrte er zum Empfang zurück und hatte diesmal das Glück, Frau Rombach, die einen sehr frischen Eindruck machte, im Büro anzutreffen. Er sagte: »Mir ist es auch schon passiert, daß ich die Tür nicht abgeschlossen hatte. Meinetwegen braucht Ihnen das nicht peinlich zu sein, Frau Rombach.« Sie sagte lächelnd: »Herr Kolb hat mir erzählt, daß Sie ein Mann von Welt sind, Herr Kiene. Ich war gestern abend tatsächlich leichtsinnig und habe mir deshalb Sorgen gemacht. Michael . . . ich meine Herr Kolb, konnte mich aber beruhigen.«

»Er ist der reinste Glückspilz«, versicherte Kiene. »Darf ich Ihnen sagen, daß ich ihn beneide?« Sie lachte. »Sie leben ja auch nicht schlecht. Wenn ich sehe, wie viele Damen Ihretwegen hier ein und aus gehen, scheinen Sie nicht gerade zu den vernachlässigten Männern zu gehören.«

»Der Schein trügt oft«, sagte Kiene. »Fräulein Steidinger hat noch gestern abend das Haus wieder verlassen. Natürlich bezahle ich das Zimmer für die eine Nacht. Schade, daß Sie morgen abend schon schließen.« Sie mußte lachen. »Ich bin eigentlich ganz froh darüber. Man soll im Leben alles nur in Maßen genießen; auch die Liebe. Herr Kolb wird sofort kommen. Das Mädchen hat mir gesagt, daß Sie ihn suchen. Wir haben noch einige Privatzimmer.«

»Das habe ich mir gedacht«, sagte Kiene. Das Telefon läutete. Frau Rombach nahm ab und sagte dann: »Herr Kolb erwartet Sie in seinem Zimmer.«

Als Kiene wenig später zu ihm kam, empfing ihn Kolb mit einem kleinen Lächeln. »So früh habe ich nicht mit Ihnen gerechnet. Ich habe Sie gestern nachmittag überall gesucht.«

»Nur nicht dort, wo Sie mich gefunden hätten«, sagte Kiene. »Was haben Sie bei Herrn Rectanus erreicht?«

»Nichts«, sagte Kolb und bot Kiene eine Zigarette an. Er erzählte ihm von seinem Gespräch mit dem Chef und setzte hinzu: »Ich glaube, er würde jetzt eher verkaufen als nachgeben. Ich sehe keine Möglichkeit mehr, ihn von der Vier-Tage-Arbeitswoche abzubringen. Hoffentlich erwarten Sie von mir keine Meinung dazu!«

Kiene sagte: »Sie haben es immer verstanden, sich nicht mit ihm anzulegen. Warum sollten Sie dieses bewährte Prinzip plötzlich ohne Not aufgeben! Es gibt, glaube ich, nur einen Menschen, der

ihn von seinem humanen Einfall abbringen könnte, und der weigert sich, es zu tun.«
»Sie reden von seiner Tochter?«
»Ja«, sagte Kiene. »Ich werde noch einmal mit ihr sprechen.«
»Leider bin ich ihr in der Klinik nicht begegnet«, sagte Kolb. »Ich habe vorhin mit Herrn Meissner telefoniert. Die Gewerkschaft will den Streik jetzt selbst in die Hand nehmen; am Montag findet im Werk eine Abstimmung statt. Der Betriebsrat möchte auf Kampfmaßnahmen so lange nicht verzichten, wie der Chef auf der Vier-Tage-Arbeitswoche besteht.«
Kiene sagte verdrossen: »Ein gegenseitiges Sichhochschaukeln wie gehabt. Die Zeche müssen wir alle bezahlen. Bleiben Sie noch über das Wochenende hier?« Kolb blickte auf die Armbanduhr. »Meine Frau erwartet mich; ich fahre nach dem Frühstück weg. Es tut mir leid, daß ich gestern abend, als Sie nicht hier waren, in Ihr Zimmer geplatzt bin. Ich wußte nicht, daß Sie Besuch hatten; die Tür war nicht abgeschlossen.« Kiene lächelte. »Fräulein Wurz hat mir erzählt, daß Sie bei ihr waren.«
»Ich war natürlich ein wenig überrascht«, sagte Kolb. »Fräulein Wurz lag auf Ihrem Bett. Im Werk geht zwar das Gerücht um, Sie würden Fräulein Rectanus ehelichen . . .«
»Aber ich bitte Sie«, fiel ihm Kiene ins Wort. »Das eine schließt das andere doch nicht aus.«
Er stand auf. »Ich will keinen Unfrieden unter Kollegen stiften, aber es gibt in der Geschäftsleitung einen Herrn, der seine Kenntnis von intimen Beziehungen zwischen Geschäftsführern einerseits und den Frauen ihrer Kollegen andererseits dazu verwendet, sich bei Herrn Rectanus unersetzlich zu machen. Und diesmal war ich es, der Ihnen einen Ratschlag erteilt hat.«
»Wissen Sie das genau?« fragte Kolb nach einer kleinen Pause.
»Selbst Männer wie Herr Rectanus haben redselige Augenblicke«, sagte Kiene und verabschiedete sich.
Ursula lag wach im Bett; sie fragte: »Wo warst du so lange?«
»Auf einer Geschäftsführersitzung mit Herrn Kolb«, antwortete er und küßte sie. »Kann sein, daß das Zimmermädchen bald kommt. Du solltest etwas überziehen.« Sie schüttelte eigensinnig den Kopf. »Das Zimmermädchen ist mir schnuppe. Außerdem möchte ich im Bett frühstücken. Kümmerst du dich darum?«
»Ich kümmere mich um alles«, sagte er und deckte sie auf. Sie verschränkte errötend die Beine und sagte: »Laß das. Mir tut noch alles weh. Du hast mich beinahe umgebracht.«

Kiene setzte sich neben sie. »Du wolltest nicht mehr spielen. Hast du es inzwischen bereut?«
»Ich weiß nicht«, sagte sie. »Ich habe noch nicht darüber nachgedacht. Ich habe es mir etwas romantischer vorgestellt. Es ist doch ein ziemlich banaler Vorgang.«
»Sagte das Huhn, als es die Eier legte«, sagte Kiene. »Beschwere dich beim lieben Gott darüber. Ich hatte, als er sich die Methode ausdachte, so gut wie keinen Einfluß darauf.«
»Du bist überhaupt nicht nett«, sagte sie. »Nicht einmal Blumen hast du mir mitgebracht.«
»Du großer Himmel!« sagte Kiene. »Wenn du es willst, bestelle ich dir einen Strauß aufs Zimmer. Gestern abend hast du mir noch erzählt, daß ich dir nichts bedeute. Was erwartest du da von mir?«
Statt ihm zu antworten, stand sie rasch auf und wollte ins Bad gehen. Er griff nach ihrem Arm und zog sie, obwohl sie sich heftig sträubte, auf seinen Schoß. »Du hast mir bisher keinen Anlaß gegeben, dich für romantisch zu halten«, sagte er. »Bist du es?«
Sie starrte ihn feindselig an und sagte: »Ich verstehe nicht, was mein Vater an dir findet. Du bist egoistisch, gefühlskalt und eingebildet. Vielleicht habe ich einen Fehler gemacht, aber es tut mir nicht leid. Er wird mich nur davor bewahren, einen noch größeren zu begehen. Laß mich los!« Kiene gehorchte.
Während sie im Bad war, läutete das Telefon: es war Annemarie. Sie fragte: »Bist du allein?« – »Im Augenblick«, sagte er. »Und du?«
»Er hat Besuch«, antwortete Annemarie. »Zwei Herren vom Arbeitgeberverband. Sie brüllen sich gegenseitig so laut an, daß ich es bis in mein Zimmer hören kann.«
»Vielleicht bringen die ihn zur Vernunft«, sagte Kiene. »Wie war es mit ihm?« Sie gab keine Antwort. »So schlimm?« fragte er.
»Nicht schlimmer als sonst«, sagte sie. »Es ist nur: ich kann mich mit ihm nicht unterhalten, Manfred. Wenn er bei mir ist, hat er es nur auf meinen Körper abgesehen. Sonst interessiert ihn nichts an mir. Heute nachmittag soll angeblich sein Anwalt kommen. Könnten wir uns vorher noch sehen? Nicht in der Hütte. Ich komme dir auf der Straße entgegen, und wir fahren ein bißchen spazieren. Ursula dürfte natürlich nichts davon merken. Willst du?« Er zögerte. Sie sagte: »Bitte, Manfred. Ich werde hier noch verrückt, wenn ich den ganzen Tag allein bin. Bitte hol mich für eine Stunde hier weg. Das genügt mir dann schon.«

»Ich komme«, sagte er. »Marschiere schon immer los. Vergiß deinen Schirm nicht, es gießt.«
»Hier auch«, sagte sie und legte auf. Kiene betrachtete ein paar Sekunden lang die Badezimmertür. Dann zuckte er mit den Schultern und ging leise hinaus. Auf der Treppe begegnete ihm das Zimmermädchen mit einem Frühstückstablett. »Darf ich?« fragte Kiene und nahm zwei Brötchen herunter. Er schob sie in die Tasche, goß, während das Mädchen verwundert stehenblieb, aus der Kanne eine Tasse voll und nahm sie in die Hand. »Den Rest können Sie in mein Zimmer bringen«, sagte er.
»Wie Sie wünschen«, sagte das Mädchen und kicherte.
Um nichts zu verschütten, trank Kiene noch auf der Treppe einen Schluck von dem heißen Kaffee und den Rest unten beim Empfang. Frau Rombach, die ihn dabei überraschte, fragte befremdet: »Hat man Ihnen kein Frühstück gebracht?«
»Keine Zeit«, sagte Kiene und holte eines der Brötchen aus der Tasche. Er biß hinein, trank noch einen Schluck Kaffee dazu und verließ, während Frau Rombach ihm verwundert nachsah, das Hotel. Er setzte sich in den Wagen und fuhr, während er das zweite Brötchen verzehrte, durch den verregneten Kurort. Zehn Minuten später saß Annemarie neben ihm und sagte: »Nett, daß du gekommen bist, Manfred. Wohin fahren wir?«
»Überallhin, nur nicht ins Bett«, sagte er. Sie betrachtete ihn aufmerksam. »Du hast heute nacht mit ihr geschlafen?«
»Zur Zeit tue ich kaum mehr was anderes«, sagte Kiene. »Sie ist nicht ganz das, was ich dachte. Sie hat immer ein bißchen Pech gehabt.«
»Wie traurig«, sagte Annemarie. »Dafür hat sie einen Haufen Geld. An ihrer Stelle würde ich mich nicht selbst bemitleiden . . .«
Kiene fragte dazwischen: »Wer sagt dir, daß sie es tut?«
»Sie ist der Typ dafür«, sagte Annemarie. »Wenn ihr Vater erst einmal tot ist, wird sie die Fabriken verkaufen, in der Welt herumreisen, mit vielen Männern schlafen und ihr Studium vergessen. Wenn Frauen wie sie studieren, dann nur, um vor sich selbst und den anderen ein Alibi dafür zu erbringen, daß sie nicht nutzlos sind. Für wen hat sie jemals etwas getan außer für sich selbst?«
»Danach habe ich sie noch nicht gefragt«, sagte Kiene. »Vielleicht steckt das in uns allen, und wer genügend Geld hat, kann es sich leisten, nur für sich selbst zu leben. Es ist dummes Zeug, daß

reiche Leute nicht glücklich seien. Diese Theorie wurde von Habenichtsen erfunden, die sich an einen Daseinszweck klammern müssen, auf den man, wenn man genug Geld hat, mühelos verzichten kann.«
Annemarie lächelte. »Worin siehst du deinen Daseinszweck?«
»Keine Ahnung«, sagte er. »Der Idealzustand wäre eine immergrüne Wiese unter einem immerblauen Himmel mit immernackten, immerschönen Menschen, die sich mit einer immerwährenden Potenz beglücken und zwischendurch, ohne dick zu werden, essen könnten, was ihnen schmeckt. Es gäbe dort keine Kranken mehr, keine Hungrigen, keine, die am Drücker sitzen und auch keine, die sich von denen, die am Drücker sitzen, drücken lassen müssen. Wäre das kein Leben?«
»Ein bißchen langweilig«, sagte Annemarie zögernd. »Das wäre genauso, als wäre jeden Tag Sonntag, und wenn jeden Tag Sonntag wäre, dann wäre es kein Sonntag mehr.«
»Darüber habe ich noch nicht nachgedacht«, sagte Kiene und behielt, weil sie sich dem Ort näherten, die Hotelzimmerfenster im Auge. Zu seiner Erleichterung konnte er Ursula nirgendwo entdecken. Er fuhr rasch durch den Ort und dann auf derselben Straße, die er am ersten Abend mit Ursula gefahren war. Annemarie sagte: »Zufrieden wird man wohl nie sein. Es kommt vielleicht daher, weil man immer Kompromisse schließen muß. Die mußt du aber vielleicht auch schließen, wenn du viel Geld hast. Du kannst nicht alles auf einmal tun.«
»Warum auf einmal?« fragte Kiene. »Ich stelle es mir hübsch hintereinander vor. Immer nur das, wozu man gerade Lust hat.«
»Hättest du dann noch immer Lust?« fragte sie. Er lachte. »Da müßte ich vorher meinen Kollegen Gunther Sachs fragen.«
»Den mag ich nicht«, sagte Annemarie. »Magst du ihn?«
»Nicht so sehr wie mich selbst«, sagte Kiene. »Noch weniger mag ich allerdings Leute, die immer gleich alles kollektivieren wollen, und am allerwenigsten jene, bei denen du, wenn du gegen Kollektivismus bist, als strammer Reaktionär angesehen wirst, obwohl sie, die sich zu den Intellektuellen zählen, unter einem kommunistischen Regime genauso ins politische Abseits geraten würden wie ich, der ich kein Intellektueller bin. Deshalb stimmt es in Wahrheit nicht, daß zwei mal zwei vier ergibt, auch wenn es auf dem Papier so aussieht. Und wenn du mir einen Gefallen tun willst, dann verschone mich mit deiner Krankenschwesternphilosophie.«

Sie streichelte seine Wange. »Ich sage doch gar nichts.«
»Das ist das Schlimme an dir«, sagte Kiene, »daß du auch etwas sagst, wenn du nichts sagst, weil dein Schweigen beredter ist als dein Mund, wenn er spricht. Du willst nämlich, daß ich dir sage, was du tun sollst, und ich weiß es genausowenig wie du. Also frag mich nicht dauernd danach, indem du nichts sagst.«
»Eine einsame Landschaft«, sagte Annemarie und betrachtete die wolkenverhangenen Berge. Kiene fuhr den Wagen auf einen Waldweg zwischen die Bäume, lehnte den Kopf an Annemaries Schulter und sagte: »Irgendwas stimmt mit dem Alten nicht. Ich bin nur noch nicht dahintergekommen, was es ist. Wenn du nur eine Stunde wegbleiben willst, dürfen wir nicht weiterfahren.«
»Hier gefällt es mir gut«, sagte sie. »Ich höre es gern, wenn der Regen auf das Autodach prasselt. Ich bin dann immer so zufrieden, wie ich es sonst nie bin. Warum meinst du, daß mit ihm etwas nicht stimmt? Weil er die Fabrik auf den Kopf stellt? Vielleicht steckt System dahinter?« Kiene nahm ihre Nase zwischen Daumen und Zeigefinger und fragte: »Aber welches?« Sie zuckte mit den Schultern. Er ließ ihre Nase los. »Bist du enttäuscht, wenn wir es heute nicht treiben?«
»Quatsch«, sagte sie. »Er hat mich in der vergangenen Nacht zweimal dazu gebracht. Ich wollte dich nur sehen und mit dir reden. Wie kam es dazu? Hat sie es gewollt oder du?«
Ihren Gedankensprüngen war nicht immer leicht zu folgen; er antwortete ausweichend: »Was soll ich sonst mit einer Frau in einem Hotelzimmer anfangen?«
»Mit dir würde ich auch mal gern in einem Hotelzimmer wohnen«, sagte sie. »Nur so. Verstehst du? Warum erzählst du mir nie etwas von dir?«
»Es lohnt sich nicht«, sagte Kiene und blickte auf die Armbanduhr. »Es wird Zeit für dich. Hat er ein Wort über mich verloren?«
Sie schüttelte den Kopf. »Als ich zurückkam, wartete er schon in meinem Zimmer und schaltete sofort das Licht aus. Er blieb aber nur zwei oder drei Stunden. Hat es diesmal geschafft.«
»Wirklich?« fragte Kiene. Sie antwortete gleichgültig: »So halb und halb. Wenn ich dich nicht hätte, würde ich vielleicht durchdrehen. Dabei kann ich nicht mal sagen, daß er mich abstößt. Ich habe heute die halbe Nacht darüber nachgedacht. Es ist seine Hilflosigkeit, die mich fertigmacht. Sein ständiges Sichselbstbedauern. Daß er alt und nicht mehr jung sei. Daß er sein Leben nicht richtig genutzt habe und nun unter Einsamkeit leide. Ich

weiß nie, was ich ihm darauf antworten soll. Ich habe mir im Krankenhaus einen schnodderigen Ton angewöhnt. Das lernt man dort, um sich über seine wirklichen Gefühle hinwegzuhelfen. Diesen Ton schlage ich auch bei ihm an. Ich möchte es nicht tun und finde trotzdem keinen anderen. Er ist dann jedesmal verletzt. Sicher hält er mich für kaltherzig. Das bin ich gar nicht, Manfred. Ich habe im Krankenhaus, wenn ich merkte, daß es mit einem zu Ende ging, oft geflennt. Aber das kannst du dort nur heimlich tun. Die Patienten dürfen nie merken, wie es wirklich um sie steht. Das ist so etwas wie ein eisernes Gesetz. Ich glaube, ich bin irgendwie falsch gelandet; so zwischen allen Stühlen.«
»Und einigen Betten«, sagte Kiene. Sie blickte ihn an. »Das auch. Und jetzt ist mir wieder wohler. Ich mache mir nur deinetwegen Sorgen. Du sitzt doch auch blöd dazwischen. Oder nicht?« Er streichelte, weil sie ihm leid tat, ihren Kopf, wie man eine kleine, frierende Katze streichelt, und sagte: »Jetzt vielleicht schon.«
»Warum betonst du das ›jetzt‹ so?« fragte sie. Er winkte ab. »Reden wir nicht davon. Ich komme mir heute wie der Elefant im Porzellanladen vor.«
Sie schlang die Arme um ihn, küßte ihn lange und sagte dann: »Jetzt kannst du mich heim . . .« Sie verstummte, und Kiene, der wußte, weshalb sie nicht zu Ende gesprochen hatte, sagte: »Vielleicht scheint morgen wieder die Sonne.«
»Darüber wäre ich froh«, sagte sie.
Kiene stieß im Rückwärtsgang auf die Straße. Annemarie fragte: »Wohin führt sie, wenn man ihr weiter folgt?« Er lächelte. »Keine Ahnung; ich habe unten auch keinen Wegweiser stehen sehen. Vielleicht nirgendwohin.«
»Ich möchte sie einmal mit dir bis ans Ende fahren«, sagte Annemarie. »An einem Tag, wenn die Sonne scheint.« Sie schob eine Hand unter seinen Arm. »Wirst du sie heiraten?«
»Sie ist mir zu kompliziert«, sagte Kiene. »Sie weiß selbst nicht, was sie willl.«
»Genau wie ich auch?«
»Genau wie du auch«, bestätigte Kiene.
»Ruf ihn an«, sagte sie. »Vielleicht wartet er nur darauf und ist froh, wenn du dich von selbst meldest. Wenn du dich dazu entschließen könntest, sie zu heiraten, wärst du doch endgültig aus dem Schneider. Ist deine Abneigung, dich fest an eine Frau zu binden, so groß, daß du es für nichts auf der Welt tun würdest?«
Er betrachtete durch die Windschutzscheibe die tiefhängenden

Wolken und sagte: »Ich habe Frauen immer nur so weit an mich herankommen lassen, daß ich keinen Blick hinter ihre hübsche Fassade zu tun brauchte. Vor dem, was sich dahinter verbergen könnte, habe ich tatsächlich Schiß. Da kommt jedesmal eine Menge menschlicher Kleinkram zum Vorschein. Wie bei Männern auch.«
Sie zog die Hand unter seinem Arm hervor. »Dann war es wohl sehr dumm, dir soviel von mir zu erzählen.« Er schüttelte den Kopf. »Du bist kein persönliches Risiko für mich. Du gehörst zu den wenigen, bei denen ich mir eine Freundschaft zwischen Mann und Frau vorstellen kann. Das hat nichts mit Unverbindlichkeit zu tun, eher mit einem Gefühl der Wärme, das ich für dich empfinde. Ich hoffe, wir bleiben noch lange beisammen.«
»Das hoffe ich auch«, sagte sie und schob wieder die Hand unter seinen Arm. Sie schwieg, bis sie durch den Ort fuhren. Dann fragte sie: »Hast du das Tonband gut aufgehoben?« Kiene starrte sie betroffen an; er hatte nicht einmal daran gedacht, den Schrank abzuschließen. Trotzdem nickte er.
»Es wäre mir peinlich, wenn es jemand in die Hände fiele«, sagte sie und drehte sich rasch um. »War das nicht Ursula in dem Taxi?« Kiene trat auf die Bremse und blickte in den Rückspiegel. »Bist du sicher, daß sie es war?« Sie antwortete unschlüssig: »Es ging so schnell. Bevor ich richtig hinschauen konnte, war es schon vorbei. Es kann aber nur vom Hotel gekommen sein.«
Ein paar Augenblicke lang überlegte Kiene, ob er wenden und dem Taxi nachfahren sollte. Weil Annemarie sich ihrer Sache jedoch nicht sicher war, ließ er es sein. Er war aber so stark beunruhigt, daß er, um sich Gewißheit zu verschaffen, sogar das Risiko auf sich nahm, in Annemaries Begleitung vor dem Hotel zu halten. Am Empfang begrüßte ihn Frau Rombach erleichtert: »Gut, daß Sie hier sind, Herr Kiene. Herr Rectanus hat schon zweimal nach Ihnen telefoniert. Sie sollen sofort zu ihm in die Klinik kommen. Seine Tochter ist soeben abgereist. Aber das wissen Sie sicher schon.« Kiene blickte sie nur an. Sie sagte lächelnd: »Herr Kolb läßt Sie noch einmal grüßen; er ist bereits weggefahren.«
»Wurde Fräulein Rectanus von einem Taxi abgeholt?« fragte Kiene. Frau Rombach nickte. »Zum Bahnhof. Sie erzählte mir, daß sie nach St. Gallen fahren würde. Wohnt sie dort?«
Ohne ihr zu antworten, lief Kiene die Treppe zu seinem Zimmer hinauf. Er öffnete den Schrank und stellte mit einem Blick fest, daß das Tonbandgerät verschwunden war. Mit einer hölzernen

Bewegung setzte er sich in einen Sessel und zündete sich mechanisch eine Zigarette an. Er rauchte sie halb auf, drückte sie aus und kehrte zu Annemarie zurück. »Sie ist nach St. Gallen gefahren«, sagte er und startete den Motor. »Ist das schlimm für dich?« fragte Annemarie. Er erwiderte ihren Blick. »Sie hat das Tonband mitgenommen.« Annemarie verfärbte sich, sagte jedoch nichts. Während sie zur Klinik fuhren, griff Kiene nach ihrer Hand. »Er will mich sprechen. Wenn alles schiefläuft, fahren wir zusammen weg. Du kannst bei mir wohnen, solange du willst.«
»Danke, Manfred«, sagte sie.
Es wäre ihm lieber gewesen, sie hätte ihm Vorwürfe gemacht, aber sie verlor kein Wort über das Tonband. In der Klinik ging sie sofort in ihr Zimmer. Kiene hatte sich schon am Emfpang beim Chef anmelden lassen. Rectanus empfing ihn mit verstörtem Gesicht und sagte: »Meine Tochter ist abgereist. Wissen Sie es schon?«
»Ich habe es eben im Hotel erfahren«, antwortete Kiene, folgte der einladenden Geste und nahm Platz. Der Chef trat ans Fenster und blickte in den Regen hinaus. »Ich möchte sie zurückholen«, sagte er. »Egal, was es mich kostet.« Kiene, der wegen Annemarie auf eine neue Szene gefaßt gewesen war, blickte ihn schweigend an. Der Chef drehte sich nach ihm um. »Es gibt nichts auf der Welt, das mir wichtiger wäre als meine Tochter, Kiene. Ich habe in den vergangenen Jahren nichts unversucht gelassen, sie zum Abbruch ihres überflüssigen Studiums zu bewegen, habe sie dringend gebeten, nach Hause zu kommen. Es war alles vergeblich. Aber wenn ich sie jetzt ganz verliere, wird mein Leben sinnlos. Ich würde alles für sie aufgeben. Sogar mein Lebenswerk.«
»Dann haben Sie . . .« sagte Kiene. Er sprach nicht weiter, weil ihm der Gedanke zu ungeheuerlich erschien. Der Chef setzte sich an den Tisch, stützte die Arme auf und sagte: »Ich habe ihr sogar vorgemacht, daß es Leute gäbe, die es auf mein Leben abgesehen hätten. Nicht einmal das hat sie dazu bewegen können, mich wenigstens einmal im Büro anzurufen. Ich war zu ihrem Geburtstag mit ihr verabredet. Ein paar Tage vorher schrieb sie mir wie aus heiterem Himmel, daß sie mich nicht mehr zu sehen wünsche. Den Rest kennen Sie.« Er verstummte und starrte vor sich hin. Kiene sagte mit atemloser Stimme: »Dann haben Sie das alles, einschließlich Ihrer angeblichen Eheabsichten, nur inszeniert, um ihre Aufmerksamkeit zu wecken?«
»Sie wissen nicht, was es heißt, ein Kind zu haben und trotzdem

allein zu sein«, sagte der Chef und wischte sich rasch über die Augen. »Sehen Sie es bitte einem alten Mann nach, wenn er einmal die Selbstbeherrschung verliert. Dies ist sonst nicht meine Art. Sie hat mich wieder einmal durchschaut. Sie weiß jetzt, daß ich völlig gesund, völlig normal und auch nicht willens bin, dieses Mädchen zu heiraten. Annemarie bedeutet mir nicht mehr als das, was ein junges Mädchen einem alten Mann wie mir noch bedeuten kann, und auch das war von mir nicht einmal vorgesehen. Ich hatte mich, in ihrem Fall, überschätzt; ich hielt mich bereits für jenseits solcher Dinge. Schlafen Sie meinetwegen mit ihr, sooft wie Sie wollen, aber helfen Sie mir, meine Tochter zurückzugewinnen. Ich weiß sonst nicht, was ich noch tun werde.«
»Und ich weiß nicht, wie ich Ihnen dabei helfen könnte«, sagte Kiene, der nur mühsam seine Fassung zurückgewann. »Ich war heute nacht mit Ihrer Tochter zusammen. Es hat sie nicht von ihrer Abreise zurückhalten können.« Der Chef winkte müde ab. »Die Schuld daran liegt nicht bei Ihnen. Was meine Tochter Ihnen antut, ist in Wirklichkeit für mich bestimmt. Sie weiß, daß es meine große Hoffnung war, sie mit einem Mann zu verheiraten, der sie zu mir zurückführen könnte. Ich bin ein schlechter Schauspieler. Ich habe die Rolle, in der ich meiner Tochter gegenübertreten wollte, um sie zur Heimkehr zu bewegen, nicht überzeugend genug gespielt. Ihr Herz ist, wenn es um ihren Vater geht, wie aus Stein. Sie müssen mir helfen, es zu erweichen, Kiene. Und diesmal muß es etwas sein, das so echt aussieht, daß sie es wirklich glaubt. Ich denke an eine fingierte Entführung. Kennen Sie jemanden, der so was arrangieren könnte?« Es verschlug Kiene zum zweiten Male fast die Sprache. Heiser sagte er: »Das kann doch nicht Ihr Ernst sein!«
»Es ist mein Ernst«, sagte der Chef und schneuzte in ein Taschentuch. »Sie haben doch in Ihrer Militärzeit viele Leute kennengelernt . . .« Kiene unterbrach ihn: »Entschuldigen Sie, aber das ist doch eine Sache, in die ich mich unmöglich verstricken lassen kann. Wenn Sie es wünschen, werde ich Ursula sofort nachfahren und sie zu bewegen versuchen . . .«
»Es ist zwecklos«, schnitt ihm der Chef das Wort ab. »Sie hat mir vorhin am Telefon gesagt, daß Sie ihr völlig gleichgültig seien und daß sie Sie genausowenig noch einmal sehen wolle wie mich. Sie kennen meine Tochter noch immer nicht, Kiene. Aber wenn Sie es schaffen, Sie mir auf die von mir ins Auge gefaßte Weise zurückzubringen, werden Sie auch dann mein Nachfolger sein,

wenn Ursula Sie nicht heiraten wird. Bitte, denken Sie über meinen Vorschlag nach. Ich bin sicher, Ihnen wird etwas dazu einfallen. Es müßte aber so echt wirken, daß meine Tochter keinen Zweifel daran haben kann. Bisher hat sie mir nie geglaubt, wenn ich ihr erzählte, daß es Leute gäbe, die es auf mich abgesehen hätten. Wenn jetzt tatsächlich etwas geschieht, wird sie sich Vorwürfe machen und ihren Entschluß bestimmt umstoßen.«
Kiene stand in großer innerer Erregung auf und trat ans Fenster. Mit abgewandtem Gesicht sagte er: »Ich müßte erst darüber nachdenken. Was würden Sie es sich kosten lassen?«
»Den Preis auszuhandeln, überlasse ich Ihnen«, sagte der Chef. »Sie haben kein Limit. Diese Leute müßten ein so hohes Lösegeld für meine Freilassung verlangen, daß nur meine Tochter allein darüber entscheiden könnte, ob es bezahlt wird. Und alles müßte so gut organisiert sein, daß selbst die Polizei, wenn sie eingeschaltet wird, nicht dahinterkommt, daß es sich nur um eine fingierte Entführung handelt.« Kiene drehte sich nach ihm um und blickte in sein verstörtes Gesicht. »Ist es Ihr Wunsch, daß die Polizei eingeschaltet wird?« Der Chef nickte. »Es würde für meine Tochter alles viel glaubwürdiger erscheinen lassen. Bitte, Kiene, helfen Sie mir!«
Kiene schwieg. Obwohl er nicht das geringste Bedürfnis verspürte, sich auf diese abenteuerliche Sache einzulassen, brachte er es dennoch nicht über sich, einfach abzulehnen. Vielleicht deshalb nicht, weil er für den Augenblick keine andere Möglichkeit sah, Ursula noch einmal zu begegnen. Er hatte nicht gewußt, daß sie ihm bereits so wichtig geworden war, auch wenn er sich über seine wirklichen Empfindungen für sie noch nicht schlüssig werden konnte. Er sagte: »Eines verstehe ich nicht. Warum Ihre Tochter sich so verhält. Das ist doch völlig absurd.«
»Darüber möchte ich nicht reden«, sagte der Chef und stand auf. »Es könnte hier geschehen, während ich einen Spaziergang mache. Die Einzelheiten überlasse ich Ihnen. Werden Sie es für mich tun?«
Kiene, der sich von seinem Schock jetzt erholt hatte, dachte wieder darüber nach. Durch die Fernsehsendung konnte natürlich auch so manches lichtscheue Gesindel auf den Chef aufmerksam geworden sein, und so gesehen . . . Er führte den Gedanken nicht zu Ende und sagte: »Ich werde es versuchen. Ich kenne einen Mann, der gegen eine angemessene Bezahlung eventuell dazu bereit wäre. Dazu brauche ich allerdings Zeit.«

»Ich möchte, daß es so rasch wie möglich geschieht«, sagte der Chef. »Kümmern Sie sich umgehend darum.«
»Unter zwei Bedingungen«, sagte Kiene entschlossen. »Sie werden Annemarie bei sich behalten, bis sie von allein gehen möchte, und Sie werden Ihre privaten Probleme nicht länger auf dem Rücken Ihrer Belegschaft austragen.« Das Gesicht des Chefs verhärtete sich; er sagte: »Annemarie: einverstanden. Den Arbeitskampf habe ich nicht gewollt. Ich habe nur auf meine Weise auf den völlig unbegründeten wilden Streik vom vergangenen Montag reagiert.«
»Indem Sie die Belegschaft donnerstags auf die Straße setzen?« fragte Kiene. Der Chef antwortete abweisend: »Dieser Tag hat sich rein zufällig ergeben. Meine Herren von der Geschäftsleitung haben sich in diesem Zusammenhang als einfallslos und illoyal erwiesen, besonders Herr Weckerle. Ich werde mich von ihm trennen. Entweder setzt die Belegschaft den Streik sofort aus, oder es bleibt bei meinen bisherigen Anordnungen. Das ist mein letztes Wort in dieser Sache. Falls der Streik nicht umgehend ausgesetzt wird, behalte ich mir weitere Schritte vor.«
Kiene sagte mit rotem Kopf: »Das ist unfair! Sie können doch wegen Ihrer privaten Probleme nicht das ganze Werk auf den Kopf stellen!«
»Ich kann alles«, sagte der Chef. »Und wenn Sie mich enttäuschen, Kiene, wenn Sie auch nur einem Menschen, der mit dieser geplanten Sache nichts zu tun hat, ein Wort von unserem Gespräch erzählen, dann sind Sie bei mir vom Fenster weg. Lassen Sie mich jetzt allein. Sobald Sie etwas wissen, verständigen Sie mich. Danke.« Er wandte ihm den Rücken zu.
Kiene blieb noch einige Sekunden lang stehen, dann ging er zu Annemarie hinüber, ließ sich auf einen Stuhl fallen und sagte: »Ich werd' noch verrückt!«
»Hat er dich gefeuert?« fragte sie bestürzt. Kiene sah auf. »Ich will dir etwas sagen, Mädchen. Er ist nicht nur ein armes Schwein, er ist auch vom lieben Gott verlassen.«
Sie setzte sich aufs Bett und fragte: »Willst du mir nichts erzählen?«
»Er ist unglücklich verliebt«, antwortete Kiene. »Und das gleich zweimal.«
»Aber doch nicht in mich«, sagte Annemarie sarkastisch. Er ging zu ihr, legte den Arm um ihre schmale Taille und sagte: »Dein Körper gefällt ihm genausogut wie mir, aber seine Probleme sind

anderer Art. Anscheinend gewinnt er immer mehr den Eindruck, daß es sich für ihn nicht mehr lohnt, für seine Mitmenschen eine Verantwortung zu tragen. Er wird, um auf dem internationalen Markt konkurrenzfähig zu bleiben, entweder rationalisieren, das heißt: Arbeitskräfte einsparen – oder sich mit einem Größeren verbinden, also verkaufen müssen. Vermutlich wartet er nur noch auf einen Vorwand.«

»Was hat das mit seinen unglücklichen Lieben zu tun?« fragte Annemarie verständnislos.

»Eine davon sind seine Fabriken«, sagte er. »Er gehört zu jenen Unternehmern, die sich dafür bestraft fühlen, daß sie dreitausend Belegschaftsangehörigen Arbeit und Brot verschaffen. Er wollte ihnen nur Gutes tun, und statt es ihm zu danken, treten sie der Gewerkschaft bei und erheben Lohnforderungen, deren Erfüllung heute schon mit fünfunddreißig Prozent auf die Produktionskosten durchschlagen müßte.«

Annemarie streichelte ihn und sagte: »Meine Mutter jedenfalls findet, daß sie viel zuwenig und er viel zuviel verdient. Für so einfache Leute wie sie, die in seiner Fabrik arbeiten müssen, ist er eine Art von Halbgott, und nicht nur er. Dich und deine Kollegen von der Direktion oder wie das bei euch heißt, sieht sie ähnlich. Für sie lebt ihr sozusagen auf den Sternen.«

»Aber doch bestenfalls mit einem Fuß«, sagte Kiene lächelnd.

»Sie wäre damit zufrieden«, sagte Annemarie. »Und wer ist seine zweite Liebe? Oder willst du darüber nicht reden?«

»Heute nicht«, sagte Kiene und streifte Schuhe und Hose ab. »Mir kommen sonst vielleicht die Tränen.« Er küßte sie überall und sagte: »Ich fange an, mich an dich zu gewöhnen. Hoffentlich nimmt das kein schlimmes Ende mit uns.«

»Diese Befürchtung habe ich nicht«, sagte sie. »Was soll das überhaupt heißen: ich fange an, mich an dich zu gewöhnen? Daß du in mich verknallt bist?«

Statt ihr zu antworten, zog er sie heftig an sich.

22

Weil er vor seinem Kollegen Ferdinand Weckerle nun so gut wie keine Geheimnisse mehr hatte, war es für Michael Kolb am einfachsten, sich mit Sibylle im Wochenendhaus zu treffen. Vor seiner Abreise führte er zuerst ein langes Gespräch mit Ella und dann mit Sibylle. Ella erfuhr von ihm, daß er sich noch bis zum

späten Abend beim Chef aufhalten und erst am Sonntag morgen zurückfahren werde; er bat sie, die Kinder zu grüßen. Dann unterrichtete er Sibylle davon, daß ihrem Treffen am Nachmittag in der Hütte nichts mehr im Wege stehe und er bereits um die Mittagszeit dort eintreffen und bis Sonntag bleiben würde. Sibylle ihrerseits informierte ihn darüber, daß Ferdinand am Tag zuvor an einer Verkehrsampel im Wagen von hinten angefahren worden und nun mit einem Mietauto nach Frankfurt unterwegs sei. Sie teilte ihm noch mit, daß sie sich auf die Begegnung und vor allem darüber freue, daß sie diesmal genügend Zeit haben würden, ihr Beisammensein in Ruhe zu genießen. Darüber freute sich auch Kolb, und sein Schmatz durchs Telefon überzeugte Sibylle von der Ernsthaftigkeit seiner Worte.
Beim Frühstück, das ihm Frau Rombach mit Rücksicht auf Hans Maier, von dem Kolb nie recht wußte, wo er sich gerade aufhielt, aufs Zimmer bringen ließ, blätterte er gut gelaunt in der Morgenzeitung. Als sein Blick jedoch beiläufig auch in den Lokalteil fiel, kam ihm beinahe das Frühstück hoch. Der Artikel nahm fast die ganze Seite ein und zeigte Ferdinand Weckerle auf mehreren Fotos, einmal mit einem Gewehr in der Hand und dann mit seiner Sekretärin an der Seite. Auf dem dritten Foto saß sie neben ihm in seinem Wagen, und auf dem vierten sah man einen am Boden liegenden, Kolb unbekannten Mann. Die in großen Lettern gesetzte Überschrift vermeldete, daß ein Morgenpost-Reporter von einem leitenden Angestellten der Rectanus-Werke bei der Ausübung seiner journalistischen Pflicht angeschossen und nicht unerheblich verletzt worden sei. Der größte Teil des Artikels beschäftigte sich mit den Ereignissen in den Rectanus-Werken und mit der fristlosen Entlassung Fritz Arnauers. Dann wurde berichtet, daß die Mitarbeiter der ›Morgenpost‹ bei ihrem Versuch, von Ferdinand Weckerle ein Interview zu den innerbetrieblichen Vorgängen zu erhalten, diesem zu seinem Wochenendhaus gefolgt und dort unfreiwillig Zeugen einer offensichtlich amourösen Begegnung zwischen ihm und einer langbeinigen Schönheit geworden waren. Das sei Herrn Weckerle anscheinend so peinlich gewesen, daß er, um eine Publizierung zu verhindern, nicht einmal vor dem Gebrauch der Schußwaffe zurückschreckte. Anschließend stellte der Verfasser die mahnende Frage, welcher dramatischen Geschehnisse es wohl noch bedürfe, um den Firmenchef endlich zu einer verbindlichen Äußerung über seine Verkaufsabsichten zu bewegen.

Kolb, der Kleingedrucktes kaum mehr lesen und sich dennoch nicht dazu überwinden konnte, eine Brille zu tragen, faltete die Zeitung zusammen, brach augenblicklich das Frühstück ab und läutete noch einmal bei Sibylle an, aber anscheinend hatte sie das Haus bereits verlassen. Obwohl er es dreimal hintereinander versuchte, meldete sie sich nicht. Daß sie den Artikel mit keinem Wort erwähnt hatte, ließ sich nur mit Unkenntnis erklären, obwohl sie stets schon vor dem Frühstück einen ersten Blick in die Zeitung zu werfen pflegte.
In größter Eile suchte er seine Sachen zusammen, warf alles unordentlich in die Reisetasche und sah sich dann nach Frau Rombach um. Von dem Zimmermädchen erfuhr er, daß sie zu einer Besorgung in den Ort gefahren und mit ihrer Rückkehr vorläufig nicht zu rechnen sei. Offensichtlich hatte sie es vorgezogen, sich formlos von ihm zu verabschieden. Kolb, der auch ohne den Zeitungsartikel im Hinblick auf Sibylle seines flüchtigen Abenteuers schon vor Tagesanbruch nicht mehr so recht hatte froh werden können, betrachtete ihre Abwesenheit als einen diskreten Hinweis darauf, daß sie ihr gemeinsames Erlebnis ohne Formalitäten beenden und ihm die genossene Gastfreundschaft auch nicht in Rechnung stellen wollte. So schied er, ohne nach seiner Rechnung zu fragen.
Auf dem Parkplatz überlegte er, ob es nicht seine Pflicht sei, den Chef über den Zeitungsartikel zu unterrichten. Es war aber anzunehmen, daß Rectanus dank der ihm zur Verfügung stehenden Informationsquellen längst orientiert war. Überdies verspürte Kolb auch wenig Lust, ihm noch einmal unter die Augen zu treten, zumal ihn jetzt viel dringlichere Probleme beschäftigten, die ihn während der Heimreise in Atem hielten. Da war zuerst einmal die absolute Gewißheit, daß nicht nur Ferdinand Weckerle nach diesem Zeitungsartikel seinen Job, sondern auch die gesamte Geschäftsleitung ihre Reputation bei der Belegschaft verloren hatte. Nach Kolbs bisherigen Erfahrungen ließ sich die Auswirkung solcher Vorfälle nicht auf die unmittelbar betroffenen Personen – in diesem Fall Weckerle und seine unglückselige Sekretärin – beschränken, denn war erst einmal einer von der Geschäftsleitung ertappt worden, gerieten auch die übrigen in Verdacht. Zu Kolbs eisernen Prinzipien gehörte es, sich niemals auf ein Techtelmechtel mit einer Sekretärin einzulassen. Daß ein so kühler und immer selbstbeherrscht wirkender Mann wie Weckerle gegen diese ehernen Spielregeln eines Top-Managers

verstoßen hatte, erschien Kolb so ungeheuerlich, daß es ihm nicht in den Kopf wollte. Ganz davon abgesehen, daß Weckerles Ausscheiden aus der Geschäftsleitung sowohl persönliche wie familiäre Belastungen zur Folge haben würde, die nicht ohne Konsequenzen auf Kolbs Verhältnis zu Sibylle bleiben könnten. Mit der Frau eines erfolgreichen Kollegen zu schlafen, dessen wirtschaftliche Situation als gesichert angesehen werden durfte, war etwas anderes, als wenn man es mit der Frau eines vom Unglück Betroffenen zu tun hatte, die jetzt vielleicht einer wesentlich stärkeren Anlehnung bedurfte als bisher. Dadurch müßte sich jedoch zwangsläufig das Risiko einer Entdeckung durch Ella beträchtlich erhöhen, Kolb verspürte jedoch kein Bedürfnis, auch seine zweite Ehe unter ähnlich widrigen Umständen scheitern zu lassen wie die erste. Bisher hatte er Sibylle nur als Geliebte zu sehen brauchen, die keine unkalkulierbaren Verbindlichkeiten herausforderte. Als leidgeprüfte Ehefrau eines Mannes, der eine gutdotierte Stellung auf so niederträchtige Weise verlieren würde, war sie jedoch für Kolb zu einem Risikofaktor ersten Ranges geworden. Schon die Wahrscheinlichkeit, daß sie jetzt ahnungslos auf dem Weg zu derselben Hütte war, die sich schon für ihren Mann als so verhängnisvoll erwiesen hatte, ließ sie für Kolb im höchsten Maße leichtfertig erscheinen. Denn er erwartete von einer Frau, die er zu seiner Geliebten auserkoren hatte, nicht nur Geist und Schönheit, sondern darüber hinaus, wenn sie schon ausgerechnet heute die Zeitung nicht gelesen hatte, ein instinktives Gespür für gefährliche Situationen. Denn nach dem Wirbel, den die ›Morgenpost‹ entfacht hatte, stand zu befürchten, daß die Hütte fortan Anziehungspunkt für sensationslüsterne Reporter und neugierige Wochenendausflügler sein würde. Denen wäre, um wenigstens einen Blick auf die Stätte des sündigen Geschehens werfen zu können, vermutlich kein Weg zu weit. Würde er ihr dorthin folgen, wäre das ein das Schicksal geradezu herausfordernder, sträflicher Leichtsinn. Und dennoch sträubte sich seine Natur dagegen, Sibylle sich selbst und dem ungewissen Los zu überlassen, das sie dort erwartete. Zumindest würde er den Versuch unternehmen, sie zu warnen, bevor sie sich ahnungslos in ein verfängliches Gespräch verwickeln ließ und dabei womöglich auch noch seinen Namen preisgab.
Eine halbe Stunde lang dachte er auf der verregneten Autobahn darüber nach, dann glaubte er eine Möglichkeit zu sehen, die das Risiko auf ein vertretbares Maß reduzierte. Zumindest würde er

sich nicht mit derselben Arglosigkeit 'reinlegen lassen, wie das seinem Freund und Kollegen Ferdinand Weckerle widerfahren war. Er empfand sogar, während er jetzt wieder an ihn dachte, ein wachsendes Gefühl von Solidarität und Teilnahme, und er nahm sich vor, ihn in den schweren Stunden, die nun auf ihn zukommen würden, keinesfalls allein zu lassen.
Er verließ die Autobahn früher als erforderlich und suchte an der B 304 einige Geschäfte auf. Aber erst in Wimpasing fand er in einem Zigarettengeschäft das, was er suchte. Der Besitzer sagte: »Zu dieser Jahreszeit wird nach so was kaum gefragt; zum Glück habe ich noch einige auf Lager.«
Kolb suchte sich heraus, was ihm brauchbar schien, und nahm noch einige Päckchen Zigaretten mit. Dann setzte er seine Fahrt fort. Diesmal näherte er sich der Hütte jedoch von der entgegengesetzten Seite, wozu er aufgeweichte Feldwege benutzen mußte, die seinem großen Wagen zu schaffen machten. Dennoch kam er weit genug voran, so daß er es sich trotz des strömenden Regens zutraute, den Rest zu Fuß zurückzulegen. Er stellte den Wagen an einem Waldrand ab, zog den Mantel an, steckte sich die Taschen mit Feuerwerkskörpern voll und vergaß auch Schirm und ›Morgenpost‹ nicht. Obwohl er sich der Hütte von dieser Seite des Waldes noch nie genähert hatte, bereitete es ihm keine Mühe, instinktiv die angemessene Richtung einzuschlagen. Wege, die in den Wald führten, gab es auf dieser Seite kaum, er folgte zwar einige Zeit einem Pfad, der jedoch so hoch mit feuchtem Gras bewachsen war, daß er sich nasse Füße holte und es, zumal der Pfad ständig eine andere Himmelsrichtung einschlug, sehr bald vorzog, querwaldein zu marschieren. Auf dem welken Laub ging es sich wesentlich besser, und weil auch das Unterholz nie zu dicht wurde, kam Kolb relativ gut voran. Als er zwischen den Baumstämmen in einer Entfernung von etwa hundert Schritten die dunkelgrüne Wasserfläche des Sees aufschimmern sah, beglückwünschte er sich zu seinem vorzüglichen Orientierungsvermögen und spähte, hinter einem Baum hervorlugend, eine Weile in die Runde. Weil er nichts Verdächtiges entdecken konnte, wagte er sich noch einige Dutzend Schritte weiter, bis auch die Hütte in sein Blickfeld kam. In seiner unmittelbaren Nähe entdeckte er eine Gruppe dichtbelaubter Sträucher, die hoch genug war, um ihn fremden Blicken zu entziehen. Dorthin begab er sich, holte einen der Knallfrösche aus der Manteltasche und zündete unter dem Regenschirm die Lunte mit einem

Streichholz an. In hohem Bogen warf er den Knallfrosch über das Gesträuch hinweg und wartete mit angehaltenem Atem, bis er explodierte. In dem stillen, regennassen Wald machte der Feuerwerkskörper einen ohrenbetäubenden Lärm. Ähnlich mußte es geklungen haben, als der Vorbesitzer der Hütte hier seine voluminösen Jagdfestivals veranstaltet hatte. Ein paar Vögel, die wegen des strömenden Regens lautlos in den nassen Bäumen gesessen hatten, flogen erschreckt auf und davon. Als das Geräusch verstummt war, lauschte Kolb eine Weile in den Wald, ohne jedoch einen Laut zu vernehmen, der auf die Anwesenheit von Menschen hätte schließen lassen. Dennoch ließ Kolb nach einer Pause zwei weitere Knallfrösche und hinterher noch zwei größere Feuerwerkskörper detonieren, die ein kanonenähnliches Geräusch entwickelten, so daß selbst Kolb unwillkürlich einen Schritt zurückwich. Als es im Wald weiterhin ruhig blieb, umrundete er den See auf einem Trampelpfad und schlich sich zur Hütte. Zu seiner Erleichterung sah er Sibylles Wagen, einen unauffälligen, mittelgroßen Opel, neben der Tür stehen. Dennoch ließ er, versteckt hinter einem besonders dicken Baumstamm, noch ein paar Minuten verstreichen, ehe er sich bis zur Hütte traute. Die Tür war verschlossen, er klopfte und rief, als sich drinnen nichts rührte, ein paarmal Sibylles Namen. Augenblicke später hörte er ihre Stimme: »Bist du es, Michael?«
»Wer sonst?« fragte er. »Du läßt mich im Regen stehen.« Sie öffnete eilig und mit blassem Gesicht. »Ich hatte Angst; es hat so schrecklich geschossen.« Kolb lachte. Er schüttelte den Regen vom Schirm, trat rasch in die Hütte und nahm Sibylle in die Arme. »Habe ich dich erschreckt?« Sie starrte ungläubig in sein Gesicht. »Du warst das?« Er ließ sie den Rest seiner Feuerwerkskörper sehen und sagte: »Falls ungebetene Besucher in der Nähe gewesen wären, hätten sie sicher angenommen, daß wieder einmal einer mit dem Gewehr hinter ihnen her . . .« Er verstummte, weil ihm einfiel, daß Sibylle vielleicht noch immer nichts von dieser üblen Geschichte wußte. Er fragte: »Hast du heute keine Zeitung gelesen?« Sie verneinte: »Ferdinand hat sie mitgenommen, bevor ich sie mir holen konnte. Warum fragst du?« Er nahm sie aus der Tasche, gab sie ihr und zog den Mantel aus. Sie las den Artikel noch in der kleinen Diele zu Ende, während ihre Augen immer größer wurden und ihr Gesicht immer blasser. Dann ließ sie die Zeitung sinken und fragte mit weißen Lippen: »Das bedeutet doch, daß er seine Stellung verliert?«

Kolb nickte. »Der Alte kann es sich kaum leisten, ihm das durchgehen zu lassen, aber hundertprozentig ist es nicht. Vielleicht ist er, da er selbst auf Freiersfüßen geht, etwas großzügiger als sonst, aber rechnen mußt du damit, Sibylle. Du weißt doch, wer sie ist?«
Sibylle erwiderte geistesabwesend seinen Blick. »Ich habe sie einmal in seinem Büro kennengelernt; sie sieht gut aus.«
»Höchstens halb so gut wie du«, sagte Kolb. »Ich verstehe ihn nicht. Er wußte genau, daß eine Liaison im Büro bei der Mentalität des Alten tödlich enden kann. Trifft es dich hart?«
Sie schüttelte langsam den Kopf. »Jetzt nicht mehr. Seit du mir das erzählt hast ...« Sie schwieg und ging in den Wohnraum. Dort las sie den Artikel noch einmal und sagte dann: »Wir dürfen nicht länger hierbleiben, Michael; es ist zu gefährlich.« Er widersprach ihr: »Es ist besser, wir warten, bis es dunkel ist, und fahren dann in eure Wohnung. Und was seinen Job betrifft: er wird den Artikel heute morgen gelesen haben. Deshalb hat er auch die Zeitung mitgenommen. Bei ihm bin ich mir ziemlich sicher, daß er wieder eine Stellung findet. Und wenn er sich auf die Hinterbeine stellt, wird er sich vom Alten mindestens ein volles Jahresgehalt auszahlen lassen, wenn nicht noch mehr. Unter zweihunderttausend können sie ihn nicht abfinden, denn was er in seinem Privatleben treibt, geht den Alten eigentlich nichts an. Ihr habt euch kein Haus gebaut; ich nehme doch an, er hat genügend Geld auf der hohen Kante?«
»Eine halbe Million ungefähr«, sagte Sibylle. »Die hat er aber in Wertpapieren angelegt. Ich mache mir auch keine finanziellen Sorgen; das andere ist viel schlimmer. Wie stehe ich jetzt vor all unseren Bekannten da? Dieser Dummkopf läßt mir gar keine andere Wahl, als mich scheiden zu lassen.«
Kolb griff nach ihrer Hand. »Überleg dir das gut, Sibylle. Mehr Freiheit als bei ihm hast du auch nicht, wenn du geschieden bist, und mit einem anderen Mann kannst du vom Regen in die Traufe kommen. Was kümmert dich die Meinung eurer Bekannten! Seitensprünge gibt's fast überall. Die sollen sich an der eigenen Nase zupfen. Wozu brauchst du andere Bekannte? Du hast ja mich.«
Sie blickte mit feuchten Augen in sein Gesicht und sagte: »Ich wüßte nicht, was ich ohne dich anfangen würde, Michael. Du meinst, daß wir bis heute abend hierbleiben können?«
»Vielleicht auch bis morgen früh«, sagte er. »Bei diesem Hundewetter treibt sich keiner ohne Not im Wald herum. Ich freue

mich, daß du so tapfer bist, Herzensmädchen. Ich bin richtig stolz auf dich.« Er küßte sie innig. Dann fiel ihm ein, daß er in der vergangenen Nacht zweimal mit Frau Rombach geschlafen hatte. Er sagte: »Ich bin hundemüde. Das war vielleicht eine aufregende Reise, sag ich dir.«
Er erzählte ihr, wobei er seine Erlebnisse etwas ausschmückte, von der Begegnung mit dem Chef und setzte hinzu: »Der Mann hat doch seine Sinne nicht mehr beisammen, Sibylle. Wenn es für mich in meinem Alter noch genauso einfach wäre wie für Ferdinand, eine andere Stellung zu finden, ich würde es mir keinen Augenblick lang überlegen. Weißt du, daß ich Hunger habe?«
Sie stand rasch auf. »Entschuldige, daß ich nicht daran gedacht habe. Sollen wir nicht besser die Läden schließen?«
»Ich passe schon auf«, sagte Kolb und überlegte, ob er seinen Wagen holen solle; er kam jedoch davon ab. Vielleicht wurde das Wetter bis heute nachmittag besser; dann konnte er wenigstens trockenen Fußes zu ihm gelangen. Während sich Sibylle um das Essen kümmerte, las er noch einmal den Artikel. Dann knüllte er das Blatt angewidert zusammen, schleuderte es in eine Ecke und sagte: »Schmierfinken, verschmierte!«
Der Ausbruch tat ihm gut. Er ging zum Fenster, warf einen mißtrauischen Blick in den Regenwald und zündete sich, als er dort nichts Verdächtiges entdecken konnte, eine Zigarette an. Kurz darauf kam Sibylle mit dem Essen herein. »Ich habe nur etwas Einfaches gemacht«, sagte sie. »Rühreier mit Speck.«
»Riecht ausgezeichnet«, versicherte Kolb und setzte sich erwartungvoll an den Tisch. Sie tranken ein Glas Wein dazu und unterhielten sich wieder über den Zeitungsartikel. Sibylle sagte empört: »Was mich am meisten ärgert, ist, daß Ferdinand nicht einmal den Mut hatte, mir vor seiner Abreise davon zu erzählen. Das ist übrigens wieder mal sehr typisch für ihn. Wenn es darauf ankommt, kneift er. Vor seiner Angelika spielt er sicher den unerschrockenen Supermann. Der werden auch noch die Augen aufgehen, verlaß dich darauf!«
Kolb nickte. »Spätestens, wenn sie den Zeitungsartikel liest. Die ist im Werk jetzt auch vom Fenster weg. Was glaubst du wohl, was sie sich, wenn sie morgens zur Arbeit kommt, von der Belegschaft, vor allem von der weiblichen, alles anhören muß!«
»Geschieht ihr recht«, sagte Sibylle und schob sich einen Löffel Rührei in den schönen Mund. Nach dem Essen räumte sie das Geschirr weg und sagte: »Hoffentlich gibt er die Hütte jetzt nicht

auf; sie war immer so praktisch für uns. Willst du dich ein bißchen hinlegen?« Kolb zögerte. Sie kam zu ihm, schlang ihm die Arme um den Nacken und sagte leise: »Ich brauche dich jetzt, Michael. Mehr als jemals zuvor. Ich brauche jetzt deine Liebe.«
»Ich auch«, sagte er mühsam und korrigierte sich: »Ich brauche dich genauso, Sibylle, aber das hat mich alles so angeknackst . . .«
»Wir haben ja Zeit«, sagte sie verständnisvoll und ging hinaus. Er trat in den kleinen Duschraum. Nur mit dem umgehängten Badetuch bekleidet, kam er dann zu ihr. Sie lag angezogen auf dem Bett, den Fensterladen hatte sie geschlossen. Durch seine Fugen drang noch genügend Tageslicht in das Zimmer und hüllte es in ein dämmeriges Halbdunkel. Sibylle sagte: »Leg dich einfach zu mir und laß uns ein bißchen schlafen. Ich habe Kopfschmerzen. Dieser Zeitungsartikel war ein richtiger Schock für mich. Das wirst du sicher verstehen.«
»Und ob ich das verstehe«, sagte Kolb mitfühlend und legte sich mit dem Badetuch zu ihr. Er sagte: »Laß dich wenigstens anschauen, Sibylle, auch wenn wir nichts tun. Du weißt, wie gerne ich dich anschaue.«
»Wenn du es willst«, sagte sie und richtete sich auf. Er half ihr aus dem Kleid und sagte: »Bleib so, wie du bist. Das andere möchte ich dir selbst ausziehen. Du bist wunderschön, Sibylle.« Sie küßte ihn. »Ferdinand sagt mir das schon lange nicht mehr. Wenn eine Frau von ihrem Mann nicht mehr zu hören bekommt, daß sie ihm gefällt, verliert sie ihr Selbstvertrauen.«
»Männer können es noch schneller verlieren«, gestand Kolb und ließ sie unter das Badetuch sehen. »Das ist mir früher nie passiert.«
»Es hängt mit deiner Psyche zusammen«, sagte Sibylle. »Du machst dir zu viele berufliche Sorgen. Hast du die Haustür abgeschlossen?«
»Ich dachte, du hättest es getan«, sagte Kolb und wollte aufstehen.
Weckerle, der im selben Augenblick zur Tür hereinkam und an der Hand Angelika hinter sich herzog, sagte: »Ich habe es getan.« Zu Angelika sagte er: »Glaubst du es mir jetzt endlich?« Sie wurde feuerrot und stammelte, Sibylle anschauend: »Es tut mir leid; er hat mir gesagt, Sie seien allein.« Sie riß sich von Weckerle los und lief hinaus; er folgte ihr hastig. Sibylle und Kolb, die sich beide aufgerichtet hatten, hörten sie draußen miteinander strei-

ten. Dann verstummten ihre Stimmen plötzlich, und Sibylle sagte heiser: »Das werde ich ihm nie verzeihen.«
»Es war meine Schuld«, sagte Kolb, der von sich selbst den Eindruck hatte, erstaunlich gefaßt zu wirken. »Er hat eben nur deinen Wagen gesehen und annehmen müssen, du seist allein hier.«
Sie fragte verständnislos: »Du bist ohne Wagen gekommen?«
»Reg dich nicht auf«, sagte Kolb und suchte nach seiner Hose. Dann fiel ihm ein, daß er sie im Duschraum hatte liegenlassen. Er stand rasch auf, schlang das Badetuch um die nicht mehr ganz schlanken Hüften und sagte: »Natürlich ist es peinlich; sie müssen auf den Fußspitzen hereingekommen sein. Ich weiß nicht, was er sich dabei gedacht hat. Hatte er nicht in Frankfurt zu tun?«
Sibylle zog sich mit weißem Gesicht an. »Mir diese Person hierher zu bringen! Das ist doch der Gipfel der Geschmacklosigkeit! Was hat er überhaupt mit dieser Bemerkung, ob sie ihm jetzt endlich glauben würde, gemeint?«
»Keine Ahnung«, sagte Kolb und ging zur Tür. Als er sie öffnete, sah er in der halbdunklen Diele Weckerle wieder. Er hatte Angelika mit hochgeschürztem Kleid gegen die Wand gedrängt; die Hose hing ihm an den Knöcheln. Kolb, der Angelika bisher nur in züchtigen Kleidern und ohne nackte Schenkel gesehen hatte, blieb bei ihrem Anblick wie angewurzelt stehen und starrte sie an. Dann fühlte er Sibylles Hand auf der Schulter. Er wandte ihr langsam das Gesicht zu und sah scharlachrote Flecken auf ihren Wangen und auf ihrer schönen, klaren Stirn. Er schob sich an ihr vorbei, zurück in den kleinen Schlafraum, und setzte sich auf das Bett. Er beobachtete, wie Sibylle noch immer in der Tür stehenblieb und in die kleine Diele schaute. Dann drehte sie sich langsam um, drückte die Tür hinter sich ins Schloß und blieb, den Rücken gegen die Tür gelehnt und den Blick unverwandt auf Kolb gerichtet, reglos stehen. Er nahm langsam das Badetuch von den Hüften, ließ es zu Boden fallen und sagte: »Komm!«
Sie sagte mit tonloser Stimme: »Das dürfen wir nicht tun, Michael. Was sind wir nur für Menschen!«
»Komm bitte her«, sagte er wieder. Sie näherte sich ihm wie hypnotisiert. Er streckte ihr die Hand entgegen und sagte zärtlich: »Komm her, mein armer Liebling.«
»Was sind wir nur für Menschen«, murmelte sie wieder und duldete, daß er sie auf den Schoß nahm. Er sagte: »Nicht anders als andere«, und drang so hart und schnell in sie ein, daß sie einen

Schrei ausstieß und mit dem Gesicht auf seinem Kopf aufschlug. Während der ganzen Zeit hörte er sie tief seufzen, und als sie ihrem Höhepunkt zutrieb, ließ er sie rücklings zu Boden sinken und legte sich, erregt stammelnd, schwer auf sie. Sie kam ganz unvermittelt und klammerte sich, kleine, heisere Schluchzer ausstoßend, wie eine Ertrinkende an ihn. Er schob die Hände unter ihr Gesäß und preßte sie noch einmal leidenschaftlich an sich. Dann wälzte er sich von ihr herunter und blieb eine Weile benommen neben ihr liegen. Er streichelte ihr Gesicht, und als ihr Atem ruhiger ging, stand er auf und warf einen schnellen Blick durch die Tür. In der Diele waren Weckerle und Angelika nicht mehr; er hörte sie jedoch in der Wohnstube miteinander reden. Er schloß die Tür, kehrte zu Sibylle zurück und sagte: »Es war nicht anders als sonst.«

»Wir müssen den Verstand verloren haben«, sagte sie und verbarg das Gesicht in den Händen. Er löste behutsam ihre Hände und sagte: »Mir tut es nicht leid, Sibylle. Willst du unter die Dusche?« Sie nickte. Er half ihr auf die Beine, streifte, weil sie es nicht selbst tat, ihr Kleid hinunter und nahm sie in die Arme. »Ich habe dich eben sehr glücklich gesehen, Sibylle. Vergiß das andere.« Sie fragte leise: »Wohin soll das mit uns führen, Michael?«

»Vielleicht müssen wir uns nur von einigen konventionellen Vorurteilen freimachen«, sagte er. »Liebst du ihn noch?« Sie antwortete: »Ja, ich glaube, ja. Ich möchte mich für keinen anderen Mann außer dir von ihm trennen. Nein, sei still, ich weiß, was du sagen willst. Du brauchst Ella meinetwegen nicht aufzugeben. Ich möchte dich nur nicht eines Tages ganz an sie verlieren.«

»Das wirst du nie«, sagte Kolb. Sie küßte ihn und ging hinaus. Während er auf sie wartete, kam Weckerle herein. Kolb griff mechanisch nach dem Badetuch, bedeckte seinen Schoß und fragte: »Warum hast du das getan?«

»Pech«, sagte Weckerle und setzte sich zu ihm. Er gab ihm eine Zigarette, zündete sich selbst eine an und stieß angewidert den Rauch in die Luft. »Wir waren in Furth. Dort zeigte ich ihr den Zeitungsartikel; kennst du ihn?« Kolb nickte. »Sibylle auch.«

»Irgendwann hat es ja sein müssen«, sagte Weckerle, der bereits wieder von Angelika sprach. »Sie bestand darauf, sofort heimzufahren und ihren Eltern eine Erklärung zu geben. Weshalb, das hat sie mir noch nicht verraten. Ihr Hauptproblem scheint aber gewesen zu sein, daß sie Sibylle gegenüber nach dem Artikel

plötzlich ein schlechtes Gewissen hatte. Um sie zu beruhigen, habe ich ihr erzählt, daß sie es genauso treibt wie ich. Sie wollte es mir nicht glauben.«
Kolb unterdrückte einen Anflug von Ärger. »Dann hast du also doch damit gerechnet, uns hier anzutreffen?«
»Nicht gerade in einer so eindeutigen Position«, sagte Weckerle heiter. »Für Angelika scheint es ein Schock gewesen zu sein.«
»Aber daß du sie gerade hier vor unserer Tür . . .«, begann Kolb.
Weckerle unterbrach ihn erregt: »Was hätte ich anderes tun sollen! Sie wollte aus der Hütte rennen, da habe ich eben den Kopf verloren. Sie wäre sonst auch nicht hiergeblieben. Meinen Job bin ich wohl los?«
»Nach diesem Zeitungsartikel . . .«, sagte Kolb. Weckerle zuckte mit den Achseln. »Eigentlich bin ich froh darüber, eine Zeitlang ausspannen zu können. Mein Vertrag läuft bis zur nächsten Erneuerung noch zwei Jahre. Ich werde mich mit dem Alten, wenn er mich feuert, darauf einigen, daß ich entweder zwei Jahre lang nichts zu tun brauche und für diese Zeit mein volles Gehalt beziehe oder mir nach spätestens einem halben Jahr einen neuen Job suche und dann nur ein Jahresgehalt ausbezahlt bekomme.«
»Wenn du zwei Jahre pausierst, bist du vom Fenster weg«, gab Kolb zu bedenken.
»Vielleicht, vielleicht auch nicht«, sagte Weckerle. »Darüber werde ich noch nachdenken. Wenn er mir aber kündigt, werde ich zuerst einmal all das nachholen, was ich in den vergangenen zwanzig Jahren in diesem Scheißjob versäumt habe. Danach lasse ich mir ein paar Angebote ins Haus schicken und suche mir 'raus, was mir paßt. Tut mir leid, daß wir beruflich auseinanderkommen, Michael. Privat bestimmt nicht.«
Kolbs Verstimmung wich bei seinen Worten einer kameradschaftlichen Zuneigung. »Aber du wirst dich doch jetzt nicht scheiden lassen?«
»Bin ich verrückt!« sagte Weckerle. »So viel Freiheit wie bei Sibylle habe ich bei keiner anderen. Sie ist eine vorzügliche Hausfrau, sieht glänzend aus und ist auch sonst gut.« Er legte Kolb die Hand auf die Schulter. »Wir haben uns immer gut verstanden, Michael. Ich freue mich, daß gerade du es bist. Bei einem anderen, der sie zu einer Scheidung gedrängt hätte, wäre ich mir vielleicht selbst im Weg gewesen. Sicher war ich, was Angelika betrifft, ein Idiot. Sie ist zwar bildhübsch, ist innerlich jedoch so leer wie eine Raketenbrennkammer nach ihrem Abwurf. Um mit diesem be-

schissenen Job existieren zu können, brauche ich zwei Frauen. Eine feste und eine, die ich je nach Bedarf auswechseln kann, und Angelika ist beliebig austauschbar. Sibylle ist es nicht. Werdet ihr heute nacht hierbleiben?«
»Wenn es nicht zu gefährlich ist«, sagte Kolb. Weckerle winkte ab. »Die lassen sich hier bestimmt nicht mehr sehen. Was sie erfahren wollten, haben sie dank meiner Dummheit erfahren. Wo hast du deinen Wagen stehen?« Kolb drückte die Zigarette aus. »Drüben am Waldrand.«
»Als ich Sibylles Auto sah, dachte ich mir, daß auch du hier sein wirst«, sagte Weckerle. »Allein wäre sie bei diesem Sauwetter nicht hierhergefahren. Angelika hat sich inzwischen beruhigt. Zugegeben, es war eine Schocktherapie, sie zu euch ins Schlafzimmer zu bringen, aber sie hat geholfen. In Zukunft wird sie sich nicht mehr anstellen; sie weiß, daß ich mich ihretwegen auf keinen Fall scheiden lasse. Vielleicht kommt Sibylle auch noch zur Vernunft. Dann könnten wir alle vier bis morgen hierbleiben. Ich würde mich mit Sibylle mal aussprechen, und du könntest dir die Zeit mit Angelika vertreiben. Sie hat auch auf dich ein Auge. Ich habe sie mal gefragt, wie du ihr gefällst. Sie findet, daß du ein interessanter Typ bist, und wenn du ihr ein bißchen den Hof machst . . .« Er sprach, weil in der Diele eine Tür zuschlug, nicht weiter. »Das muß Sibylle sein«, sagte Kolb. Weckerle ging zur Tür, öffnete sie einen Spaltweit und lauschte hinaus. »Sie unterhält sich mit Angelika«, sagte er über die Schulter hinweg. »Sie muß zu ihr in die Wohnstube gegangen sein.« Kolb fragte besorgt: »Streiten sie sich?«
»Hört sich nicht so an«, antwortete Weckerle. »Ich schaue mal nach.«
»Und ich ziehe mich rasch an«, sagte Kolb und lief in den Duschraum. Als er wenig später in die Wohnstube kam, saß Weckerle zwischen Sibylle und Angelika und plauderte in leichtem Ton mit ihnen. Zu Kolb sagte er: »Ich habe Angelika gerade zu erklären versucht, daß es für sie, auch wenn der Alte sie nicht feuert, besser ist, sich einen anderen Job zu suchen.«
»Könntest du nicht etwas für sie tun?« fragte Sibylle mit dem Blick auf Kolb. Er setzte sich überrascht zu ihnen. »Ich müßte mich mal bei unserer Kundschaft umhören. Da gäbe es vielleicht die eine oder andere Möglichkeit. Schließlich ist Fräulein Knopf eine perfekte Sekretärin.«
»Es wäre ja nur, bis Ferdinand . . .«, sagte Angelika und brach

mitten im Satz ab. Sie wandte sich mit einem verlegenen Lächeln an Sibylle: »Entschuldigen Sie bitte; es ist mir so herausgerutscht.«
»Das macht doch nichts«, sagte Sibylle, die auf Kolb einen geistesabwesenden Eindruck machte. »Sobald mein Mann eine andere Stellung hat, wird er Sie bestimmt wieder zu sich holen, Angelika.«
»Das habe ich ihr bereits versprochen«, sagte Weckerle und griff nach Sibylles Hand. Kolb sagte mit nur mühsam unterdrückter Verwunderung: »Ihr scheint euch ja schon ganz gut zu verstehen!« Sibylle lächelte zerstreut. »Warum auch nicht! Wir sind doch aufgeklärte Menschen. Ich habe Ferdinand oft gesagt, daß Angelika mir gefällt und daß er sie doch einmal zum Essen mit nach Hause bringen soll. Hast du gewußt, daß ihr Vater bei der Post arbeitet?«
»Ich hatte keine Ahnung«, sagte Kolb. Angelika sagte: »Er leitet ein großes Postamt. In drei Jahren wird er . . .« Sie verstummte, weil Weckerle mit Sibylle flüsterte. Dann sagte er: »Entschuldigt uns ein paar Minuten; wir haben etwas zu besprechen.«
»Tut euch keinen Zwang an«, sagte Kolb, dem in dieser Situation ausnahmsweise nichts Klügeres einfiel. Er und Angelika beobachteten, wie Sibylle und Weckerle aufstanden und die Stube verließen. Gleich darauf kam Sibylle noch einmal zurück. Sie legte Kolb die Hand auf die Schulter, beugte sich zu seinem Ohr nieder und flüsterte: »Kümmere dich ein wenig um sie, Michael.« Er sah fragend zu ihr auf.
»Wenn dir nichts Besseres einfällt«, sagte sie laut und ging hinaus.
Angelika fragte: »Was meinte sie eben?«
Mit einer etwas hölzernen Bewegung wandte Kolb ihr das Gesicht zu. »Ich weiß es auch nicht.«
»Das ist merkwürdig«, sagte Angelika und wischte sich ungeduldig das rotblonde Haar aus der Stirn. »Wo sind sie überhaupt hingegangen?« Kolb nahm sich zusammen. »Es ist doch selbstverständlich, daß sie sich jetzt erst einmal aussprechen müssen. Wie gefällt Ihnen Sibylle?«
»Ganz gut«, sagte Angelika und schlug die gertenschlanken Beine übereinander. »Vorhin, als sie hereinkam und mir sagte, daß sie mir nichts nachtragen würde und daß wir trotzdem Freunde werden könnten, das hat mich sehr beeindruckt. Das hätte eine andere an ihrer Stelle nicht getan.«

»Sie ist gewiß eine außergewöhnliche Frau«, sagte Kolb zustimmend. »Ich freue mich, daß wir uns auch einmal außerdienstlich begegnet sind, Fräulein Knopf . . .« Sie unterbrach ihn: »Sagen Sie doch einfach Angelika zu mir. Knopf ist ein blöder Name. Ja, ich freue mich auch, Herr Kolb.«
»Michael«, sagte er und lachte. »Eine etwas ungewöhnliche Situation! Finden Sie nicht auch?« Sie nickte. »In so einer war ich noch nie in meinem Leben. Das dürfen Sie mir glauben.«
»Ich zweifle überhaupt nicht daran«, sagte Kolb und betrachtete ihre langen Oberschenkel. »Es scheint Ihnen aber nicht viel auszumachen?« Sie zuckte mit den Schultern. »Ich kann ja nichts daran ändern. Er hat mir gesagt, daß er sich von ihr nicht trennen will. Ich verstehe das nicht ganz, aber es ist seine Entscheidung. Ich möchte auch nicht seine Ehe kaputtmachen. Irgendwie finde ich es nett, Freunde zu haben, vor denen man keine Geheimnisse hat. Und Sibylle gefällt mir wirklich. Sie kommt aus einer sehr guten Familie, ja?«
»Arzttochter«, sagte Kolb. »Sie lernten sich in der Praxis ihres Vaters kennen. Haben Sie sonst keine Freunde?«
»Nein«, sagte sie. »Seit meiner Scheidung . . .« Sie sprach nicht weiter. Kolb fragte betroffen: »Sie waren verheiratet?«
»Nur ein Jahr«, antwortete sie und ließ sich von ihm eine Zigarette geben. »Wir paßten nicht zueinander. Es gab nur Streit zwischen uns. Er war eifersüchtig, obwohl er es mit anderen Frauen hatte. Dabei habe ich ihm gar keinen Anlaß gegeben.«
»Wie kindisch von ihm«, sagte Kolb. »Durch Eifersucht kann man eine Ehe nur kaputtmachen. Meine Frau lebt ihr eigenes Leben und ich auch. Wohnen Sie bei Ihren Eltern?«
»Jetzt wieder«, sagte Angelika. »Nach unserer Trennung war mir die Wohnung zu teuer geworden. Mein geschiedener Mann verdiente sogar weniger als ich. Zuerst ließ ich mir mit dem Heiraten lange Zeit, weil ich nicht den Falschen erwischen wollte, und nachher erwischte ich ihn doch. Jetzt warte ich erst mal ab. So alt bin ich ja noch nicht. Vielleicht suche ich mir gelegentlich auch wieder eine eigene Wohnung. Seit meiner Scheidung verstehe ich mich mit meinen Eltern nicht mehr. Sie haben zu meiner eigenen Lebenseinstellung kein Verhältnis.« Sie blickte zur Tür. »Das wird aber ein langes Gespräch.«
»Vielleicht ist es etwas mehr«, sagte Kolb. Sie wandte ihm fragend das Gesicht zu. Er sagte leichthin: »Eine kleine Versöhnungsfeier.«

»Dann möchte ich eigentlich nicht länger stören«, sagte sie und wollte aufstehen. Kolb hinderte sie daran: »Jetzt reagieren Sie genauso provinziell wie Ihre Eltern. Wie weit wollen Sie ohne Auto bei diesem Wetter kommen? Sie würden sich nur im nassen Wald verlaufen. Leisten Sie mir ein bißchen Gesellschaft. Oder haben Sie Angst vor mir?« Sie lachte. »Hier brauche ich ja keine zu haben.«
»Warum betonen Sie das ›hier‹ so?« fragte Kolb neugierig. Sie betrachtete ihn abwägend. »Im Büro wissen alle, daß mit Ihnen nicht zu spaßen ist. Sie gelten als unzugänglich und streng.«
»Das wußte ich nicht«, sagte Kolb und rieb sich verwundert die Nase. »Hatten auch Sie diesen Eindruck?«
»Nun ja.« Sie zögerte. »Ich wußte nie recht, was ich von Ihnen zu halten habe.« Er sagte: »Und ich wußte nicht, daß Sie Ferdinands Freundin sind. Ohne diesen Zeitungsartikel hätte ich es vielleicht nie erfahren. Seit wann geht das schon?«
»Sieben oder acht Monate«, antwortete Angelika. »Wir mußten natürlich vorsichtig sein.« Kolb nickte zustimmend. »Dies ist auch der Grund, weshalb ich mir im Büro keine Blöße gebe. Das hat nichts mit unzugänglich zu tun. Es gibt dort genug Leute, die nur darauf warten, daß ich mir etwas durchgehen lasse.«
»Herr Schönberg?« fragte sie interessiert. Kolb schüttelte den Kopf. »Der hat noch nicht das Format zum Geschäftsführer. Das Problem für unsereins besteht darin, daß man nie weiß, auf wessen Loyalität man sich verlassen kann. Wer sich in meiner und Ferdinands Position wegen privater Eskapaden von seinen Mitarbeitern auf der Nase herumtanzen lassen muß, kann gleich seinen Hut nehmen. Sie wollten Ferdinand nicht glauben, daß zwischen seiner Frau und mir ein Verhältnis besteht?«
»Nein«, sagte sie offen. »Ich habe Sibylle schon im Büro gesehen. Sie machte einen so souveränen Eindruck auf mich, daß ich ihr kein Verhältnis zugetraut habe. Nicht einmal mit Ihnen. Man weiß von anderen Menschen eben nie mehr, als man ihnen anzusehen glaubt. Bei mir ist es, was Ferdinand betrifft, auch nicht die ganz große Liebe. Er gefällt mir, sonst hätte ich mich nicht mit ihm eingelassen. Ich hatte, als das mit uns beiden anfing, gerade eine persönliche Krise hinter mir. Ich fühlte mich allein und von niemandem mehr verstanden. Ich hatte auch keine Freunde mehr. Die haben sich nach der Scheidung auf die Seite meines Mannes geschlagen. Wenn man in meinem Alter geschieden ist und keine Freunde mehr hat, dreht man leicht mal durch. Ich

finde es nett, endlich wieder Anschluß gefunden zu haben. Sibylle ist ein Typ, der mir imponiert. Ich könnte mir, so absurd das für Sie vielleicht klingen mag, sogar vorstellen, mit ihr befreundet zu sein.«
»Könnten Sie es sich auch bei mir vorstellen?« fragte Kolb. Sie musterte ihn nachdenklich. »Ja, mit Ihnen auch, Michael. Wenn man wie ich in einem kleinbürgerlichen Mief leben muß, empfindet man es wie eine Erlösung, auch einmal mit Menschen zusammenzukommen, die weniger provinziell sind.«
Kolb betrachtete ihr hübsches Gesicht mit dem Leberfleck neben der Nase und sagte: »Ich glaube, daß es Sibylle in erster Linie darum geht, Ferdinand nicht zu verlieren, und sie ist zu klug, um nicht zu wissen, daß dies in einer Situation wie dieser ohne Kompromisse nicht möglich ist. Sie scheinen ja auch nicht gerade prüde oder zimperlich zu sein, sonst hätten Sie sich mit den Gegebenheiten nicht so schnell arrangiert.«
»Ich habe es gelernt, mich mit allen Gegebenheiten zu arrangieren«, sagte Angelika und blickte zur Tür. Auch Kolb hatte draußen Schritte gehört. Sekunden später kamen Sibylle und Wekkerle herein; ihre Gesichter waren gerötet. Sibylle sagte: »Wir haben beschlossen, bis morgen früh hierzubleiben. Wenn ihr wollt, könnt ihr euch anschließen. Wir machen uns einen netten Nachmittag und Abend.«
Angelika stimmte impulsiv zu: »Jetzt könnte ich doch nicht nach Hause gehen. Vielleicht haben sich meine Eltern bis morgen etwas beruhigt. Ich bleibe gerne hier.«
»Du auch?« wandte sich Sibylle an Kolb. Er blickte sie eine Weile unentschlossen an. Dann fragte er: »Was sollte ich sonst tun?«

23

Kiene fand das Gasthaus zwischen Cham und Schwandorf in einer lieblichen Waldgegend mit frühlingsgrünen Bäumen und saftigen Wiesen. Die Landschaft war gebirgig und von kleinen, tief eingeschnittenen Tälern durchzogen. Auf ihrem Grund flossen Bäche mit kristallklarem Wasser. Auch ein kleiner See war in der Nähe. Das Haus stand unmittelbar am Waldrand in einer Talkrümmung, so daß man die Straße talabwärts bis zu dem kleinen Waldsee und talaufwärts bis zu einer etwa dreihundert Meter entfernten Brücke überblicken konnte, auf der sie einen Bach überquerte, der in den See mündete. Vor dem Gasthaus standen unter alten Kastanien grünlackierte Gartenmöbel. Mit seinem weißverputzten Mauern und den Blumenkästen vor den Fenstern machte es einen sehr ordentlichen Eindruck. Ein junger Mann, offensichtlich ein Kellner, war damit beschäftigt, Staub von den Tischen und Stühlen zu wischen. Als Kiene ihn nach Josef Vogler fragte, erfuhr er, daß dieser mit seinem Bruder nach Schwandorf gefahren sei und bald zurückkommen werde. »Seine Frau ist hier«, sagte der junge Mann, der die Nase voller Sommersprossen hatte. »Soll ich sie rufen?«

»Das ist nicht nötig«, sagte Kiene und betrachtete ein junges Mädchen, das mit kurzem Rock und langen Beinen aus dem Haus kam, bei seinem Anblick stutzte und sich dann rasch näherte. »Sie sind sicher Herr Kiene«, sagte sie. »Mein Mann muß bald hier sein.«

»Ihr Mann?« vergewisserte sich Kiene verwundert. Die junge Frau, die wie ein achtzehnjähriges Mädchen aussah, lachte und gab ihm die Hand. »Ich heiße Hannelore Vogler und bin mit Josef verheiratet. Kommen Sie doch herein; Josef hat Sie erst gegen Mittag erwartet.«

»Ich habe die Strecke schneller geschafft, als ich dachte«, sagte Kiene und folgte ihr ins Haus. In der gemütlichen Gaststube bot sie ihm einen Fensterplatz an, setzte sich ihm gegenüber an den Tisch und musterte ihn neugierig. »Sie sind noch heute sein großes Vorbild«, sagte sie. »Er hat mir alles über Sie erzählt.«

»Wirklich alles?« fragte Kiene, auf den die junge Frau einen sehr vorteilhaften Eindruck machte. Sie erwiderte intensiv seinen Blick. »So ziemlich. Sie waren doch der Major, der es mit der Frau des Regimentskommandeurs hatte?« Kiene lächelte. »Sie hatte es eher mit mir. Seit wann sind Sie verheiratet?«

»Seit er die Uniform ausgezogen hat«, sagte sie. »Das ist jetzt eineinhalb Jahre her. Wir haben uns in Schwandorf beim Tanzen kennengelernt. Wollen Sie etwas trinken?«

»Nur eine Tasse Kaffee, wenn es Ihnen keine Umstände macht«, antwortete Kiene. Sie verschwand für zwei Minuten in der Küche. Als sie zurückkam, sagte sie: »Mein Mann war über Ihren Anruf sehr überrascht; er hat nie daran geglaubt, daß Sie ihn einmal besuchen würden.«

»Ich hatte es ihm versprochen«, sagte Kiene und bot ihr eine Zigarette an. »Wie geht es ihm?« Sie schnitt ein Gesicht. »Nicht besonders. Ich glaube, er hat es schon oft bereut, daß er nicht bei der Luftwaffe geblieben ist. Sein Bruder hat ihn überredet, hier

ins Geschäft einzusteigen.« Kiene nickte. »Davon erzählte er mir schon, als er noch mein Bordmechaniker war. Was klappt nicht?«
Sie zögerte, dann sagte sie: »Ihnen kann ich es ja, weil er so viel von Ihnen hält, erzählen. Vielleicht wissen Sie, daß er Autoelektriker gelernt hat. Ursprünglich hatte er vor, auch noch den Meister zu machen, er wollte selbständig werden. Dazu braucht man aber Geld, und das hatte er nicht. Deshalb ist er auch vier Jahre bei der Luftwaffe geblieben. Da wäre er heute noch, wenn sein Bruder nicht vor drei Jahren dieses Gasthaus gekauft hätte. Der ist vorher lange Zeit Geschäftsführer in einem italienischen Hotel gewesen und hat eine Italienerin geheiratet. Seine Frau war damit einverstanden, daß er sich hier selbständig machte, aber als sie die Gegend gesehen hat, ist sie mit dem nächsten Zug wieder heimgefahren. Heute sind sie geschieden. Was er sich in Italien als Geschäftsführer erspart hatte, hat er dort zum größten Teil in ein eigenes Haus gesteckt, das er, seit er in Deutschland lebt, nur noch im Urlaub benutzt. Er will sich nicht von ihm trennen, obwohl er für das Gasthaus hohe Hypotheken aufnehmen mußte. Das Geschäft lief nicht so, wie er sich das vorgestellt hatte. Schon vor zwei Jahren kam er mit der Rückzahlung der Hypotheken in Verzug. Mein Mann hat ihm mit zwanzigtausend Mark aus dem Schlimmsten herausgeholfen. Die Hälfte davon hatte er sich vor und während seiner Militärzeit erspart, für den Rest nahm er einen Bankkredit auf.
»Haben Sie Kinder?« fragte Kiene. Sie schnippte die Asche von der Zigarette. »Zum Glück nicht. Daß ich hier einmal das Serviermädchen spielen muß, davon war, als ich heiratete, nicht die Rede. Damals beschäftigte mein Schwager noch zwei Kellnerinnen. Als er mit der Rückzahlung der Hypotheken in Schwierigkeiten kam, hat er sie entlassen, auch das Küchenpersonal. Ich würde, wenn ich könnte, gerne von hier weggehen; es ist stinklangweilig hier. Schlimm ist, daß mein Mann seit einem Jahr zu trinken angefangen hat.«
»Hat Ihr Schwager wieder geheiratet?« erkundigte sich Kiene. Sie schüttelte den Kopf. »Er ist zehn Jahre älter als mein Mann und seit seiner Scheidung verbiestert. Mit ihm kann man sich nicht mehr vernünftig unterhalten.«
Kiene blickte in ihr Gesicht. Es gefiel ihm; sie hatte große, dunkle Augen, die auffällig mit ihrem blonden Haar kontrastierten. »Mit Ihrem Mann auch nicht?« fragte er.

»Kaum«, sagte sie. »Ich habe es schon längst bereut, daß ich ...« Sie sprach nicht weiter und betrachtete durch das Fenster den grünen Wald. Dann stand sie schnell auf und sagte: »Ihr Kaffee! Ich habe ihn ganz vergessen. Bitte erzählen Sie meinem Mann nichts von unserer Unterhaltung. Ich habe sonst nie Gelegenheit, mich einmal auszusprechen. Zu Ihnen habe ich, seit mein Mann mir so viel von Ihnen erzählt hat, irgendwie Vertrauen. Ihnen geht es sicher nicht so schlecht wie uns!«
»Woraus schließen Sie das?« fragte Kiene. Sie lächelte. »Na ja, so wie Sie aussehen! Das merkt man doch. Mein Mann erzählte mir, daß Ihren Eltern in Norddeutschland große Fabriken gehören. Er sagte mir auch, daß er damals, als er die zwanzigtausend brauchte, versucht hat, Sie anzupumpen.«
»Zu jener Zeit war ich selbst knapp bei Kasse«, sagte Kiene. »Vielleicht kann ich ihm jetzt helfen. Er hat mir, als ich ihn gestern anrief, über seine finanzielle Situation bereits einige Andeutungen gemacht. Dies ist auch der Grund, weshalb ich hier bin.«
Sie setzte sich wieder hin und fragte ungläubig: »Sie meinen, daß Sie uns helfen könnten?«
»Vielleicht«, sagte Kiene. »Das hängt nicht zuletzt von Ihrem Mann und seinem Bruder ab.« Ihr Gesicht rötete sich, sie sagte impulsiv: »Das wäre großartig. Herr Kiene. Sehen Sie, wenn wir wenigstens die Hypotheken vom Halse hätten, würde der Gasthof so viel abwerfen, daß wir zu dritt einigermaßen davon leben könnten. Bevor ich heiratete, wußte ich nicht, was es heißt, Schulden zu haben. Ich bin da so richtig ahnungslos hineingeschlittert. Lange kann ich es unter den jetzigen Verhältnissen hier nicht mehr aushalten.«
Kiene drückte die Zigarette aus. »Eine etwas indiskrete Frage – Sie müssen sie nicht beantworten: Lieben Sie Ihren Mann?« Sie erwiderte seinen Blick. »Kommt es darauf an? Ich habe jedenfalls mein Lehrgeld bezahlt. Das läßt sich nicht mehr rückgängig machen. Ich hatte früher auch eigene Pläne. Die habe ich für Josef zurückgestellt. Vielleicht war das ein Fehler.«
»Irgendwann machen wir alle einen«, sagte Kiene und betrachtete ihre kleine Brust und die nackten Beine unter dem kurzen Rock. Sie bemerkte seinen Blick und sagte lächelnd: »Ich kann die Frau Ihres Regimentskommandeurs schon verstehen.«
Ehe Kiene etwas erwidern konnte, verschwand sie in der Küche. Er spitzte zufrieden die Lippen. Es sah alles noch viel besser aus,

als er es nach seinem gestrigen Telefongespräch mit Josef Vogler hatte annehmen können. Als sie mit dem Kaffee zurückkam, sagte sie: »Diese kurzen Röcke trage ich nur, weil mein Mann und mein Schwager es so wollen.«
»Sie brauchen sich für Ihre hübschen Beine nicht zu entschuldigen«, sagte Kiene. »Ich gehöre ebenfalls zu den männlichen Gästen, die so etwas gerne sehen. Darf ich fragen, wie alt Sie sind?«
»Zwanzig«, antwortete sie und schenkte ihm Kaffee ein. »Ich werde immer für jünger gehalten. Sie haben mich jetzt richtig neugierig gemacht, Herr Kiene ...«
»Sagen Sie Manfred«, schlug Kiene vor und überlegte, welchen Nutzen es haben könnte, wenn er sie auf seine Seite brachte. Er war sich seiner Sache allerdings noch nicht ganz sicher und fügte hinzu: »Vorausgesetzt, ich darf Hannelore zu Ihnen sagen.«
»Wenn Sie uns dabei helfen, daß die Hypotheken nicht mehr so stark drücken, dürfen Sie alles«, sagte sie. »Dann könnte ich mir endlich auch ein eigenes Auto zulegen und wäre nicht mehr davon abhängig, ob mein Mann unseren Wagen für sich braucht oder nicht. Abends, wenn's hier ruhig ist, fährt er oft zum Tanzen nach Schwandorf oder Regensburg und läßt mich allein mit seinem Bruder hier sitzen.«
Kiene lächelte verwundert. »Warum nimmt er Sie nicht mit?«
»Das fragen Sie ihn am besten selbst«, sagte sie und setzte sich wieder zu ihm. »Ich trinke eine Tasse mit. Werden Sie heute nacht hierbleiben? Wir haben vier Gästezimmer. Zwar nicht sehr komfortabel, ohne Dusche und Bad.«
»Für eine Nacht kann ich auf Bad und Dusche verzichten«, sagte Kiene und löffelte Zucker in seinen Kaffee. »Wie hoch ist das Haus noch belastet?«
»Etwas über hunderttausend Mark«, antwortete sie. »Das macht einen ganz schön fertig, wenn man, ohne die Zinsen, jeden Monat fünfzehnhundert abstottern muß.«
»Ein bißchen viel«, sagte Kiene und nagte an der Unterlippe. Sie berührte über den Tisch hinweg impulsiv seine Hand. »Sie würden das Geld ja nicht verlieren! Uns wäre schon geholfen, wenn wir monatlich nur noch fünfhundert oder tausend bezahlen müßten und die Zinsen nicht mehr hätten. Das sind allein fast achttausend Mark im Jahr; dafür könnte ich mir ein eigenes Auto kaufen. Den Führerschein habe ich.«
»Für achttausend Mark?« fragte Kiene. Sie nickte. »Gebraucht. Ein Alfa Romeo; in Schwandorf ist einer ausgestellt; auf den bin

ich ganz verrückt. Wenn ich mit dem bei meinen Eltern vorfahren würde . . .« Sie verstummte. Kiene fragte lächelnd: »Ja?«
»Sie waren gegen meine Heirat«, sagte sie. »Sie wohnen in Regensburg. Wenn ich sie einmal besuchen will, muß ich immer den Bus nehmen. Mein Mann fährt mich nie hin, und den VW braucht er für sich. Wenn ich dann plötzlich im eigenen Wagen vorgefahren käme, würden sie sicher anders über mich denken. Ich kann Ihnen nicht sagen, was das für mich bedeuten würde. Dafür würde ich alles tun.«
»Wirklich alles?« fragte Kiene. Sie nahm ihre Hand zurück und sagte: »Ich glaube, schon.«
Kiene, der sich jetzt endgültig entschieden hatte, griff in die Tasche, stellte einen Scheck über achttausend Mark aus und sagte: »Dies für Sie und hunderttausend Mark zinsloses Darlehen, rückzahlbar, in, sagen wir, fünfzehn Jahren, damit Sie Ihre Hypotheken ablösen können.«
Sie betrachtete den Scheck und dann Kienes Gesicht. Ihre Stimme klang rauh: »Was müssen wir dafür tun?«
»Sie persönlich müßten Ihren Mann und Ihren Schwager zu einer kleinen Entführung überreden«, antwortete Kiene. Sie verfärbte sich. »Eine Entführung! Eine richtige Entführung?«
»Sie brauchen nicht zu erschrecken«, sagte Kiene. »Der Betreffende, es handelt sich um einen bekannten Fabrikanten, würde sogar freiwillig in das Auto Ihres Mannes steigen, würde hier einige Tage unbemerkt verbringen und nach Zahlung eines Lösegeldes ebenso unauffällig wieder verschwinden. Er hat persönliche Gründe, diese kleine Komödie zu spielen; ich bin nicht befugt, darüber zu reden.«
»Und das wäre alles?« fragte Hannelore ungläubig. Kiene lächelte. »Nun ja, es wird einen kleinen Wirbel geben, denn selbstverständlich müßte, damit die Sache möglichst echt aussieht, die Polizei eingeschaltet werden. Aber das können Sie alles mir überlassen. Sie werden nichts mit ihr zu tun haben. Sie, Ihr Mann und Ihr Schwager müßten nur mitspielen und den Mund halten. Der Betreffende, Sie werden seinen Namen zur gegebenen Zeit erfahren, dürfte hier natürlich nicht gesehen werden. Es ist denkbar, daß sein Foto in den Zeitungen erscheint. Sie beschäftigen einen jungen Mann?«
Sie schüttelte rasch den Kopf. »Franz wäre kein Problem; er wohnt in Cham und hilft nur manchmal aus. Solange dieser Herr bei uns wohnt, würden wir Franz nicht kommen lassen.« Sie griff

sich an die Stirn. »Ich verstehe das trotzdem nicht. Wieso will er so viel Geld . . « Kiene unterbrach sie: »Es stecken familiäre Gründe dahinter. Er verdient im Jahr einige Millionen und kann sich solche Mätzchen leisten.«
»Und es ist wirklich kein Risiko dabei?« vergewisserte sie sich. Kiene legte ihr den Scheck auf den Tisch. »Ehrenwort. Ich würde mich sonst nicht darauf einlassen. Wenn es Ihnen nicht gelingt, Ihren Mann und seinen Bruder zu überreden, müssen Sie ihn leider zurückgeben. Andernfalls gehört er Ihnen, und sobald der Betreffende bei Ihnen eingetroffen ist, wird Ihr Mann auf ein Auslandskonto hunderttausend Mark überwiesen bekommen. Vielleicht nach Italien. Falls die Bank Ihres Schwagers wegen der plötzlichen Tilgung der Hypotheken unbequeme Fragen stellt, könnte er erzählen, daß er sein Haus in Italien verkauft hat. Es liegt jetzt nur noch an Ihnen. Sie können die beiden sicher besser überreden als ich.«
»Wenn sich alles so verhält, wie Sie es mir sagten«, antwortete sie mit gerötetem Gesicht, »habe ich sie schon überredet. Wie kamen Sie gerade auf uns?«
»Von Ihnen wußte ich zufällig, daß Sie Geld brauchen«, sagte Kiene. Er blickte auf die Armbanduhr. »Es ist vielleicht besser, Sie sprechen zuerst allein mit ihnen. Ich werde mir inzwischen Regensburg ansehen; dort war ich schon lange nicht mehr. Haben die beiden geschäftlich in Schwandorf zu tun?«
Sie nahm den Scheck in die Hand, betrachtete ihn lange und schob ihn dann in den Ausschnitt. »Sie sind bei der Bank. Sie wollen versuchen, ob es möglich ist, das Darlehen für meinen Mann, von dem erst die Hälfte zurückbezahlt ist, mit den Resthypotheken zusammenzulegen. Bis jetzt war es so, daß mein Mann monatlich zweihundert für sein eigenes Darlehen und mein Schwager fünzehnhundert für die Hypotheken zu tilgen hatte. Es wäre einfacher und bequemer für uns, wenn nur noch an eine Stelle zu bezahlen wäre.«
Kiene nickte. »Das leuchtet mir ein. Vielleicht können wir die fünftausend Ihres Mannes auch noch in unser gemeinsames Geschäft integrieren. Es war nett, Sie kennenzulernen, Hannelore. Unter uns gesagt: Ich verstehe Josef nicht. Er hatte zwar schon beim Militär viele Mädchen im Auge . . .«
»Das hat er heute noch«, fiel sie ihm ins Wort. »Aber wenn ich mit einem anderen nur ein bißchen flirte, wird er sofort eifersüchtig.«

»Und das schreckt Sie natürlich ab«, sagte Kiene und stand auf. Er gab ihr die Hand. »Ich bin bis gegen vier zurück. Wenn Sie gute Arbeit leisten, werden wir uns rasch einig werden, Hannelore. Ich wünsche Ihnen, daß Sie Ihren Alfa bekommen.«
Sie hatte plötzlich feuchte Augen, und als er sich der Tür zuwandte, fragte sie: »Waren Sie mit Josef wirklich so gut befreundet, wie er immer erzählt?« Kiene blieb stehen. »Wollen Sie eine ehrliche Antwort?«
»Ja«, sagte sie. Er ging zu ihr hin und küßte sie. »Genügt das?« fragte er. Sie antwortete lächelnd: »Jetzt hat er wenigstens Grund, eifersüchtig zu sein.«
»Das finde ich sehr praktisch gedacht«, sagte Kiene.
Im Restaurationsgarten begegnete er wieder dem jungen Mann; dieser fragte: »Können Sie nicht länger warten?«
»Wenn es sich lohnt, immer«, sagte Kiene. »Ich komme später wieder.«
Während er auf der leeren Straße durch die einsame Landschaft nach Regensburg fuhr, mußte er an die geschiedene Frau von Hannelores Schwager denken, die beim Anblick der großen Wälder so sehr in Panik geraten war, daß sie mit dem nächsten Zug in ihre schöne Heimat zurückkehrte. »Was mich betrifft«, sagte Kiene laut zu sich selbst, »ich finde es hier ganz nett.«
Nach Regensburg schaffte er es, weil die Straße kaum durch Ortschaften führte, in einer guten Stunde. Er suchte nach einem Parkplatz am Donauufer, setzte sich in ein Restaurant, von dessen Fenster aus er einen schönen Blick über den Fluß auf den Dom hatte, und bestellte sich ein Bier. Es schmeckte ihm ebenso gut wie die Ochsenschwanzsuppe und das Rehragout. Nach dem Essen telefonierte er vom Restaurant aus mit dem Chef: »Ich glaube, ich habe die richtigen Leute gefunden. Wann wünschen Sie, daß die Sache abläuft?«
»Morgen«, antwortete der Chef. Kiene sagte: »Ausgeschlossen. Ich muß mir das alles noch einmal gründlich durch den Kopf gehen lassen. Außerdem bin ich mir nicht sicher, ob Sie die finanziellen Bedingungen akzeptieren werden. Die Leute brauchen ein zinsloses Darlehen von hundertfünftausend Mark mit einer Laufzeit von zwanzig Jahren.«
»Hundertfünfzigtausend?« fragte der Chef zurück. Kiene sagte: »Hundertundfünftausend.«
»Akzeptiert«, sagte der Chef. Kiene sagte: »Dazu zwanzigtausend Mark verlorenes Darlehen mit Zulassung.«

»Was heißt mit Zulassung?« fragte der Chef.
»Sie brauchen einen neuen Geschäftswagen«, sagte Kiene.
»Da gibt es auch schon billigere«, sagte der Chef. »Muß das sein?«
Kiene blickte durch die Glastür der Telefonzelle in das Restaurant. »Anders geht es nicht.«
»Sichern Sie alles in einer unverfänglichen Form schriftlich ab«, sagte der Chef. »Ich erwarte Sie heute abend bei mir.«
»Das schaffe ich nicht«, sagte Kiene. »Einer der beiden, die ich hier konsultieren muß, ist erst heute abend anzutreffen. Ich brauche Zeit bis morgen mittag.«
»Einverstanden«, sagte der Chef. »Ich wünsche, daß die Sache spätestens am Mittwochvormittag abläuft. Sind die Leute zuverlässig?«
»Sie brauchen dringend Geld«, sagte Kiene. »Die zwanzigtausend schieße ich einstweilen aus meiner eigenen Tasche vor. Sie wollen es sich nicht doch noch anders überlegen? Es wäre bestimmt besser für Sie.«
»Unsinn«, sagte der Chef und beendete das Gespräch. Kiene kehrte zu seinem Bier zurück und bezahlte. Als er in sein Auto stieg, brach die Sonne durch die Wolken. Er fuhr eine Weile ziellos durch die Stadt und zerbrach sich den Kopf darüber, wie er, wenn das Lösegeld für ihn selbst bestimmt wäre, die Übergabe mit dem geringsten Risiko durchführen könnte. Schließlich glaubte er einen brauchbaren Einfall zu haben und fuhr aus der Stadt, ohne daß er sie richtig gesehen hatte. Weil er sich länger als vorgesehen aufgehalten hatte, fuhr er rasch, und als er hinter Roding auf die B 85 kam, war es kurz nach vier. Nach etwa sechs Kilometern sah er auf der einsamen Straße mitten im Wald ein Auto stehen und daneben ein Mädchen. Sie winkte ihm heftig zu. Er trat auf die Bremse und fragte verwundert: »Was treiben Sie hier?«
»Ich habe auf Sie gewartet«, antwortete Hannelore. »Fahren Sie mir nach.« Sie stieg rasch in den alten VW und folgte der Straße talaufwärts bis zu einem Weg, der in den Wald führte. Dort bog sie von der Straße ab, fuhr noch etwa hundert Meter zwischen die dichtbelaubten Bäume und hielt dann an. Kiene beobachtete verwundert, wie sie ausstieg und zu ihm kam. »Ich mußte Sie einfach vorher noch einmal sprechen«, sagte sie. »Darf ich mich zu Ihnen setzen?«
Er öffnete ihr die Beifahrertür. Der Rock, den sie trug, war noch

kürzer als jener, den sie heute mittag getragen hatte. Sie sagte strahlend: »Sie sind beide damit einverstanden. Ich kann mir den Alfa kaufen. Sie glauben nicht, wie glücklich ich bin.«
»Haben Sie den Scheck hier?« fragte Kiene. Sie nickte zögernd. Er streckte ihr die Hand hin und sagte: »Geben Sie ihn mir.«
»Das ist gemein«, sagte sie mit blassem Gesicht. Kiene holte das Scheckbuch aus der Tasche, füllte einen neuen Scheck aus und sagte: »Sie müssen ihn nicht hergeben. Dann behalte ich eben den dafür.«
»Was ist das?« fragte sie und nahm ihm den Scheck aus der Hand. Sie starrte ungläubig darauf nieder. »Zwanzigtausend auf meinen Namen! Wieso denn?«
»Kaufen Sie sich einen Spider 2000 neu«, sagte Kiene. »Er kostet etwas über neunzehntausend. Der Rest ist für die Zulassung. Sie haben an einem neuen bestimmt mehr Spaß als mit einem alten. Herr Rectanus hat ihn bewilligt.« Sie starrte ihn stumm an. Dann fragte sie: »Rectanus, ist das nicht der . . .« Sie brach ab. Kiene lächelte. »Der Klopapierhersteller; ja, das ist er. Wollen Sie mir den alten Scheck nicht zurückgeben?« Sie starrte ihn weiter an, dann fragte sie: »Warum holen Sie ihn sich nicht selbst?«
»Ist er noch dort, wo Sie ihn hingesteckt haben?« frage Kiene. Sie nickte, und als er ihr in die Bluse griff, sank sie an seine Brust und murmelte: »Tu mit mir, was du willst. Ich bin so glücklich, ich kann es dir nicht sagen.«
»Und das alles wegen eines italienischen Autos«, sagte Kiene und streichelte ihr Gesicht. »Wenn Josef das wüßte!« flüsterte er. Hannelore küßte ihn und murmelte: »Josef kann mich jetzt mal. Ich habe zwei Pfund Bohnenkaffee versteckt, damit ich einen Grund hatte, dir entgegenfahren zu können.«
»Und das ist ihnen nicht aufgefallen?« wunderte sich Kiene. Sie lachte leise. »Die sind schon feste am Feiern! Otto, so heißt mein Schwager, hatte zuerst Bedenken, aber Josef sagte ihm, daß auf dich hundertprozentig Verlaß ist. Dann haben sie eine Flasche von unserem besten Cognac aufgemacht, und ich habe ihnen gesagt, daß ich noch Kaffee besorgen müsse, falls du eine Tasse haben willst. War das nicht ein guter Einfall?«
»Sicher einer deiner besten«, sagte Kiene und erwiderte mit rasch wachsender Leidenschaft ihre Küsse. »Warte«, sagte sie, als er ihr den Rock hinaufstreifen wollte. »Heute nacht, wenn sie schlafen komme ich zu dir.«
»Ist das nicht gefährlich?« fragte er. »Ich kann in diesem Fall

nicht das kleinste Risiko eingehen. Wenn er so eifersüchtig ist, wie du sagst, und es mitbekäme . . .«
»Der bekommt heute abend nichts mehr mit«, sagte Hannelore wegwerfend. »Was glaubst du wohl, wie blau die bis dahin sein werden! Trink nicht zuviel mit ihnen, sonst bist du es auch. Sobald ich den Spider habe, könnte ich dich hin und wieder besuchen. Hättest du etwas dagegen?«
Im Prinzip hatte Kiene nichts dagegen, aber er hatte sich auf diese Sache nicht eingelassen, um sein derzeitiges Privatleben noch mehr zu komplizieren. Er antwortete: »Darüber reden wir noch.«

24

Im Laufe der Tage waren die Ereignisse in den Rectanus-Werken für Merklin zu einer Routineangelegenheit seiner untergeordneten Mitarbeiter geworden. Er wußte die Sache bei Mandel in guten Händen und konnte sich endlich wieder intensiver seinen übrigen Aufgaben widmen, an denen es in einem Landesstudio des Fernsehens niemals mangelt.
Dennoch verlor er die Rectanus-Werke nie ganz aus den Augen und sorgte für eine regelmäßige Berichterstattung im Rahmen der von ihm redigierten Sendung. Nach seinen jüngsten Informationen war ein letztes Ultimatum der Belegschaft an den Firmenchef von diesem zurückgewiesen und der mit überwältigender Mehrheit gefaßte Streikbeschluß inzwischen in die Tat umgesetzt worden. Für die Dauer des Arbeitskampfes hatte sich der Betriebsrat einstimmig für den Betriebsarzt Dr. Huber als Belegschaftssprecher entschieden. Zu Merklins Mißvergnügen war es Mandel, obwohl er mit seinem Team täglich einige Stunden vor dem Werkstor verbrachte, noch nicht gelungen, Dr. Huber zu einem Interview zu bewegen. So war Merklin am dritten Tag des Streiks, an dem sich auch die Belegschaften der Zweigniederlassungen sporadisch beteiligten, schon halb entschlossen, sich selbst wieder einmal einzuschalten, als er um die Mittagszeit im Radio die auffallend knapp gehaltene Nachricht von der Entführung des Firmenchefs der Rectanus-Werke vernahm. Sie traf ihn fast wie ein Blitzschlag. Dies geschah an einem Mittwoch und genau zehn Tage nach der ersten Arbeitsniederlegung in den Rectanus-Werken. Merklin sprach sich sofort mit Dr. Haberbusch ab, bestieg seinen BMW 320 und fuhr unter Mißachtung

aller Geschwindigkeitsbeschränkungen zu den Rectanus-Werken hinaus. Dort traf er Mandels Team bereits bei einem Interview mit dem Betriebsratsvorsitzenden Kirschner an, dem sich, als Merklin erschien, fast im gleichen Augenblick auch Dr. Huber hinzugesellte. Beide Männer wirkten verstört und beantworteten alle Fragen wortkarg und bedrückt. Als Mandel sich erkundigte, ob unter dem Eindruck dieses Ereignisses und angesichts der Zwei-Millionen-Forderung der unbekannten Entführer eine Fortsetzung des Streiks noch vertretbar sei, wies Dr. Huber darauf hin, daß der Betriebsrat in einer halben Stunde zusammentreten und, nach Rücksprache mit der Gewerkschaft, in dieser Frage eine Entscheidung treffen werde.
Weil beide Herren die Nachricht auch nur über den Rundfunk erfahren hatten, vermochten sie keine zusätzliche Auskunft zu geben. Merklin, der vor Ungeduld immer mehr ins Zappeln geriet, brach das Interview kurzerhand ab, nahm Mandel zur Seite und erteilte ihm den Auftrag, augenblicklich mit seinem Team zur Klinik von Professor Eschenburger zu fahren, um mögliche Augenzeugen der Entführung ausfindig zu machen. Er selbst wollte sich inzwischen mit der zuständigen Polizeibehörde in Verbindung setzen, dort Einzelheiten recherchieren und dem Team dann auf dem schnellsten Wege folgen.
Zu Kirschner und Dr. Huber, die unschlüssig vor der Kamera stehengeblieben waren, sagte er: »Sie werden verstehen, daß Herr Rectanus für uns jetzt noch wichtiger ist als alles andere. Hatten Sie schon Gelegenheit, mit der Geschäftsleitung zu sprechen?«
Dr. Huber schüttelte den Kopf. »Die Herren sind nicht im Hause. Wir werden uns umgehend bemühen, sie zu erreichen.«
»Und was sagt die Belegschaft zu dieser Nachricht?« fragte Merklin. Kirschner hob die breiten Schultern. »Das festzustellen, hatten wir noch keine Gelegenheit. Das Werk ist nur von wenigen Streikposten besetzt. Wie Sie sehen, versuchen wir jedes Aufsehen zu vermeiden; wir haben nicht einmal vor dem Tor Posten aufgestellt.«
»Wurde der Streikaufruf hundertprozentig befolgt?« fragte Mandel. Kirschner nickte. »Bis auf ein paar nichtorganisierte Angestellte der Verwaltung und Geschäftsleitung. Wir hatten allerdings vor, ab morgen einen Notdienst für den Maschinenpark einzurichten, um Ausfälle zu vermeiden, die Arbeitsplätze gefährden könnten. Darüber wollten wir heute nachmittag mit der

Geschäftsführung verhandeln. Wir sind natürlich alle sehr betroffen von diesem schrecklichen Vorfall, und es ist sicher der Wunsch der gesamten Belegschaft, daß Herr Dr. Rectanus bald wieder bei uns sein möge. Auch wenn wir vom Betriebsrat nicht immer einer Meinung mit ihm waren: wir verurteilen diesen kriminellen Akt um so entschiedener, als Herr Dr. Rectanus nicht mehr der Jüngste ist und ihn die Strapazen dieser Entführung ungleich härter treffen werden als jeden anderen. Wir sind alle sehr betroffen.«

»Wir auch«, sagte Merklin. Aber tief im Herzen war er der Überzeugung, daß den Chef der Rectanus-Werke nur die strafende Hand einer ausgleichenden Gerechtigkeit getroffen hatte. Er verabschiedete sich, gab Mandel, Eichler und Rimmele noch einige Instruktionen mit auf den Weg und fuhr dann zum Polizeipräsidium. Dort wurde er, nachdem er zuvor an vier Stellen abgewiesen worden war, schließlich von einem Beamten in Zivil darüber informiert, daß er nicht ermächtigt sei, im Entführungsfall von Herrn Rectanus Informationen irgendwelcher Art zu geben. Selbstverständlich, setzte er hinzu, stehe man mit den unmittelbaren Familienangehörigen im engen Kontakt, und ein Sonderstab unter Leitung von Hauptkommissar Weihrauch habe bereits alle erforderlichen Schritte eingeleitet. Merklin erkundigte sich, ob er den Kommissar sprechen könne, aber der Beamte in Zivil, der Ritzinger hieß und mit seiner blassen Gesichtsfarbe den Eindruck eines Magenkranken machte, lehnte Merklins Ansinnen ab. »Sie werden ihn vor morgen vormittag kaum antreffen«, sagte er. »Er ist dienstlich unterwegs.«

»Dann kann ich mir auch denken, wohin er unterwegs ist«, sagte Merklin. Immerhin erfuhr er von Ritzinger noch, daß sich der oder die Kidnapper schon zwei Stunden nach der Entführung telefonisch in der Klinik gemeldet und ein Lösegeld von zwei Millionen gefordert hatten. Durch eine Indiskretion hatte sich das Ereignis dann in Minutenschnelle in der ganzen Klinik herumgesprochen, zu deren Patienten ein Redakteur von Radio Bremen zählte. Dieser wiederum hatte die Nachricht ohne vorherige Absprache mit den zuständigen Behörden an eine Rundfunkanstalt weitergegeben, von wo aus sie dann über sämtliche anderen Sender verbreitet worden war. Den Namen des Redakteurs wußte Herr Ritzinger angeblich nicht, aber weil Merklin nun doch mehr von ihm erfahren hatte, als ihm zuvor bekannt gewesen war, schied er nicht im Unfrieden von ihm. Er fuhr dann noch einmal

am Studio vorbei, führte ein kurzes Gespräch mit Dr. Haberbusch, der die Nachricht von der Entführung mit großem Ernst zur Kenntnis genommen hatte und Merklin nahelegte, keine Minute mehr zu verlieren.
Merklin kürzte deshalb seine Mittagspause so stark ab, daß seine Frau kaum mehr Zeit fand, ihm wenigstens eine dicke Suppe auf den Tisch zu stellen. Seinen Kindern versprach er wieder ein kleines Geschenk von der Reise mitzubringen, dann hielt ihn nichts mehr länger im Haus.
Glücklicherweise war das Wetter in den letzten Tagen besser geworden. Zwar zeigte sich der Himmel noch bedeckt, aber Merklin hatte bis an sein Reiseziel trockene Straßen, so daß er wenigstens auf der Autobahn den BMW ausfahren konnte. Schon kurz nach vier erreichte er die Klinik von Professor Eschenburger und fand die düsteren Ahnungen von Dr. Haberbusch erschreckend bestätigt. Vor der Klinik warteten bereits ein Dutzend Journalisten auf neue Nachrichten. Einer von ihnen beklagte sich bei Merklin darüber, daß es so gut wie ausgeschlossen sei, in die Klinik zu gelangen.
Merklin, dem die beiden uniformierten Beamten am Klinikeingang bei seinem Eintreffen nicht entgangen waren, hielt vergeblich nach Mandel und seinen Männern Ausschau, aber als er einmal den Kopf hob, sah er an einem der oberen Balkone einen Mann stehen und mit beiden Armen winken. Er blickte genauer hin und stellte fest, daß es Mandel war. Um kein Aufsehen zu erregen, verhielt Merklin den Schritt und zündete sich eine Zigarette an. Mandel mußte jetzt gesehen haben, daß er ihn entdeckt hatte, denn er deutete mehrmals über seine Schulter hinweg.
Seine Gesten konnten zweierlei bedeuten. Entweder erwartete er ihn am Hintereingang, aber dessen Tür war, wie Merklin sich bereits vergewissert hatte, heute verschlossen. Zudem standen auch auch auf dem Parkplatz Journalisten. Die zweite Möglichkeit, daß Mandel ihn zum Ostflügel der Klinik dirigieren wollte, erschien Merklin wahrscheinlicher. Dort gab es allerdings, wie er mit Sicherheit wußte, keinen Eingang. Trotzdem verlor er keine Zeit mehr. Damit er sich nicht verdächtig machte, wandte er sich zuerst einmal dem Wald zu. Hier stieß er auf einen Weg, der den kleinen Talkessel umrundete und hinter dem Parkplatz vorbeiführte. Merklin folgte ihm, indem er sich den Anschein müßigen Schlenderns gab, bis zum Ostflügel der Klinik. Auf dieser Seite hatte sie keine Balkone und nur wenige Fenster. Merklin erin-

nerte sich, daß sie zu den langen Fluren gehörten, die sich längs durch das ganze Gebäude hinzogen. Als er sich so weit genähert hatte, daß er von den Journalisten nicht mehr gesehen werden konnte, erschien an einem der Fenster im Erdgeschoß das Gesicht Mandels. Ohne seine Schritte zu beschleunigen, ging Merklin, den Weg jetzt verlassend, zu ihm hin und wurde von ihm an den Händen durch das Fenster in das Hausinnere gezogen. Mandel schloß das Fenster sofort wieder und sagte: »Ich hatte schon Angst, Sie hätten mich nicht verstanden. Professor Eschenburger erwartet uns.« Merklin lächelte anerkennend. »Wie haben Sie das geschafft, Mandel?«
»War nicht allzuschwer«, antwortete dieser. »Als ich merkte, daß es zwecklos war, vor den Türen zu warten, habe ich mich nach einem offenen Fenster im Erdgeschoß umgesehen. Drinnen begegnete ich dem Oberarzt. Er wollte mich hinauswerfen, ich sagte ihm aber, daß wir die Reportage über die Klinik jetzt sendereif und nur noch auf einen Aufhänger gewartet hätten und daß die Entführung von Rectanus für uns natürlich ein hochaktueller Aufhänger sei. Er sprach dann mit Professor Eschenburger, und der gab seine Einwilligung für ein Interview. Aber nur unter der Bedingung, daß wir es den anderen Journalisten nicht erzählen. Die werden später durch Hauptkommissar Weihrauch über den Stand der Dinge unterrichtet. Er konferiert zur Zeit mit diesem Kiene; sie erwarten einen neuen Anruf der Entführer. Eichler und Rimmele halten sich in der Nähe von Professor Eschenburgers Büro auf. Sie mußten wie ich durchs Fenster klettern. Der Professor wollte nicht, daß die Journalisten es mitbekommen.«
»Dann wollen wir hier mal die Puppen tanzen lassen«, sagte Merklin erfreut.
Eichler und Rimmele erwarteten sie vor Professor Eschenburgers Büro. Sie machten einen vergnügten Eindruck. Merklin sagte: »Na, ihr alten Füchse, wie immer schon im Bau?«
»Ehrensache«, sagte Eichler und lud sich die Kamera auf die Schulter; Rimmele schleppte sich mit zwei großen Lampen ab. Sie wurden von Professor Eschenburger sofort empfangen, er sagte zu Merklin: »Leider habe ich nur wenige Minuten Zeit. Sie können sich denken, daß hier alles kopfsteht! Viel kann ich Ihnen nicht mitteilen.«
Das Interview wurde von Mandel geführt; Merklin hielt sich im Hintergrund. Auf Mandels einleitende Frage, berichtete Profes-

sor Eschenburger, der sich für das Interview rasch einen blütenweißen Mantel angezogen und ein Stethoskop in die Brusttasche gesteckt hatte, wie es zu der Entführung gekommen war. Nach dem Frühstück hatte Dr. Rectanus der Stationsschwester gegenüber die Absicht geäußert, einen Spaziergang zu machen, von dem er jedoch nicht zurückkehrte. Zwei Stunden später erfolgte der Anruf eines Mannes, der mit verstellter Stimme Professor Eschenburger mitteilte, Herr Rectanus befinde sich in der Gewalt einiger Entführer, die ihn erst nach Zahlung eines Lösegeldes von zwei Millionen Mark freigeben und über die Zahlungsmodalitäten noch von sich hören lassen würden.

»Ich muß allerdings erwähnen«, fügte Professor Eschenburger hinzu, »daß der Anrufer mit den persönlichen Verhältnissen von Herrn Rectanus augenscheinlich nicht vertraut war, sonst hätte er sicher seine Verlobte, Fräulein Steidinger, oder den im Ort abgestiegenen persönlichen Berater von Herrn Rectanus, Herrn Kiene, zu sprechen verlangt und nicht mich. Herr Kiene wartet inzwischen in Gegenwart von Hauptkommissar Weihrauch und der Verlobten von Herrn Dr. Rectanus den nächsten Anruf der Entführer ab.«

»Fräulein Steidinger ist die Verlobte von Herrn Rectanus?« fragte Merklin konsterniert dazwischen.

»Das müssen wir schneiden«, sagte Eichler und setzte ungehalten die Kamera ab. Merklin bekam einen roten Kopf. »Tut mir leid.«

»Ist etwas passiert?« erkundigte sich Professor Eschenburger verwundert. Merklin schüttelte den Kopf. »Nein, entschuldigen Sie die Unterbrechung.« Mandel ergriff wieder das Wort: »Hat man eine Ahnung, wo Rectanus entführt worden ist?«

Professor Eschenburger, der einen erschöpften Eindruck machte, sagte bedauernd: »Leider nicht. Herr Weihrauch hat mehrere Suchtrupps der Spurensicherung auf den Weg geschickt; bis zum Augenblick blieben ihre Bemühungen jedoch ohne jedes Ergebnis.« Mandel wollte noch wissen, ob sich Herr Rectanus während seines Spaziergangs allein oder in Begleitung befand.

»Er wollte allein sein«, antwortete Professor Eschenburger. »Ich führe das darauf zurück, daß Herr Dr. Rectanus im Zusammenhang mit den Ereignissen in seiner Fabrik unter einem starken seelischen Druck stand und es deshalb vorgezogen hat, seinen Spaziergang ohne Begleitung zu machen. Mehr kann ich Ihnen für den Augenblick nicht sagen. Herr Dr. Schneider erzählte mir,

daß Sie dieses Interview zusammen mit der angekündigten ausführlichen Reportage über meine Klinik bringen werden. Ist das richtig?«
Eichler setzte wieder resignierend die Kamera ab und blickte Merklin an, der jetzt zu ihnen trat und sagte: »Wenn wir es irgendwie einrichten können, gewiß. Ich werde das umgehend mit unserer Produktionsleitung absprechen. Wonach Herr Mandel Sie nicht gefragt hat, Herr Professor, und was im Interesse der ungestörten Ermittlungen durch die Polizei vielleicht vor der Kamera auch besser ungefragt bleiben sollte: Wie konnte es zu einer so frühzeitigen Publikation der Entführung kommen?«
»Vielleicht kann man vorher die Lampen ausschalten«, sagte Professor Eschenburger und wischte sich mit einem Taschentuch den Schweiß von der Stirn. »Es ist schrecklich heiß hier.« Merklin nickte Rimmele zu und sagte, während dieser die Lampen ausschaltete: »Ein Patient Ihrer Klinik soll die Nachricht an eine Rundfunkanstalt weitergegeben haben.«
»Leider«, antwortete Professor Eschenburger. »Dieser unglückselige Herr Berckmüller. Kennen Sie ihn zufällig?«
»Der Name ist mir nicht bekannt«, sagte Merklin. »Es soll sich um einen Rundfunkredakteur handeln?« Professor Eschenburger senkte die Stimme: »Wissen Sie, Herr Berckmüller ist ein etwas schwieriger Patient. Ich möchte mich nicht weiter zu ihm äußern. Ich darf Ihnen nur, und das streng vertraulich, sagen, daß er sich bei sämtlichen Patienten, besonders bei den nicht unvermögenden, anzubiedern versucht und jedem eine andere Geschichte erzählt. Einmal gibt er sich als freier Schriftsteller und dann wieder als Literaturkritiker aus. Einer unserer Patienten hat sich erst vor zwei Tagen über ihn beschwert. Herr Berckmüller richtete an ihn das Ansinnen, ihm gegen eine Gewinnbeteiligung ein Buch zu finanzieren, das nur aus der Idee bestehen sollte, fünfhundert unbedruckte Seiten unter dem Titel *Das große Schweigen eines unverstandenen Erzählers* zu veröffentlichen. Herr Berckmüller redet sich anscheinend ein, daß es viele Büchersnobs geben würde, die, um ein solches Buch zu besitzen, ohne weiteres zwanzig Mark auf den Tisch legen würden.«
Die Männer lachten; nur Merklin nicht. Er sagte: »Vielleicht ist der Mann gar nicht so naiv, wie es auf den ersten Blick aussieht. Ich halte es für durchaus denkbar, daß es solche Leute gibt. Es schadet aber nichts, wenn wir uns diesen Berckmüller mal ansehen. Wo hält er sich auf?«

»Sicher in seinem Zimmer«, antwortete Eschenburger und wies ihnen den Weg. Merklin bedankte sich für das Interview und versicherte, daß er sich persönlich um die vorgesehene Sendung über die Klinik kümmern werde. Dann fuhr er mit seinen Männern im Lift zum Zimmer von Herrn Berckmüller hinauf, der sich sofort bereit erklärte, ein Interview zu geben. Merklin sagte: »Das ist sehr freundlich von Ihnen.«
Berckmüller lächelte und wischte sich das dichte, kaum angegraute Haupthaar aus der blassen Stirn. »Sie kommen sicher wegen meines Buches«, sagte er.
»Tatsächlich haben wir von Ihrem Buch schon gehört«, antwortete Merklin. »Arbeiten Sie bereits wieder an einem neuen?«
Berckmüller nickte. »Es handelt von einer menschlichen Tragödie in unserem technischen Zeitalter, in dem sich nur noch Roboter ohne Seele und Empfinden behaupten können. Wenn Sie nichts dagegen haben, möchte ich das Interview auf dem Balkon geben. Sie wissen sicher selbst am besten, daß Kunstlicht die Gesichtsfarbe unnatürlich verändert; ich kenne mich da von meiner früheren Tätigkeit noch einigermaßen aus. Mögen Sie die Bremer?«
»Ich bin Süddeutscher«, sagte Merklin und trat auf den Balkon hinaus. Berckmüller folgte ihm und sagte: »Ich auch. Ich habe mich da oben nie wohl gefühlt. Für die Norddeutschen zählen die Gebiete südlich der Mainlinie bereits zu den Entwicklungsländern. Stehe ich so richtig?«
Merklin sprach mit Eichler, der mit dem Belichtungsmesser arbeitete. »Es könnte noch gehen«, meinte Eichler.
»Passen Sie aber auf, daß Sie von unten nicht gesehen werden«, warnte Merklin ihn und überließ Mandel das Wort. Der wartete, bis die Kamera lief, dann fragte er: »Ist es richtig, Herr Berckmüller, daß Sie für Radio Bremen arbeiten?«
Berckmüller rückte an seiner Krawatte. »Ich habe mir einen längeren Urlaub genommen. Seitdem bin ich als freier Schriftsteller tätig. Für meinen Entschluß waren hauptsächlich gesundheitliche Gründe ausschlaggebend, und im Augenblick kann ich mich ganz meiner neuen Tätigkeit widmen. Während meiner früheren fand ich kaum Zeit, eigene Bücher zu schreiben; ich mußte immer nur andere lesen, und Sie wissen ja, was einem anspruchsvollen Leser von der heutigen Literatur alles zugemutet wird.«
»Das ist uns bekannt«, sagte Mandel. »Bevor wir aber auf Ihre Bücher zu sprechen kommen, Herr Berckmüller, rasch noch eine

Frage zu aktuelleren Ereignissen. Sie gehörten zu den ersten hier in der Klinik, die von der Entführung des Herrn Rectanus erfahren haben?«
»Ich war sogar Augenzeuge«, sagte Berckmüller. Zu Eichler sagte er: »Geht es nicht von links? Links ist meine Schokoladenseite.«
»Sie sahen von beiden Seiten gut aus«, sagte Mandel mit einem fiebrigen Klang in der Stimme und begann wieder von vorne: »Bevor wir auf Ihre Bücher zu sprechen kommen, Herr Berckmüller, rasch noch eine Frage zu aktuelleren Ereignissen. Sie gehörten zu den ersten in der Klinik, die von den der Entführung des Herrn Rectanus erfahren haben?«
»Ich war sogar Augenzeuge«, sagte Berckmüller. »Ich ging zufällig zur gleichen Zeit wie Herr Rectanus spazieren und sah, wie er von vier Männern in eine schwarze Limousine gezerrt wurde.«
»Wirklich?« fragte Mandel und behielt zwei Sekunden lang den Mund offen. Eichler sagte: »Ich habe das Bild verrissen. Können wir noch einmal bei ›Augenzeuge‹ beginnen?«
»Dann stelle ich nur wieder den letzten Teil der Frage«, sagte Mandel. »Bitte wiederholen Sie Ihre Antwort wie eben gehabt, Herr Berckmüller.«
»Das tue ich gern«, sagte Berckmüller und lehnte sich mit dem Gesäß lässig gegen das Balkongeländer. Mandel sagte: »Sie gehörten zu den ersten in der Klinik, die von der Entführung erfahren haben?«
»Ich war sogar Augenzeuge«, sagte Berckmüller. »Ich ging zufällig zur gleichen Zeit wie Herr Rectanus spazieren und sah, wie er von vier schwarzgekleideten Männern in eine Limousine gezerrt wurde.«
Merklin fiel dazwischen: »Vorhin sprachen Sie von vier Männern und einer schwarzen Limousine?«
»Die Szene ist im Eimer«, sagte Eichler und setzte die Kamera ab. Merklin biß sich auf die Lippen und trat ins Zimmer zurück. Zu Rimmele, der das Interview von der Schwelle aus beobachtet hatte, sagte er verärgert: »Es ist mir unbegreiflich, daß Mandel das nicht mitbekommt; der Bursche will uns doch nur verschaukeln. Ich nehme an, man hat ihn in Bremen gefeuert, und seither hat er gegen sämtliche früheren Kollegen eine Aversion.«
»Sie meinen, er hat das nur so erzählt?« fragte Rimmele überrascht. Mandel kam zu ihnen; er sagte mit gerötetem Gesicht:

»Diesen Moses fasse ich nicht einmal mehr mit der Brikettzange an!« Auch Eichler betrat das Zimmer und danach Herr Berckmüller. Er fragte pikiert: »War das alles?«
»Gehen Sie mir aus den Augen«, erwiderte Merklin und wandte sich zur Tür. Auf dem Flur lief er Dr. Schneider in die Arme. Dieser begrüßte ihn mit ernstem Gesicht: »Eine schlimme Sache für uns alle. Sie kommen von Herrn Berckmüller?«
»Ein Weg, den wir uns hätten ersparen können«, sagte Merklin verdrossen. Dr. Schneider lächelte flüchtig. »Ich halte ihn für einen harmlosen Simulanten; nicht ernst zu nehmen und auf eine gewisse Weise sogar originell.«
»Welchen Nutzen hätte er davon, zu simulieren?« fragte Merklin verständnislos. Dr. Schneider senkte die Stimme: »Darüber darf ich leider nicht sprechen; ich habe mir meine persönliche Meinung über ihn gebildet, aber lassen wir das. Kann ich Sie unter vier Augen sprechen?«
Merklin ließ seine Männer auf dem Flur warten und folgte Dr. Schneider in ein unbelegtes Zimmer mit zwei Betten, großem Balkon und farbenfrohen Bildern an den Wänden. Auf einem Nachttisch stand das Telefon.
»Gibt es Neuigkeiten?« fragte Merklin erwartungsvoll. Dr. Schneider nickte. »Hauptkommissar Weihrauch wird in zehn Minuten eine Presseerklärung abgeben. Die Entführer haben sich wieder gemeldet. Sie gaben Herrn Kiene Gelegenheit, einige Worte mit Herrn Dr. Rectanus zu wechseln. Dieser ist mit der geforderten Lösegeldsumme jedoch nicht einverstanden. Er hat, bevor man ihn am Weitersprechen hinderte, Herrn Kiene ausdrücklich befohlen, die zwei Millionen nicht zu bezahlen. Ob die Entführer bei diesem Gespräch bereits präzise Forderungen wegen der Zahlungsmodalitäten gestellt haben, will Herr Weihrauch vorläufig nicht bekanntgeben. Sie können sich die Pressekonferenz also ersparen; mehr als von mir werden Sie dort nicht zu hören bekommen. Herr Weihrauch ist jedenfalls davon überzeugt, daß es sich bei den Entführern um Profis handelt.«
»Was wird Herr Kiene tun?« fragte Merklin. »Trotzdem bezahlen?« Dr. Schneider zuckte mit den Achseln. »Das ist mir nicht bekannt. Anscheinend will er erst das Eintreffen von Fräulein Rectanus abwarten; sie wurde bereits verständigt. Zur Zeit findet eine Besprechung zwischen den Herren statt, zu der auch die Verlobte von Herrn Rectanus hinzugezogen wurde.«
»Da würde ich gerne mit dabei sein«, meinte Merklin in fragen-

dem Ton. Dr. Schneider schüttelte heftig den Kopf. »Ausgeschlossen, die Tür wird von zwei Beamten bewacht. Herr Weihrauch hat seinen gesamten Arbeitsstab versammelt; es sind über ein Dutzend Beamte in Zivil. Das Gespräch findet unter höchster Geheimhaltung statt. Herr Kiene hat auch schon die Geschäftsleitung der Rectanus-Werke verständigt; einer der Herren ist unterwegs hierher. Sicher wird es im Laufe des Tages weitere Neuigkeiten geben. Professor Eschenburger ist, falls Sie das wünschen, bereit, Ihnen ein Zimmer zur Verfügung zu stellen. Auf diese Weise könnte ich Sie über alle Ereignisse sofort unterrichten, ohne daß es die anderen Herren von Presse und Funk erfahren.«
»Dafür wäre ich Ihnen und Herrn Professor Eschenburger außerordentlich dankbar«, sagte Merklin erfreut. »Wir werden uns zu revanchieren wissen!« Dr. Schneider sagte: »Professor Eschenburger legt größten Wert auf eine baldige und positiv gehaltene Reportage über seine Klinik. Es liegt also ganz bei Ihnen, sich für sein Entgegenkommen erkenntlich zu zeigen.«
»Darauf kann er sich verlassen«, sagte Merklin. »Hat das Zimmer, in dem wir uns aufhalten werden, Telefon? Ich muß so rasch wie möglich mit unserem Studio sprechen!«
»Sie können in diesem Zimmer bleiben«, sagte Dr. Schneider. Auf Merklins Frage, in welchem Stockwerk er Hauptkommissar Weihrauch und seinen Stab finden könne, antwortete er: »In der Bibliothek im Erdgeschoß; dort sind keine Patientenzimmer. Ich lasse wieder von mir hören, sobald ich etwas weiß.« Er verabschiedete sich hastig.
Merklin rief seine Männer herein. Während er telefonierte, wurde sein Gesicht lang. Er sagte: »Aber das ist doch Schnee von gestern, Herr Haberbusch!« Schließlich legte er auf und blickte in die neugierigen Gesichter seiner Männer: »Er hat wegen der Sendung vom vergangenen Donnerstag eins aufs Dach bekommen. Der Intendant persönlich . . .«
»Wieso erst jetzt?« fragte Mandel verwundert. Merklin zündete sich nervös eine Zigarette an. »Der Intendant befürchtet, daß die Kidnapper erst durch die Fernsehsendung zu der Entführung animiert worden sind.«
»Da ist vielleicht etwas Wahres dran!« sagte Mandel betroffen. Merklin setzte sich mürrisch auf ein Bett. »Man kann in diesem Job nicht an alles gleichzeitig denken!«
Die Männer schwiegen.

25

Die gemeinsame Sitzung von Betriebsrat und Geschäftsleitung fand gegen 15 Uhr im Konferenzzimmer des Verwaltungsgebäudes statt. Sie dauerte nur zwanzig Minuten. Im Namen seiner Kollegen verkündigte Kirschner den einstimmigen Beschluß des Betriebsrats, den Arbeitskampf auf vorläufig unbefristete Zeit auszusetzen. Er sagte: »Über formale Bedenken hinsichtlich einer nicht vorliegenden Meinungsäußerung der Belegschaft können wir uns wohl in Anbetracht der besonderen Umstände hinwegsetzen. Selbstverständlch habe ich mich auch umgehend mit unseren Kollegen Schmitt und Kohler von der Gewerkschaft in Verbindung gesetzt; sie billigen unseren Entschluß ohne Einschränkung, weil Herr Rectanus im Augenblick nicht die Möglichkeit hat, sich von der Ursache unseres Arbeitskampfes zu distanzieren oder Entscheidungen zu widerrufen, die für ihn ursächlich waren. Was die Verständigung der Belegschaft über die Aussetzung des Streiks betrifft, so ist sie bereits im vollen Gange; wir rechnen fest damit, daß sie spätestens morgen früh die Arbeit wieder vollzählig aufnehmen wird. Wie der Geschäftsleitung bekannt ist, ist ein großer Teil der Belegschaft, soweit sie die Nachricht von der Entführung über den Hörfunk erreicht hat, bereits wieder spontan an den Arbeitsplätzen erschienen. Wir versuchen mit den vorhandenen Kräften die Produktion noch im Laufe des Nachmittags wieder in Gang zu setzen. Sie alle wissen, daß wir uns nur ungern zu diesem Arbeitskampf entschlossen haben. Mit etwas mehr Einsicht und Entgegenkommen des Firmeninhabers hätte er sich vermeiden lassen . . .«

»Auch mit etwas mehr Einsicht der Belegschaft!« warf Dr. Meissner ein. »Der dem Werk bisher entstandene Schaden geht bereits in die Hunderttausende!«

Kirschner wandte ihm das Gesicht zu. »Sie wissen genau, Herr Dr. Meissner, wie es zu diesem Arbeitskampf gekommen ist. Weder Gewerkschaft noch Betriebsrat, noch Belegschaft haben ihn gewollt. Wäre es der Geschäftsleitung möglich gewesen, von Herrn Rectanus eine verbindliche Äußerung zu erhalten, daß keine Verkaufsabsichten bestehen, so wäre es nicht dazu gekommen. Wir vom Betriebsrat haben nicht den Eindruck, daß von seiten der Geschäftsleitung sämtliche Möglichkeiten ausgeschöpft worden sind . . .«

»Dann erzählen Sie das nur Ihrem Dr. Huber«, sagte Kolb bissig. »Schließlich war er, schon bevor Sie ihn zu Ihrem Belegschaftssprecher gewählt haben, aufgrund seiner Ernennung zum stellvertretenden Firmenchef ...« Kirschner unterbrach ihn grob: »Sie wissen genau, Herr Kolb, daß die Belegschaft diesen Entschluß unseres Chefs ebensowenig gebilligt hat wie seine späteren Entscheidungen. Sie richten Ihre Beschwerde an die völlig falsche Adresse. Außerdem haben wir jetzt ganz andere Probleme, als uns über Kompetenzfragen zu streiten.«
Die anwesenden Mitglieder des Betriebsrats spendeten ihm demonstrativ Beifall. Kolb stand auf und sagte: »Was ich vermisse, ist die Anwesenheit der Herren Schmitt und Kohler bei diesem Gespräch. Sie haben beide entscheidend zu diesem Arbeitskampf beigetragen. Wir hätten jetzt, da er mit ihrer Einwilligung abgebrochen wird, gerne ihre persönliche Stellungnahme dazu gehört.«
»Sie stellen da eine Kausalität her, die durch nichts begründet ist«, sagte Kirschner mit rotem Kopf. »Wollen Sie vielleicht die Gewerkschaft für die Entführung verantwortlich machen? Hier werden doch Dinge vermengt, die überhaupt nichts miteinander gemein haben. Wir vom Betriebsrat machen uns um Herrn Rectanus nicht weniger Sorgen als Sie von der Geschäftsleitung, und die Gewerkschaft teilt unsere Empfindungen genauso wie Sie. Ich verwahre mich aber dagegen, daß wir und die Gewerkschaft uns für eine Entscheidung rechtfertigen sollen, die durch die jüngsten bedauerlichen Ereignisse in keinem Punkt ihre Legalität verloren hat und die, wie Ihnen bekannt ist, von einer absoluten Mehrheit der Belegschaft getragen wurde. Ich glaube, wir können dieses Gespräch als beendet ansehen.« Er verließ mit frostiger Miene das Konferenzzimmer. Die gewählten Mitglieder des Betriebsrats folgten ihm geschlossen, auch sie mit ernsten Gesichtern. Weckerle stand auf. »Ich muß mir das mal ansehen. Wenn nur ein Teil der Belegschaft am Arbeitsplatz ist, darf die Produktion keinesfalls anlaufen.«
»Warum nicht?« fragte Meissner verständnislos. Weckerle lachte. »Das wäre genauso, als würde eine werdende Mutter ihr Kind eigenhändig zur Welt bringen. Seit unseren letzten Rationalisierungsmaßnahmen läuft die Produktion so kontinuierlich ab, daß wir bei unvollständiger Belegschaft innerhalb einer halben Stunde einen so großen Anfall halbfertiger Produkte hätten, daß wir ihn niemals wieder in den Griff bekommen würden,

ohne nicht wiederum andere Teilzweige der Fabrikation vorübergehend stillzulegen. Übrigens vermisse ich von Ihnen noch immer eine Äußerung über den Artikel in der ›Morgenpost‹ vom vergangenen Samstag. Haben Sie ihn nicht gelesen?«
Meissner erwiderte abweisend: »Ich glaube, wir haben jetzt alle größere Sorgen, Herr Weckerle. Ich habe mich noch nie für das Privatleben meiner Kollegen interessiert.«
»Aber um so mehr für ihre Äußerungen im Kollegenkreis«, sagte Weckerle. »Soweit ich mich entsinne, sind Sie der einzige, dem gegenüber ich am vergangenen Freitag einige Bemerkungen habe fallenlassen, die von Herrn Rectanus als illoyal hätten empfunden werden können. Jetzt frage ich mich schon seit mindestens vierundzwanzig Stunden, auf welche Weise ihm das zu Ohren gekommen ist. Vielleicht können Sie mir dabei helfen.«
»Wieso ich?« fragte Meissner abweisend. Weckerle wechselte einen raschen Blick mit Kolb, der ihnen stumm zuhörte. »Ich habe Sie immer für einen kleinen Kacker gehalten, Meissner«, sagte er. »Da ich hier vermutlich nicht mehr viel zu verlieren habe, ist es mir ein aufrichtiges Bedürfnis, Ihnen das einmal zu sagen. So von Kollege zu Kollege. Immerhin waren wir doch wohl für längere Zeit Kollegen – wenn auch mit divergierenden Auffassungen.«
»Das wird Ihnen noch leid tun«, sagte Meissner mit aschfahlem Gesicht und verließ das Konferenzzimmer. Kolb sagte: »Fällig war das schon längst. Ich weiß nur nicht, ob es auch klug war, Ferdinand.«
Weckerle winkte ab. »Du kennst ja meine Meinung. Ich habe gestern mit der Personalabteilung gesprochen. Hübner sagte, daß noch nichts gegen mich vorliegt. Auch gegen Angelika nicht. Hübner meinte aber, es sei besser, sie würde ihren Jahresurlaub nehmen. Bis sie zurückkommt, ist Gras über die Geschichte gewachsen. Solange der Chef nicht da ist, kann ich über Frau Martin verfügen; ich habe das mit Hübner abgesprochen.«
»Falls der Chef jemals wieder zurückkommt«, sagte Kolb ernst. Weckerle nickte. »Ich habe dem Alten einiges gegönnt, aber das nicht. Die Information über Meissner erhielt ich übrigens von Kiene; er hat mich gestern abend überraschend daheim angerufen. Der scheint neuerdings, seit er zum künftigen Schwiegersohn des Chefs avanciert ist, um eine bessere Kommunikation mit der Geschäftsleitung bemüht zu sein. Du, es gibt da ein Problem, Michael. Angelika hat daheim Schwierigkeiten. Ich möchte sie da gerne rausholen, und zwar so rasch wie möglich.«

»Also noch heute?« fragte Kolb. Weckerle setzte sich auf den Konferenztisch. »Sie hat mir heute morgen am Telefon die Ohren vollgeweint. In einem Hotel zu wohnen, davor hat sie Bammel, und eine passende Wohnung für sie findest du auch nicht von heute auf morgen. Am einfachsten wäre es, sie könnte bei uns wohnen; ich weiß nur nicht, wie Sibylle sich dazu stellen wird. Mir gegenüber ist sie, seit wir Sonntag mittag heimgekommen sind, irgendwie verändert. Ich weiß nicht recht, was in ihr vorgeht, und mit der Tür ins Haus fallen, das will ich nicht.«
»Das verstehe ich«, sagte Kolb. »Wenn Ella nicht so bürgerlich wäre, könnte Angelika so lange bei uns wohnen. Sie hackt, seit sie den Artikel gelesen hat, bei jeder Gelegenheit auf dir herum. Daß du Sibylle so etwas antun konntest . . . Und die übliche Moraltinktur.«
»Sie hat auch seit zwei Tagen bei Sibylle nicht mehr angerufen«, sagte Weckerle. »Hat sie neuerdings auch gegen sie etwas?«
Kolb seufzte. »Sie versteht sie nicht. Anscheinend hat ihr Sybille, als Ella am Sonntagabend mit ihr telefoniert hat und eine Andeutung machte, wie leid ihr das mit euch beiden täte, geantwortet, daß Männer eben nun mal so seien. Ella hat ihr erklärt, daß das zum Glück nicht für alle Männer zutreffe, und seitdem ist der Ofen zwischen ihnen irgendwie aus. Soll ich mal mit Sibylle sprechen?«
Weckerle sagte erleichtert: »Das wäre mir eine große Hilfe, Michael. Fahr doch einfach mal rasch zu ihr raus. Oder kommst du hier nicht weg?«
»Für dich immer«, sagte Kolb. »Ich muß nur noch . . .« Er wurde durch Dr. Huber unterbrochen, der zur Tür hereinkam. Bei ihrem Anblick sagte er erleichtert: »Gut, daß ich Sie noch antreffe. Ich habe eben einen Anruf von Fräulein Rectanus bekommen; ich soll sie noch heute in St. Gallen abholen und zu ihrem Vater . . .« Er brach ab und korrigierte sich: »In die Klinik bringen. Die Bahnverbindungen sind ihr zu umständlich.«
Kolb und Weckerle starrten ihn verblüfft an. »Wieso ist sie wieder in St. Gallen?« fragte Kolb. Huber zuckte mit den Achseln. »Das hat sie mir nicht erklärt. Ich wollte Ihnen jedenfalls, bevor ich wegfahre, Bescheid geben. Und noch etwas.« Er zerrte nervös an seinem Hemdkragen. »Ich habe mich nicht freiwillig als Belegschaftssprecher aufstellen lassen. Dieser Einfall kam von Herrn Kirschner. Er wollte eine neutrale Person dafür haben, und ich konnte es ihm schlecht abschlagen.«

»Sind Sie das?« fragte Kolb. Huber blickte ihn fragend an, dann wurde ihm klar, wie Kolb es meinte; er antwortete: »Sich für die Probleme der Belegschaft einzusetzen, hat nichts mit Parteinahme zu tun. Vielleicht kenne ich diese Probleme besser als Sie von der Geschäftsleitung.«
»Sicher«, sagte Kolb mit unbewegtem Gesicht. »Ich verstehe nur nicht recht, weshalb sich Fräulein Rectanus nicht von Herrn Kiene abholen läßt.«
»Ich nehme an, er ist dort unabkömmlich«, sagte Huber. »Im übrigen ist es mir egal, was Sie von mir denken. Ich bin froh, daß der Streik ausgesetzt wird und ich mit Ihnen nichts mehr zu tun habe. Ich finde Sie allesamt zum Kotzen.« Er ging hinaus.
Kolb sagte betroffen: »Hast du diesen progressiven Scheißer gehört? Das bezog sich wohl auf den Artikel in der ›Morgenpost‹!«
»Ich habe keine Ahnung mehr, was hier gespielt wird«, sagte Weckerle. »Ob da zwischen Kiene und Fräulein Rectanus etwas schiefgelaufen ist?«
»Das würde auch seine plötzliche Anbiederung bei dir erklären«, sagte Kolb. Er überlegte, ob er Weckerle von Fräulein Wurz erzählen sollte, ließ es jedoch sein und sagte: »Ich sehe da auch nicht mehr durch ... Müssen wir nicht wieder einmal in der Klinik anrufen? Es sieht, finde ich, so desinteressiert aus, wenn wir uns nicht regelmäßig melden.«
Weckerle stieg vom Tisch herunter. Weil die Sitzungen im Konferenzraum durch kein Telefon gestört werden sollten, stand hier kein Apparat. Sie gingen in Weckerles Büro, das genauso eingerichtet war wie das von Kolb. Frau Martin stellte die Verbindung her. Kurze Zeit später war Kiene in der Leitung. Weckerle fragte: »Gibt es etwas Neues?«
»Einiges«, antwortete Kiene. »Leider darf ich nicht darüber sprechen. Wir warten hier alle auf Fräulein Rectanus.«
»Dann wissen Sie sicher schon, daß Dr. Huber sie in St. Gallen abholen wird?« fragte Weckerle. Kolb, der von einem zweiten Apparat aus mithörte, wechselte, als Kiene ein paar Augenblicke lang still blieb, einen schnellen Blick mit Weckerle. Dann meldete sich Kiene wieder: »Woher haben Sie das erfahren?« Weckerle berichtete es ihm. Nach einer weiteren Pause sagte Kiene: »Wir haben uns gerade überlegt, ob wir nicht einen von Ihnen hierherkommen lassen sollen, aber wenn Dr. Huber ohnehin auf dem Weg ist, genügt das auch.«

»Brauchen Sie Geld?« fragte Weckerle. »Ich meine, Fräulein Rectanus wird sicher keine zwei Millionen in der Tasche haben.«

»Herr Rectanus ist nicht willens, das Lösegeld zu bezahlen«, sagte Kiene. »Was macht der Streik?«

Weckerle benetzte sich mit der Zunge die trockenen Lippen. »Vorläufig ausgesetzt.«

»Dann ist diese traurige Sache wenigstens für etwas gut«, sagte Kiene und beendete das Gespräch. Weckerle legte den Hörer gleichzeitig mit Kolb auf und sagte: »Wenn er nicht bezahlen will, werden sie ihn umbringen.« Kolb nickte grimmig. »Dieser Mann kostet mich noch die letzten Nerven. Was können wir da tun? Mit Meissner sprechen?«

»Ohne Ermächtigung des Chefs wird er keine zwei Millionen flüssigmachen können«, sagte Weckerle. »Habe ich dir schon erzählt, daß am Sonntag Dr. Hauser bei ihm war?«

»Nein«, sagte Kolb betroffen. »Weißt du es von Kiene?« Weckerle nickte. »Als er mich gestern abend anrief, sprach er davon. Er wußte allerdings nicht, weshalb der Chef seinen Anwalt hat kommen lassen. Es ist merkwürdig, daß Mauser sich heute noch nicht gemeldet hat. Ihm müßte die Entführung doch genauso an die Nieren gegangen sein wie uns.«

»Bei Mauser blicke ich auch nie durch«, sagte Kolb und sah auf die Armbanduhr. »Bevor hier vielleicht das Finanzamt aufkreuzt und wissen will, woher wir die zwei Millionen nehmen, um den Alten freizukaufen, fahre ich zu Sibylle.«

»Gegen seinen Willen können wir das Geld nicht flüssigmachen«, sagte Weckerle. »Du kannst dir bei Sibylle ruhig Zeit lassen. Falls etwas Wichtiges für dich eingeht, lasse ich es durch Frau Martin auf meinen Apparat legen. Vorher muß ich aber noch in Halle 3, sonst sitzen wir dort morgen früh auf drei Tonnen unperforiertem Klopapier fest. Grüß Sibylle schön.«

»Werde ich gerne für dich tun«, sagte Kolb und griff zum Telefon. Er verständigte seine Sekretärin, daß er für ein oder zwei Stunden das Haus verlassen werde, und fuhr dann zu Sibylle. Das Haus stand im Ostteil der Stadt in einem ruhigen Wohnviertel mit kleinen Villen, die von Gärten umgeben waren. Weckerles Eltern hatten es in der Nachkriegszeit gebaut. Sibylle empfing Kolb in einem dunkelroten Hosenanzug und fragte: »Warum hast du mich nicht vorher angerufen? Ich hatte gerade im Keller zu tun.«

»Du siehst trotzdem hübsch aus wie immer«, sagte Kolb. Insgeheim hatte er gehofft, sie nicht anzutreffen. Sein Auftrag schmeckte ihm nicht, und an Angelika, die er seit Sonntag nicht mehr gesehen hatte, dachte er heute mit einem gewissen Unbehagen. Er sagte: »Ich habe mich ganz impulsiv dazu entschlossen, dich zu besuchen, aber wenn ich störe ...«

»Nein«, sagte sie. »Komm herein.« Sie führte ihn in das gutbürgerlich möblierte Wohnzimmer, setzte sich auf die Couch und forderte ihn auf, neben ihr Platz zu nehmen. Er sagte: »Was uns noch gefehlt hat, war diese Entführung. Wir sind alle geschmissen!«

»Warum?« frage sie. »Er hat euch nie sehr gut behandelt. Ferdinand schon gar nicht. Es tut mir leid, Michael. Ich empfinde Genugtuung und sonst nichts. Ihm ist es nie schlechtgegangen. Ich glaube auch nicht, daß die Entführer ihm etwas tun werden. Er wird die zwei Millionen früher oder später bezahlen und anschließend zur Tagesordnung übergehen. Ferdinand schätzt, daß er mindestens zwanzig Millionen Privatvermögen besitzt, vielleicht auch noch mehr. Was machst du dir seinetwegen Gedanken?«

»Vielleicht hast du recht«, räumte er ein. »Es kam eben so unvermittelt. Es tut mir leid, daß wir uns zwei Tage lang nicht gesehen haben, Sibylle. Ich weiß nicht mehr recht, woran ich mit uns bin. Am Samstag und Sonntag hatten wir keine Gelegenheit mehr, uns unter vier Augen zu sprechen. Bitte, erinnere dich daran, daß ihr, du und Ferdinand, mir am Samstagabend gar keine andere Möglichkeit gelassen habt, als mit Angelika in einem Bett zu schlafen.«

»Wie hätten wir es sonst machen sollen?« fragte sie. »Sie mit ihm und ich mit dir? Ich habe diese Situation nicht herbeigeführt. War sie dir peinlich?«

Er benetzte sich mit der Zunge die trockenen Lippen. »Nun gut, ich bin ein Mann, und sie ist eine Frau. Was hast du da von mir erwartet? Daß ich neben ihr einschlafe, ohne sie anzurühren?«

»Ich habe nichts anderes erwartet als das, was du getan hast«, antwortete Sibylle. »Habe ich dir irgendwelche Vorwürfe gemacht?«

»Nein, Sibylle.« Er griff nach ihrer Hand. »Trotzdem fühle ich mich seit Sonntag nicht mehr recht wohl in meiner Haut. Ich mache zur Zeit wieder eine Krise durch; beruflich ebenso wie privat. Und jetzt noch diese ganzen Aufregungen in der Firma. Ich weiß

selbst am besten, wie oberflächlich ich in den letzten Jahren geworden bin, Sibylle, aber was soll ich dagegen tun? Die paar Stunden Freizeit, die ich habe, brauche ich, um mich wenigstens körperlich einigermaßen fit zu halten. Geistige Interessen allein sind kein brauchbares Rezept gegen den Herzinfarkt. Und je weniger Zeit ich finde, mich mit Dingen zu beschäftigen, die mich von der beruflichen Mühle ablenken, desto anfälliger bin ich für alles, was mir eine kurzfristige Zerstreuung bieten kann. Das hat nichts mit Charakter zu tun, vielleicht eher mit Selbsterhaltungstrieb, mit Lebensgier, mit dem Gefühl, vielleicht gar nicht mehr so viel Zeit zu haben, wie es noch den Anschein hat. Und wenn sich dann plötzlich eine solche Gelegenheit bietet wie mit Angelika: Mein Gott, im Grunde will ich es nicht, aber ich bin ein Mensch aus Fleisch und Blut! Was verbindet mich schon mit Angelika! Nicht annähernd das, was ich mit dir gemein habe. Bei Ferdinand wird es kaum anders sein. Ich weiß, daß er sich für nichts auf der Welt von dir trennen würde. Angelika ist für ihn nur eine Art von Ersatzbefriedigung, eine Möglichkeit, Komplexe und Ängste abzubauen, von denen in unserem Alter keiner mehr frei ist. Ich glaube, du siehst das ähnlich wie ich und mißt ihr keine größere Bedeutung bei, als ihr tatsächlich zukommt. Ich hatte am Sonntag sogar das Gefühl, daß Angelika dir trotz allem nicht ganz unsympathisch ist. Sie hat, fürchte ich, schon irgendwie den Zug verpaßt. Sie wird dieses Jahr dreißig; das ist für eine Frau, die noch keinen passenden Mann gefunden hat, ein kritisches Alter. Wer es, wie sie, immer nur mit Geschäftsführern zu tun hat, ihren Lebensstil kennt, ihre Frauen, der möchte bei der Wahl eines Ehemannes nicht einige Etagen tiefer landen. Für Angelika sind solche Liaisons im Grunde auch nichts anderes als für uns: Ersatz für verdrängte Lebenserwartungen. Ich weiß nicht, ob du das genauso siehst oder ob ich damit falsch liege; so arg an den Haaren herbeigezogen ist meine Hypothese aber, glaube ich, nicht. Du bist doch eine Frau mit Niveau, Sibylle. Kleinliche Eifersüchteleien, Engstirnigkeit, provinzielles Denken, das ist doch etwas, das überhaupt nicht zu dir paßt. Wenn ich mir deine Verhaltensweise am vergangenen Wochenende alleine damit erklären könnte, wäre mir wesentlich wohler. Aber weil du dich bisher nicht darüber ausgesprochen hast, bin ich eben auf Vermutungen angewiesen. Liege ich falsch?«
Sibylle schüttelte den Kopf. »Ich weiß, daß meine Verhaltensweise die einzige Möglichkeit war, Ferdinand vor impulsiven

Schritten zu bewahren, die er früher oder später bereut hätte. Davon abgesehen, daß ich in Angelika keine ernstzunehmende Rivalin sehe, ist sie mir als solche, wie ich sie jetzt kenne, sogar ungleich lieber als eine, deren Gefährlichkeit ich nicht einzuschätzen vermag, weil sie mir unbekannt ist. Du hast mich überzeugt, Michael.«
Er lächelte erleichtert und küßte ihre Hand. »Darüber bin ich sehr froh, Sibylle. Es zeigt mir wieder einmal mehr, wie wesensgleich wir doch sind und wie sehr unsere Gedanken und Empfindungen übereinstimmen. Ich brauche dir nicht zu versichern, daß eine Frau wie Angelika mir keinen Augenblick lang Ersatz für die Freunschaft sein könnte, die mich mit dir verbindet, und es ist mein heißer Wunsch, daß sich auch in Zukunft nichts daran ändern möge. Ich hatte vorhin zufällig Gelegenheit, mit Ferdinand zu sprechen; er hat mit Angelika ein kleines Problem. Ihre Eltern haben natürlich diesen widerlichen Zeitungsartikel gelesen und machen ihr jetzt anscheinend die Hölle heiß. Sie möchte so rasch wie möglich von daheim weg. In einem Hotelzimmer würde sie sich nicht wohl fühlen, und bis sie eine passende eigene Wohnung gefunden hat, werden doch einige Tage vergehen . . .«
»Und jetzt soll ich sie bei mir aufnehmen?« fragte Sibylle dazwischen. Kolb lächelte verlegen. »Es ist eine Zumutung, ich weiß, Sibylle. Mit der Freundin des Ehemannes, wenn auch nur einige Tage, unter einem Dach leben zu sollen, das setzt doch eine ordentliche Portion Selbstverleugnung voraus.«
Sibylle drückte ihre Zigarette aus. »So empfinde ich es nicht, Michael, im Gegenteil; vielleicht ist es ganz nützlich, wenn ich sie hier für eine Weile unter meinen Augen habe. Ferdinand würde ihr sonst doch nur eine Wohnung mieten und sie dort vielleicht öfter besuchen, als mir lieb ist. Das hat nichts mit Sympathie für Angelika zu tun, sondern mit Vernunft. Sie kann zu mir kommen. Wenn sie will, noch heute.«
»Du bist unwahrscheinlich!« sagte Kolb und starrte bewundernd in ihr schönes Gesicht. Sie lächelte. »Es ist mir schon deinetwegen lieber, wenn sie bei mir wohnt. Du und Ferdinand, ihr würdet euch sonst vielleicht bei ihr gegenseitig auf die Füße treten. Wenn wir uns allein treffen wollen, haben wir ja immer noch die Hütte. Hast du noch ein bißchen Zeit für einen Kaffee?«
»Liebend gern«, sagte Kolb und zog sie hingerissen an die Brust. »Ich habe noch keine andere Frau kennengelernt, die so hübsch

und so klug ist wie du. Ich wünschte, Ella hätte ein klein wenig von deinem Format. Es war sehr fair von dir, Sibylle, daß du dich auf ihre dumme Anzüglichkeit am Telefon zu keiner Bemerkung hast provozieren lassen. Ich weiß nicht, warum sie voraussetzt, daß mich außer ihr keine andere Frau interessieren würde. Sie scheint tatsächlich in diesem Wahn zu leben. Vielleicht liegt es auch daran, daß sie den ganzen Tag so stark mit den Kindern beschäftigt ist.«
»Das allein ist es sicher nicht«, erwiderte Sibylle. »Natürlich habe ich mich, als sie das am Telefon sagte, ein wenig geärgert. Ihr eigentliches Problem, und ich hoffe, dir damit nicht weh zu tun, scheint zu sein, daß sie nicht genügend Phantasie hat, sich ein ernsthaftes Verhältnis zwischen dir und einer anderen Frau vorzustellen; es gibt solche Frauen, auch wenn ich sie nicht verstehe. Warst du enttäuscht, daß ich dich die ganze Nacht mit Angelika allein gelassen habe? Ich kann es, wenn Ferdinand in der Nähe ist, noch nicht mit dir tun. Vielleicht später einmal.«
Kolb küßte ihre Augen und ihren Mund und sagte dann: »Natürlich war ich enttäuscht, aber ich hatte Verständnis dafür.«
»Es gab noch einen anderen Grund«, sagte Sibylle und knöpfte sein Hemd auf. Sie schob die Hand hinein und ließ sie auf seiner Brust liegen. »Irgendwie hätte es mich gestört, wenn er Wand an Wand mit uns die Nacht mit Angelika verbracht hätte; er ist immerhin mein Mann.«
»Das ist psychologisch völlig einleuchtend«, sagte Kolb, der die Nacht mit Angelika in einer sehr angenehmen Erinnerung hatte. Er versuchte, Sibylles Reißverschluß zu öffnen, aber sie hielt seine Hand fest und sagte: »Ich ziehe mir rasch etwas anderes an, Michael; ich trage das nur, weil ich im Keller zu tun hatte. Inzwischen kann ich auch Kaffeewasser aufsetzen. Mußt du noch einmal ins Büro zurück?«
»Ich werde später in meinem Sekretariat anrufen«, sagte Kolb. »Ich glaube nicht, daß ich heute noch gebraucht werde, und Ferdinand weiß, daß ich bei dir bin. Kann ich ihn davon verständigen, daß Angelika noch heute zu dir kommen darf?«
»Aber nicht zu früh«, sagte sie und blickte auf die Armbanduhr. »Vielleicht kurz nach sieben. Dann kann sie hier schon zu Abend essen. Ich werde das Gästezimmer für sie herrichten.«
»Du bist ein Engel«, sagte Kolb und griff zum Telefon. Während Sibylle draußen war, sprach er mit Weckerle. Der lachte. »Wie hast du das nur wieder geschafft, Michael? Mir hätte sie es be-

stimmt ausgeschlagen und vielleicht sogar Zustände bekommen.«
»Vielleicht schätzt du sie da falsch ein«, sagte Kolb. »Sie ist sehr tolerant und klug dazu. Ich glaube allerdings nicht, daß du von Angelika, solange sie bei euch wohnt, viel haben wirst.«
Weckerle schwieg ein paar Augenblicke lang, dann sagte er: »Das war auch nicht meine Absicht. Ich wollte dem armen Ding wirklich nur helfen. Wir warten hier alle auf neue Nachrichten aus der Klinik. Bis jetzt hat sich anscheinend nichts mehr getan.«
»Ich kann es abwarten«, sagte Kolb. »Eigentlich ist es doch ein ganz beruhigendes Gefühl, den Alten so gut aufgehoben zu wissen, daß sogar seine heimlichen Drähte ins Werk nicht mehr funktionieren.«
»Du sprichst meine eigenen Gedanken aus«, sagte Weckerle und verabschiedete sich mit einem Gruß an Sibylle. Kurze Zeit später kam sie mit dem Kaffee herein. Sie trug einen seidenen Morgenrock und sah wieder hinreißend und sehr damenhaft aus. Kolb küßte, während sie die Tassen füllte, ihren langen, schlanken Nacken und sagte: »Ferdinand läßt dich grüßen. Er wird Angelika umgehend verständigen.«
»Sie wird uns im Haus nicht behindern«, sagte Sybille. »Es ist zwar nur halb so groß wie eures, aber seit wir für das Gästezimmer noch ein eigenes Bad einbauen ließen, stören mich Besucher nicht mehr, auch wenn sie längere Zeit bei uns wohnen. Willst du nicht das Jackett ausziehen? Ich habe, weil es heute morgen ziemlich kühl war, noch einmal geheizt.«
»Ja, es ist sehr warm hier«, sagte Kolb und hängte das Jackett über einen Stuhl. Daß Sibylle unter ihrem seidenen Morgenrock nichts auf der Haut trug, stellte er wenig später, als sie die Beine übereinanderschlug, mit einem sachkundigen Blick fest. Er rückte auf der Couch etwas näher zu ihr, legte, während er mit einer Hand nach seiner Tasse griff, die andere auf Sibylles schöne Schenkel und sagte lächelnd: »Ich kenne dich jetzt schon so lange, Sibylle, und doch entdecke ich immer wieder neue Eigenschaften an dir. Daß du Angelika so ohne weiteres aufnehmen würdest, hätte ich dir, offen gestanden, nicht zugetraut.«
Sie zuckte die schmalen Achseln. »Ich bin Realist, Michael, und Ferdinand kenne ich nun allmählich gut genug, um zu wissen, woran ich mit ihm bin. Auch Angelika wird ihm nicht ewig den Reiz des Neuen bieten können. Es ist auch im Hinblick auf unsere Nachbarschaft, die das Zeitungsfoto gesehen hat, nicht von

Schaden, wenn Angelika bei uns ein und aus geht. Man wird sie dann, wie ich es auch sämtlichen anderen Bekannten erzählt habe, für eine gute Bekannte oder Verwandte von uns halten und sich nicht länger den Mund über unser Eheleben zerreden. Ist Angelika wenigstens hübsch?«
Kolb blickte, während seine Hand sich unter ihren Morgenrock verkroch, verwundert in ihr ebenmäßiges Gesicht. »Warum fragst du das mich?« Sie lächelte. »Weil du schon mehr von ihr gesehen hast als ich. Viele scheinbar gut aussehende Frauen sehen nur angezogen gut aus.«
»Das trifft bei Angelika nicht zu«, sagte Kolb und beobachtete, wie ihre Hand, mit der sie die Tasse hielt, bei seiner intimen Liebkosung kaum sichtbar zu zittern anfing. Sie stellte die Tasse langsam auf den Tisch zurück, nahm eine für ihn bequemere Haltung ein, und fragte: »Sieht sie besser aus als ich?«
»Das wollte ich damit auf keinen Fall sagen«, antwortete Kolb, den die Diskrepanz zwischen ihrer lässigen, überlegenen Haltung und ihrer hochgradigen physischen Erregung zu faszinieren anfing. »Sie hat einen ziemlich makellosen Körper, auch wenn er sich mit dem deinen nicht vergleichen läßt.« Er lächelte. »Vielleicht stellst du Ferdinand auf eine zu harte Probe. Es wird einigermaßen anstrengend für ihn werden, mit ihr unter einem Dach zu wohnen und dennoch keusche Zurückhaltung zu üben.«
»Das mute ich ihm nicht zu«, sagte Sibylle, deren blasser Teint sich bei seiner ausdauernden Liebkosung rosig färbte. »Vielleicht ist es für eine Ehefrau ganz amüsant, das Liebesvermögen ihres Mannes auch einmal aus einer anderen Perspektive, als Unbeteiligte, taxieren zu können: wie ich Angelika einschätze, wird sie kaum Anstoß daran nehmen.«
»Du willst ...« Kolb brach ab. Nach einer kleinen Pause sagte er etwas atemlos: »Du bist ja eine große Sünderin, Sibylle! Weißt du das?«
»Ich habe es dieser Tage erst erfahren müssen«, sagte sie. »Vielleicht ist die Verwirklichung unserer geheimen Wünsche allein davon abhängig, daß der Anstoß nicht von uns, sondern von anderen ausgeht, die uns die Verantwortung abnehmen. Willst du es dir nicht noch etwas leichter machen? Wir könnten den Kaffee ja trotzdem austrinken.«
»Selbstverständlich«, sagte Kolb. »Aber dann mußt du es auch tun.« Sie stand auf, zog den Morgenrock aus und legte, als er sich seiner Kleider entledigt hatte, den Kopf auf seinen Schoß. Kolb

sagte lächelnd: »Auf diese etwas ungewöhnliche Weise habe ich noch nie Kaffee getrunken. Was immer auch du tust, Sibylle, du tust es mit Stil, und ich bin jedesmal wieder hingerissen von deiner Schönheit.«

»Und ich von deiner Männlichkeit«, sagte sie und berührte ihn mit den Lippen. »Gieß dir nach, wenn du noch eine Tasse willst.«

»Hereinschauen kann ja keiner?« fragte Kolb mit einem besorgten Blick zum Fenster. Sibylle öffnete ihren Haarknoten und sagte: »Bei Tag nicht, wenn in der Wohnung kein Licht brennt. Ich habe beim Kauf der Gardinen darauf geachtet, daß man von gegenüber nicht durch die Fenster sehen kann.« Sie breitete ihr langes, weiches Haar auf seinen Schenkeln aus und lächelte. »Sieh mal, wie gut dir das steht. Ist Angelika eher aktiv oder passiv?«

»Eigentlich sehr aktiv«, sagte Kolb und vergaß, während er sie liebkoste, sich Kaffee nachzugießen. Sibylle tat es für ihn, griff dann wieder nach ihrer eigenen Tasse und trank im Liegen einen Schluck. Sie verschüttete einige Tropfen auf ihre schönen Brüste, und Kolb küßte sie dort weg und fragte: »Ob Ferdinand auch keinen Anstoß daran nehmen wird?«

»Würdest du an seiner Stelle Anstoß nehmen?« fragte sie und stellte ihre Tasse auf den Tisch zurück. Er dachte darüber nach, dann antwortete er: »Eigentlich nicht, wenn es mit Niveau geschieht.«

»Es ist alles nur eine Frage der Ästhetik«, sagte sie und drehte sich auf den Bauch. Als sie, während er fasziniert die verführerische Kerbe in ihrem niedlichen Gesäß betrachtete, damit anfing, ihn behutsam zu küssen, überfiel ihn ein Schauer.

26

Die letzte Nachricht der Entführer erfolgte kurz nach zwanzig Uhr. Sie beschränkte sich auf die knappe Mitteilung, daß im Laufe des Donnerstags eine weitere Nachricht eintreffen werde. Wie bei den früheren Anrufen war die Stimme nicht zu identifizieren; sie ähnelte der eines Sprachbehinderten, dessen Artikulationslaute nur mit großem Einfühlungsvermögen ins Verständliche zu übersetzen sind. Hauptkommissar Weihrauch vertrat Annemarie und Kiene gegenüber die Auffassung, daß mit den bisherigen Tonbandaufzeichnungen so gut wie nichts gewonnen und das Zögern der Entführer möglicherweise auf die Weigerung von Herrn Rectanus zurückzuführen sei, die Lösegeldbedingungen zu akzeptieren. Er sagte: »Die endgültige Entscheidung kann jetzt nur noch Fräulein Rectanus treffen. Ich halte es für wenig wahrscheinlich, daß wir heute nacht mit weiteren Anrufen zu rechnen haben. Falls doch, wird das Gespräch in einer Parallelschaltung auf Ihr Zimmer gelegt und gleichzeitig von meinen Leuten hier mitgehört und aufgezeichnet. Ich werde jetzt ins Präsidium zurückfahren und morgen früh rechtzeitig wieder hier sein. Sie muß ich bitten, das Zimmer keinen Augenblick lang zu verlassen; da die Entführer jetzt wissen, wer Sie sind, werden Sie auch bei künftigen Anrufen auf Ihnen als Gesprächspartner bestehen. Sobald Fräulein Rectanus eintrifft, verständigen Sie bitte meine Mitarbeiter.«

»Haben die Fangschaltungen nichts ergeben?« fragte Kiene. Weihrauch schüttelte den Kopf. »Die Gespräche waren jeweils viel zu kurz; auch scheinen sie von völlig verschiedenen Orten geführt worden zu sein, was unsere Vermutung, daß es sich bei den Tätern um Profis handelt, nur noch erhärtet. Das geht schon daraus hervor, daß weder hier noch im Kurort ein verdächtiges Auto bemerkt worden ist, obwohl wir umfangreiche Nachforschungen angestellt haben.«

Er verabschiedete sich von Annemarie und gab auch Kiene die Hand. Jedesmal, wenn er ihn mit seinen grauen, eigenartig kalt wirkenden Augen ansah, hatte Kiene Mühe, seinem Blick standzuhalten. Er schätzte ihn als einen sehr gefährlichen und ernstzunehmenden Gegner ein. Von den vier anwesenden Zivilbeamten verabschiedete sich Kiene mit einem Kopfnicken. Während er mit Annemarie im Lift zum Zimmer des Chefs hinauffuhr, das ihm Professor Eschenburger für die Dauer seines Aufenthalts zur Verfügung gestellt hatte, frage Annemarie, die einen verstörten und übermüdeten Eindruck machte: »Warum sollte ich, wenn er danach gefragt hätte, erzählen, daß ich den Montag über bei dir gewesen sei? Du warst doch ohne mich weg.«

Kiene, der nach seiner ersten Begegnung mit Weihrauch befürchtet hatte, daß der Kommissar auch ihn verdächtigen könnte, antwortete ausweichend: »Ich erzähle es dir nachher. Es ist besser, ich habe für den Montag ein Alibi. Du brauchst dir um den Chef keine Sorgen zu machen.«

Er hatte in dem engen Lift plötzlich einen Schweißausbruch und öffnete den obersten Knopf seines Kragens. Bis vor vier Stunden war er entschlossen gewesen, den Wunsch des Chefs, niemanden in die wirklichen Geschehnisse einzuweihen, auch gegenüber Annemarie zu respektieren. Inzwischen war ihm klargeworden, daß er das nicht durchstehen konnte. Nicht nur fand er es überflüssig, daß sie sich, wie es den Anschein hatte, die größten Sorgen machte – er brauchte jetzt auch unbedingt einen Menschen, den er ins Vertrauen ziehen und bei dem er sich aussprechen konnte. Sie fragte verständnislos: »Wieso brauche ich mir keine Sorgen zu machen? Machst du dir keine?«

»Nein«, sagte er. »Er ist gut aufgehoben. Warte, bis wir in seinem Zimmer sind. Du erfährst es gleich.«

Sie schwieg verwirrt.

Im Zimmer des Chefs war alles unverändert; sogar seine Zigarrenkiste stand noch auf dem Tisch. Kiene schaltete nur eine Nachttischlampe ein, schloß die Fenster und warf sein Jackett aufs Bett. »Ich hätte mich nicht darauf einlassen sollen«, sagte er. »Es kostet mich mehr Nerven, als ich angenommen hatte. Ich werde, obwohl das sicher Einbildung ist, keinen Augenblick lang das Gefühl los, daß der Kommissar auch mich verdächtigt.«

»Ich verstehe kein Wort«, sagte Annemarie und setzte sich benommen auf das Bett. »Wieso sollte er dich verdächtigen? Du hast doch nichts damit zu tun!«

»Sogar alles«, antwortete Kiene und zündete sich eine Zigarette an. »Ich traf mich mit dem Chef heute morgen auf der Straße am Ort; wir waren dort verabredet. Ich habe ihn so auf dem Rücksitz verstaut, daß er, als wir durch den Ort gefahren sind, nicht gesehen werden konnte. Etwa fünf Kilometer hinter dem Ort habe ich ihn in einer einsamen Gegend seinem ›Entführer‹ übergeben. Der war als Schofför verkleidet und fuhr einen großen Mercedes. Der Chef klebte sich mit unserer Hilfe einen künstlichen Vollbart an, setzte sich in den Fond des Mercedes und ließ sich davonfahren. Kein Mensch, der sie unterwegs gesehen hat, wird sie mit der Entführung in Verbindung bringen. Inzwischen liegt er in der Gegend von Regensburg in einem Hotelbett und schläft sicher schon den Schlaf des Gerechten. Bist du nun beruhigt?«

»Mein Gott!« Sie starrte ihn mit verschreckten Augen an. Er setzte sich zu ihr, griff nach ihrer Hand und sagte: »Der Mercedes war gemietet, der Vollbart und die Schofförsuniform ebenso. Ich glaube, ich habe an alles gedacht, aber das Schwierigste liegt noch vor mir. Ich muß das Lösegeld so übergeben, daß es echt aussieht . . .«

»Er will doch gar nicht, daß es bezahlt wird . . .«, fiel Annemarie

rauh dazwischen. Kiene sagte verärgert: »Das ist auch wieder so eine Schnapsidee, die zwischen uns nicht vereinbart war. Wahrscheinlich will er Ursula damit nur noch mehr ängstigen. Spätestens morgen wird er einwilligen, und ich werde das Geld übergeben. Das Hauptproblem liegt darin, daß dieser Weihrauch ein fähiger Beamter zu sein scheint und mich, falls er mich in Verdacht hat, vielleicht auf Schritt und Tritt beobachten läßt. Ich muß sehen, daß ich seine Leute abhänge. Die ganze Entführung ist fingiert; ich habe sie eingefädelt und auch die erforderlichen Leute aufgetrieben. Der Chef will damit nur erreichen, daß Ursula zurückkommt. Es gibt zwischen ihm und ihr ein Problem, das ich nicht durchschaue. Er fühlte sich von ihr vernachlässigt, vielleicht sogar zurückgestoßen. Er hat Angst, sie für immer zu verlieren. Alles, was er in den letzten zehn Tagen an irrwitzigen Dingen unternommen hat, war ausschließlich dazu bestimmt, die Aufmerksamkeit und das Mitleid seiner Tochter zu erregen. Er hat mir gestern erzählt, daß sie nach Amerika auswandern wolle. Ich halte das für ebenso aberwitzig wie alles, was sich zwischen den beiden abspielt. Wenn sie meine Tochter wäre, würde ich ihr den Hintern vollhauen oder sie zum Teufel schicken. Sie macht mit ihm, was sie will, und je mehr er darunter leidet, desto berechnender springt sie mit ihm um. Er hat ihr in der Vergangenheit einiges angetan, worüber ich nicht sprechen möchte, aber das ist kein hinreichender Grund, daß sie ihn so behandelt. Sie muß genauso spinnen wie er.«
»Seit wann weißt du das alles?« frage Annemarie verstört. Er streichelte ihre Hand. »Erst seit Samstag. Vorher hat er seine Karten auch mir gegenüber nicht aufgedeckt. Er muß in einer so verzweifelten Verfassung gewesen sein, daß er mich, um sich meine Hilfe zu sichern, in das Wesentlichste eingeweiht hat, obwohl ihn das sicher große Überwindung kostete. Ich glaube jetzt nicht mehr daran, daß er jemals ernsthaft die Absicht hatte, dich zu heiraten, Annemarie. Ich bezweifle sogar, daß es ihm mit seinen letzten Offerten an dich ernst gewesen war. Er hätte dich sonst, als er am Sonntagnachmittag über drei Stunden lang mit Dr. Mauser konferiert hat, sicher hinzugezogen. Daß er dir anschließend erzählt hat, Dr. Mauser habe noch keine Zeit gefunden, den Vertrag aufzusetzen, war sicher nur eine Schutzbehauptung. Zu diesem Zeitpunkt hatte er schon nichts anderes mehr als seine Selbstentführung im Kopf. Er geht davon aus, daß ich auch dir nichts davon erzählen werde. In einem gewissen

Maße habe ich ihn jetzt natürlich in der Hand, obwohl er sicher lieber wegen Irreführung der Behörden eine hohe Geldstrafe bezahlen als sich von mir unter Druck setzen lassen würde. Ihm kann so und so nicht viel passieren; wenn es darauf ankommt, wird sein Anwalt auf Unzurechnungsfähigkeit plädieren. Es ist doch auch auffällig, daß er dich seit Samstag in Ruhe gelassen hat; mir hat er sogar erlaubt, mit dir zu schlafen. Es ging ihm einzig und allein um seine Tochter. Es tut mir leid, dir das sagen zu müssen, Annemarie. Ich nehme an, er wird dir später, damit du den Mund hältst, eine größere Abfindung vorschlagen, zumal Ursula, soweit ich das mitbekommen habe, sicher nur unter der Bedingung zu ihm zurückkehren wird, daß er dich fallenläßt. Du warst für ihn nur eine Karte in einem breitgefächerten Spiel, das ihm aus den Händen geglitten ist, weil er sich von Emotionen und Aversionen dazu hat hinreißen lassen, es zu überziehen.«
»Aber warum hat er dann ausgerechnet mich da mit hineingezogen?« fragte Annemarie mit leerem Gesicht. Kiene küßte sie auf die Wange. »Ich glaube nicht, daß er das überlegt getan hat. Er reagierte wie ein Feldherr, dem nach bereits begonnener Schlacht Zweifel kommen, ob er sie richtig angelegt hat, und der nun das augenscheinlich Versäumte rasch nachzuholen sucht, indem er auch noch die letzten Bataillone ins Feld führt. Ich bin natürlich auch nur auf Hypothesen angewiesen und gehe einmal davon aus, daß er Ursulas letzten Geburtstag gemeinsam mit ihr feiern wollte. Statt dessen schrieb sie ihm kurzfristig ab; bei dieser Gelegenheit vielleicht sogar, daß sie nach Amerika auswandern wolle. Am Tag ihres Geburtstags legte er sich dann mit dem Betriebsratsvorsitzenden an, es ist denkbar, daß er sich aufgrund seiner Aversionen gegen ihn zu Tätlichkeiten hat hinreißen lassen, die von ihm gar nicht beabsichtigt gewesen waren. Es ist ferner denkbar, daß es dann doch zu einem echten Nervenzusammenbruch gekommen ist, weniger wegen Kirschner als wegen seiner Tochter. Der Gedanke, aus diesen peinlichen Vorfällen wenigstens einen persönlichen Nutzen zu ziehen, ist ihm möglicherweise erst im Krankenhaus gekommen. Dort sah er dich, und weil er wußte, wie empfindlich seine Tochter auf seine bisherigen Frauenbekanntschaften reagiert hat, faßte er den Entschluß, dich für seine Zwecke einzuspannen. Er rechnete wohl damit, daß seine Tochter, sobald sie davon erfuhr und ihn für einen kranken Mann halten mußte, ihre bisherige Zurückhaltung aufgeben und ihn besuchen würde. Diese Rechnung ist auch aufgegangen, aber

die Gespräche zwischen ihnen scheinen nicht so verlaufen zu sein, wie er sich das erhofft hatte. Ich nehme an, sie hat ihn durchschaut und ihm auf den Kopf zugesagt, daß er nur simuliert. Deshalb mußte er sich, um sie zum Bleiben zu bewegen, immer neue Verrücktheiten einfallen lassen. Dazu gehörte schon vorher die Ernennung Dr. Hubers zu seinem Stellvertreter. Ausgerechnet ein Mann, der ihm schon lange ein Dorn im Auge ist! Sicher spekulierte er darauf, daß Dr. Huber sich auf diese Weise bei der Belegschaft desavouieren würde, und mit der Vier-Tage-Arbeitswoche wollte er nur beweisen, daß er noch immer der Herr im Hause ist. Daß er die Verkaufsgerüchte nicht dementiert, hängt wohl mit dem wilden Streik zusammen. Richtig ernst wurde das Spiel aber erst, als Ursula, trotz all seiner Anstrengungen, wieder abreiste und die Belegschaft seine verrückten Maßnahmen mit einem offiziellen Streikbeschluß beantwortete. Inzwischen waren die Fronten schon so versteift, daß keine Seite mehr ohne Gesichtsverlust zurückstecken konnte. Vielleicht verfolgt er mit seiner Selbstentführung, neben der Absicht, seine Tochter zur Rückkehr zu bewegen, auch den Gedanken, einen Ausweg aus der verfahrenen Situation zu finden. Immerhin wurde der Streik heute abgebrochen, er hat also einen Teilerfolg erzielt. Was mich beunruhigt, ist sein langes Gespräch vom vergangenen Sonntag mit Dr. Mauser, über das er dir nichts erzählen wollte. Irgend etwas braut sich da zusammen, und ich fürchte, daß es nichts Gutes ist. Für dich ist dies alles natürlich kein Trost . . .«
»Wofür Trost?« unterbrach Annemarie ihn. »Daß er nur einmal wissen wollte, wie ich im Bett bin, das habe ich längst mitbekommen. Aber mit fünfhundert Mark werde ich mich, wenn er für eine so kindische Sache mit zwei Millionen herumschmeißen kann, nicht abfinden lassen. Er soll sich da in mir nicht täuschen. Schade, daß ich das Tonband nicht mehr habe. Um ihm noch einmal eins unters Bett zu stellen, dazu wird er mir wohl keine Gelegenheit mehr geben. Sicher hat Ursula ihm davon erzählt. Jetzt möchte ich auch gar nicht mehr bei ihm bleiben; er ist mir irgendwie unheimlich geworden, Manfred. Ein Mann, der zu so etwas fähig ist, der ist auch noch zu anderen Dingen fähig. Vielleicht wäre, wenn du dich mit Ursula besser gestellt hättest, manches anders gekommen. Ich glaube nicht, daß sie nur seinetwegen abgereist ist. Etwas muß doch zwischen euch vorgefallen sein? Zuerst schläft sie mit dir, und nachher reist sie plötzlich ab. War es

nur, weil du dich am Samstagvormittag wieder mit mir getroffen hast?«
»Das konnte sie, als sie abgereist ist, nicht wissen«, antwortete Kiene und drückte seine Zigarette aus. Er trat ans Fenster, betrachtete eine Weile die schwarzen Silhouetten der Berge und sagte dann: »Ich lasse mich von Frauen beherrschen, bis ich sie habe. Mich auch noch hinterher von ihnen beherrschen zu lassen, dafür ist mir der Preis zu hoch. Sie sucht einen, der ihr Blumen schenkt und sie verwöhnt. Ich gehöre zu den Männern, die es vorziehen, selbst verwöhnt zu werden. Als Frau würdest du viel besser zu mir passen als sie, du bist unsentimental, für dich ist das Bett auch nicht viel mehr als für mich: ein angenehmer Zeitvertreib, der keine Verbindlichkeiten nach sich zieht. Bin ich deshalb egoistisch?«
»Bist du es nicht?« fragte Annemarie. Er hob die Schultern und ließ sie wieder fallen. »Wenn es egoistisch ist, gerne mit vielen und nicht nur mit einer Frau schlafen zu wollen, bin ich es vielleicht. Genügt dir ein Mann?«
»Wenn ich mich an ihn anlehnen kann«, sagte Annemarie. »Ich brauche einen, an dem ich einen Halt habe; allein traue ich mir nicht viel zu. Ich mag dich, Manfred, auch wenn ich dich oft nicht verstehe. Heiraten würde ich dich aber nicht.«
»Das brauchst du auch nicht«, sagte er lächelnd. »Wenn du dein Geld hast, kannst du dir vielleicht den Richtigen kaufen, mit einem kleinen Inserat in der Zeitung: Junge, attraktive Frau, anlehnungsbedürftig, sucht treuen und zuverlässigen Ehemann. Vermögen vorhanden.«
»Vermögen beginnt für mich bei fünfhunderttausend Mark«, sagte Annemarie. »Wenn ich Glück habe, gibt er mir zehntausend.«
»Das laß meine Sorge sein«, sagte Kiene. Er setzte sich wieder zu ihr aufs Bett, nahm ihr Gesicht in die Hände und küßte sie. Sie erwiderte seine Küsse und schob die Zunge in seinen Mund. Dann sagte sie: »Solange ich noch jung bin, möchte auch ich nicht nur mit einem schlafen. Woher kennst du diese Leute, die ihn abgeholt haben?«
Er erzählte es ihr. Hannelore erwähnte er nicht. »Zuerst war mir nicht wohl dabei«, sagte er, »aber sie spuren echt; es gab überhaupt keine Probleme. Die Sache scheint ihnen viel Spaß zu machen, aber sie riskieren dabei auch nicht viel. Sie könnten selbst dann, wenn die Geschichte herauskäme, juristisch nicht belangt

werden. Es gibt kein Gesetz, das es verbietet, einen Mann, der freiwillig für einige Tage von der Bildfläche verschwinden will, bei sich aufzunehmen.«
»Und wie geht es dann weiter?« fragte sie. »Wirst du ihnen das Geld bringen?«
»Das muß ich wohl«, sagte Kiene. »Weihrauch ist zu intelligent, als daß ich mit einem Koffer voller Papierschnitzel losfahren könnte. Ich habe auch schon eine Idee, wie ich jedes denkbare Risiko ausschalten kann. Sobald sie das Geld haben, werden sie Rectanus nach Einbruch der Dunkelheit nach Regensburg bringen. Von dort aus wird er mit der Bahn nach Frankfurt fahren, Hans Maier anrufen und sich hierherbringen lassen. Dadurch verwischen wir jede Spur, die nach Regensburg führen könnte. Der Polizei wird er erzählen, daß ihm bei seinem Spaziergang von hinten ein Sack über den Kopf gestülpt und er in einen kleinen Kombiwagen gezerrt worden ist. Dort hat man ihm die Hände auf dem Rücken zusammengebunden, ihn nach längerer Fahrzeit stundenlang bis tief in die Nacht hinein irgendwo im Auto warten lassen und ihn dann in einen dunklen Raum gebracht, vermutlich in einen Keller, aus dem er mit verbundenen Augen zum Telefonieren herausgeholt wurde. In dem Raum standen nur ein Bett und ein Nachtgeschirr. Dort blieb er ohne jedes Zeitgefühl, bis man ihm wieder den Sack über den Kopf stülpte, ihn in den Kombiwagen setzte und nach kurzer Fahrzeit freiließ. Als er den Sack vom Kopf hatte, stand er auf einer dunklen Straße in Frankfurt. Er ging zum nächsten Hotel, rief seinen Schofför an und ließ sich zur Klinik fahren.«
»Hätte er nicht schon in Frankfurt die Polizei verständigen müssen?« fragte Annemarie.
»Er wollte kein Risiko eingehen«, sagte Kiene. »Die Entführer haben ihm gedroht, ihn noch einige Stunden zu beobachten. Siehst du eine undichte Stelle?«
Sie dachte darüber nach, dann schüttelte sie den Kopf. »Hast du dir das alles allein ausgedacht?« Er lachte. »Es blieb mir nichts anderes übrig. Die einzige brüchige Stelle liegt bei der Geldübergabe; da muß ich aufpassen. Wir sind noch am Montagnachmittag in den Odenwald gefahren und haben uns den Platz ausgesucht. Dorthin muß ich kommen, ohne daß mir die Polizei auf den Fersen sitzt. Wie, das weiß ich noch nicht. Weihrauch ist ein schweigsamer Mann; ich muß seine Intuitionen erraten. Du mußt jetzt in dein Zimmer gehen. Ursula dürfte uns zusammen

erwischen; die Polizei nicht. Für sie bist du die Verlobte des großen Rectanus und ich nur sein Angestellter. Ich würde mich, wenn sie Wind von uns beiden bekämen, augenblicklich verdächtig machen.«
»Nur eine rasche?« fragte sie. »Ich habe seit Freitag nichts mehr von dir gehabt. Weißt du das?«
»Ich habe es nicht vergessen«, sagte Kiene. »Aber wirklich nur auf die rasche.«
»Eine Zwei-Minuten-Tour«, bestätigte sie und schob das Kleid hinauf. Kiene ging die Tür abschließen und sagte: »Vielleicht werde ich dich doch noch heiraten; ich liebe praktische Frauen.«
»Und ich schnelle Männer«, sagte sie und zog ihn auf sich. Sie streichelte während der ganzen Zeit sein Gesicht, und als sie kam, biß sie ihm in die Lippen und sagte: »Wenn du treu sein könntest, würde ich dich heiraten. Ich danke dir, mein Beschützer. Dies war seit Freitag mein einzig erfreuliches Erlebnis.«
»Doch, mir hat es auch recht gutgetan«, sagte er und ging ins Bad. Als er zurückkam, stand Annemarie bereits an der Tür und sagte: »Ich wasche mich drüben. Ich möchte Ursula nicht sehen. Ruf mich nicht, wenn sie kommt.« Er nahm sie in die Arme und murmelte: »Ich fange an, alt zu werden. Ich bin doch ein wenig in dich verknallt.«
»Ich auch in dich«, sagte sie und berührte mit den Lippen seine Nase. »Das schadet aber doch nichts?«
»Nein«, sagte er. »Schaden kann das auf keinen Fall. Gute Nacht, mein großer Schatz.« Er wartete, bis er nebenan ihre Tür zuschlagen hörte, dann legte er sich aufs Bett, rauchte eine Zigarette und dachte über sie und über sein Leben nach; er war unzufrieden mit sich. Er war es auch noch, als Ursula an seine Tür klopfte. Sie war allein. Er sagte: »Du kommst spät.«
»Dr. Huber und ich haben uns über eine Stunde in der Bibliothek bei den Beamten aufgehalten«, sagte sie. »Professor Eschenburger war auch anwesend. Ich habe schon alles erfahren.«
»Dann brauche ich dir ja nichts mehr zu erzählen«, sagte Kiene und setzte sich wieder auf das Bett. Er blickte in ihr Gesicht und stellte fest, daß sie sehr blaß aussah. »Tut mir leid, diese Sache«, sagte er. »In seinem Alter sollte man ihn nicht mehr allein lassen.« Sie setzte sich neben ihn. »Und wo warst du? Hat er dich nicht zu seinem Schutz eingestellt?«
»Nicht hier in der Klinik«, sagte Kiene. »Er wollte seine Spaziergänge allein machen.«

»Wundert dich das?« frage Ursula. »Du hintergehst ihn doch, wo du kannst. Ich habe mir das Tonband angehört. Wolltet ihr ihn damit erpressen?«
Ihre obskuren Einfälle überraschten ihn immer wieder. Er sagte: »Das besorgen inzwischen schon andere. Ich versuche seit drei Tagen, mir über euer beiderseitiges Problem schlüssig zu werden. Hat er sich einmal an dir vergangen?« Sie blickte ihn gereizt an. »In deiner Phantasie ist wohl alles möglich?«
»Nicht nur dort«, sagte Kiene. »Ich glaube nicht, daß du dir Sorgen zu machen brauchst. Er wird die zwei Millionen blechen und dann die alte Meckerliese weiterspielen. Warum bist du am Samstag abgereist? Hattest du genug von mir?«
Sie öffnete den Mund und schloß ihn wieder. Schließlich sagte sie leise: »Verstehst du denn nicht, wie mir zumute ist?« Ihr dunkles Wollkleid ließ sie noch schlanker erscheinen, als Kiene sie in Erinnerung behalten hatte. Er griff nach ihrer Hand. »Doch, ich verstehe es, Ursula. Ich werde ihn dir zurückbringen; verlaß dich drauf.«
»Du warst so gemein«, sagte sie und weinte. »Was habe ich dir nur getan? Ich meinte es ernst mit dir.«
»Davon hast du dir aber wenig anmerken lassen«, sagte er betroffen. Er suchte nach einem Taschentuch, wischte ihr die Tränen ab und küßte sie. Sie erwiderte seinen Kuß und sagte: »Ich kann auch nicht aus meiner Haut, sowenig wie du. In der Bibliothek haben sie mich eben wie eine Verrückte angestarrt, nur weil ich ihnen sagte, daß, wenn es der Wunsch meines Vaters sei, das Lösegeld nicht zu bezahlen, es auch nicht bezahlt wird. Ich weiß nicht, warum ich es gesagt habe; es ist mir einfach so herausgefahren. Dr. Huber hat dann sofort das Zimmer verlassen. Ich rede manchmal genauso blöde daher wie du. Vielleicht nur, weil ich mir nicht anmerken lassen will, wie mir wirklich zumute ist. Wir können die Summe doch bezahlen? Oder nicht?«
»Für die Rectanus-Werke ist das ein Klacks, und für deinen Vater auch«, sagte Kiene.
Seit sie zu ihm ins Zimmer gekommen war, fühlte er sich erleichtert und unsicher zugleich. Die Überwindung, die es ihn kostete, recht bedrückt zu wirken, war so groß, daß er ins Stottern geriet: »Wenn du mich fragst ... Du solltest nicht ...«
»Was meinst du?« fragte sie, nahm ihm das Taschentuch aus der Hand und schneuzte sich. Kiene riß sich zusammen. »Ich wollte sagen, daß du dich nicht aufzuregen brauchst. Ich weiß natürlich

auch nicht hundertprozentig, wie die Sache ausgehen wird. Aber wenn ich mich auf mein Gefühl verlassen kann, dann geht sie gut aus, und dein alter Herr ist spätestens in drei Tagen wieder bei dir.«

»Vielleicht habe ich ihn nicht immer richtig behandelt«, sagte sie. »Ich habe mich aber so maßlos über ihn geärgert. An meinem achtzehnten Geburtstag hat er mich über meine Mutter aufgeklärt; vorher hieß es immer, ich sei die uneheliche Tochter einer entfernten Verwandten von ihm. Seither verspricht er mir regelmäßig, mich als seine leibliche Tochter registrieren zu lassen. Ich habe ihm nie ganz verzeihen können, daß er sich damals hinter einer Adoption versteckt hat. Ich habe ihm geschworen, solange er das nicht umändert und sich nicht als mein leiblicher Vater bekennt, werde ich nicht zu ihm nach Hause kommen. Und ich werde lieber sterben, als davon abzurücken!«

Kiene starrte sie ratlos an. »Ist das euer ganzes Problem?«

»Mir ist es groß genug«, sagte sie und gab ihm das Taschentuch zurück. Ich möchte nicht mehr, aber auch nicht weniger, als daß er endlich mit mir zu einem Notariat geht, die Aufhebung des Adoptivvertrages und eine Vaterschaftsanerkennung beantragt. Sobald er das tut, gibt es zwischen uns keine Probleme mehr. Ich habe es endgültig satt, daß er, nur weil er nie verheiratet war, wie ein kleiner Spießer aller Welt erzählt, ich sei seine Adoptivtochter. Hätte meine Mutter damals keine Vaterschaftsklage erhoben, dann hätte er mich wahrscheinlich nicht einmal adoptiert. Weil er aber ein schlechtes Gewissen hatte, ließ er es gar nicht erst zu einer gerichtlichen Entscheidung kommen, sondern erklärte sich meiner Mutter gegenüber zu einer Adoption bereit. Ich habe ihm schon fünfmal eine Frist gesetzt, zuletzt dieses Jahr an meinem Geburtstag, und jedesmal hat er mir versprochen, er würde durch seinen Anwalt alles in die Wege leiten. Als er es auch diesmal nicht getan hat, habe ich ihm gesagt, daß wir uns nicht mehr sehen würden. Ich verstehe ihn nicht! Er ist ein alter Mann! Was macht es ihm groß aus, vor einem Notariat und gegenüber seinen Bekannten endlich zuzugeben, daß ich seine leibliche Tochter bin? Bin ich es vielleicht nicht?«

»Natürlich bist du es«, sagte Kiene, der von einer Verwunderung in die andere fiel. »Mit welcher Begründung lehnt er es denn ab?«

Sie antwortete erregt: »Er lehnt es gar nicht ab! Das ist ja das Unerträgliche. Jedesmal, wenn ich davon anfange, verspricht er mir,

umgehend die erforderlichen Schritte einzuleiten, und wenn er dann wieder bei mir auftaucht, hat er angeblich keine Zeit gehabt oder sein Anwalt, den er zu dieser Sache gar nicht brauchte, war angeblich verreist. Ich kenne seine Ausflüchte schon so gut, daß sie in ihrer Wiederholung so provozierend auf mich wirken, daß ich ihm ins Gesicht springen möchte. Aber diesmal laufe ich nicht wieder davon. Ich werde so lange hierbleiben, bis er einen Notar kommen läßt . . .« Sie verstummte, schlug die Hände vor das Gesicht und murmelte: »Mein Gott, ich weiß schon nicht mehr, wovon ich rede. Wenn ihm etwas zustößt, ich würde es mir nie verzeihen.«
»Ich bin hundertprozentig davon überzeugt . . .«, sagte Kiene und sprach nicht weiter. Er legte beruhigend die Hand auf ihren Rücken und sagte: »Also ich habe wirklich ein gutes Gefühl bei dieser Sache, und auf meine Gefühle kann ich mich meistens verlassen.« Er lächelte. »Nun ja, ein Problem ist es schon für ihn, nach so langer Zeit noch Farbe bekennen zu sollen. Warum hat er dich nicht einfach als seine legale Tochter aus einer geschiedenen Ehe ausgegeben? So hat er es jedenfalls mir dargestellt.«
Sie antwortete ungeduldig: »Das konnte er doch nur gegenüber Leuten tun, die ihn nicht näher kannten. Seine ehemalige Verwandtschaft, von der heute fast niemand mehr lebt, wußte natürlich, daß er nie verheiratet war und daß ich entweder nur eine uneheliche Tochter oder eben das sein konnte, was er ihnen erzählt hat, nämlich eine adoptierte. Ich glaube, er weiß heute selbst nicht mehr, wem er welche Version erzählt hat. Er drehte das immer so, wie es ihm gerade am bequemsten war. Aber damit kommt er bei mir jetzt nicht mehr weiter. Es ist nur sein eigensinniges Wesen, das ihn noch daran hindert, die Wahrheit zu sagen. Im Grunde ist es ihm heute vollkommen egal, was und wie die Leute von ihm reden. Früher war er viel empfindlicher. Ich habe ihm genügend Zeit gelassen, sich an den Gedanken zu gewöhnen, daß es so wie bisher zwischen uns nicht weitergehen kann. Entweder er zieht jetzt die Konsequenzen, oder ich ziehe sie.«
»Er könnte sie auch ganz anders ziehen, als dir lieb ist«, sagte Kiene nachdenklich.
Sie schüttelte den Kopf. »Heute nicht mehr. Er ist verpflichtet, mein Studium zu bezahlen und mir ein angemessenes Taschengeld zu geben, das sich nach seinen finanziellen Verhältnissen richtet. In diesem Punkt ist es auch noch nie zu Differenzen zwi-

schen uns gekommen; er war immer großzügig. Wenn er mir damals nichts von meiner wirklichen Mutter erzählt hätte, wäre ich nach meiner Entlassung aus dem Internat wahrscheinlich mit ihm nach Hause gefahren und hätte versucht, in München oder sonstwo einen Studienplatz zu bekommen. Als ich aber wußte, wer meine Mutter wirklich war, habe ich ihn aufgefordert, zuerst einmal unsere familiären Beziehungen klarzustellen, bevor ich daheim die liebende Tochter spielte. Vielleicht habe ich mich damals in meinem ersten Schock zu etwas hinreißen lassen, das ich gar nicht gewollt habe. Heute stehe ich aber dazu, und niemand wird mich davon abbringen.«
»Weil du genauso eigensinnig bist wie er«, sagte Kiene. »In dieser Beziehung bist du aus dem gleichen Holz geschnitzt. Hat dich die Sache mit deiner Mutter so tief verletzt?«
Sie wandte ihm das Gesicht zu. »Ich war damals achtzehn. Was glaubst du wohl, wie ich mir unter den anderen Mädchen im Internat danach vorgekommen bin! Von denen hatte keine eine Nutte zur Mutter.«
»Vielleicht keine registrierte«, sagte Kiene. »Bei der Frau meines Regimentskommandeurs war ich nicht der erste Liebhaber, und meine Mutter würde sich, wenn sie keine Rücksicht auf ihre Familie nehmen müßte, noch heute ein halbes Dutzend Liebhaber zulegen. Welche Art von Welt hast du eigentlich in deinem Internat kennengelernt? Eine heile?« Sie schwieg.
»Wo willst du überhaupt schlafen?« fragte Kiene. »In einem Gasthof oder hier in der Klinik?«
»Warum nicht bei dir?« fragte sie. »Würde das an der Situation meines Vaters etwas ändern? Ich habe Professor Eschenburger erzählt, wir seien verlobt.«
Kiene lächelte. »Wie couragiert. Vielleicht ist Dr. Huber deshalb davongelaufen. War es deine Idee, daß er dich in St. Gallen abholen mußte?«
»Du warst doch sicher anderweitig beschäftigt«, sagte sie, ohne ihn anzusehen. Er nahm ihr Kinn zwischen Daumen und Zeigefinger. »Hat er ein Auge auf dich?«
»Er ist mir nicht unsympathisch«, sagte sie. »Ich habe noch meinen Koffer draußen stehen. Holst du ihn mir?«
Er fand ihn neben der Tür auf dem Flur. »Warst du dir noch nicht ganz sicher, ob du hierbleiben willst?« fragte er. Statt ihm zu antworten, nahm sie den Koffer und verschwand mit ihm im Bad. Er setzte sich unschlüssig aufs Bett und versuchte, über sein wei-

teres Verhalten Klarheit zu gewinnen. Ihr Entschluß, in seinem Zimmer zu schlafen, stellte ihn vor unvorhergesehene Probleme. Er suchte, sich auszumalen, wie Annemarie darauf reagieren würde. Ihre eigene Situation war nicht mehr dieselbe wie noch vor einigen Tagen. Auch seine persönliche Verfassung war nicht mehr diesselbe, und während er darüber nachdachte, kamen ihm Zweifel, ob er jemals unbeschadet aus ihr herausfinden würde.
Er trat wieder ans Fenster und blickte in die Nacht hinaus. Daß Annemarie ihm nicht mehr gleichgültig war, wußte er inzwischen, und daß er sich seit Ursulas Abreise ihre Rückkehr gewünscht hatte, wußte er ebenso. Aber damit war nicht viel gewonnen. Er fühlte sich in die Enge getrieben und außerstande, eine klare Entscheidung zu treffen. Bisher hatte er sich allen klaren Entscheidungen seines Lebens dadurch entzogen, daß er entweder ihre Notwendigkeit aus seinem Bewußtsein verdrängt oder sich mit den gegebenen Umständen, so wie sie eben gerade waren, arrangiert hatte. Diesmal schien es jedoch mit diesem bewährten Rezept nicht recht zu klappen, und daß sich Ursula auf die Dauer mit Annemarie abfinden könnte, erschien ihm ebenso unwahrscheinlich wie der umgekehrte Fall. Alles in allem war es eine recht unerquickliche Situation, und je länger er darüber nachdachte, desto unerquicklicher erschien sie ihm. Auch etwas später, als er Ursula aus dem Badezimmer kommen hörte, hatte er für sein weiteres Verhalten noch kein überzeugendes Konzept gefunden. Er drehte sich nach ihr um und beobachtete, wie sie sich ohne Pyjama ins Bett legte, das Laken bis zum Kinn hinaufzog und die Augen schloß. Erst dann sagte er mit belegter Stimme: »Er ist dein Vater, nicht meiner. Was erwartest du von mir? Daß ich deshalb die ganze Nacht neben einer nackten Frau liegen und mich in Sorgen um ihn verzehren soll, nur weil sie seine Tochter ist.«
»Wenn du mich ganz fest hältst«, sagte sie, ohne die Augen zu öffnen, »kann ich ihn vielleicht für ein Weilchen vergessen. Ich werde noch verrückt, wenn ich dauernd an ihn denke. Mach das Licht aus, Manfred.«
Er gehorchte, zog sich aus und legte sich zu ihr. Sie schmiegte sich sofort an ihn und sagte: »Mir ist nur danach zumute, einen Menschen zu fühlen und zu vergessen, wer ich bin. Bitte, sei lieb zu mir, Manfred; ich brauche es jetzt so. Ich kann dir nicht sagen, wie sehr ich es brauche.«
Er hörte an ihrer Stimme, daß sie wieder weinte, und während

er ihr beruhigend den Rücken tätschelte, empfand er einen unbändigen Haß auf den Chef. Er murmelte: »Ich werde dir heute nacht nichts tun, Kleines; hab keine Angst.«
»Wenn du mir nichts tust«, sagte sie weinend, »kann ich ihn nicht vergessen. Er tut mir ja so leid.«
»Mir auch«, sagte Kiene und nahm sie ganz behutsam in seine starken Arme.

27

Dr. Hubers Mitteilung, der Chef weigere sich ebenso wie seine Tochter, das geforderte Lösegeld zu zahlen, schlug bei der Belegschaft der Rectanus-Werke wie eine Bombe ein. In der eilig einberufenen, stürmisch verlaufenden Sitzung wurden von den Vertretern des Betriebsrats wie auch von der Geschäftsleitung mehrere Anträge eingebracht, die jedoch mit großer Mehrheit abgelehnt wurden. So auch der Antrag von Dr. Meissner, das Lösegeld mit einem kurzfristigen Bankdarlehen zu finanzieren. Ferdinand Weckerle und der Betriebsratsvorsitzende Kirschner sprachen sich, wenn auch hintereinander, so doch übereinstimmend, gegen diesen Antrag aus. Weckerle mit der Begründung, daß eine so hohe Kapitalaufnahme ohne Einwilligung des Firmenchefs unverantwortlich, weil nur über Bürgschaften zu realisieren sei, wodurch die Kompetenz der Geschäftsführung weit überschritten würde, und Kirschner mit dem Hinweis darauf, daß es weder im Ermessen der Geschäftsleitung noch in der des Betriebsrats stehe, eine so eindeutige Entscheidung des Firmenchefs, der seine derzeitige persönliche Situation sicher besser überblicken könne als Herr Dr. Meissner, einfach zu ignorieren. Wenn Herr Dr. Meissner, fuhr Kirschner fort, einerseits dem Betriebsrat seit Monaten mit Klagen über die angespannte Finanzlage der Rectanus-Werke in den Ohren liege und auf der anderen Seite Millionenbeträge flüssigmachen wolle, die später vielleicht nur auf Kosten der Arbeitsplätze zurückbezahlt werden könnten, so beweise er damit ein erschreckendes Maß von Leichtfertigkeit, die möglicherweise ursächlich für die derzeit so angespannte Finanzlage überhaupt sei.
Bevor sich ein anderer zu Wort melden konnte, stand Dr. Huber auf und sagte: »Mir scheint es vor allen Dingen wichtig zu sein, daß die Entführer durch die schroffe Ablehnung ihrer Forderung zu keiner Panikhandlung verführt werden. Der Vorschlag, den

ich Ihnen hiermit unterbreite, mag auf den ersten Blick ungewöhnlich erscheinen, aber bedenken Sie, daß wir buchstäblich keine Minute mehr zu verlieren haben und mit langen Diskussionen nur wertvolle Zeit verschwenden. Wenn sich Herr Rectanus in seiner augenblicklichen Verfassung schon nicht dazu bereit finden kann, das Lösegeld zu bezahlen, und wenn die Geschäftsleitung die Verantwortung für einen so hohen Betrag nicht glaubt übernehmen zu können, dann wäre doch zu überlegen, ob wir nicht mit einem kleineren Betrag Zeit gewinnen und die Entführer vor impulsiven Handlungen zurückhalten könnten ...« Er wurde durch Kolb unterbrochen, der gereizt einwarf: »Es geht hier nicht um die Höhe der Summe, sondern um einen ganz offensichtlichen Verstoß gegen den ausdrücklichen Wunsch von Herrn Rectanus, der, wie wir von Herrn Dr. Huber hörten, sogar von seiner Tochter respektiert wird. Ob wir uns von der Bank zwei Millionen oder nur zweihunderttausend geben lassen, ändert nichts an ...«

»Ich rede hier von etwas ganz anderem«, unterbrach ihn Huber ungeduldig. »Vielleicht gibt es tatsächlich eine Möglichkeit, in Form einer Geste der Verbundenheit Herrn Rectanus von seinem selbstmörderischen Entschluß abzubringen. Diese könnte, beispielsweise, darin bestehen, daß die Belegschaft eine Geldsammlung veranstaltet und den dabei erzielten Betrag den Entführern zur Verfügung stellt. Wenn sich jeder von uns dazu bereit fände, auch nur zehn Mark zu spenden, würde das allein schon einen Betrag von über dreißigtausend ergeben. Mit dieser Summe könnten nicht nur die Entführer hingehalten werden – es wäre auch denkbar, daß diese Geste Herrn Rectanus zu einer Revision seines Entschlusses bewegt. Es wäre, zugegebenermaßen, ein Versuch mit ungewissem Ausgang, aber vermutlich weniger ungewiß als das Schicksal von Herrn Rectanus, falls er auf seinem Entschluß beharren und von seiten der Geschäftsleitung und Belegschaft nichts dagegen unternommen werden sollte. Die Entscheidung liegt bei Ihnen, meine Herren.«

Er setzte sich auf einen Stuhl. Für ein paar Sekunden lang war es ganz still. Dann stand Josef Kirschner auf, räusperte sich und sagte, nicht ohne innere Bewegung: »Ich muß offen gestehen, daß ich durch Sie beschämt worden bin, Herr Dr. Huber. Wenn Sie, meine Kolleginnen, Kollegen und Herren von der Geschäftsleitung meine Meinung zum Vorschlag von Herrn Dr. Huber hören wollen: hier haben Sie sie.«

Er griff in sein Jackett, entnahm seiner Brieftasche einen Hundertmarkschein und legte ihn auf den Konferenztisch. Dr. Huber legte ebenfalls einen Hundertmarkschein dazu, und Kolb, der nur Kleingeld in der Tasche hatte, beugte sich zu Weckerle hinüber und flüsterte: »Die haben es ja! Wenn die meine Schulden hätten, wären sie weniger spendabel; ich könnte ihnen höchstens meine American-Express-Karte geben. Ist das nicht eine hirnverbrannte Idee?«
»Ich weiß nicht«, antwortete Weckerle zögernd und beobachtete, wie von den anwesenden Betriebsratsmitgliedern einer nach dem anderen in schweigsamer Übereinstimmung größere und kleinere Geldscheine auf den Tisch legte. Kolb flüsterte: »Hast du zufällig einen Hunderter für mich übrig? Ich habe höchstens fünfzehn Mark bei mir.« Weckerle nahm einen Fünfhundertmarkschein heraus und sagte, weil fast alle erwartungsvoll auf sie blickten: »Auch im Namen von Herrn Kolb.«
»Bravo!« rief einer der Männer. Meissner kramte in seinen Taschen und brachte dann ein Scheckheft zum Vorschein. Er füllte einen Scheck aus, legte ihn mit schwerer Hand auf den Tisch und sagte: »Er kann sofort eingelöst werden.«
Einer der Männer nahm ihn auf und gab ihn an Kirschner weiter. Dieser betrachtete ihn und sagte dann: »Herr Dr. Meissner hat soeben tausend Mark gespendet. Meine Kolleginnen und Kollegen, ich glaube, wir brauchen jetzt keine Worte mehr zu verlieren. Der Betriebsrat wird umgehend die Belegschaft von der Aktion verständigen. Ich glaube, in Ihrer aller Namen zu sprechen, wenn ich Herrn Dr. Huber darum bitte, die Aktion persönlich in die Hand zu nehmen. Die Spenden können bei ihm auf der Sanitätsstation abgeliefert werden. Die Herren von der Geschäftsleitung werden sicher veranlassen, daß die Aktion auch in den Zweigniederlassungen bekannt und dort hoffentlich nachgeahmt wird. Vor allem ist es wichtig, daß umgehend Presse, Rundfunk oder Fernsehen benachrichtigt werden, damit die Entführer so rasch wie möglich von der Aktion erfahren. Ich schlage vor, daß das Geld, sobald die Aktion abgeschlossen ist, von Herrn Dr. Huber an Fräulein Rectanus übergeben wird, damit diese darüber verfügen kann.« Er richtete das Wort an Kolb: »Übernehmen Sie die Benachrichtigung der Presse?«
»Das soll Herr Meissner tun«, sagte Kolb. »Er ist für das Finanz- und Rechnungswesen zuständig.«
»Dann können wir, mit Ihrem Einverständnis, die Sitzung

schließen«, sagte Kirschner. »Oder haben Sie noch etwas vorzubringen?«
»Im Augenblick nicht«, sagte Kolb und verließ, während Dr. Huber das Geld einsammelte und die Betriebsratsmitglieder von ihren Stühlen aufstanden, zusammen mit Weckerle das Konferenzzimmer. Meissner kam ihnen nachgerannt und fragte: »An welche Presse soll ich mich denn wenden?«
»Am besten an die Tagespresse«, antwortete Kolb und wandte ihm den Rücken zu. Zu Weckerle sagte er: »Der Einfall hätte eigentlich von uns kommen müssen; was meinst du?«
»Ich meine gar nichts mehr«, sagte Weckerle und schlug ihm auf die Schulter. »Bis heute abend, Michael.«
»Was ist heute abend?« fragte Kolb. Weckerle lachte. »Sibylle hat dich nach unserem Match noch zu einem Glas Wein eingeladen. Kommst du von daheim weg?«
»Ich komme immer von daheim weg«, sagte Kolb und ging in sein Büro. Durch seine Sekretärin ließ er eine Verbindung mit Sibylle herstellen und sagte: »Ferdinand hat mir schon erzählt, daß es Angelika bei euch gefällt. Ist sie dir keine Last?«
»Überhaupt nicht«, antwortete Sibylle. »Sie hilft mir sogar ein wenig im Haushalt; im Augenblick habe ich sie einkaufen geschickt. Kommst du heute abend?«
»Was hast du vor?« fragte er neugierig. Sie lachte leise. »Das wirst du schon sehen, Michael.«
Verwundert legte er auf. Augenblicke später, es war kurz nach sieben, rief Kiene bei ihm an; er sagte erregt: »Ich habe soeben von der Spendenaktion der Belegschaft gehört, Herr Kolb. Diese Sache muß sofort gestoppt werden; wir haben seit zwanzig Minuten die Erlaubnis von Herrn Rectanus, das Lösegeld zu zahlen. Ich werde es morgen im Laufe des Nachmittags bei Ihnen in Empfang nehmen. Die Entführer wünschen es in Hundertmarkscheinen; veranlassen Sie alles Erforderliche und bestehen Sie darauf, daß es sich um keine fortlaufenden Seriennummern handelt, sonst werden die Entführer das Geld zwar behalten, Herrn Rectanus jedoch nicht freigeben. Ich rufe Sie an, weil ich Herrn Meissner telefonisch nicht erreichen konnte. Wieso erfahre ich von der Spendenaktion erst über das Radio?«
»Sie wußten noch nichts davon?« fragte Kolb überrascht. Kiene antwortete gereizt: »Ich habe es eben erst von Professor Eschenburger erfahren, der zufällig die Abendnachrichten hörte. Sind Sie es, der für diese Schnapsidee verantwortlich ist?«

»Die Geschäftsleitung hatte damit überhaupt nichts zu tun«, verwahrte sich Kolb energisch. »Der Einfall kam von Dr. Huber und wurde vom Betriebsrat, weil der Chef angeblich nicht bereit gewesen war, das Lösegeld zu bezahlen, ohne jede Diskussion übernommen. Uns von der Geschäftsleitung blieb gar nichts anderes übrig, als mitzuziehen. Welchen Eindruck hätte es gemacht, wenn die Belegschaftsangehörigen für die Freilassung des Chefs in die Tasche gegriffen und ausgerechnet wir von der Geschäftsleitung uns quergelegt hätten! Wir hatten ja keine Ahnung, daß der Chef doch noch einwilligen würde. Dr. Huber erzählte uns . . .«
»Der ist ein Wichtigtuer«, sagte Kiene etwas ruhiger. »Blasen Sie diese Geschichte jedenfalls so rasch wie möglich ab. Es gibt auch ohne sie schon zuviel Wind um die Entführung; das kann dem Chef nur schaden. Wie läuft der Betrieb?«
»Ab morgen wieder voll«, antwortete Kolb und erzählte ihm kurz von dem Besuch der Bankbeauftragten.
»Die sollen sich nicht in die Hosen machen«, sagte Kiene. »Das Privatvermögen des Chefs ist vermutlich wesentlich größer als ihr derzeitiges finanzielles Engagement. Es wäre mir lieb, Herr Kolb, ich könnte das Geld morgen unter vier Augen von Ihnen in Empfang nehmen. Nicht in der Fabrik, dort hätten wir es sicher wieder mit Journalisten zu tun. Wir treffen uns in einem Parkhaus; in welchem, sage ich Ihnen noch. Die Einzelheiten werden wir morgen besprechen. Ich denke es mir so, daß Sie zusammen mit Herrn Meissner das Geld bei der Bank in Empfang nehmen, es in einen Koffer verpacken und mir in das Parkhaus bringen.«
»Wäre es nicht einfacher, wenn Sie es selbst bei der Bank abholten?« fragte Kolb. »Ich meine, mit zwei Millionen im Kofferraum fahre ich nicht gerne durch die Stadt.«
»Ich muß damit noch viel weiter fahren als Sie«, sagte Kiene ungeduldig. »Sobald ich morgen früh die Klinik verlasse, werde ich von Journalisten verfolgt werden. Wenn die mich dann bei einer Bank vorfahren sehen, wissen sie natürlich sofort, was gespielt wird. Ich hoffe, sie unterwegs abhängen zu können, spätestens in der Stadt, wenn wir uns im Parkhaus treffen. Sorgen Sie vor allem für das Geld und dafür, daß die Spendenaktion umgehend eingestellt wird. Ich glaube nicht, daß sich der Chef, wenn er davon erfährt, vor Rührung ein Taschentuch naßweint. Geben Sie keine Erklärung dafür, weshalb die Geldsammlung überflüssig

geworden ist. Was ich Ihnen gesagt habe, ist streng vertraulich. Haben Sie noch eine Frage?«
»Im Augenblick nicht«, sagte Kolb; Kiene beendete das Gespräch.
Der Anruf hatte Kolbs Laune so gründlich verdorben, daß er im Tennisklub anrief und sich bei Weckerle, der ihn dort bereits erwartete, wegen unvorhergesehener Ereignisse entschuldigte. »Ich erkläre es dir später«, sagte er. »Ich fahre jetzt nach Hause und komme dann zu euch. Die Spendenaktion muß abgebrochen werden. Ich werde in Ulm und Donauwörth anrufen, damit die Sammlung dort ebenfalls gestoppt wird.«
»Warum muß sie gestoppt werden?« fragte Weckerle verdutzt. Kolb antwortete: »Das erzähle ich dir heute abend.«
Weil seine Sekretärin bereits gegangen war, mußte er sich die Telefonnummern seiner Kollegen in den Zweigniederlassungen selbst heraussuchen. Er telefonierte eine halbe Stunde lang und konnte auch Kirschner und Dr. Huber in ihrer Wohnung erreichen. Er sagte ihnen, daß die Spendenaktion aus Gründen, über die er nicht sprechen dürfe, überflüssig geworden sei, und Dr. Huber empfahl er darüber hinaus, sich, wenn er sich wieder einmal wichtig machen wolle, von der Politik anheuern zu lassen.
»Sie wären dort bestimmt am richtigen Platz«, erwidete Huber eingeschnappt. Kolb legte grinsend auf.
Daheim wurde er bereits ungeduldig von Ella erwartet. Sie sagte: »Warum hast du nicht angerufen, daß es so spät wird! Ich bin nicht zu dir durchgekommen; dein Apparat war dauernd besetzt. Das Essen habe ich schon zweimal aufwärmen müssen.«
»Ich esse nur einen Happen«, sagte Kolb und gab seinen bereits im Bett liegenden Kindern ein Gutenachtküßchen. Seine Tochter fragte: »Fährst du am Sonntag mit uns spazieren?«
»Ich fahre jeden Sonntag mit euch spazieren«, sagte Kolb. »Schlaf gut, mein Süßes.« Seinem Jungen, der jetzt zweieinhalb und seinem Herzen noch näher war als die vierjährige Tochter, drückte er noch einmal einen langen Schmatz auf den Blondschopf.
Beim Essen sagte er zu Ella: »Erzähle es keinem Menschen; es ist vorläufig noch streng geheim: Morgen wird das Lösegeld übergeben. Ich muß deshalb heute abend noch einmal weg. Frag mich nicht, wohin. Ich darf es dir nicht sagen.«
»So geheim ist es?« fragte sie gefesselt. Kolb nickte. »Absolut.« Sie seufzte. »Der arme Mann! Was der in seinem Alter noch alles durchmachen muß.«

»Ja, es ist schrecklich«, bestätigte Kolb und schlürfte seine angewärmte Suppe hinunter. In Gasthäusern und Hotels aß er niemals Suppe. »Schmeckt sie dir?« fragte Ella, die bereits mit den Kindern gegessen hatte und ihm beim Schlürfen zusah.
»Doch, sie ist vorzüglich«, sagte er.
Weil er nicht mehr auf den Tennisplatz gekommen war, vollzog er sein tägliches Fitneß-Training nach dem Essen im Schwimmbecken und legte in raschem Tempo acht Bahnen zurück. Ella, die ihm mit einem Badetuch gefolgt war, rieb ihm hinterher den Rücken trocken und sagte: »Früher warst du abends nicht so oft aushäusig.«
»Früher waren auch noch andere Zeiten«, sagte Kolb und kraulte, während sie seinen Bauch abtrocknete, durch ihr dünnes Kleid hindurch ihren buschigen Schoß. Sie wich mit den Hüften zurück und sagte: »Du machst mir das Kleid doch ganz naß. Wird es wieder spät, bis du heimkommst?«
»Vermutlich«, sagte er. »Du brauchst nicht auf mich zu warten, Kleines. Sei schön brav, während ich weg bin.«
»Kunststück«, sagte Ella und ging das nasse Badetuch aufhängen. Als er sich anzog, kam sie zu ihm ins Schlafzimmer und machte ein Gesicht. Kolb, dem das auffiel, fragte: »Warum machst du so ein merkwürdiges Gesicht?«
»Ich mache gar kein merkwürdiges Gesicht«, sagte Ella und half ihm bei seinem Krawattenknoten. An der Haustür gab er ihr einen Kuß und fuhr dann zu Weckerle. Sibylle öffnete ihm die Haustür; sie trug ein tiefdekolletiertes, hautenges Kleid und sah attraktiv aus wie immer. »Ferdinand ist eben erst heimgekommen«, sagte sie. »Was ist vorgefallen?«
»Ich sag's euch nachher, sonst muß ich es zweimal erzählen«, sagte Kolb und küßte sie, nachdem er die Haustür hinter sich geschlossen hatte, auf den Mund. »Ist Angelika auch hier?«
»Im Wohnzimmer«, sagte Sibylle und führte ihn hinein. Angelika saß auf der Couch und blätterte in einer Illustrierten; sie hatte sich ebenfalls fein gemacht, wenngleich ihr ärmelloses, buntgemustertes Kleid Kolb eher an einen Versandhauskatalog als an die Kreationen berühmter Couturiers erinnerte. Sie gab ihm lächelnd die Hand und sagte: »Hallo!«
»Hallo, Angelika«, sagte er, mit aufkommender Befangenheit kämpfend. Weil sie jedoch seinen Blick offen erwiderte und keine Verlegenheit zeigte, faßte er sich, beugte sich zu ihr hinunter und küßte sie auf die Stirn. Weckerle, das Hemd in die Hose schie-

bend und den Hosenbund schließend, kam zu ihnen und sagte: »Was habt ihr eigentlich vor? Muß ich einen Smoking anziehen?«
»Im Gegenteil«, sagte Sibylle. »Wir wollen es uns heute abend ganz leger machen. Ein Jackett und eine Krawatte würden dir aber trotzdem nichts schaden.«
»Bin gleich wieder hier«, sagte Weckerle und gab Kolb die Hand. »Du hast mir heute abend gefehlt. Fünftausend Mark Jahresbeitrag hindert die Klubleitung nicht daran, Leute aufzunehmen, die vom Tennis so viel verstehen wie ich vom Rugby.«
»Als sie dich aufgenommen hat, hast du auch noch nicht viel davon verstanden«, erinnerte ihn Sibylle sachlich. Weckerle verließ heiter das Zimmer. Auf dem Tisch entdeckte Kolb zwei Weinkübel und fünf Gläser. »Erwartet ihr noch einen Besucher?« fragte er erstaunt. Sibylle und Angelika lachten. »Du wirst dich wundern«, sagte Sibylle. Kolb setzte sich zu Angelika auf die Couch und sagte: »Mich macht heute nichts mehr neugierig. Ein hübsches Kleid, Angelika!«
»Dabei war es spottbillig«, sagte sie. »Knapp hundert Mark.«
»Und da heißt es immer, die Preise würden unerträglich in die Höhe klettern«, sagte Kolb. »Vermißt du schon das Büro?«
Sie lächelte. »Keine Spur. Ich bin froh, mal für eine Weile aus dem Streß heraus zu sein. Von den Akkordarbeitern am Fließband ist heute überall die Rede; von der Akkordarbeit an der Schreibmaschine kaum, obwohl du, besonders wenn du in einem Großraumbüro arbeiten mußt, als Frau viel mehr unter Streß stehst als eine Arbeiterin, die fünfhundertmal am Tag dieselben Handgriffe tut. Wenn ich mich mal verschreibe, ist ein ganzer Brief kaputt, und Ferdinand schneidet ein Gesicht.«
»Du mußt ihn dazu überreden, dir endlich eine Schreibmaschine mit Korrekturband anzuschaffen«, sagte Kolb. Sie winkte resignierend ab. »Die würde von Dr. Meissner doch niemals bewilligt werden. Mit den Büromaschinen sind wir, gemessen an anderen Betrieben, heute noch hinter dem Mond.«
»Das liegt nicht an Meissner, sondern am Chef«, sagte Kolb und zündete sich eine Zigarette an. »In dieser Beziehung ist er, wie in anderen auch, erzkonservativ. Technische Neuerungen interessieren ihn nur dort, wo sie ihm mehr Profit einbringen.«
»Und wir machen uns im Büro kaputt«, sagte Angelika. »Darf ich?« Sie griff nach seiner Zigarettenpackung. Sibylle schüttelte, als er ihr eine anbot, den Kopf. Gleich darauf kam Weckerle her-

ein, und Kolb gab ihm und den beiden Frauen eine ausführliche Schilderung dessen, was er von Kiene erfahren hatte. Er fügte hinzu: »Bitte, erzählt keinem Menschen etwas davon; das ist natürlich streng vertraulich.«
»Dann ist der Alte sicher bald wieder auf freiem Fuß, und ich kriege meinen Fünfhunderter zurück«, sagte Weckerle. »In Kienes Haut wollte ich bei der Geldübergabe nicht stecken.« Er füllte die Gläser und sagte: »Trinken wir schon ein Glas. Bis unser Gast eintrifft, kann es noch ein bißchen dauern. Hast du eigentlich mal wieder was von der angeblichen Verlobten des Chefs gehört?«
Kolb schüttelte den Kopf. »Ich nehme an, sie wird sich in der Öffentlichkeit vorläufig gar nicht sehen lassen. Vielleicht ist sie eine alte Schreckschraube. Daß eine Junge, Hübsche ihn heiraten würde, halte ich für ziemlich unwahrscheinlich.«
»Na hör mal!« sagte Sibylle. »Bei seinem vielen Geld! Da findet sich immer eine, der es nicht darauf ankommt.«
Sie unterhielten sich noch eine Weile über die Entführung, dann ging Sibylle zum Radio und legte eine Platte auf. »Willst du?« sagte sie zu Kolb. Er stand auf. Während er mit ihr tanzte, schmiegte sie sich eng an ihn und sagte: »Mach dich auf eine Überraschung gefaßt, Michael.«
»Mich überrascht nichts mehr«, sagte er. Sie lächelte nur. Als sein Blick einmal zur Couch fiel, sah er Weckerle neben Angelika sitzen; er hatte den Arm um ihre Hüfte gelegt und küßte sie auf den Nacken. »Stört es dich nicht?« fragte Kolb. Sibylle sah flüchtig hin. »Er war die ganze Nacht bei ihr. Als er sich gestern abend zu mir legen wollte, habe ich ihn gefragt, ob sie sich in der ersten Nacht in einem fremden Zimmer nicht etwas allein fühlen würde.«
Kolb sagte verwundert: »Du bist eine merkwürdige Frau, Sibylle. Warst du, ohne daß ich es merkte, schon immer so, oder hast du dich nur so rasch angepaßt?« Sie antwortete mit ruhiger Stimme: »Ich habe es nicht gewollt, Michael, aber wenn man erst einmal damit angefangen hat, kann man nicht mehr zurück; das wäre inkonsequent. Wir sind jetzt alle schon so sehr darin verstrickt, daß wir aus eigener Kraft gar nicht mehr herausfinden, und vielleicht ist das, was wir hier tun, auch das einzige, was uns noch zusammenhält.«
»Das ist doch nicht dein Ernst?« fragte er schockiert. Sie lächelte. »Denk doch einmal darüber nach. Oder ist dir jetzt, da wir vor

Ferdinand kein Versteck mehr zu spielen brauchen, nicht auch wohler in deiner Haut?«

»Ich muß noch immer Versteck spielen«, sagte er. »Ich bin jetzt aber an einem Punkt angelangt, Sibylle, wo mir, wenn ich nur dich nicht aufzugeben brauche, alles andere mehr oder weniger gleichgültig ist. Hat es eben geläutet?«

»Ja«, sagte Sibylle und machte sich von ihm los. »Das wird unser Besuch sein.« Zu Angelika und Ferdinand sagte sie: »Hört auf, sonst erschrickt sie und läuft davon.«

»Davon bin ich nicht einmal überzeugt«, sagte Weckerle und nahm die Hand von Angelika. Während Sibylle hinausging, setzte sich Kolb zu ihm. »Eine neue Freundin von dir?«

»Warum nicht?« fragte Weckerle. »Jede Frau sieht anders aus!«

»Du!« sagte Angelika und schlug ihm mit den Fingerspitzen leicht auf den Mund. Kolb sagte: »Wenn ich nicht genau wüßte . . .« Er sprach nicht weiter und lauschte mit einem ungläubigen Gesichtsausdruck zur Tür. Als Sibylle mit Ella hereinkam, wurde er kreidebleich. Sibylle sagte lächelnd: »Du brauchst nicht zu erschrecken, Michael. Wir, Ella und ich, haben uns heute nachmittag ausgesprochen; sie weiß jetzt alles von uns, und in Zukunft brauchst du auch vor ihr kein Versteck mehr zu spielen. Ist es dir nicht lieber so?«

Er starrte, ohne ein Wort hervorzubringen, fassungslos in ihr heiteres Gesicht und dann in das etwas unsicher wirkende von Ella. Weckerle stand rasch auf, ging zu ihr hin, küßte sie auf die Wange und sagte: »Nett, daß du gekommen bist, Ella. Darf ich dich mit Angelika bekannt machen?«

»Guten Abend!« sagte Angelika und streckte Ella im Sitzen die Hand hin. »Ich freue mich, Sie kennenzulernen, Ella. Ich habe schon viel von Ihnen gehört.«

»Am besten ist es, ihr duzt euch gleich«, sagte Weckerle. Kolb stand mühsam auf und sagte heiser: »Du hast gewußt, daß ich hier bin?«

»Natürlich habe ich es gewußt«, sagte Ella und gab Angelika die Hand. Sibylle sagte lächelnd: »Ella hat mir schon Sonntag am Telefon gesagt, daß sie unsere Beziehungen längst mitbekommen hat. Als ich dir gestern nachmittag sagte, daß sie nicht genug Phantasie besäße, sich ein Verhältnis zwischen dir und einer anderen Frau vorzustellen, wollte ich nur herausfinden, ob du wirklich von ihrer Ahnungslosigkeit überzeugt warst. Man sollte Frauen, besonders Ehefrauen, nie unterschätzen, Michael.«

Zu Ella sagte sie: »Ich bin sehr froh, daß du hier bist, Ella. Es hätte mir sehr leid getan, wenn wir deshalb auseinandergeraten wären; schließlich sind wir gute Freundinnen, die sich schon lange kennen. Setz dich zu mir auf die Couch. Haben die Kinder schon geschlafen?«
Ella nickte. Während sie sich neben Sibylle auf die Couch setzte und Kolb, damit sie dort Platz fanden, aufstand, sagte Angelika: »Nein, bleib du hier sitzen, Michael. Ich setze mich in einen Sessel.«
Kolb verließ wortlos das Zimmer. Er ging ins Bad, betrachtete im Spiegel ein paar Sekunden lang sein blasses Gesicht und wusch es dann kalt ab. Als er sich aufrichtete, sah er im Spiegel Sibylle in der Tür stehen. Sie kam zu ihm, legte die Hand auf seine Schulter und sagte: »Ich glaube, es war für uns alle die beste Lösung, Michael. Ich kann verstehen, daß du im ersten Augenblick schockiert warst . . .« Er drehte sich rasch nach ihr um und sagte heiser: »Darum geht es nicht, Sibylle. Sie hat das alles schon gewußt, und ich habe sie, bevor ich vorhin von daheim weggefahren bin, noch wie ein dummer Schuljunge anzulügen versucht. Sie muß doch einen ganz erbärmlichen Eindruck von mir haben . . .«
»Erbärmlicher als zuvor?« fragte Sibylle ruhig. »Sie weiß es seit mindestens einem Jahr, und so lange läßt sie sich auch schon, was uns beide betrifft, von dir anlügen. Welcher Unterschied ist da zwischen heute und sonst?« Er schwieg eine Weile, dann frage er: »Was habt ihr mit ihr vor? Ich will nicht, daß sie da mit hineingezogen wird, Sibylle. Sie ist nicht so stark wie du.«
»Stark genug, um heute abend hierherzukommen«, sagte Sibylle unverändert ruhig. »Als du mich hineingezogen hast, sind dir da auch Skrupel gekommen? Wo ist da der Unterschied zwischen ihr und mir? Nur weil sie Kinder hat und ich keine?« Er wich ihrem Blick aus und murmelte: »Entschuldige.«
»Du brauchst dich nicht zu entschuldigen«, sagte Sibylle. »Ich habe mich schon am Sonntagabend und dann noch einmal heute nachmittag ausführlich mit ihr unterhalten. Sie ist viel realistischer, als du glaubst, sonst hätte sie dir schon längst eine Szene gemacht. Sie sagte mir, daß ihr, um ihre Ehe zu retten, kein Opfer zu groß sei. Und wenn sie sich erst einmal an den Gedanken gewöhnt hat, daß wir jetzt alle wie eine Familie sind, dann sehe ich auch für die Zukunft keine Probleme mehr für uns. Ich habe dir vorhin gesagt, daß wir jetzt nicht mehr zurück können – ob uns

das paßt oder nicht. Ich bin sicher, sie hat sich nur deshalb mit mir angefreundet; im Grunde sind wir völlig verschieden. Der Gedanke, daß du mit mir ein Verhältnis hattest, muß ihr, weil sie selbst in Ferdinand verliebt ist, um so unerträglicher gewesen sein.«
»Davon hatte ich keine Ahnung«, murmelte Kolb verstört. Sibylle lächelte. »Weil sich Männer ihrer Frauen meist so sicher sind, daß sie gar nicht auf den Gedanken kommen, sie könnten sich auch einmal in einen anderen verlieben. Es wäre alles sehr viel einfacher, wenn Angelika nicht wäre, aber ich sehe keine Möglichkeit, sie in absehbarer Zeit loszuwerden, ohne uns alle auseinanderzubringen. Für Ferdinand ist sie noch immer ein Spielzeug, von dem er sich nicht trennen will, und du siehst sie heute vielleicht auch nicht anders als er.«
»Ich habe das alles nicht gewollt«, murmelte Kolb und legte das Gesicht auf ihre Schulter. Sie streichelte sein Haar. »Ich glaube, wir wollten es alle nicht, Michael. Ich habe Ella auch von dir und Angelika erzählt. Vielleicht war das der eigentliche Anstoß für sie, heute abend zu kommen. Sie hat eingesehen, daß ein Bruch mit mir allein ihr Problem nicht mehr lösen würde. Wäre dir der Gedanke unerträglich, daß zwischen ihr und Ferdinand etwas Ähnliches geschehen könnte wie zwischen uns?«
Kolb hob verstört den Kopf. »Ich würde mich nie daran gewöhnen.«
»Wirklich nicht?« fragte sie. »Wie oft schläfst du noch mit ihr?«
Er starrte in ihr Gesicht. Sie berührte mit der flachen Hand seine Wange. »Du kannst Ella jetzt nicht mehr draußen lassen, Michael. Unsere gegenseitigen Beziehungen sind auch so schon kompliziert genug. Wenn wir Ella nicht einbeziehen, sehe ich keine Möglichkeit, uns mit ihr zu arrangieren. Du kannst nicht alles gleichzeitig haben: eine intakte Ehe und ein Verhältnis mit Angelika oder mir. Für mich geht es bei alledem nur um Ferdinand. Damals in der Hütte habe ich dich angelogen: ich wußte, daß er mit Angelika ein Verhältnis hatte. Inzwischen kämpfe ich mit ihren eigenen Mitteln um ihn. Dazu mußte ich über meinen Schatten springen. Tu du es auch oder nimm Ella in diesem Augenblick mit nach Hause und lasse dich dann nie wieder hier sehen. Diese Entscheidung liegt allein bei dir.«
Sie nahm die Hand von seiner Schulter und ging hinaus. Als Kolb ihr Sekunden später folgte, saß sie neben Ella auf der Couch. Angelika hatte sich neben Ferdinand auf die Sessellehne gesetzt, ei-

nen Arm um seine Schultern gelegt und streichelte mit den Fingerspitzen seinen Nacken. Er sagte zu Kolb: »Wir haben uns gerade darüber unterhalten, daß wir im Grunde absolut altmodisch leben und von den jungen Leuten, die sich heute zu Wohngemeinschaften zusammenschließen, viel lernen könnten.« Angelika fragte lachend: »Schlafen die wirklich alle kreuz und quer durcheinander?«
»Ob sie es alle tun«, sagte Weckerle, »weiß ich natürlich nicht, aber sicher haben sich die meisten von unserem konventionellen Leitbild einer Ehe längst gelöst. Ich finde, daß, solange die Kindererziehung nicht darunter leidet, nichts dagegen einzuwenden ist.«
»Das finde ich auch«, sagte Angelika. Kolb griff stumm nach seinem Glas, trank es auf einen Zug leer und setzte sich dann zu Ella auf die Couch. Er griff nach ihrer Hand und fragte: »Willst du nach Hause, Kleines?«
»Nein«, sagte sie, und ihre Stimme klang sehr fest und entschlossen. Er ließ ihre Hand los und füllte sein Glas nach. Sibylle fragte Ella: »Hast du dieses Kleid schon lange? Ich habe es noch nie gesehen!«
»Ich habe es selbst genäht«, sagte Ella und beobachtete, wie sich Angelika zu Ferdinand niederbeugte und ihn küßte. Sibylle stand auf und sagte: »Warum tanzen wir nicht? Hat niemand Lust?«
»Ich«, sagte Weckerle und flüsterte Angelika etwas ins Ohr. Während Sibylle eine neue Platte auflegte, ging er zu Ella und sagte: »Wir haben schon lange nicht mehr zusammen getanzt, Ella.«
»Ja«, sagte sie und trank, bevor sie aufstand, mit geschlossenen Augen ihr Glas leer. Angelika kam zu Kolb. »Willst du?« Er zögerte. Dann sah er, daß Ella beim Tanzen die Hände um Weckerles Nacken gelegt hatte und sich eng an ihn schmiegte. Er kippte wieder ein Glas hinunter und nahm Angelika in die Arme. Sibylle, die offenbar einen Einfall hatte, verließ das Zimmer. »Ich finde deine Frau nett«, sagte Angelika. »Werden wir uns jetzt öfter sehen?«
»Willst du es?« fragte er. Sie antwortete: »Ja. Ich fand es schön mit dir. Warum machen wir nicht das Licht aus? Würde es dich stören?«
Kolb blickte wieder zu Ella hin, sah, wie Weckerle sie küßte und wie sie seinen Kuß mit geschlossenen Augen erwiderte; der An-

blick traf ihn bis ins Herz. Ohne ein Wort zu sagen, ließ er Angelika los, ging zur Tür und schaltete das Licht aus. Er wartete ein paar Augenblicke, ob Ella dagegen protestierte, und als sie es nicht tat, tastete er sich im Dunkeln zu Angelika zurück, riß sie an sich und bedeckte ihr Gesicht mit Küssen. Sie griff nach seiner Hand, führte ihn zur Couch und setzte sich auf seinen Schoß.
»Bleibst du heute nacht hier?«
»Das weiß ich noch nicht«, sagte Kolb. Dann hörte er Sibylles Stimme: »Warum brennt kein Licht?«
»Wir sitzen hier«, sagte Angelika und schob die Zunge zwischen Kolbs Lippen. Als Sibylle das Licht einschaltete, standen Ella und Weckerle eng umschlungen, und Kolb sah, daß er die Hand an ihrem Gesäß hatte. Die Musik war längst verstummt. Weckerle sagte zu Sibylle: »Mußte das sein?«
»Ich wußte nicht, daß ich störe«, sagte sie lächelnd. Angelika kletterte von Kolbs Schoß herunter, drückte ihre Frisur zurecht und sagte: »Meinetwegen hättest du es auslassen können.«
»Ich weiß etwas Besseres«, sagte Sibylle und blickte Ella an, die jetzt einen feuerroten Kopf hatte und sich rasch aus Weckerles Umarmung löste. »Wir spielen etwas«, sagte Sibylle und legte drei Würfel auf den Tisch. »Wer macht mit?«
»Ein Pfänderspiel«, sagte Angelika, die Sibylles Absicht sofort erriet. »Wenn alle mitmachen, bin ich dabei.«
»Du auch?« sagte Weckerle zu Ella. Sie zögerte und sah zu Boden. Kolb sagte: »Tu es nicht; sie wollen dich nur in etwas hineinziehen. Es stört sie, daß du anders bist als sie.«
Sie sah schnell auf. »Bin ich das? Vielleicht hast du nur Angst, ich könnte mich neben ihnen nicht sehen lassen.«
»Du bist verrückt«, sagte er atemlos. »Komm, wir gehen nach Hause.«
»Noch ist es Zeit«, sagte Sibylle. Ella blickte sie stumm an, dann ging sie zum Tisch und ließ die Würfel rollen. Nach ihr griff Sibylle danach, dann Kolb und Weckerle, am Schluß Angelika. Sibylle hatte die niedrigste Zahl geworfen. Sie zog lächelnd einen Schuh aus und legte ihn unter den Tisch. Weckerle füllte wieder die Gläser. Angelika sagte: »Das Spiel ist unfair; die Männer haben viel mehr an als wir. Sie müßten Jackett und Krawatten vorher ausziehen.«
»Das finde ich auch«, sagte Sibylle. Ella sagte nichts; ihr Gesicht sah fiebrig aus. Kolb beobachtete mit angehaltenem Atem, wie sie wieder nach den Würfeln griff, aber sie hatte jedesmal Glück.

Sibylle mußte, nachdem sie hintereinander Schuhe und Strümpfe verloren hatte, auch das Kleid ausziehen. Beim gedämpften Licht der Stehlampe mit rotem Schirm sah ihre Haut unwahrscheinlich makellos aus. In der nächsten Viertelstunde verloren Weckerle und Kolb zuerst ihre Hemden und dann die Hosen. Sie tranken jetzt alle viel und hastig; Weckerle ging im Slip neue Flaschen holen, und als er zurückkam, war Angelikas Kleid an der Reihe. Sie blickten sie alle an, und sie sagte lachend: »Ich wußte ja nicht, daß ihr so etwas spielen wolltet, sonst hätte ich einen BH angezogen.«
»Du siehst ohne BH viel hübscher aus«, sage Weckerle. Er gab die Würfel an Ella weiter. »Es ist unfair, daß du nie verlierst.«
»Ich habe schon verloren«, sagte sie und warf wieder eine hohe Zahl. In dieser Runde verlor Sibylle ihren BH und in der nächsten Weckerle den Slip. Er streifte ihn lässig ab und sagte: »Ihr habt ja alle schon einmal einen nackten Mann gesehen.«
»So sehe ich nackte Männer am liebsten«, sagte Angelika und griff ungeniert zu ihm hinüber. In diesem Augenblick stand Ella auf und verließ das Zimmer. Weckerle fragte betroffen: »Was hat sie?«
»Lauf ihr nach«, sagte Sibylle zu Kolb.
»Sie hat es nicht anders gewollt«, sagte dieser, ohne sich vom Fleck zu rühren. Draußen schlug eine Tür zu. Sibylle stand rasch auf und sagte blaß: »Sie hat das Haus ...« Sie brach ab und fragte bestürzt: »Ist das Ella?«
Weckerle schaltete die Lampe aus, lief mit drei großen Schritten zum Fenster und zog den Laden hinauf. Jetzt konnten sie alle Ellas Stimme hören. »Was schreit sie denn da?« fragte Sibylle betroffen. »Sie wird die ganze Nachbarschaft aufwecken.«
»Das ist vielleicht ihre Absicht«, sagte Weckerle und schloß den Laden. Er lief im Dunkeln zur Lampe, schaltete sie ein und wandte sich gereizt an Kolb: »Bring sie endlich zum Schweigen, Menschenskind! Oder soll ich das tun?« Kolb bückte sich nach seinen Kleidern. Angelika fragte verwundert: »Was schreit sie denn dauernd? Ich kann sie nicht verstehen.«
»Drecksweiber und Sauweiber, schreit sie«, sagte Weckerle wütend. »Sie muß den Verstand verloren haben. Stellt sich mitten auf die Straße und spielt verrückt. Mit der haben wir uns auf etwas eingelassen!«
Sibylle sagte schockiert: »Warum wiederholt sie das dauernd? Einmal hätte doch auch genügt!«

»Was habe ich nur in dir gesehen!« sagte Kolb zu Sibylle und rannte zur Tür. Wenig später wurde es auf der Straße still. Sibylle blickte Weckerle an. »Wie konnte sie uns das antun! Das muß doch die ganze Nachbarschaft gehört haben!«
»Wennschon!« sagte er und griff nach einem Glas. Angelika betrachtete ihn mit einem merkwürdigen Gesichtsausdruck; zu Sibylle sagte sie: »Ich würde mir deshalb den Abend nicht verderben lassen. Die Leute in der Straße können doch gar nicht wissen, wen sie damit gemeint hat; es ist dunkel draußen. Wir könnten auch ohne Ella und Michael weiterwürfeln. Oder habt ihr jetzt keine Lust mehr?«
Weckerle setzte sich mit stark gerötetem Gesicht auf die Couch und sagte: »Ich bin schon draußen. Macht, was ihr wollt.«
»Vielleicht will Sibylle auch aussteigen«, sagte Angelika lächelnd. »Ich habe noch nie ein Spiel abgebrochen.«
»Ich auch nicht«, sagte Sibylle. Sie sah blaß, aber wieder sehr überlegen aus. Als sie nach den Würfeln griff, blickte Angelika neugierig über ihre Schulter hinweg. »Acht«, sage sie. »Das ist schlecht, Sibylle. Darf ich?« Sie warf die Würfel mit einem leichten Schwung aus dem Handgelenk. Weckerle sagte: »Das ist noch schlechter.«
»Dafür habe ich eben in der Liebe Glück«, sagte Angelika und streifte den Slip ab. Dann fragte sie verwundert: »Und was ist jetzt mit Sibylle?«
»Sie hat gewonnen«, antwortete Weckerle und blickte zuerst sie und dann Sibylle an. »Der Gewinner hat immer einen Wunsch frei.« Sibylle wandte sich der Tür zu. »Hast du keinen Wunsch?« fragte Angelika verständnislos.
»Doch«, sagte Sibylle. »Morgen verläßt du das Haus.«

28

Es war der Wunsch der Entführer, daß Kiene mit dem Geld auf der B 2 von Augsburg nach Nürnberg und von dort auf der Autobahn nach Würzburg fahren sollte. Unterwegs würde er weitere Instruktionen erhalten. Sie erkundigten sich noch nach dem Kennzeichen seines Wagens und beendeten das Gespräch. Hauptkommissar Weihrauch ließ sich von seinen Mitarbeitern eine Autokarte geben und studierte sie. »Eine Strecke von über zweihundert Kilometern«, sagte er. »Von Augsburg nach Nürnberg werden Sie etwa zwei Stunden brauchen, bis Würzburg un-

gefähr eine, also insgesamt drei. Wenn Sie, wie die Entführer das verlangen, erst um siebzehn Uhr in Augsburg wegfahren, wird es, bis Sie in Würzburg sind, schon dunkel.«
»Das schätze ich auch«, sagte Kiene. »Ich muß Sie noch einmal ausdrücklich darum bitten, mich unterwegs nicht beschatten zu lassen; auf einer so weiten Strecke müßten die Entführer das früher oder später zwangsläufig mitbekommen.«
»Selbstverständlich«, sagte Weihrauch. »Da sie ausdrücklich darauf bestanden haben, daß Sie von Fräulein Rectanus begleitet werden, können wir kein Risiko eingehen; die Strecke ist auch viel zu groß, als daß sie sich ohne riesigen Aufwand überwachen ließe. Ich vermute, daß Würzburg noch nicht Ihr Endziel sein wird. Das kann ebenso Mannheim wie Frankfurt oder eine andere Stadt in Westdeutschland sein. Demnach brauchen wir unsere Aufmerksamkeit nicht mehr länger auf den bayerischen Raum zu richten. Wir werden, nach der Freilassung, die Fahndung möglicherweise auf das gesamte Bundesgebiet ausdehnen müssen.«
Er blickte Ursula an, die ihnen mit blassem Gesicht zuhörte. »Es tut mir leid, daß auch Sie noch in diese Sache hineingezogen werden, Fräulein Rectanus. Ich nehme an, die Entführer haben Ihre Anwesenheit von Ihrem Vater erfahren. Ich glaube allerdings nicht, daß Sie sich, wenn Sie Herrn Kiene begleiten, in eine unmittelbare Gefahr begeben.«
Sie antwortete: »Ich wäre auf alle Fälle mit ihm gefahren, auch wenn die Entführer es nicht verlangt hätten.«
»Das ist sehr tapfer von Ihnen«, sagte Weihrauch und wandte sich an Kiene: »Sie haben meine Telefonnummer. Sobald Sie das Geld übergeben haben, verständigen Sie mich bitte umgehend. Selbstverständlich werden wir die Fahndung erst dann einleiten, wenn sich Herr Rectanus bei Ihnen oder bei uns gemeldet hat. Das wäre für den Augenblick wohl alles.«
Er gab zuerst Ursula, dann Kiene die Hand und fügte noch hinzu: »Sie haben genügend Zeit. Warten Sie, bis meine Beamten und die Journalisten weg sind. Ihren Plan, das Geld in einem Parkhaus in Augsburg zu übernehmen, finde ich gut. Ich wünsche Ihnen viel Glück.«
»Wohl ist mir nicht dabei«, sagte Kiene und verließ mit Ursula die Bibliothek. Während sie im Lift zu ihrem Zimmer hinauffuhren, fragte sie: »Hast du Angst?«
»Nur ein komisches Gefühl«, sagte Kiene und küßte sie. »Ich

hatte heute früh noch keine Gelegenheit, dich zu fragen, ob ich wieder etwas falsch gemacht habe.«
»Nein«, sagte sie und erwiderte seine Küsse. »Diesmal hast du nichts falsch gemacht, Manfred. Was tun wir jetzt mit Annemarie?«
Er hatte, seit er heute morgen aufgewacht war, auf diese Frage gewartet und antwortete: »Ohne Einverständnis deines Vaters kannst du sie nicht wegschicken; es wäre auch unfair. Sie hat sich ziemlich viel Arbeit mit ihm gemacht.«
»Aber doch nicht aus Selbstlosigkeit«, sagte Ursula.
Weil der Lift in ihrem Stockwerk hielt, verschob Kiene seine Antwort, bis sie im Zimmer waren. Er setzte sich aufs Bett, zog Ursula auf den Schoß und sagte: »Warst du in deinem Leben immer selbstlos? Sie hat seinetwegen ihre Stellung aufgegeben und sich möglicherweise auch mit ihrer Mutter überworfen. Irgendwann in unserem Leben verspüren wir alle mal den Wunsch, aus unserem Alltag auszubrechen. Annemarie hatte kein leichtes Leben. Und sie hatte sich deinem Vater nicht aufgedrängt, aber sie sah in ihm eine Chance, ein neues Leben anzufangen. Mit ihren früheren Freunden hatte sie nicht viel Glück.«
»Das mit dem Tonband . . .«, sagte Ursula. Kiene unterbrach sie: »Für sie war das doch nichts anderes als ein Akt der Notwehr. Leider gehört dein Vater zu den Männern, die, um ein bestimmtes Ziel zu erreichen, hemmungslos Versprechungen machen, obwohl sie genau wissen, daß es ihnen mit ihrer Verwirklichung nicht ernst ist. Versuch dich auch einmal in Annemaries Situation zu versetzen. Sie hat sich, weil er ihr eine goldene Zukunft versprochen hat, dazu überwunden, mit ihm ins Bett zu gehen, und als er merkte, daß er bei dir nicht das erreichte, was er sich davon erhofft hatte, wurde sie uninteressant für ihn. Da er aber auch mich noch in diese Sache hineingezogen hat, ist Annemarie jetzt nicht mehr allein seine Angelegenheit. Ich habe sie, auf seinen Wunsch, dazu überredet, sich auf das Abenteuer mit ihm einzulassen, und ich werde darauf bestehen, daß sie nicht mit leeren Händen ausgeht.«
»Aber schlafen wirst du nicht mehr mit ihr«, sagte Ursula.
Er zögerte, und weil ihm der rasche Schatten auf ihrem Gesicht nicht entging, fragte er: »Was stellst du dir zwischen uns beiden vor? Daß wir heiraten?«
»Ich bin heute gar nicht mehr so sehr dafür«, sagte sie. »Ich würde mit einem Mann viel lieber nur so ganz einfach zusammen

leben. Mein Vater wird aber nicht damit einverstanden sein. Würde es dich große Überwindung kosten?«
Er lächelte. »Auf den ersten Blick schon. Ich hatte mir vorgenommen, erst dann zu heiraten, wenn mir keine andere Möglichkeit mehr bleibt.«
»Vielleicht lasse ich dir keine andere mehr«, sagte sie, nachdenklich sein Gesicht betrachtend. »Du wirst dich doch von einer Frau, mit der du nur zusammen lebst, nicht davon abhalten lassen, auch wieder mit anderen ins Bett zu gehen?«
»Und was könnte mich davon abhalten, wenn ich verheiratet wäre?«
Sie sagte stirnrunzelnd: »Ich rede ernsthaft mit dir.«
»Wir reden beide ernsthaft«, sage Kiene. »Für mich ist Heiraten auch eine kommerzielle Frage. Einer Frau auf der Tasche liegen zu müssen entspricht meinen Vorstellungen von ehelicher Partnerschaft nur wenig. Kläre, sobald dein Vater wieder hier ist, mit ihm ab, welche Rolle er mir in seiner Firma wirklich zugedacht hat. Ich habe wenig Lust, mir, wenn es ihm in den Sinn kommt, genauso einen Tritt in den Hintern geben zu lassen wie Annemarie. Mein derzeitiges Arbeitsverhältnis ist vierteljährlich kündbar; auf einem so schwankenden Kahn schiffe ich mich nicht in den Hafen der Ehe ein.«
»Was willst du haben?« fragte Ursula. »Einen Vertrag, der dich absichert?«
»Einen Fünfjahresvertrag«, sage Kiene. »Und wenn er ihn nach Ablauf dieser Frist nicht verlängert, eine Abfindung.«
Sie mußte lächeln. »Ich dachte immer, du wüßtest nicht, was du willst. Ich werde es ihm sagen. Und welche Bedingungen stellst du mir?«
Statt ihr zu antworten, fragte er: »Warum willst du mich eigentlich haben?« Sie erwiderte ruhig seinen Blick. »Weil ich es mir in den Kopf gesetzt habe und weil du mir heute nicht mehr gleichgültig bist. Brauchst du sonst noch eine Erklärung?«
Er hob sie von seinem Schoß und setzte sie mühelos in einen Sessel. Fast gleichzeitig wurde an die Tür geklopft. Kiene dachte zuerst an die Schwester, sah jedoch, als er die Tür öffnete, Annemarie vor sich stehen. Sie schob sich unaufgefordert an ihm vorbei ins Zimmer und sagte: »Stören wollte ich nicht.«
»Du tust es trotzdem«, sagte Ursula und stand auf. Sie gab ihr die Hand. »Wir haben gerade von dir gesprochen. Manfred erzählte mir, daß mein Vater wortbrüchig geworden ist. Ich werde,

sobald er wieder da ist, mit ihm reden. Wieviel Geld brauchst du?«

»Er hat mir monatlich siebentausend versprochen«, sagte Annemarie und setzte sich in den Sessel, aus dem Ursula gerade aufgestanden war. »Das übrige, auch das Haus, das er mir vermachen wollte, schenke ich dir.«

Ursulas Gesicht rötete sich ein wenig. »Es war dein eigenes Risiko.«

»Ich wollte es auch auf niemanden abwälzen«, sagte Annemarie und betrachtete das zerwühlte Bett. »Muß eine größere Sache gewesen sein«, sagte sie. »Hast du ihn endlich dahin gebracht, daß er dich heiratet?«

»Wir sind uns noch nicht ganz schlüssig«, antwortete Ursula und setzte sich in einen anderen Sessel. Sie schlug die strumpflosen Beine übereinander und betrachtete Annemarie mit ausdruckslosem Gesicht. »Mein Vater hat mir erzählt, daß deine Mutter in seiner Fabrik arbeitet. Wäre es da nicht ein bißchen komisch, wenn er dich geheiratet hätte?«

Annemarie grinste. »Neuerdings nicht mehr. Wo hat denn deine Mutter gearbeitet?«

Ursula blickte rasch zu Kiene hin; er schüttelte kaum merklich den Kopf. Sie sagte: »Ich möchte nicht mit dir streiten, Annemarie. Mein Vater bezahlt mir das Studium, die Miete und das Essen. Darüber hinaus gibt er mir monatlich tausend Mark Taschengeld. Ich finde siebentausend ein bißchen viel. Täten es nicht auch zwei?«

»Vier«, sagte Annemarie. »Das ist immer noch viel weniger, als er mir versprochen hat. Ich möchte, daß meine Mutter nicht länger in seiner Fabrik arbeiten muß.«

Ursula nickte. »Das möchte ich auch. Und welche Ansprüche erhebst du für dich?«

»Die sind in den viertausend enthalten«, sagte Annemarie. Zu Kiene sagte sie: »Könntest du mich in den Ort fahren? Ich möchte etwas einkaufen.«

»Das geht nicht«, sagte Ursula. »Manfred und ich müssen nach Augsburg und das Geld für die Entführer abholen.«

Annemarie lächelte. »Ach ja, die zwei Millionen. Ich würde gerne meine Mutter besuchen. Würdet ihr mich mitnehmen?« Ursula blickte Kiene an. Er zuckte mit den Schultern. »Wenn du einverstanden bist.«

»Bisher hast du kein Einverständnis gebraucht, wenn wir zu-

sammen weggefahren sind«, sagte Annemarie. Zu Ursula sagte sie: »Ich wäre dir sehr dankbar dafür; ich muß unbedingt meine Mutter besuchen.«
»Wirst du ihr von meinem Vater erzählen?« fragte Ursula. Annemarie schüttelte den Kopf. »Ich habe das bisher nicht getan, und ich werde es auch in Zukunft nicht tun.«
»Dann bin ich einverstanden«, entschied sich Ursula und stand auf. »Wir rufen dich, wenn wir soweit sind.«
»Das ist nett von euch«, sagte Annemarie und verließ das Zimmer. Ursula wandte sich an Kiene: »Du hast nicht viel gesagt!«
»Ich hatte kaum Gelegenheit«, sagte er. »Ihr wart wie zwei Löwinnen, die sich um eine Beute streiten.« Ursula sagte sachlich: »Mit solchen Frauen streite ich mich nicht; merk dir das für die Zukunft. Was müssen wir alles mitnehmen?«
»Nur unseren Kopf«, sagte Kiene. »Den werden wir vermutlich brauchen.«
Eine halbe Stunde später begleitete sie Professor Eschenburger bis zur Tür und sagte ernst: »Ich hoffe, daß alles gut ausgeht. Ich bin untröstlich darüber, daß das ausgerechnet in meiner Klinik passieren mußte!«
»Für Ihre Klinik ist das doch eine ausgezeichnete Publicity«, sagte Kiene. »Sie werden sich künftig vor neugierigen Patienten kaum mehr retten können.« Professor Eschenburger wehrte milde ab. »Für uns war immer nur das Wohl unserer Patienten entscheidend.«
»Dafür ist Ihnen ein Platz im Himmel sicher«, sagte Kiene und ging mit Ursula und Annemarie zum Wagen; Professor Eschenburger blickte ihnen bekümmert nach.
Ursula setzte sich wie selbstverständlich auf den Beifahrersitz. »Wir hätten ja auch im Wagen meines Vaters fahren können«, sagte sie. Kiene widersprach: »Dazu ist es jetzt zu spät; ich fahre auch lieber mit meinem eigenen als mit einem fremden.« Zu Annemarie, die in den Fond kletterte, sagte er: »Paß in der nächsten halben Stunde auf, ob uns einer folgt; im Rückspiegel bekomme ich es, wenn ich gleichzeitig auf die Straße achten muß, nicht immer mit.«
»Wer sollte uns folgen?« fragte sie verwundert.
»Journalisten«, antwortete Ursula für Kiene. Sie sah plötzlich wieder sehr blaß aus. Kiene, der es bemerkte, fragte: »Aufgeregt?« Ursula nickte. »Ein wenig.«
»Ist ja auch eine aufregende Sache«, sagte Annemarie mit todern-

stem Gesicht. Dann kicherte sie unvermittelt. Ursula drehte sich schockiert nach ihr um. »Ich weiß nicht, was daran komisch ist?«
»Entschuldige«, sagte Annemarie und preßte ein paar Augenblicke lang die Hand gegen den Mund. Dann sagte sie: »Ich mußte gerade daran denken, was ich mit zwei Millionen anfangen würde. Darf ich wenigstens einen Blick darauf werfen? Ich wüßte dann, wie zwei Millionen aussehen. Bis jetzt kann ich es mir nicht vorstellen.«
Ursula blickte Kiene fragend an. »Geht das?«
»Es geht alles«, sagte er geistesabwesend.
Zum Glück war das Wetter an diesem Tag wieder schön, und die Fahrt durch das frühlingsgrüne Alpenvorland lenkte ihn von seinen Zweifeln ab. Annemarie, die immer wieder aus dem Heckfenster schaute, sagte: »Ich sehe keinen.« Sie legte die Arme hinter Ursulas Rücken auf deren Sitzlehne und fragte: »Trägst du das Haar immer lang?«
»Ich bin es so gewohnt«, antwortete Ursula.
»Mich würde es stören«, sagte Annemarie. »Aber du hast sehr schönes Haar. Darf ich?« Sie nahm, ohne eine Antwort abzuwarten, eine Strähne zwischen die Finger und sagte: »Es fühlt sich wie Seide an. Wäschst du es oft?«
Ursula wandte ihr das Gesicht zu. »Zweimal die Woche.«
»Das merkt man«, sagte Annemarie. »Eigentlich schade, daß wir nicht Freundinnen sein können, du gefällst mir.«
»Ich habe nichts gegen dich«, sagte Ursula. Annemarie schob ihr Haar zur Seite, massierte mit den Fingerkuppen behutsam ihren schlanken Nacken und beobachtete, wie sie dort eine Gänsehaut bekam. Sie sagte: »Natürlich mußt du etwas gegen mich haben. Mir an deiner Stelle erginge es genauso.«
»Es stört mich überhaupt nicht, was du mit meinem Vater hast«, sagte Ursula.
Annemarie lächelte. »Man sieht, daß du das Haar immer lang trägst; du hast hier eine schneeweiße Haut. Tut das gut, wenn ich dich an dieser Stelle massiere? Im Krankenhaus mußte ich das oft tun, ich bin auch als Masseurin ausgebildet. Wenn du einmal irgendwo Schmerzen hast, ich massiere sie dir weg; es ist auch gegen Kopfschmerzen gut.«
»Heute habe ich Kopfschmerzen«, sage Ursula und schloß, während Annemarie ihre glatte Haut massierte, die Augen. Annemarie sagte: »Vielleicht hilft es. Oder tu ich dir weh?«

»Nein«, sagte Ursula mit geschlossenen Augen, und Annemarie, die über Ursulas Schulter hinwegblickte, sah, daß sie jetzt auch an den Schenkeln eine Gänsehaut hatte. Sie dehnte ihre Berührungen sanft auf ihre Schulterblätter aus und sagte: »Mir wäre es auch lieber, dein Vater könnte künftig ohne mich auskommen. Ich möchte nur nicht plötzlich ohne Verdienst dastehen. Als ich meine Stellung verlor, haben sie mir kein Zeugnis mitgegeben. Jedes andere Krankenhaus, bei dem ich mich wieder bewerben wollte, würde fragen, wo ich die letzten Jahre gearbeitet habe und, wenn ich kein Zeugnis vorlegen kann, dort Erkundigungen einziehen. Ich gebe nicht deinem Vater die Schuld; ich hätte mich nicht darauf einzulassen brauchen.«
»Worauf?« fragte Ursula und wandte ihr wieder das Gesicht zu. Annemarie blickte Kiene an, der mit seinen Gedanken jedoch noch immer mit den neu aufgetretenen Problemen beschäftigt war und ihnen nur mit einem Ohr zuhörte. »Ich dachte, Manfred hätte es dir erzählt«, antwortete sie. »Ich wurde zusammen mit deinem Vater vom Oberarzt in einer verfänglichen Situation erwischt und fristlos gefeuert.«
»Das wußte ich wirklich nicht«, sagte Ursula betroffen. »Hast du diese Situation selbst herbeigeführt?«
»Ich war nicht entschieden genug, mich den Wünschen deines Vaters zu widersetzen«, antwortete Annemarie heiter. Kiene, der jetzt mit beiden Ohren zuhörte, sagte: »Er bestand darauf, sie, bevor er sie mitnahm, aus der Nähe zu betrachten.«
»Und darauf hast du dich eingelassen?« fragte Ursula ungläubig. Annemarie zuckte die Achseln. »Um dort wegzukommen, hätte ich noch ganz andere Dinge getan. Bist du schockiert?«
»Ich weiß nicht«, sagte Ursula und griff, weil Annemaries Berührungen ihr unerträglich wurden, über die Schulter hinweg nach ihrer Hand. Sie hielt sie ein paar Sekunden lang fest und sagte dann: »Meine Kopfschmerzen sind jetzt besser; vielen Dank, Annemarie.« Zu Kiene sagte sie: »Warum hast du mir nie ausführlicher davon erzählt? Ich dachte, sie hat die Stellung von allein aufgegeben. Wenn das so ist, finde ich es richtig, daß mein Vater ihr monatlich etwas bezahlt.«
Kiene lächelte. »Dann sind wir uns im Prinzip einig. Ich hielt es nicht für wahrscheinlich, daß du dich dafür interessieren würdest.«
»Das ist Unsinn«, sagte Ursula ungeduldig. »Wieso hältst du mich für so oberflächlich?«

»Ich habe dich noch keinen Augenblick lang für oberflächlich gehalten«, sagte Kiene und warf einen beiläufigen und dann einen prüfenden Blick in den Rückspiegel. Zu Annemarie sagte er: »Ist dir dieser rote Wagen schon einmal aufgefallen?« Sie drehte das Gesicht zum Heckfenster.
»Das müssen wieder diese Burschen vom Fernsehen sein«, sagte Kiene. Er fuhr langsamer, und als auch der rote Kombi sein Tempo verringerte, sagte er grinsend: »Wie man unauffällig einen anderen Wagen verfolgt, haben sie nicht gelernt. Schaut nicht mehr zurück; sie sollen nicht merken, daß sie uns aufgefallen sind. Um so rascher werden wir sie nachher los.«
Annemarie kicherte. »Das ist direkt aufregend. Ich habe so etwas noch nie mitgemacht.«
»Ich auch nicht«, sagte Kiene.
Bis zur Autobahn blieb der Kombi, einmal in geringerem, dann wieder in größerem Abstand folgend, immer in Sichtweite. Dann verschwand er innerhalb weniger Minuten aus dem Rückspiegel, und Kiene, der ihn während der ganzen Zeit im Auge behalten hatte, sagte befriedigt: »Dieses kleine Problem hätten wir gelöst.«
»Wann werdet ihr wieder zurückfahren?« fragte Annemarie. »Noch heute abend? Dann könntet ihr mich daheim abholen.«
»Das läßt sich sicher einrichten«, meinte Kiene. »Ich weiß allerdings nicht, wie spät es wird.«
»Das spielt keine Rolle«, sagte Annemarie und fragte Ursula: »Bist du damit einverstanden?« Ursula nickte. Sie wirkte auf eine undifferenzierte Art geistesabwesend.
Weil Kiene sehr schnell fuhr und seine Aufmerksamkeit der Straße widmen mußte, sprachen sie nur wenig. Erst als sie die Stadt erreichten, öffnete Kiene wieder den Mund: »Wir haben noch genügend Zeit; ich schlage vor, daß wir zuerst irgendwo essen. Oder willst du sofort zu deiner Mutter, Annemarie?«
Sie schüttelte den Kopf. »Dann könnte ich das Geld nicht sehen. Was ich mit ihr zu besprechen habe, ist in einer Stunde erledigt. Ich bleibe bei euch, bis ihr das Geld habt, dann steige ich in die Straßenbahn und fahre zu ihr. Wann werdet ihr das Geld bekommen?«
»Das will ich jetzt klären«, antwortete Kiene.
In der Giselastraße nahe der Universität fanden sie einen Parkplatz und gingen in ein Restaurant, das Kiene gut bekannt war. Bevor sie das Essen bestellten, telefonierte er mit Kolb. Er erfuhr

von ihm, daß die Geldfrage geregelt und er bereit sei, sich mit ihm zu treffen. Sie vereinbarten Uhrzeit und Treffpunkt, und Kiene bat Kolb noch einmal um strengste Verschwiegenheit.
Beim Essen brachte Ursula kaum einen Bissen hinunter. Annemarie, der sie leid tat, griff nach ihrer Hand und sagte: »Ich bin sicher, daß ihm nichts passieren wird, Ursula. Du wirst sehen, daß du dich völlig umsonst aufgeregt hast. Diesen Entführern geht es doch nur ums Geld. Sobald sie es haben, werden sie deinen Vater umgehend laufenlassen. Ich würde mich an deiner Stelle nicht verrückt machen. Mir ist diese Sache auch nicht gleichgültig; ich zeige es nur nicht.«
»Du hast auch sicher in deinem Leben schon mehr mitmachen müssen als ich«, sagte Ursula mit einer für Kiene überraschenden Toleranz. »Ich könnte das nie: in einem Krankenhaus arbeiten. Mir wird schon schlecht, wenn ich nur die Luft rieche.«
»Man gewöhnt sich daran«, sagte Annemarie und drückte leicht ihre Hand, und als Ursula den Druck erwiderte, ließ sie ihre Hand los und sagte zu Kiene, der einen zerstreuten Eindruck machte: »Wann bekommst du das Geld?«
Er blickte auf die Uhr. »Um vier. Ich möchte es nicht länger als unbedingt nötig mit mir herumschleppen. Da wir erst um fünf in Augsburg losfahren sollen, haben wir noch genügend Zeit. Wenn ihr nichts dagegen habt, fahren wir nach dem Essen in meine Wohnung und trinken dort einen Kaffee.«
Annemarie nickte zustimmend, und Ursula fragte: »Wo ist das?«
Kiene sagte es ihr.
»Das ist doch im Nordteil?« sagte sie.
»Er wohnt in einem Hochhaus«, sagte Annemarie. Ursula blickte sie forschend an. »Warst du schon bei ihm?«
»Als wir uns kennenlernten«, sagte Kiene dazwischen. »Sie wußte noch nicht, ob sie den Antrag deines Vaters annehmen solle oder nicht.«
Ursula fragte: »Und da kam sie zu dir in deine Wohnung, und du hast ihr zugeraten?«
»Weder zu noch ab«, antwortete Kiene und würgte den Rest seines Steaks hinunter. »Diese Entscheidung hat sie allein treffen müssen.«
»Ich habe sie eben falsch getroffen«, sagte Annemarie, mit einem verdeckten Blick die Wirkung ihrer Worte auf Ursula abmessend.
Als sie dann zu seiner Wohnung fuhren, sagte Ursula zu Anne-

marie: »Du willst nicht bei meinem Vater bleiben? Ich hätte jetzt nichts mehr dagegen.«
Kiene starrte sie perplex an. Dann fiel ihm auf, daß Annemarie eigenartig lächelte. Er fragte: »Seid ihr plötzlich ein Herz und eine Seele?«
»Vielleicht war ich voreingenommen«, antwortete Ursula selbstkritisch. »Ich weiß natürlich nicht, wie mein Vater darüber denkt. Ich fände es jedenfalls nicht schlecht, wenn ständig jemand in seiner Nähe wäre, der ihn, wenn er einmal krank ist, auch pflegen könnte. Seine Haushälterin macht es doch nicht mehr lange; sie ist schon zu alt. Außerdem verstehe ich mich nicht mit ihr.«
Kiene, der ihren unverhofften Gesinnungswandel noch nicht ganz begriffen hatte, sagte mühsam: »Natürlich; das wäre doch *die* Lösung!«
»Kommt eben darauf an«, sagte Ursula, »ob Annemarie überhaupt noch länger bei ihm bleiben will. Ich kann mir denken, daß es bei einem Mann in seinem Alter für ein junges Mädchen nicht einfach ist.«
Annemarie sagte: »Das würde mich nicht stören. Ich möchte nur endlich wissen, woran ich mit ihm bin.«
»Darüber rede ich mit ihm, sobald er wieder hier ist«, sagte Ursula. Kiene sagte nichts mehr und Annemarie auch nicht. Während sie später im Lift zu seiner Wohnung hinauffuhren, sagte Ursula: »Als ich zuletzt hier war, wurde an diesem Stadtteil noch gebaut. Solange ich im Internat wohnte, habe ich meine Ferien immer daheim verbracht.«
»Standest du damals mit deinem Vater besser als heute?« fragte Annemarie und schob eine Hand unter Ursulas Arm. Ursula nickte. »Unser Verhältnis hat sich erst nach meinem Abitur verschlechtert; seitdem haben wir uns auseinandergelebt.«
»Ich weiß, wie das ist«, sagte Annemarie. »Seit mein Vater meine Mutter sitzenließ, wollte ich ihn auch nicht mehr sehen. Mit Vätern ist das so eine Sache.«
»Mit Müttern manchmal auch«, sagte Ursula. »Warst du schon als junges Mädchen größer als die anderen?«
Annemarie lächelte. »Zum Glück. Ich wurde von gleichaltrigen Jungen immer in Ruhe gelassen.«
»Diese Sache mit deinem Vater tut mir leid«, sagte Ursula. »War das der Grund, weshalb deine Mutter in der Fabrik arbeiten muß?«
»Wir mußten damals beide unsere Zukunftspläne ändern«, ant-

wortete Annemarie und zog, als der Aufzug hielt, ihre Hand unter Ursulas Arm hervor. Kiene ging voraus und schloß die Wohnungstür auf.

»Ein bißchen unpersönlich, diese Hochhäuser«, sagte Ursula. »Ich hätte Angst, so hoch zu wohnen.«

»Das habe ich ihm auch gesagt«, sagte Annemarie. »Ich denke da genauso wie du, Ursula.« Kiene sagte: »Fallt euch nur nicht vor lauter Übereinstimmung noch in die Arme.«

In der Wohnung sagte er: »Es stinkt hier; ich muß zuerst lüften.«

»Ja, es riecht eigenartig«, sagte Ursula und schnupperte. »Wie nach Hautöl. Reibst du dich oft mit Hautöl ein?«

»Ich habe im Badezimmer ein Solarium«, sagte Kiene.

Annemarie und Ursula wollten es sehen. Er öffnete die Badezimmertür und sagte: »Ich habe es über der Liegepritsche an der Decke montieren lassen.«

Ursula betrachtete die Pritsche und sagte: »Hier liegst du dann immer nackt? Ist das nicht langweilig?« Er antwortete: »Die Pritsche ist breit genug für zwei«, und verschwand in die Küche. Er setzte Kaffeewasser auf, stellte Geschirr auf ein Tablett und trug es ins Wohnzimmer. Dort saßen Ursula und Annemarie einträchtig auf der Couch und flüsterten miteinander. Als er hereinkam, verstummten sie.

»Geheimnisse?« fragte er. Ursula schüttelte den Kopf. »Sie erzählte mir, weshalb ihr Vater sich hat scheiden lassen. Männer können doch richtig hemmungslos sein. Wenn mir so etwas passierte, ich würde meinen Vater auch nicht mehr sehen wollen.«

»Das ist doch ein alter Zopf«, sagte Kiene und verteilte das Geschirr auf den Tisch. »Als ich zum erstenmal mitbekam, daß mein Vater eine Freundin und meine Mutter einen Hausfreund hatte, habe ich mir auch ein Verhältnis zugelegt. Ich war damals siebzehn.«

Annemarie fragte überrascht: »In dem Alter hast du schon mit einer geschlafen?«

»Mit einer geschlafen habe ich schon früher«, sagte Kiene. »Sie war unser Dienstmädchen und, weil ich ein hübscher Junge war, ganz verrückt nach mir. In meiner Familie gehörte es schon immer dazu, mit Dienstboten zu schlafen.«

»Ihr konntet euch Dienstboten leisten?« fragte Annemarie beeindruckt. Ursula lachte. »Warum nicht! Seine Eltern sind doch steinreich.«

»Stein . . .« Annemarie sprach nicht weiter. Ursula blickte sie befremdet an. »Hat er dir das nicht erzählt?«
»Auch das noch!« sagte Kiene und kehrte in die Küche zurück. Als er mit dem Kaffee hereinkam, erzählte Ursula bereits seine ganze Lebensgeschichte. Kiene setzte sich in einen Sessel und betrachtete einmal Annemarie und einmal Ursula; man hätte sich zwei gegensätzlichere Frauen kaum denken können, und je länger er sie betrachtete, desto unmöglicher erschien es ihm, die eine für die andere aufgeben zu sollen. Ein paarmal meldete er sich auch zu Wort, aber er wurde dann jedesmal von Ursula oder Annemarie unterbrochen, die zu dem, was er zu sagen hatte, eine abweichende Meinung vertraten oder sich in ihrem Erfahrungsaustausch nicht stören lassen wollten, und nachdem Ursula alles über ihn erzählt hatte, kam sie wieder auf Annemaries Mutter zu sprechen.
Kiene mußte sich immer mehr darauf beschränken, ihnen zuzuhören, Kaffee nachzugießen und sie miteinander zu vergleichen. Sie hatten etwa dieselbe Figur, schmale Taillen, kleine Brüste und lange Oberschenkel, wenngleich an Annemarie alles ein wenig kräftiger geraten war als bei Ursula. Ursulas Gesicht war schmaler als das von Annemarie und wurde von ihren großen, dunklen Augen beherrscht. Bei Annemarie faszinierte ihn jedesmal ein schwer definierbarer, fast raubtierhafter Zug um den auffallend großen Mund, der sich aber immer dann, wenn sie lachte, völlig verwischte. Er versuchte sich vorzustellen, wie es wäre, wenn er sie beide gleichzeitig liebkosen könnte, und je länger ihn dieser Gedanke beschäftigte, desto verlockender erschien er ihm. Als Ursula, mit einem Blick auf die Uhr, fragte, ob es nicht Zeit zum Aufbrechen sei, starrte er sie nur geistesabwesend an. Annemarie sagte: »Ursula hat dich gefragt, ob wir nicht aufbrechen müssen.« Er nickte. »Ich habe es gehört. Meinetwegen.«
»Was ist los mit dir?« fragte Annemarie verwundert. Er stand auf, ging ins Bad und hielt den Kopf unter das kalte Wasser. Bei seiner Rückkehr erzählte Ursula Annemarie gerade von ihrer Mutter und deren Bordell in Südfrankreich.
»Es soll ziemlich groß sein«, sagte sie. »Ein dreistöckiges Gebäude in einem schönen Park. Dort kommen nur reiche Männer hin, vor allem aus Italien; es liegt nicht weit von der Grenze entfernt.«
»Kann man die genaue Adresse erfahren?« fragte Kiene, der sich mißachtet fühlte. Ursula sagte: »Halt du deinen Mund!« Zu An-

nemarie sagte sie: »Du kannst dir denken, was für ein Schock das für mich war!«
»Das verstehe ich gut«, sagte Annemarie und küßte sie mitfühlend auf die Wange. »Aber einen persönlichen Kontakt hast du nicht mehr zu ihr?«
»Das würde mir noch fehlen«, sagte Ursula und wischte noch das Spülbecken sauber. Zu Kiene sagte sie: »Wir sind gleich fertig; drängle nicht so!«
Er ging ins Wohnzimmer, setzte sich in einen Sessel und rauchte eine Zigarette. Während der ganzen Zeit lächelte er. Es dauerte noch etwa eine Viertelstunde, bis Annemarie und Ursula ihr Küchengespräch beendet hatten, und als sie wenig später in das Auto stiegen, wurde es höchste Zeit für Kiene. Das Parkhaus, in dem er sich mit Kolb verabredet hatte, stand in einem ganz anderen Stadtteil, und weil sie mitten in den Berufsverkehr kamen, erreichte er es mit zehnminütiger Verspätung und wurde von Kolb bereits ungeduldig an der Einfahrt erwartet. Beim Anblick der beiden Mädchen stutzte er und sagte, während er durch das Fenster Annemarie anschaute: »Sie sind sicher Fräulein Rectanus? Guten Tag!« Annemarie öffnete den Mund; bevor sie jedoch zu einer Erwiderung ansetzen konnte, fragte Kiene zum Wagenfenster hinaus: »Wo haben Sie Ihren stehen?«
»Im Erdgeschoß«, antwortete Kolb und ging schon voraus. Kiene fuhr langsam hinter ihm her. Annemarie fragte verblüfft: »Wieso hält er mich für Ursula?«
»Laß ihn doch«, sagte Ursula. »Es ist mir lieber so. Er hat mich, als er meinen Vater besuchte, in Manfreds Hotelzimmer gesehen. Es geht ihn vorläufig nichts an, wer ich bin.«
Annemarie schwieg verwundert.
Im Parkhaus waren noch viele Plätze frei; es bereitete Kiene keine Mühe, in der Nähe von Kolbs Wagen zu parken. Er sagte: »Bleibt sitzen; er würde euch sonst nur neugierige Fragen stellen.« Bevor Kolb wieder zu ihnen kommen konnte, stieg Kiene rasch aus und ging ihm einige Schritte entgegen. »Ich habe Meissner mitgebracht«, sagte Kolb. »Er sitzt im Wagen; es erschien mir bei der Höhe des Betrages besser, in Begleitung zu kommen.« Sein Gesicht sah blaß und angegriffen aus. Er blickte an Kiene vorbei. »Wollen Sie mich nicht mit Fräulein Rectanus bekannt machen?«
»Sie will im Augenblick mit niemandem sprechen«, sagte Kiene. »Die Entführung ihres Vaters hat sie sehr mitgenommen.«

»Das verstehe ich«, sagte Kolb ernst. »Die andere Dame habe ich doch schon gesehen? Ist das nicht Fräulein Wurz, die in Ihrem Hotelzimmer war?«
»Eine Freundin von Fräulein Rectanus«, sagte Kiene. Kolb lächelte dünn. »Nun ja, es geht mich nichts an, Herr Kiene; Sie können sich auf meine Diskretion selbstverständlich verlassen. Entschuldigen Sie, wenn ich Sie bitten muß, das Geld sofort zu übernehmen; ich habe eine dringende Verabredung, die ich unbedingt einhalten will.«
»Sie sehen schlecht aus«, sagte Kiene. Kolb senkte die Stimme: »Nichts Gesundheitliches! Um Gottes willen, ich bin völlig intakt. Ihnen kann ich es ja sagen, ich habe Probleme mit meiner Frau; sie will mich verlassen. Erzählen Sie es aber bitte keinem Menschen weiter.«
»Ehrensache«, sagte Kiene betroffen. »Wie kam es dazu?«
Kolb winkte müde ab. »Wissen Sie, Herr Kiene, wenn man die Frauen erst einmal näher kennenlernt, dann merkt man, daß die meisten hohl und oberflächlich sind. Ich hatte mich da mit einer anderen auf eine dumme Geschichte eingelassen, ohne zu ahnen, daß sie im Grunde nicht viel taugt. Die eigene Frau lernt man erst wieder schätzen, wenn man im Begriffe ist, sie zu verlieren.«
»Das tut mir leid«, sagte Kiene. »Haben Sie die zwei Millionen in einem Koffer unterbringen können?«
»Leider nicht«, antwortete Kolb. »Es ist ein großer und ein etwas kleinerer; ich habe sie auf meine Rechnung in einem Ledergeschäft gekauft.«
»In einem Supermarkt hätten Sie sie zum halben Preis bekommen«, sagte Kiene und begleitete ihn zu seinem Wagen.
Meissner stieg, als er sie kommen sah, eilfertig aus und reichte Kiene mit einem ernsten Lächeln die Hand. »Ein trauriges Wiedersehen, Herr Kiene! Für Sie als künftigen Schwiegersohn von Herrn Rectanus muß das ein besonders harter Schlag gewesen sein.«
»Er hat mich ziemlich getroffen«, bestätigte Kiene und sah zu, wie Kolb den Kofferraum öffnete. Bevor er die beiden Koffer herausnahm, schickte er einen mißtrauischen Blick in die Runde und überreichte sie dann Kiene.
»Ich nehme an«, sagte Kolb, »Sie dürfen uns nicht erzählen, wo Sie das Geld übergeben werden?« Kiene schüttelte den Kopf. »Bis zur Stunde weiß ich es selbst nicht genau. Haben Sie darauf geachtet, ob Sie auf dem Weg zur Bank und hierher von Journa-

listen verfolgt wurden?« Kolb sagte: »Wir haben das Werk vorsorglich nicht durch das Haupttor verlassen; dort traten sie sich gegenseitig auf die Füße.«
»So schlau wie die sind wir inzwischen auch«, sagte Meissner. »Noch einmal viel Glück, Herr Kiene!«
Sie warteten beide, bis er seinen Wagen erreicht und den Kofferraum geöffnet hatte. Dann fuhren sie winkend davon.
Ursula und Annemarie stiegen aus und betrachteten die Koffer. »Du hast mir versprochen, mich einen Blick hineinwerfen zu lassen«, sagte Annemarie. Kiene vergewisserte sich, daß sie unbeobachtet waren, und öffnete dann den größeren der beiden Koffer. »Zufrieden?« fragte er. Annemarie starrte schluckend darauf nieder. Ihre Stimme klang heiser: »Und was machst du hinterher damit?«
»Wann, hinterher?« fragte Ursula verständnislos. Annemarie riß den Blick los und lächelte verkrampft. »Das war nur ein Spaß, Ursula. Wenn ich so viel Geld sehe, weiß ich nicht mehr, was ich rede.« Sie gab ihr schnell die Hand und lief davon.
»Was hat sie nur?« fragte Ursula und schaute ihr nach. Kiene schloß den Koffer, klappte den Kofferraumdeckel zu und sagte: »Sie hat sich beim Anblick des vielen Geldes vielleicht einiges gedacht. Dir scheint es nicht viel auszumachen, so viel Geld zu sehen?«
»Überhaupt nicht«, sagte Ursula. »Ich wüßte gar nicht, was ich mit zwei Millionen anfangen sollte.«
»Eines Tages wirst du es vielleicht wissen«, sagte Kiene und setzte sich hinters Lenkrad. Sie kam zu ihm. »Tut es dir leid, daß du sie nicht selbst behalten kannst?«
»Ich wüßte schon, was ich damit anfangen würde«, sagte Kiene und startete den Motor. Er ließ den Wagen langsam zur Ausfahrt rollen. »Ich habe mich darüber gewundert, daß du ihr von deiner Mutter erzählt hast«, sagte er. »Was wolltest du damit erreichen?«
Sie erwiderte unbefangen seinen Blick. »Nichts. Ich habe ihr ja auch von dir erzählt. Warum hast du ihr nicht gesagt, wer du bist?«
»Ich hatte keine Lust«, sagte Kiene. »Willst du sie dir zur Freundin machen?«
Diesmal wich sie seinem Blick aus. »Ich weiß es noch nicht; sie gefällt mir irgendwie. Sie ist ein merkwürdiger Typ.«
Er sagte nichts mehr. Erst viel später, als sie schon in Augsburg

waren und dann auf der B 2 nach Donauwörth fuhren, griff er das Thema noch einmal auf: »Nehmen wir einmal an, wir heiraten wirklich und sie würde bei deinem Vater bleiben. Würde es dich dann nicht stören, daß ich es mit ihr hatte?«
»Nein«, sagte sie. »Du hattest es mit vielen. Und wenn du es noch einmal bei ihr versuchst, wirst du uns beide verlieren.« Er berührte ihr Knie. »Warum bist du dir so sicher?«
»Weil ich gesehen habe, wie sie auf Geld reagiert«, sagte Ursula. »Ich würde ihr mehr zu bieten haben als du.«
»Das ist richtig«, sagte er und nahm die Hand zurück. Es fiel ihr auf, daß er immer wieder in den Rückspiegel blickte. »Werden wir verfolgt?«
»Es sieht so aus«, sagte er. »Ein blauer BMW; er ist schon seit zehn Minuten hinter uns her.«
Sie sagte: »Hier darfst du nicht schneller als hundert fahren. Ist es der, in dem die zwei jungen Männer sitzen?«
»Sie gehen mir auf die Nerven«, sagte Kiene und trat auf die Bremse. Er fuhr scharf an den rechten Straßenrand, und als der BMW in einem Abstand von kaum zehn Metern hinter ihnen stehenblieb, stieg er aus und sagte: »Warte hier auf mich.« Er ging zu den beiden Männern, öffnete die Fahrertür und fragte: »Was wollen Sie von mir?«
»Ihren Führerschein sehen«, sagte der Mann am Lenkrad. Er trug einen schwarzen Kinnbart; der zweite zeigte Kiene eine Marke. »Polizei«, sagte er. »Sie sind vorhin mit hundertzwanzig gefahren. Wissen Sie das?«
»Jetzt weiß ich es«, sagte Kiene und verwünschte sich selbst. Er mußte fünfzig Mark bezahlen und sich auch noch einem Alkoholtest unterziehen.
»Da hatten Sie Glück«, sagte der bärtige Zivilbeamte. »Viel fehlt nicht, und Sie wären auch noch Ihren Führerschein los.« Kiene sagte mit rotem Kopf: »Ich habe seit mindestens vier Stunden keinen Alkohol mehr getrunken und da auch nur zwei Gläser Bier zum Mittagessen.«
»Dann war das bei Ihrer Kondition ein Glas zuviel«, sagte der Bärtige und gab ihm den Führerschein zurück. Kiene drehte ihnen den Rücken zu.
Ursula erwartete ihn nervös: »War das Polizei?«
»In meiner Jugend sah man es ihnen wenigstens noch an«, sagte Kiene. »Wir können froh sein, daß sie nicht auch noch den Wagen durchsuchen wollten.«

»Ich habe mich über dich gewundert«, sagte Ursula und zündete sich eine Zigarette an. »Du wußtest doch gar nicht, ob es nicht schon die Entführer waren. Vielleicht hätte es sie gestört, wenn du ihnen zuvorgekommen wärst.«
Ihre scharfsinnige Schlußfolgerung verwirrte ihn; er sagte: »So früh melden sie sich bestimmt nicht.«
»Ich rechne jeden Augenblick mit ihnen«, sagte Ursula. »Daß wir bis nach Würzburg fahren sollen, ist vielleicht nur ein Trick. Sie könnten hier irgendwo auf einem Waldweg stehen und sich uns, sobald sie deinen Wagen sehen, anschließen.«
»Das glaube ich nicht«, sagte Kiene. »Bei Tag müßten sie damit rechnen, daß wir ihre Gesichter sehen und später eine genaue Personenbeschreibung geben können. Ich bin sicher, wir werden es erst nach Einbruch der Dunkelheit mit ihnen zu tun bekommen.«
»Daran habe ich noch nicht gedacht«, räumte Ursula ein. Kiene lächelte erleichtert.
In der nächsten Stunde blieben sie unbehelligt. Der Verkehr wurde, je näher sie Nürnberg kamen, immer dichter. Kiene blickte auf die Armbanduhr. »In spätestens fünfzehn Minuten sind wir in Nürnberg. Ich glaube jetzt nicht mehr daran, daß sich bis dahin noch etwas rühren wird.«
»Ich verstehe es trotzdem nicht«, meinte Ursula. »Auf dieser Straße könnten sie doch viel leichter Kontakt mit uns aufnehmen als auf der Autobahn. Irgendwie kommt mir das alles unwirklich vor, Manfred.«
Sie fing an, ihn nervös zu machen. Er sagte ungeduldig: »Sie werden sich schon etwas dabei gedacht haben. Wäre dein Vater nicht auf die Schnapsidee gekommen, ihnen von dir zu erzählen, dann könntest du jetzt noch in der Klinik sitzen und dort in Ruhe abwarten. Sicher war es auch nur sein Einfall, daß du mitfahren sollst.«
»Was hätte er davon?« fragte sie befremdet. »Sie werden uns doch bestimmt nicht mit ihm zusammenbringen!«
Kiene biß sich auf die Lippen. Er hatte sich jetzt schon zum zweiten Male zu einem Fehler verleiten lassen; einen dritten würde er sich bei ihrer Intelligenz nicht leisten können. Er zwang sich zur Ruhe. »Sie haben am Telefon zwar gesagt, daß sie ihn erst morgen freigeben würden, aber vielleicht überlegen sie es sich, wenn sie das Geld haben, wieder anders.«
Er richtete seine Aufmerksamkeit auf einige große Verkehrsta-

feln. »Wir können die Stadt links liegenlassen. Da vorne kreuzen wir die Autobahn nach Heilbronn. Auf ihr werden wir nördlich der Stadt auf die Autobahn Regensburg–Würzburg stoßen. Ich bin sicher, sie haben uns jetzt schon im Auge und beobachten, welche Strecke wir wählen.«

Sie sprachen jetzt nichts mehr, bis sie die Stadt umfahren und die Autobahn nach Würzburg erreicht hatten. Kiene fuhr nie schneller als hundertundzwanzig, und Ursula, der das auffiel, fragte ihn, ob er eine bestimmte Absicht damit verfolge.

»Je langsamer wir fahren«, sage Kiene, »desto müheloser können sie uns folgen. An der nächsten Autobahnraststätte werden wir kurz haltmachen.«

»Darum wollte ich dich gerade bitten«, sagte sie. »Ich habe vorhin vier Tassen Kaffee getrunken. Ob wir es uns leisten können, kurz anzuhalten?«

»Danach werden wir sie nicht fragen«, sagte Kiene.

Sie mußten sich noch zwanzig Minuten gedulden; die Sonne war bereits hinter der hügeligen, waldbedeckten Landschaft versunken, als sie die Raststätte erreichten. Ursula fragte besorgt: »Können wir beide aussteigen oder ist das zu gefährlich?« Kiene schüttelte den Kopf. »Der Kofferraum hat ein gutes Schloß. Auf einem belebten Parkplatz wird sich keiner getrauen, ihn aufzubrechen. Geh du schon voraus; ich sehe mich hier ein wenig um.«

Als sie im Restaurationsgebäude verschwand, schickte Kiene einen prüfenden Blick in die Runde. Der große Parkplatz war zu dieser Stunde fast voll belegt; es gab nur noch wenige Parklükken. Außer einigen neu eintreffenden Autos und einigen anderen, die eben wegfuhren, fiel ihm nichts auf. Er holte rasch einen blauen Umschlag aus der Brieftasche und klemmte ihn unter den Scheibenwischer. Als er sich abwenden wollte, bemerkte er in einem parkenden Auto auf der anderen Straßenseite einen Mann. Weil er nicht sicher war, ob dieser ihn beobachtet hatte, nahm er den Umschlag wieder weg und zündete sich, neben dem Wagen stehend, eine Zigarette an. Er beobachtete aus den Augenwinkeln, wie der Mann ausstieg, die Tür abschloß und dann auf das Gebäude zuging. Einigermaßen beruhigt wartete er, bis er ihn nicht mehr sehen konnte. Bevor er den Umschlag wieder unter den Scheibenwischer klemmte, vergewisserte er sich sorgfältig, daß er diesmal keinen unbequemen Augenzeugen übersehen hatte. Weil er jeden Augenblick mit Ursulas Rückkehr rechnen mußte, verlor er jetzt keine Minute mehr. Er hatte jedoch Glück.

Sie begegnete ihm auf dem Weg in das Gebäude nicht. An einem Kiosk kaufte er zwei Päckchen Zigaretten und stieg dann die Treppe zum WC hinunter. Mit einer Münze öffnete er eine der Türen, schloß sie hinter sich ab, klappte den Deckel herunter und rauchte in Ruhe eine Zigarette. Als er kurze Zeit später zu seinem Wagen zurückkehrte, wurde er dort von Ursula bereits erwartet. Sie sagte aufgeregt: »Das steckte unter dem Scheibenwischer: Ich habe den Umschlag aufgemacht; er enthält eine kleine Skizze. Wir müssen auf der Autobahn bis nach Tauberbischofsheim fahren; wo liegt das?« Kiene nahm ihr die Skizze aus der Hand und betrachtete sie: »Muß im Odenwald sein. Warst du schon einmal dort?«
Sie schüttelte aufgeregt den Kopf. »Ich habe nicht einmal mehr eine Ahnung, wo der Odenwald liegt. Lies mal, was drunter steht; sieht aus, als hätte es ein Kind geschrieben.«
Kiene, der die Skizze genausogut kannte wie den Inhalt seiner Brieftasche, buchstabierte laut: »Verständigen Sie bitte nicht die Polizei!!!«
Er sagte: »Das ist unmißverständlich und die Skizze auch. Ist dir, als du zum Wagen kamst, etwas Verdächtiges aufgefallen?«
»Überhaupt nichts«, sagte sie. »Allerdings: gegenüber fuhr gerade ein Auto weg.« Kiene sah zur anderen Straßenseite hinüber und fragte mit belegter Stimme: »War es ein roter BMW?«
»Ich glaube, ja«, antwortete Ursula. »Soweit ich es sehen konnte, saß nur der Fahrer drin. Warum fragst du?«
Es konnte alles purer Zufall sein, und trotzdem wurde Kiene ein starkes Unbehagen nicht los. Er steckte die Skizze in den Umschlag zurück. »Komm, ich werde mir den Wisch später näher anschauen.«
Sie setzte sich aufgeregt neben ihn in den Wagen und sagte: »Dann sind sie uns also doch schon die ganze Zeit gefolgt. Ich frage mich jetzt nur, was sie getan hätten, wenn wir an dem Rasthaus vorbeigefahren wären.«
»Dann hätten sie eben auf eine andere Gelegenheit gewartet«, sagte Kiene. »Daß wir unterwegs einmal aussteigen müssen, das konnten sie sich, bei der weiten Strecke, an den zehn Fingern ausrechnen.«
Er startete den Motor. Während er an der langen Doppelreihe parkender Autos vorbeifuhr, hielt er nach allen Seiten Ausschau, konnte jedoch den roten BMW nirgendwo entdecken. Ursula sagte: »Wir könnten dort, wo wir geparkt haben, auch schon an

ihnen vorbei gewesen sein. Ist es nicht besser, wir schauen nicht so sehr nach ihnen?«
»Du machst mich nervös mit deinen vielen Fragen«, sagte Kiene. Sie schwieg eingeschnappt.
Es wurde nun rasch dunkel; Kiene mußte die Scheinwerfer einschalten. Weil er diesmal sehr schnell fuhr und trotzdem in der nächsten halben Stunde keinen verdächtigen Wagen im Rückspiegel entdecken konnte, beruhigte er sich allmählich. Ganz ging ihm der rote BMW aber nicht aus dem Kopf; er meinte, ihn schon einmal gesehen zu haben. Daß er ein Augsburger Kennzeichen trug, hatte er bereits auf dem Parkplatz festgestellt.
Bis zur Ausfahrt nach Würzburg brauchten sie nur knapp vierzig Minuten; der Verkehr hatte gegen Abend nachgelassen. Über den bewaldeten Höhenrücken der hügeligen Landschaft hing der Mond und tauchte sie in milchiges Licht. Kiene sagte: »Wenigstens haben wir gutes Wetter erwischt.«
»Du bist ein Ekel«, sagte Ursula. Er tastete nach ihrer Hand, preßte sie an den Mund und sage: »Ich war nervös; entschuldige bitte.«
»Kommen wir nicht nach Würzburg hinein?« fragte sie, weil er die Ausfahrt unbeachtet ließ. Er antwortete: »Wir fahren noch einige Kilometer in Richtung Frankfurt und dann in Richtung Heilbronn weiter. Nach Tauberbischofsheim sind es von hier aus höchstens dreißig Kilometer.«
»Du kennst dich hier aus?«
Er lächelte. »Aus meiner Generalszeit. Es gibt in der Nähe einige NATO-Flughäfen, die wir öfter angeflogen haben. Bist du noch eingeschnappt?«
»Nein«, sagte sie und drückte fest seine Hand.
Bald darauf erreichten sie die Ausfahrt nach Tauberbischofsheim. Kiene sagte: »Bundeswehrgarnison. Die Leute hier verlassen sich aber, wenn sie an die Russen denken, lieber auf ihren Rosenkranz als auf die Bundeswehr.«
Er brachte den Wagen an einem Waldrand zum Stehen, schaltete die Innenbeleuchtung ein und studierte die Skizze. »Alles klar«, sagte er dann.
Obwohl die Straße sehr kurvenreich war, steil über kahle Hügel hinweg und dann ebenso steil in bewaldete Täler mit kleinen Ortschaften führte, die verschlafen im Mondlicht lagen, erreichten sie Walldürn schon nach zwanzig Minuten. Kiene sagte: »Wenn du mal etwas für deine arme Seele tun willst, dann bist

du hier am richtigen Ort; sie haben eine berühmte alte Wallfahrtskirche.« Ursula fragte: »Glaubst du an solche Dinge?« Er zuckte mit den Schultern. »Wenn du mich gefragt hättest, ob ich an die Macht des Geldes glaube, daran glaube ich. Daß du, wenn du Geld hast, keinem mehr in den Hintern zu kriechen brauchst. Und die Leute, die deinen Vater entführt haben, wissen das auch. Genauso, wie du es eines Tages wissen wirst. Was wirst du es dich kosten lassen, Annemarie zu kaufen?«
»Darüber werde ich mich noch mit ihr einigen«, sagte sie. Er streichelte mit dem Handrücken ihre Wange. »Nimm dich vor ihr in acht; ich glaube, sie weiß ganz genau, was sie will.«
»Ich auch«, sagte Ursula.
Die Straße führte jetzt in ein tiefes Tal mit hohen Wäldern auf beiden Seiten. Als sie nach Rippberg kamen, war es kurz nach neun. Sie verließen die B 47 und folgten einer Straße, die steil bergan an waldumschlungenen Wiesen vorbeizog, auf denen Kühe lagen und Pferde im Schlaf die Köpfe hängen ließen. Dann führte die Straße wieder durch Wald, und am Ende des Waldes tauchten im Scheinwerferlicht einige Häuser auf.
»Hornbach!« sagte Kiene. Hinter einer scharfen Rechtskurve ragte eine hochstehende, kleine Kirche in den Sternenhimmel, die Straße schwenkte vor einer alten Mauer an ihr vorbei und führte dann auf ein Hochplateau mit Weizenfeldern, die ringsum von schwarzen Wäldern gesäumt wurden. Kiene trat auf die Bremse und sagte: »Wir sind schon so gut wie am Ziel.«
»Ist es dieser Wald vor uns?« fragte Ursula mit einer etwas atemlosen Stimme. Er griff nach seinen Zigaretten. »Sie geben vom Ortsrand noch sechshundert Meter an«, sagte er. »Dann muß rechts eine Sitzbank stehen, und gegenüber beginnt der Waldweg. Du kannst hier auf mich warten.«
»Nein«, sagte sie und legte die Hand auf seinen Arm. »Ich bin bis hierher mit dir gefahren, und ich werde auch die letzten sechshundert Meter mit dir fahren.« Kiene betrachtete die im Mondlicht liegende Straße; sie war so schmal, daß zwei sich begegnende Wagen kaum Platz hatten. Er zündete sich eine Zigarette an und sagte: »Bleib du sitzen! Versprich es mir.«
»Ja«, sagte sie.
Er fuhr langsam weiter. Als die Straße in den Wald führte, nahm Ursula die Hand von seinem Arm, verschränkte die Hände im Schoß und sagte: »Wenn mein Vater gesund heimkommt, werde ich alles tun, was er will.«

Kiene schwieg. Er fuhr jetzt noch langsamer. Dann sah er im Scheinwerferlicht die Bank und auf der linken Seite den Waldweg. Er fuhr ihn etwa zehn Meter weit hinein, schaltete die Scheinwerfer aus und zog an seiner Zigarette. »Was nun?« fragte Ursula heiser.
»Wir warten«, sagte er. »Sie haben uns sicher schon gesehen.«
»Ich sterbe vor Angst«, sagte Ursula. Er nahm sie in die Arme und küßte sie. Augenblicke später hörte er Motorengeräusch. Er drehte sich um und blickte durch das Heckfenster auf die im Mondlicht liegende Straße. Das Motorengeräusch wurde lauter, zwischen den Bäumen tauchten zwei Scheinwerfer auf, der fremde Wagen verringerte sein Tempo und blieb dort, wo der Weg in die Straße einmündete, ruckartig stehen. Einige Sekunden verstrichen, dann setzte der Fahrer des Wagens einige Meter zurück und bog auf den Waldweg ein. Das gleißende Licht seiner Scheinwerfer blendete Kiene. Er öffnete die Wagentür, stieg aus und hörte eine dumpfe Stimme fragen: »Haben Sie das Geld mitgebracht?« Kiene nahm die beiden Koffer heraus, stellte sie mitten auf den Weg, und die dumpfe Stimme forderte ihn auf, in den Wagen zurückzukehren und noch dreihundert Meter auf dem Waldweg weiterzufahren.
Kiene schirmte mit der Hand die Augen gegen das gleißende Licht ab und fragte: »Wo ist Herr Rectanus?«
»Er wird morgen abend von uns freigelassen«, sagte die dumpfe Stimme. »Fahren Sie jetzt!« Kiene setzte sich hinter das Lenkrad und sagte: »Du hast alles überstanden, mein Schatz.«
»Ich konnte nichts sehen«, murmelte sie.
»Ich auch nicht«, sagte Kiene und fuhr los. Nach etwa dreihundert Metern hielt er an und blickte zurück. Die Straße war leer, das fremde Auto verschwunden. Ursula legte unvermittelt den Kopf an seine Schulter und fing an zu weinen. Er streichelte beruhigend ihren Rücken, und als das nichts half, ihr Gesicht. Sie sagte: »Es war schrecklich.«
»Aber jetzt ist es vorbei. Du hast keinen Grund mehr zu weinen. Du hast eben deinem Vater das Leben gerettet.«
»Sind sie wirklich fort?« fragte sie. Er fuhr im Rückwärtsgang zur Straße und sagte: »Es interessiert mich, wo sie vorher gesteckt haben; Kommissar Weihrauch wird es wissen wollen. Es muß in der Nähe einen Platz geben, von wo aus sie uns, als wir eingetroffen sind, beobachtet haben, ohne daß wir ihr Auto sehen konnten.«

»Das ist doch jetzt nicht mehr wichtig«, sagte Ursula.
»Für mich schon«, sage Kiene und folgte der Straße in der bisherigen Richtung. Schon nach wenigen hundert Metern trat sie aus dem Wald heraus und führte, steil abfallend, in ein tiefes Tal. Am Waldrand zog sich ein breiter Weg hin; auch hier stand eine Sitzbank. Kiene fuhr auf den Weg, stieg aus und sagte zu Ursula, die ihm sofort folgte: »Hier müssen sie gewartet haben. Weil die Straße schnurgerade durch den Wald führt, sahen sie uns schon, bevor wir auf der anderen Seite hineinfuhren. Eine einsamere Landschaft hätten sie für ihre Zwecke kaum finden können.«
Er betrachtete die mondbeschienenen, langgestreckten Bergkuppen mit ihren tintenfarbenen Wäldern und sagte: »Es erinnert mich an Eichendorff und Lenau. Meine Jugendzeit war meine schönste. Damals dachte ich mir noch nicht viel dabei, wenn ich es mit Mädchen zu tun hatte. Sie erinnerten mich immer nur an die scheuen Rehlein im Walde.«
Ursula kam zu ihm, legte die Hände auf seine Schultern und fragte leise: »Und woran erinnern sie dich heute?«
Kiene lächelte über ihren Kopf hinweg in die blaue Maiennacht und antwortete: »Vielleicht an Spinnen.«

29

Für einen Mann wie Merklin, zu dessen alltäglichen Aufgaben es gehörte, an hundert verschiedene Dinge gleichzeitig zu denken, hatte sich bereits am Mittwochabend die Notwendigkeit ergeben, Mandel und seinem Team das Feld allein zu überlassen. Er fuhr noch am selben Tag zurück, beschäftigte sich den ganzen Donnerstag über mit Routinearbeiten und wurde gegen Abend in seiner Wohnung von Mandel angerufen. Der hatte von Dr. Schneider Neuigkeiten erfahren, die so erregend waren, daß sich Merklin, als Mandel ihm davon berichtete, eine Zigarette anzünden mußte. Er fragte: »Hat Ihnen Dr. Schneider das in der Klinik erzählt?«
»Das wäre den anderen aufgefallen«, antwortete Mandel. »Er hatte uns noch gestern abend versprochen, daß er uns, sobald sich etwas tut, im Gasthof anrufen und uns Bescheid geben würde. Eben war es nun soweit. Ich mußte ihm vorher versprechen, keinem anderen Journalisten davon zu erzählen, und ihm mein Ehrenwort geben, daß wir die versprochene Reportage über die Klinik schon in den nächsten vierzehn Tagen senden werden.«

»Davon entbinde ich Sie gegebenenfalls«, sagte Merklin und machte sich hastig einige Notizen. Mandel sagte: »Ich mußte ihm auch zusichern, daß wir seine vertraulichen Informationen erst nach der Freilassung von Herrn Rectanus verwenden werden. Was sollen wir jetzt tun? Heimfahren?«
»Auf keinen Fall«, platzte Merklin heraus. »Sie bleiben dort am Ball und versuchen morgen, diesem Kiene zu folgen.«
»Er fährt einen viel schnelleren Wagen als wir«, gab Mandel zu bedenken. Merklin dachte einige Sekunden darüber nach. Dann sagte er: »Folgen Sie ihm so weit, wie Sie können. Auf der Landstraße wird das vielleicht möglich sein. Ich nehme an, er muß, um das Lösegeld in Empfang zu nehmen, zuerst hierherfahren; dazu wird er sicher die Autobahn benutzen. Ich werde ihn an der Tankstelle vor der Stadteinfahrt abpassen und mich an ihn anhängen. Sobald Sie sicher sein können, daß er tatsächlich nicht anders fährt, rufen Sie mich vom nächsten Telefon aus im Studio an, kommen anschließend zu mir und warten meine weiteren Anweisungen ab. Ich brauche von Kienes Wagen noch Fabrikat, Farbe und Kennzeichen.«
»Habe ich mir bereits aufgeschrieben«, sagte Mandel und gab ihm die Details durch. Merklin notierte sich noch vorsorglich die Telefonnummer seines Gasthofs. Mandel sagte: »Im Vergleich zum ›Wiener Hof‹ ist es eine rustikale Jugendherberge; zur Zeit hat aber kein anderer Gasthof geöffnet.«
Merklin tröstete ihn: »Sie brauchen es ja nur noch bis morgen früh dort auszuhalten.«
Nach einer unruhig verbrachten Nacht besprach er sich am nächsten Vormittag sofort mit Dr. Haberbusch, der, wie Merklin das nicht anders erwartet hatte, die größten Bedenken hegte: »Sie könnten Herrn Rectanus damit in äußerste Gefahr bringen. Wenn sich sogar die Polizei zurückhält, sollten wir das erst recht tun.«
Merklin nickte. »Unter normalen Umständen würde ich genauso denken, aber bitte berücksichtigen Sie, daß es sich um eine einmalige Gelegenheit handelt. Außer uns wissen nur noch die Polizei und wenige Eingeweihte von der heutigen Geldübergabe. Ich verspreche Ihnen, daß wir mit der größten Vorsicht vorgehen und das Leben von Herrn Rectanus keinen Augenblick lang gefährden werden. Ich habe auch schon einen Plan, wie dies geschehen könnte. Wenn ich ihn Ihnen kurz erläutern . . .«
Dr. Haberbusch winkte ab: »Ihr Plan interessiert mich nicht,

Herr Merklin; ich möchte nichts davon hören. Was versprechen Sie sich überhaupt davon? Sie wollen die Entführer doch nicht etwa selber stellen?«
»Um Gottes willen!« Merklin legte beschwörend die rechte Hand auf die Brust. »Nicht einmal im Traum würde mir das einfallen, aber wenn es zutrifft, daß die Täter durch unsere Sendung überhaupt erst auf die Entführung gekommen sind, dann fühle ich mich auch mitverantwortlich dafür. Ob wir etwas erreichen, hängt selbstverständlich allein von den Umständen ab. Sobald ich merke, daß wir die Geldübergabe nicht unbemerkt beobachten können, werde ich die Sache umgehend abblasen. Herr Kiene wird sich anschließend sicher nicht darum kümmern, wohin die Entführer mit dem Geld fahren werden. Uns wäre es, unter den eben erwähnten Umständen, vielleicht möglich, wenigstens ihre Fluchtrichtung festzustellen. Dies könnte für die Polizei bereits ein wertvoller Hinweis sein; sie wird ihre Fahndung doch erst nach der Freilassung von Herrn Rectanus anlaufen lassen. Ich versichere Ihnen ausdrücklich, daß ich die volle Verantwortung übernehmen und mich zu keiner Handlung hinreißen lassen werde, die Herrn Rectanus gefährden könnte.«
Dr. Haberbusch nahm die Brille ab, legte sie vor sich auf den Tisch und sagte: »Ich kann es trotzdem nicht zulassen. Tut mir leid, Herr Merklin; das Risiko ist mir zu groß. Was Sie natürlich in Ihrer Freizeit tun, darauf habe ich keinen Einfluß, und Herr Mandel und seine Männer werden, wenn ich Sie richtig verstanden habe, auch erst im Laufe des späten Nachmittags hier eintreffen. Oder irre ich mich?«
Merklin stand mit gerötetem Gesicht auf und sagte: »Genauso habe ich es Ihnen erklärt. Vielen Dank.«
»Wofür?« fragte Dr. Haberbusch und setzte seine Brille wieder auf. Merklin verließ sein Büro; draußen sagte er: »Scheißkerl.«
In der folgenden halben Stunde führte er mehrere Telefongespräche. Seiner Frau sagte er, daß er möglicherweise erst spät in der Nacht nach Hause kommen werde. Mandels Anruf erreichte ihn kurz nach elf; dieser teilte ihm von einer Autobahnraststätte mit, daß er Kiene vor zehn Minuten aus den Augen verloren und nun die Absicht habe, mit dem Team ins Studio zu fahren.
»Nicht ins Studio«, sagte Merklin. »Haberbusch hat uns nur inoffiziell grünes Licht gegeben.« Er gab ihm neue Instruktionen und beendete das Gespräch. Seine Sekretärin verständigte er davon, daß er zum Arzt müsse und möglicherweise nicht mehr ins

Büro zurückkehren werde. Dann setzte er sich in seinen BMW und fuhr zu Dr. Westermann, der im Süden der Stadt eine gutflorierende Praxis hatte. Dort war Merklin ihm zum erstenmal als Patient begegnet; angefreundet hatten sie sich auf dem Fußballplatz; ihrer beider Herz schlug für denselben Fußballklub. Es verbanden sie jedoch nicht nur gemeinsame Fußballinteressen. Für Dr. Westermann war die Freundschaft mit einem Fernsehschaffenden eine willkommene Gelegenheit, die einseitig fachbezogenen Wissensgebiete eines Zahnmediziners im regelmäßigen Umgang mit einem künstlerisch tätigen Menschen zu erweitern. Merklin wiederum schätzte an Westermann neben seinem beruflichen Können auch die persönliche Freundschaft mit einem Mann, dessen pekuniäre Verhältnisse es ihm erlaubten, sich auch solche Wünsche zu erfüllen, von denen Merklin nur träumen konnte. Beispielsweise der eigene Swimming-pool, dessen beliebige Benutzung Merklin nach anstrengenden Arbeitstagen als besonders angenehm empfand. Seit auch ihre Familien Kontakt gefunden hatten, duzten sie sich, und es war schon öfter geschehen, daß Merklin sich für besondere Anlässe von Dr. Westermann seinen Mercedes-SLC auslieh, der einem Opel-Commodore mühelos davonfuhr. Über den aktuellen Anlaß hatte er Dr. Westermann bereits vom Studio aus telefonisch unterrichtet und mit ihm vereinbart, daß er seinen BMW bei ihm stehenlassen werde. Dieser sollte, sobald Mandel eintraf, von ihm übernommen werden.

Merklin, dem nur noch wenig Zeit blieb, bedankte sich bei Dr. Westermann für die kooperative Hilfe und vor allem für den 450-SLC. Westermann winkte ab. »Ich fahre ihn doch kaum. Keine Zeit; du weißt ja, wie das bei mir ist, Werner.«

Tatsächlich gehörte Dr. Westermann zu jenen Zahnärzten, die täglich bis zu acht Stunden in ihrer Praxis und anschließend noch einige im Labor verbringen. Bevor Merklin sich von ihm verabschiedete, versprach er ihm, ihn über die Ergebnisse seiner privaten Fahndung nach den Entführern laufend zu unterrichten. Er fuhr dann direkt zur Autobahn und stellte den Mercedes an einer Tankstelle ab, die von Kiene auf dem Weg in die Stadt zwangsläufig passiert werden mußte. Zu dieser Stunde herrschte nur wenig Berufsverkehr, so daß es Merklin, zumal er nur auf einen hellblauen Commodore zu achten brauchte, keine Mühe bereitete, die Übersicht zu bewahren. Wenn seine Berechnungen zutrafen, mußte dieser innerhalb der nächsten zwanzig Minuten eintreffen. Es dauerte dann jedoch nur zehn Minuten, bis er den Commodore entdeckte. Er tauchte in langsamer Fahrt auf der rechten Fahrbahn auf; es verlief alles noch viel unkomplizierter, als Merklin gehofft hatte. Nach dem amtlichen Kennzeichen brauchte er gar nicht erst lange zu schauen; er erkannte Kiene auf den ersten Blick wieder. Auch das Mädchen im Fond kam ihm sofort bekannt vor, und während er sich hinter dem Commodore in den Verkehr einfädelte, überlegte er, wer das zweite Mädchen auf dem Beifahrersitz sein könnte. Vermutlich die Tochter von Rectanus. Er hatte sie nur ganz flüchtig gesehen. Dies schien ein Glückstag für ihn zu werden.

In der nächsten Viertelstunde achtete er darauf, daß er dem Commodore nicht zu nahe kam, ihn aber auch nicht aus den Augen verlor. Die Fahrt führte unmittelbar ins Stadtzentrum, und als Kiene eine Parklücke ansteuerte, hatte Merklin das Glück, nicht weit entfernt auch eine für seinen eigenen Wagen zu finden. Er beobachtete, wie Kiene und seine Begleiterinnen ausstiegen und in ein Restaurant gingen. Ihre Verhaltensweise entsprach nicht ganz den Erwartungen von Merklin; ein paar Minuten lang blieb er unschlüssig am Lenkrad sitzen. Dann ging er zum Telefonieren in das nächste Geschäft und bat Dr. Westermann, Mandel und sein Team sofort nach ihrem Eintreffen in die Giselastraße zu schicken; er gab Westermann noch eine präzise Schilderung seines gegenwärtigen Standortes. Anschließend kehrte er zu seinem Wagen zurück und wartete. Seine Geduld wurde auf eine harte Probe gestellt, denn es vergingen über fünfundvierzig Minuten, bis sein dunkelgrüner BMW mit Mandel am Lenkrad angefahren kam. Merklin, der sie auf dem Gehweg erwartet hatte, wies sie in eine Parklücke ein und sprach mit ihnen das weitere Vorgehen ab. Mandel sagte: »Das Mädchen neben ihm muß die Rectanus-Tochter sein. Seit wann sind sie schon drin?«

Merklin blickte auf die Armbanduhr. »Schon über eine Stunde. Sie scheinen zu essen.«

»Gegen ein anständiges Mittagessen hätte ich jetzt auch nichts einzuwenden«, sagte Mandel. Sie mußten sich noch einmal eine halbe Stunde gedulden, bis Kiene und die beiden Mädchen herauskamen. Hinter dem massiven Betonmast einer Straßenbeleuchtung stehend, verfolgte Eichler mit der Kamera ihren Weg bis zu dem Commodore. Augenblicke später liefen er und Mandel zum BMW. Merklin, der mit seinem Mercedes für eine sofor-

tige Verfolgung günstiger stand als sie, hängte sich unmittelbar dem Commodore an. Ein Blick in den Rückspiegel zeigte ihm, daß auch der BMW die Fährte aufgenommen hatte.
In den nächsten zehn Minuten folgten sie dem Commodore in den Nordteil der Stadt zu einer neuen Siedlung, die fast nur aus Hochhäusern bestand. Um nicht aufzufallen, wechselten sie öfter die Reihenfolge, wobei einmal Merklin und dann wieder Mandel in Führung ging. Von einem günstig gelegenen Parkplatz aus beobachteten sie, wie Kiene und seine Begleiterinnen in einem der Hochhäuser verschwanden. Mandel kam zu Merklin und sagte: »Er muß hier wohnen. Sicher wird man ihm das Geld in seine Wohnung bringen. Wenn es stimmt, daß er erst um fünf die Stadt verlassen wird, haben wir noch über zwei Stunden Zeit. Was machen wir bis dahin?«
»Warten«, antwortete Merklin. Dann kam ihm eine Idee, wie er die Zeit nutzbringender verwenden könnte. Er sagte: »Ich fahre schon voraus und passe ihn hinter Augsburg an der B 2 ab. Das Risiko, daß wir ihn beide im Stadtverkehr aus den Augen verlieren, ist sonst zu groß.«
»Dr. Schneider wußte nicht, ob Kiene tatsächlich bis nach Würzburg fahren wird«, gab Mandel zu bedenken.
»Ich fahre nur bis Donauwörth«, sagte Merklin und schickte ihn zu den anderen zurück.
Während er zur Autobahn fuhr, fühlte er seinen Magen knurren. Er kehrte im nächsten Gasthaus ein, bestellte sich ein kräftiges Mittagsmahl und setzte dann seine Fahrt fort. Nach Augsburg schaffte er es in zwanzig Minuten. Er verließ die Stadt auf der B 2 und setzte sich kurz vor Donauwörth in ein Café, von dem aus er die Straße gut überblicken konnte. Auch diesmal wurde seine Geduld auf eine harte Probe gestellt. Er hatte sich ausgerechnet, daß der Commodore spätestens Viertel nach fünf auftauchen würde; es vergingen dann aber noch einmal zwanzig Minuten, die Merklin, weil er das Warten im Restaurant nicht mehr ertrug, im Wagen verbrachte. Er war schon halb entschlossen, ein Stück weit zurückzufahren, als er den Commodore endlich bemerkte. Für den Fall, daß Kiene sich an ihn erinnerte, bedeckte er, als dieser an ihm vorbeifuhr, mit der Hand die untere Gesichtshälfte. Ein einziger Blick genügte ihm, um festzustellen, daß Kiene nur noch eine Begleiterin bei sich hatte. Kurz darauf, wenn auch im angemessenen Abstand, kam Mandel angefahren. Merklin stellte zu seiner Genugtuung fest, daß er und seine Be-

gleiter ihn nicht bemerkten. Er zog daraus den beruhigenden Schluß, daß er auch von Kiene nicht gesehen worden war. Als er ihnen Sekunden später folgte und rasch aufholte, winkte Mandel, der ihn im Rückspiegel entdeckt hatte, aus dem Fenster. Während sie bald darauf durch Donauwörth fuhren, schloß Merklin dicht auf. Als sie die Stadt passiert hatten, überholte er den BMW und beobachtete im Rückspiegel, wie er einige Dutzend Meter zurückfiel. Die Straße war hier so übersichtlich, daß auch er seinen Abstand zu dem Commodore wieder vergrößern konnte.
Nach einer halbstündigen Fahrt beobachtete Merklin, wie der Wagen in die Zufahrt zu einer Raststätte einbog. Mandel, der sich in diesem Augenblick wieder hinter Merklin befand, schaltete ebenfalls den Blinker ein; Augenblicke später hielten sie hintereinander auf der zweispurigen Zufahrt und beobachteten, wie der Commodore langsam an den abgestellten Wagen vorbeirollte und dann in einer Parklücke verschwand. Merklin taxierte mit einem schnellen Blick die Situation. Vor ihnen gabelte sich die Zufahrtsstraße in zwei lange Parkstreifen, von denen der linke unmittelbar an der Autobahnraststätte endete, während der rechte hinter dem Rasthaus vorbei zu einer Tankstelle führte. Beide Fahrbahnen waren durch einen breiten Grünstreifen voneinander getrennt; die rechte wurde von einer Reihe junger Birken gesäumt. Diese steuerte Merklin an und fand nach einigem Suchen eine Parklücke. Mandel hatte weniger Glück, er ließ den BMW auf der Fahrbahn stehen und kam zu Merklin gelaufen.
»Was nun?«
»Behalten Sie Kiene im Auge; ich kümmere mich um einen Parkplatz«, antwortete Merklin und stieg rasch aus. Er setzte sich zu Rimmele und Eichler in den BMW und fuhr ihn, als er keine Parklücke finden konnte, zur Tankstelle. Dort befahl er Rimmele, den Tank zu füllen, und sagte zu Eichler: »Nehmen Sie die Kamera mit.« Sie stiegen rasch aus und liefen denselben Weg zurück. Unterwegs stießen sie auf Mandel, der ihnen aufgeregt entgegenkam und ein Papier in der Hand schwenkte. »Sehen Sie sich das an!« sagte er. »Ich weiß nicht, was ich davon halten soll. Es ist eine Skizze; sieht aus, als ob sie von den Entführern stammte.«
Merklin riß ihm das Papier unbeherrscht aus der Hand und starrte eine Weile stumm darauf nieder. Dann hob er ruckartig den Kopf. »Woher haben Sie sie?«
»Kiene hat sie, bevor er in das Restaurant ging, selbst unter sei-

nen Scheibenwischer geklemmt«, sagte Mandel atemlos. »Ich hatte mich in der Nähe hinter einem Kombi versteckt und konnte alles beobachten.«
Merklin fragte rauh: »Was haben Sie beobachtet?«
»Zuerst schickte er das Mädchen weg, dann klemmte er die Skizze unter den Scheibenwischer«, erzählte Mandel. »Als er ihr in die Raststätte folgte, habe ich mir das einmal aus der Nähe angeschaut. Wenn Sie mich fragen, Meister . . .« Er verstummte, weil er wußte, daß Merklin diese vertrauliche Anrede nicht gerne hörte; Mandel gebrauchte sie auch nur dann, wenn er aufgeregt war. Er sagte etwas ruhiger: »Ich hatte den Eindruck, daß er ein schlechtes Gewissen hatte; er hat sich dauernd umgesehen und die Skizze, nachdem er sie schon unter den Scheibenwischer gesteckt hatte, noch einmal weggenommen. Da ist, glaube ich, eine ganz krumme Sache im Gang, Herr Merklin.«
»Das wissen wir noch nicht«, sagte Merklin, aber Mandel sah, wie seine Hand plötzlich zu zittern anfing. Er legte die Skizze hastig auf eine Motorhaube und sagte zu Eichler, der jetzt aussah, als ob er Fieber hätte: »Aber so, daß man jede Einzelheit deutlich erkennen kann.«
Während Eichler die Skizze filmte, war Merklin bereits damit beschäftigt, sie auf eine Autokarte zu übertragen.
»Was halten Sie davon?« fragte Mandel und trat vor Aufregung von einem Bein auf das andere. Merklin fiel ein blauer Briefumschlag in seiner Hand auf. »Was ist das?«
»Die Skizze steckte da drinnen«, antwortete Mandel. »Ich habe sie herausgenommen.«
»Dann stecken Sie sie wieder hinein und bringen Sie sie zurück«, sagte Merklin und gab sie ihm. »Beeilen Sie sich, Mann! Ich will wissen, was er tut, wenn er zurückkommt. Lassen Sie sich aber nicht von ihm erwischen!«
Mandel rannte davon. Zu Eichler, der ihm mit der Kamera folgen wollte, sagte Merklin scharf: »Bleiben Sie hier! Wenn er die Kamera sieht, können Sie uns alles verderben. Diese Sache lasse ich mir jetzt von keinem mehr versauen.«
»Wäre auch ewig schade«, sagte Eichler und benetzte sich mit der Zunge die trockenen Lippen unter dem Bart. »Wenn da etwas nicht stimmen sollte, Herr Merklin . . .«
Merklin nickte. »Wenn! Ich kann noch nicht daran glauben. Vielleicht führte Herr Kiene nur Anweisungen der Entführer aus, obwohl ich vorläufig keinen Zusammenhang sehe. Könnte

ja sein, daß er eine bereits erhaltene Nachricht der Entführer auf diese Weise zurückgeben und sich mit ihr legitimieren muß.«
Eichler sagte rauh: »Das würde bedeuten, daß sich die Entführer bereits in der Nähe aufhalten.«
»Wir müssen vorsichtig sein«, bestätigte Merklin. Er versuchte, indem er sich auf die Fußspitzen stellte, über die langen Autoreihen hinwegzusehen, aber die Entfernung bis zum Standplatz des Commodore war zu groß. Eichler sagte: »Wenn wir den Mann oder die Männer, für die Kiene den Zettel unter den Scheibenwischer geklemmt hat, filmen könnten . . .« Merklin schnitt ihm schroff das Wort ab: »Kommt nicht in Frage. Ich habe Haberbusch versprochen, nichts zu unternehmen, was das Leben von Herrn Rectanus gefährden könnte. Wenn wir uns auch nur den kleinsten Fehler leisten . . .« Er brach ab und blickte Mandel entgegen, der mit großen Schritten angelaufen kam. »Wir hatten Glück«, sagte er atemlos. »Ich hatte den Umschlag eben wieder hinklemmen können, als Fräulein Rectanus zurückkam. Sie scheint vorher nichts davon gewußt zu haben. Als sie ihn öffnete, wirkte sie völlig überrascht. Kiene kam etwas später als sie. Er ließ sich von ihr die Skizze zeigen.«
»War das alles?« fragte Merklin enttäuscht. Mandel sagte: »Ich konnte zwar nicht verstehen, was sie sagten, aber wenn Sie meine private Meinung hören wollen: er hat ihr nicht erzählt, daß er den Umschlag selbst unter den Scheibenwischer geklemmt hat.«
»Sind Sie sicher?« fragte Merklin. Mandel nickte. »Es sah wenigstens so aus.« Merklin blickte ein paar Sekunden lang mit verkniffenem Mund in sein Gesicht, dann fragte er: »Stehen sie noch dort?«
»Als ich weglief, sind sie in den Wagen gestiegen«, antwortete Mandel. »Sie werden inzwischen schon weitergefahren sein.«
»Dann überholen wir sie jetzt«, sagte Merklin. »Es wird bald dunkel; ich glaube nicht, daß Kiene uns erkennen wird. Eichler fährt ab sofort bei mir. Rimmele wartet an der Tankstelle auf Sie, Mandel. Bleiben Sie immer dicht hinter uns. Jetzt werden wir mal die Puppen tanzen lassen.«
»Wohin wollen Sie fahren?« fragte Mandel. Merklin grinste dünn. »Nach Hornbach. Und wir müssen vor Kiene dort sein. Worauf warten Sie noch!«
Mandel rannte davon. Als Merklin kurze Zeit später die Einfädelspur der Autobahn erreichte, war der BMW bereits wieder hinter ihm. Der Vorsprung des Commodore war schon so groß,

daß sie, um ihn einzuholen, zehn Minuten brauchten. Eichler, der sich die schwere Kamera über die Knie gelegt hatte, sagte: »Es scheint ihm plötzlich zu pressieren. Ob Mandel ihn überholen kann?«
Merklin blickte in den Rückspiegel. »Wenn er meinen Wagen voll ausfährt.« Er trat das Gaspedal durch und zog an dem Commodore vorbei. Kurze Zeit später schaffte es auch Mandel. Merklin sagte: »Ich werde mir doch noch einen schnelleren BMW zulegen müssen. Haben Sie sich die Skizze gut eingeprägt?«
»Richtung Heilbronn«, sagte Eichler. »Ich kenne mich in dieser Gegend nicht aus. Hoffentlich verfahren wir uns nicht.«
»Ich habe mich noch nie verfahren«, sagte Merklin. »In Miltenberg war ich schon; es liegt nicht weit von Tauberbischofsheim entfernt. Wieso waren Sie noch nie im Odenwald?«
»Hat mich nicht gereizt«, antwortete Eichler. Er betrachtete die mondbeschienene Hügellandschaft und setzte hinzu: »Wald ist Wald.« Merklin fragte: »Wo hat Kiene das Geld übernommen? In seiner Wohnung?«
»Nein«, antwortete Eichler. »Er ist zu einem Parkhaus gefahren, blieb ungefähr eine Viertelstunde drin. Als er wieder herauskam, war nur noch Fräulein Rectanus bei ihm. Hinter Augsburg wurde er von einer Polizeistreife in Zivil angehalten. Er bekam einen Strafzettel; ist zu schnell gefahren.«
»Geschieht ihm recht«, sagte Merklin.
Tatsächlich verfuhr er sich unterwegs kein einziges Mal, und als sie eine knappe Stunde später nach Hornbach kamen, sagte er: »Wir dürfen nichts riskieren. Es ist möglich, daß die Entführer schon in der Nähe sind. Unser Kennzeichen würde uns in dieser Gegend sofort verdächtig machen.«
Er trat vor den ersten Häusern auf die Bremse, nahm die Autokarte zur Hand und studierte seine Eintragungen. Dann stieg er aus und ging zu Mandel, der sich erwartungsvoll aus dem Fenster beugte. »Es ist möglich, daß wir ohne Licht fahren müssen«, sagte Merklin. »Ihr verhaltet euch in jedem Fall genauso wie wir.«
»Kann nicht mehr weit sein?« fragte Mandel. Merklin schüttelte den Kopf. »Ein paar hundert Meter. Hinter dem Dorf muß bereits der Wald kommen.«
»Okay«, sagte Mandel.
Merklin kehrte zu seinem Wagen zurück. Sie durchfuhren den kleinen Ort, auf dessen einziger Straße sich kein Mensch zeigte;

die meisten Häuser lagen bereits dunkel. Als sie auf das Plateau kamen, sah Merklin den Wald; er schaltete das Licht aus und vergewisserte sich, daß Mandel ebenso prompt reagierte.
»Vielleicht haben wir jetzt schon einen Fehler gemacht«, sagte er zu Eichler. »Falls sie am Waldrand stehen, werden sie die Scheinwerfer gesehen haben.« Er fuhr langsam auf der schmalen, mondbeschienenen Straße weiter, bis er auf der rechten Seite einen Feldweg entdeckte. Er bog auf ihn ein und folgte ihm zwischen halbhoch stehendem Getreide etwa fünfzig Meter. Dann stieg er wieder aus und rief die Männer zu sich. Er kehrte mit ihnen zur Straße zurück und sagte: »Der Wald kann, wenn die Skizze stimmt, nicht groß sein. Von hier aus werden wir jedes Auto hineinfahren und herauskommen sehen.«
Mandel sagte: »Ich habe mir inzwischen etwas überlegt, Herr Merklin. Könnte es nicht sein, daß Herr Kiene uns unterwegs doch bemerkt hat und uns mit der Skizze einen Hinweis geben wollte?«
An diese Möglichkeit hatte Merklin noch nicht gedacht; er starrte ihn betroffen an. Mandel sagte: »Mich machte der Hinweis stutzig, daß die Polizei nicht verständigt werden soll. Das weiß Kiene doch sicher schon. Für mich sieht das alles so aus, als sollte irgendwer veranlaßt werden, hierherzukommen, und ich wüßte nicht, wen Herr Kiene außer uns damit gemeint haben könnte.«
Merklin mußte sich hinsetzen. Er blickte eine Weile grübelnd zwischen seine Beine, dann sah er auf. »Warum hat er dann Fräulein Rectanus dieses Theater vorgespielt?« Mandel hob die Schultern. »Ich bin mir jetzt nicht mehr sicher, ob es wirklich Theater war. Vielleicht haben sie sich nur darüber unterhalten, ob der Umschlag inzwischen geöffnet worden ist oder nicht.«
»Aber was sollen wir hier?« fragte Merklin nun wirklich ratlos.
»Nun ja.« Mandel zupfte sich an der langen Nase. »Kann ja sein, daß er Angst hat, es könnte etwas schiefgehen. Oder er wollte erreichen, daß wir die Entführer, wenn sie das Lösegeld haben, verfolgen und herausfinden, wer sie sind. Die Polizei einzuschalten, das wird ihm zu gefährlich gewesen sein.«
Rimmele, der bei solchen Gelegenheiten am wenigsten sprach, sagte beeindruckt: »Mir würde das einleuchten.«
»Ich weiß nicht«, sagte Eichler und wollte sich eine Zigarette anzünden. Merklin nahm sie ihm rasch aus der Hand. »Sind Sie verrückt? Der Lichtschein könnte vom Waldrand aus gesehen werden.«

»Wenn überhaupt wer am Waldrand ist!« sagte Eichler, der, seit ihm klargeworden war, daß es in einer nur vom Mond beschienenen Landschaft auch für den besten Kameramann nicht mehr viel zu filmen gab, das Interesse an dieser Sache vorübergehend verloren hatte.
Merklin stand auf. »Wie dem auch sei: wir warten hier eine Stunde, und wenn sich dann nichts rührt, brechen wir die Sache ab.«
»Dann bin ich vor Montag aber nicht mehr zu sprechen«, sagte Eichler und blickte erschreckt Merklin an, der jäh nach seinem Arm griff. »Hört ihr?« fragte er. Auch die anderen vernahmen jetzt das Motorengeräusch, und Mandel, dem schon kurz zuvor hinter den Häusern ein Scheinwerferlicht aufgefallen war, sagte mit mühsam unterdrückter Erregung: »Ein Auto!«
Sie liefen auf den Feldweg zurück und kauerten sich, etwa zwanzig Schritte von der Straße entfernt, auf den dunklen Boden. Sekunden später lag die Straße in grelles Licht getaucht, und Mandel flüsterte: »Dem Motorengeräusch nach könnte es ein Opel sein.«
»Das kannst du unterscheiden?« flüsterte Rimmele verwundert. Dann sahen sie den Wagen. Er rollte langsam an ihnen vorbei und auf den Wald zu. Sie standen wie auf ein Kommando auf; Merklin sagte mit heiserer Stimme: »Das war Kiene.«
Sie liefen zur Straße zurück und beobachteten, wie sich die roten Schlußleuchten entfernten. Sie konnten sie auch noch sehen, als der Commodore bereits durch den Wald rollte. Dann waren sie plötzlich verschwunden.
»Er ist auf den Waldweg eingebogen«, sagte Merklin. Ohne sich länger darum zu kümmern, ob sie bei dem hellen Mondlicht gesehen werden konnten, traten sie alle auf die Straße und blickten dorthin, wo der Commodore verschwunden war. Sekunden später bemerkten sie einen Lichtschein, dessen Herkunft ihnen erst klar wurde, als sie in zwei aufgeblendete Autoscheinwerfer sahen. Der Wagen war jedoch noch so weit entfernt, daß sie von seinen Insassen unmöglich bemerkt werden konnten. Mandel sagte mit belegter Stimme: »Das ist nicht der Commodore.«
»Vielleicht sind sie das!« lispelte Rimmele. Sie beobachteten mit angehaltenem Atem, wie die Scheinwerfer näher kamen und dann auf der linken Straßenseite im Wald verschwanden. Sie blickten sich stumm an. Schließlich sagte Mandel: »Dort ist auch der Commodore verschwunden.«

»Sieht so aus«, sagte Merklin. Er empfand nur noch Genugtuung. Rasch wandte er sich an Mandel: »Fahren Sie auf die Straße; sie blockieren mir sonst die Ausfahrt. Wenn der Wagen von der anderen Seite gekommen ist, wird er in dieser Richtung auch wieder wegfahren.«
Mandel lief zum BMW und fuhr im Rückwärtsgang auf die Straße. Noch ehe er sie ganz erreicht hatte, kam Merklin zu ihm gelaufen und zischte: »Fahren Sie auf den Weg zurück, schnell!«
Bevor sich Mandel über seine widersprüchlichen Anweisungen wundern konnte, wurde ihm der Grund seiner Aufregung klar; im Wald waren jetzt wieder Autoscheinwerfer zu sehen, und diesmal war es offensichtlich, daß sie sich dem diesseitigen Waldrand näherten. Die Männer reagierten instinktiv; es bedurfte keiner neuen Instruktionen von Merklin; sie liefen in wortloser Übereinstimmung von der Straße auf den Feldweg, und Mandel fuhr an ihnen vorbei und brachte den BMW dicht hinter dem Mercedes zum Stehen. Er kletterte heraus und kauerte sich wie die anderen am Boden nieder. Deutlich war jetzt das Motorengeräusch des näher kommenden Wagens zu hören, und Mandel sagte: »Ein Volkswagen; das höre ich auf hundert Meter.« Sie blickten sich stumm an und lauschten auf das immer lauter werdende Motorengeräusch. Eichler sagte: »Es ist tatsächlich ein VW. Lassen wir ihn entwischen?«
»Nur für den Augenblick«, sagte Merklin. Für den Bruchteil einer Sekunde sahen sie zwischen den halbhohen Getreidehalmen den VW auf der Straße vorbeifahren, dann stand Merklin auf den Füßen und sagte kalt: »Wir fahren ihm nach; wenn es sein muß, bis vor die Haustür.«
»Kann ein langer Weg werden«, sagte Eichler, aber er war jetzt, genau wie die anderen auch, vom Jagdfieber besessen. Merklin sagte: »Wir machen es wie bisher; Eichler sitzt wieder bei mir.«
»Gemacht, Meister«, sagte Mandel und kletterte in den BMW. Er stieß auf die Straße zurück; Rimmele konnte sich gerade noch auf den Beifahrersitz schwingen. Als Merklin mit dem Mercedes auf die Straße fuhr, sah er den BMW bereits in einer Kurve hinter den ersten Häusern von Hornbach verschwinden. Er fuhr mit durchgetretenem Gaspedal an und sagte: »Mit einem VW entwischen sie uns nicht mehr.«
Eichler, der wieder die Kamera auf den Knien hatte, kicherte. Seit Merklin ihn kannte, hatte er ihn noch nie kichern hören. Schon kurz nach der Ortsdurchfahrt sah er vor sich die Rücklichter sei-

nes BMW und weiter vorne, auf der steil nach Rippberg abfallenden Straße, jene des VW. Er drosselte das Tempo, wischte die feuchten Hände an der Hose ab und zündete sich eine Zigarette an. Eichler sagte: »Auf der leeren Straße werden sie merken, daß wir sie verfolgen. Gehen wir damit kein großes Risiko ein, Herr Merklin?«
»Das ist mir jetzt egal«, sagte Merklin laut.
Sein Leben lang hatte er auf eine solche Chance gewartet, und er war nicht willens, sie im letzten Augenblick zu vergeben. Etwas ruhiger setzte er hinzu: »Sobald wir in Rippberg auf die B 47 kommen, herrscht wieder mehr Verkehr. Dort wird es sich entscheiden, ob die Burschen in Richtung Amorbach oder Tauberbischofsheim fahren. Bis dahin bleiben wir am Ball.«
»Und dann?« fragte Eichler. Merklin lächelte dünn. »Bleiben wir erst recht am Ball. Ist Ihnen überhaupt klar, Eichler, daß dies die Story Ihres Lebens sein kann?«
»Ich habe schon den ganzen Tag nichts in den Magen bekommen«, sagte Eichler. Merklin schwieg schockiert.
Die Straße wurde jetzt kurvenreich; auf einer kurzen Geraden überholte er den BMW und setzte sich so dicht hinter den VW, daß er im Scheinwerferlicht nicht nur die beiden Insassen, sondern auch das Kennzeichen des Wagens erkennen konnte. Er sah, wie der Beifahrer das Gesicht zurückdrehte, und fast gleichzeitig bemerkte er aus den Augenwinkeln, daß Eichler die Kamera hochgenommen hatte und filmte. Er wollte ihn scharf anfahren, dann fiel ihm ein, daß es für den in das Scheinwerferlicht blickenden Beifahrer des VW unmöglich sein würde, die Kamera zu sehen. Er blieb noch einige Sekunden dicht hinter dem VW, bis das Kamerageräusch verstummte. Während er den Abstand wieder vergrößerte, sagte Eichler: »Daß Sie so dicht aufgefahren sind, hat sie vielleicht mißtrauisch gemacht.«
»Nicht lange«, sagte Merklin und paßte wieder eine freie Strecke ab. Dort überholte er den VW und fuhr ihm, so rasch wie die Straße das zuließ, davon. Als er ihn aus dem Rückspiegel verloren hatte, bog er kurze Zeit später auf einen Waldweg ein, schaltete das Licht aus und ließ den VW vorbeifahren. Er wartete auch noch auf den BMW, fuhr dann auf die Straße zurück und fragte: »Wie alt schätzen Sie die beiden?«
»Der eine etwa dreißig, der andere vierzig«, antwortete Eichler. »Der ältere trug einen Bart wie ich.«
»Schwarzhaarig, fliehende Stirn«, sagte Merklin. »Typische Ver-

brechervisage. Was ist Ihnen sonst noch aufgefallen?« Eichler blickte ihn an. »Der Wagen ist in Regensburg zugelassen.«
»Es wird ein gestohlener sein«, sagte Merklin. »Wir werden es bald wissen. Ob die Aufnahmen etwas geworden sind?«
»Möglicherweise unterbelichtet«, sagte Eichler. »Da könnten wir nachhelfen; das Gesicht des Beifahrers hatte ich formatfüllend im Tele; von dem anderen nur das Profil.«
»Das genügt«, sagte Merklin.
Zwischen Rippberg und Tauberbischofsheim übernahm Merklin wieder die Führung. Wegen der vorgeschrittenen Stunde herrschte auch auf der B 47 kein starker Verkehr mehr. Immerhin waren noch genügend Autos unterwegs, die es Merklin leichtmachten, dem VW unauffällig zu folgen. Für eine größere Strecke auf der steil ansteigenden Straße hatten sich zwei andere Wagen hinter den VW gehängt. Eichler sagte: »Sie lassen sich Zeit. Hoffentlich haben wir nicht doch das falsche Auto erwischt!«
Merklin lächelte nur. Er hatte nicht den geringsten Zweifel, daß sie auf der richtigen Fährte waren. Wie er es nicht mehr anders erwartet hatte, steuerte der VW hinter Tauberbischofsheim die Autobahn nach Würzburg an. Merklin, der noch immer vor dem BMW fuhr, vergrößerte den Abstand zu dem VW auf etwa zweihundert Meter und sagte: »Ich bin ganz sicher, daß sie nach Regensburg fahren. Mit dem Treffpunkt im Odenwald wollten sie die Polizei von ihrem tatsächlichen Wohnsitz ablenken; mit mir machen sie das nicht.«
Eichler, dessen Meinung von Merklin nicht immer positiv war, schwieg beeindruckt. Wie Merklin es vorausgesagt hatte, folgte der VW der Strecke Nürnberg–Regensburg. Es war bereits kurz vor Mitternacht, als sie sich der Ausfahrt Regensburg näherten und dann einer Straße folgten, die Eichler auf Merklins Karte als die B 16 identifizierte. »Sie führt nach Roding«, sagte er.
Die Straße führte steil und kurvenreich durch ein schmales Tal über eine Brücke hinweg. Merklins überreizte Nerven hielten der Ungewißheit, wo die Fahrt enden würde, kaum mehr stand. Er mußte sich ständig den Schweiß von den Händen und aus dem Gesicht wischen. Das Tal machte einen weiten Bogen, und noch ehe sie seine äußerste Krümmung erreicht hatten, fühlte Merklin Eichlers Hand am Arm und hörte seine vor Aufregung heisere Stimme: »Sie haben den Blinker eingeschaltet! Sehen Sie dieses Haus?«

Merklin hatte es im Scheinwerferlicht des Volkswagens ebenso gesehen wie Eichler, und als er sicher war, daß der VW dort halten würde, trat er mechanisch auf die Bremse. Mandel, der seine Reaktion auf der freien Strecke nicht erwartet hatte, konnte einen Aufprall nur durch eine Vollbremsung vermeiden. Merklin sauste aus dem Wagen zu ihm hin und sagte: »Sie fahren am Haus vorbei, lassen den Wagen irgendwo stehen, wo er nicht auffällt. Wir treffen uns zu Fuß hinter dem Haus; bringen Sie das Tongerät mit und passen Sie auf, daß Sie nicht gesehen werden.«
»In Ordnung, Meister«, sagte Mandel und fuhr an. Merklin rannte zu seinem Wagen zurück, schaltete die Scheinwerfer aus und sagte: »Wir haben es geschafft, Eichler.«
Sie beobachteten, wie Mandel zügig auf die Talkrümmung zufuhr, und für ein paar Augenblicke lang sahen sie in seinem Scheinwerferlicht den VW vor einem flachen Gebäude zwischen hohen Bäumen stehen, dann lag das Haus wieder im Dunkeln.
»Sieht wie ein Gasthof aus«, sagte Eichler. »Sie wollen wirklich hingehen, Herr Merklin?«
»Das würde ich mir für nichts auf der Welt entgehen lassen«, sagte Merklin. »Morgen wird Ihr Name bei sämtlichen deutschen Sendern bekannt sein.« Die Vorstellung überwältigte ihn; er schluckte. Eichler fragte: »Wieso meiner? Ob Herr Rectanus dort festgehalten wird?«
»Wüßten Sie ein besseres Versteck?« fragte Merklin, das einsame, dunkle Waldtal betrachtend. »Ein Gasthaus in dieser Gegend! Wir müssen einen Platz für den Wagen finden.«
Sie fuhren ohne Licht einige Dutzend Meter weiter, dann entdeckte Merklin einen Waldweg. Er fuhr den Wagen hinein und sagte: »Nehmen Sie vorsorglich eine frische Filmrolle mit, Eichler.«
»Die sind sicher bewaffnet«, sagte Eichler, dem jetzt Bedenken kamen. Merklin würdigte ihn keiner Antwort.
Bis zu dem Haus waren es noch etwa dreihundert Meter. Über die Hälfte davon brachten sie auf der Straße hinter sich, dann verließ Merklin sie und hielt sich nahe am Waldrand. Sie konnten nicht mehr viel weiter als hundert Schritte vom Haus entfernt sein, als Merklin feststellte, daß hinter den Fenstern im Erdgeschoß Licht brannte. Er machte Eichler darauf aufmerksam. Soweit er das aus dieser Entfernung feststellen konnte, stand das Haus auf einer Lichtung unmittelbar am Waldrand zwischen großen Bäumen, die es fast völlig verdeckten. Eine Annäherung

von der Rückseite schien keine Probleme aufzuwerfen, und als sie kurze Zeit später im Schutze der dichten Bäume die Rückfront des Hauses erreichten, sahen sie, daß das Licht in einer Gaststube brannte. Fast gleichzeitig bemerkten sie eine dunkle Gestalt, die in gebückter Haltung von einem der Fenster zum Waldrand gelaufen kam, und Eichler, der noch bessere Augen hatte als Merklin, flüsterte aufgeregt: »Das ist Mandel.«
»Sind Sie sicher?« fragte Merklin.
»Todsicher«, sagte Eichler.
Sie beobachteten, wie Mandel etwa dreißig Meter von ihnen entfernt im Wald untertauchte. Merklin, dem der Ärger darüber, daß Mandel es gewagt hatte, in einer so extremen Situation eigenmächtig zu handeln, ein paar Augenblicke lang die Sprache verschlug, flüsterte, als er wieder sprechen konnte: »Schaffen Sie ihn mir her.«
»Die Kamera lasse ich hier«, sagte Eichler und legte sie auf den Waldboden. Es dauerte keine drei Minuten, bis er mit Mandel und Rimmele zurückkam. »Wie können Sie sich unterstehen«, begann Merklin heiser vor Zorn, aber Mandel fiel ihm respektlos ins Wort: »Ich habe ihn gesehen!« sagte er. »Ich habe ihn tatsächlich gesehen. Er sitzt da drinnen in der Gaststube.«
»Wer?« fragte Merklin, der sich bei der Entscheidung, wütend oder neugierig zu sein, von der Neugierde überwältigen ließ.
»Rectanus«, sagte Mandel mit atemloser Stimme. »Er sitzt in der Gaststube und . . .« Er konnte vor Verwunderung nicht weitersprechen. Merklin fragte ungläubig: »Rectanus sitzt in der Gaststube?«
»Ja«, hauchte Mandel. »Zusammen mit einem Mädchen und den beiden Kerls, die wir verfolgt haben. Aber das ist noch nicht alles. Sie trinken zusammen Bier und lachen.«
Merklin starrte geistesabwesend in sein Gesicht. Dann lief er, jede Vorsicht außer acht lassend, vom Waldrand zum Haus und blickte durch eines der niedrigen Fenster in die Gaststube. Er ging unwillkürlich in die Hocke und gab keinen Laut von sich. So saß er auch noch, als Eichler über ihn hinweg zuerst einen Belichtungsmesser und dann die Kamera auf das Fenster richtete und sie laufen ließ. Auch Mandel und Rimmele waren herangekommen und starrten stumm durch das Fenster. Merklin, der vor Überraschung wie betäubt war, faßte sich mühsam. Er zerrte Mandel und Rimmele vom Fenster weg und zischte: »Seid ihr verrückt geworden?«

»Ich weiß nicht mehr, ob ich verrückt bin oder nicht«, stammelte Mandel. Alle blickten Eichler an, der jetzt mit der Kamera zu ihnen kam und sagte: »Ich habe sie auf mindestens vierzig Meter Filmrolle, jeden einzelnen in Großaufnahme und mitten im Fadenkreuz. Wenn wir jetzt noch für das Mikrophon ein offenes Fenster . . .« Merklin schnitt ihm das Wort ab: »Zu riskant! Kommen Sie mit!«
Er kehrte zum Waldrand zurück, ließ sich auf den Boden fallen und starrte eine Weile fassungslos vor sich hin. Dann sah er auf und sagte zu Mandel: »Blicken Sie da noch durch?«
»Vielleicht ein Versicherungsschwindel«, sagte Mandel. »Die zwei Millionen! Sicher hängt es irgendwie mit dem Geld zusammen.« Merklin dachte darüber nach, dann nickte er und sagte: »Kann sein, obwohl ich es nicht verstehe. Aber was es auch sei, wir werden es ihnen versalzen, daß sie ihr Leben lang daran denken werden.«
»Diese Saukerle«, sagte Mandel mit belegter Stimme. »Verdienen eh schon genug und kriegen trotzdem den Hals nie voll. Was tun wir jetzt? Ich falle vor Hunger fast um.«
»Und ich vor Durst«, sagte Eichler und leckte sich die trockenen Lippen. Merklin sagte: »Auf der anderen Seite der Straße fließt ein kleiner Bach. Zu essen kann ich euch nichts anbieten, aber eine Story, von der noch eure Kinder erzählen werden.« Mandel sagte: »Dieser Kiene hängt mit drin.«
»Die Tochter vom Rectanus genauso«, sagte Eichler. »Ich bin jetzt froh, daß wir nicht ihnen, sondern dem VW nachgefahren sind.«
»Ich hatte keinen Augenblick lang die Absicht, Kiene nachzufahren«, sagte Merklin. »Morgen wird er die Skizze der Polizei geben und behaupten, sie sei ihm an der Autobahnraststätte unter den Scheibenwischer gesteckt worden.«
»Ich traute der Sache gleich nicht«, sagte Eichler.
Mandel schwieg. Eichler, der seine Empfindungen erriet, legte ihm die Hand auf die Schulter und sagte: »Kann jedem mal passieren.« Dann sagte er: »Da oben!«
Sie blickten alle zum Haus hinüber, in dessen oberem Stockwerk hinter einem der Giebelfenster plötzlich ein Licht brannte. Sekunden später wurde der Vorhang zurückgezogen, und sie sahen einen Mann am Fenster stehen.
»Rectanus!« sagte Mandel. Eichler flüsterte: »Sicher geht er schlafen. Muß ein Gästezimmer sein.«

»Ob er uns sieht?« fragte Rimmele mit zittriger Stimme. Mandel flüsterte: »Quatsch. Hier unter den Bäumen ist es stockdunkel.«
Sie beobachteten mit angehaltenem Atem, wie Rectanus noch eine Weile am Fenster stehenblieb und dann zurücktrat. Obwohl sie nur noch seinen Kopf und seine Schultern sehen konnten, war deutlich zu erkennen, daß er sich auszog. Mandel sagte: »Mit zwei Millionen unterm Arsch könnte ich auch gut schlafen.« Zu Merklin sagte er: »Was haben Sie jetzt vor, Herr Merklin? Wenn wir bis morgen früh hierbleiben müssen, würden wir besser im Auto schlafen. Hier wird es saufrisch.«
»Wir warten noch ein Weilchen«, sagte Merklin. »Ich möchte sichergehen, daß sie sich alle schlafen legen. Ein Posten bleibt die ganze Nacht hier; wir lösen uns stündlich ab.«
»Wird 'ne lange Nacht«, sagte Eichler fröstelnd. »Und was machen wir morgen?« Merklin deutete zum Haus hinüber. »Ich möchte ihn, wenn er morgen früh aus dieser Tür tritt, auf dem Streifen haben, und er wird mir, ob er es will oder nicht, vor der Kamera einige Fragen beantworten und seine Komplizen mit dazu. Wir werden sie hochgehen lassen, daß sie so schnell nicht wieder auf ihre feisten Ärsche zurückfinden.«
»Da bin ich dabei«, sagte Mandel feixend. »Manchmal macht mir dieser Job direkt Spaß.«
»Wenn man nur nicht die halbe Zeit mit leerem Magen 'rumlaufen müßte«, sagte Eichler. Er wandte sich an Merklin: »Dürfen wir jetzt rauchen? Wenn wir aufpassen, sieht es keiner.«
»Aber nur hinter der hohlen Hand«, sagte Merklin. »Zum Anzünden geht in den Wald. Bringt mir auch eine mit.«
»Wird gemacht«, sagte Eichler und stand auf.
In der nächsten halben Stunde sprachen sie nichts. Das Licht im oberen Stockwerk war erloschen; nur in der Gaststube brannte es noch. »Was die nur so lange treiben?« sagte Eichler und blickte, während er an seiner Zigarette zog, auf die Armbanduhr. Mandel sagte: »Was wohl! Sie begießen die zwei Millionen. Morgen wird ihnen das Feiern vergehen; darauf freue ich mich jetzt schon.«
»Ich mich auch«, sagte Eichler. Merklin schwieg. Er blickte Rimmele an und sah, daß er auf dem Waldboden eingeschlafen war.
»Hat noch gute Nerven«, sagte Mandel. »Hier könnte ich kein Auge zumachen. Ich hoffe, Sie geben uns anschließend zwei Tage Urlaub zum Ausschlafen, Herr Merklin.«

»Bewilligt«, sagte dieser, weil er an das unmittelbar bevorstehende Wochenende dachte. Dann hörten sie plötzlich wieder ein Geräusch. Es klang wie das Zuschlagen einer Autotür. Merklin sagte zu Mandel: »Sehen Sie mal nach; seien Sie aber vorsichtig.«
»Kein Problem«, sagte Mandel und stand auf. Sie beobachteten, wie er, nach rechts ausholend und die dicken Stämme der alten Kastanien als Deckung benutzend, auf das Haus zulief und Sekunden später aus ihren Augen verschwand.
»Ob die noch einmal wegfahren wollen?« flüsterte Eichler. Merklin antwortete: »Das glaube ich nicht. Wir wissen nicht, ob das Haus auf der anderen Seite eine Garage hat. Vielleicht wollen sie nur den VW hineinfahren.«
Mandel kam rascher zurück, als Merklin gerechnet hatte; er sagte aufgeregt: »Sie laden Gepäck in den VW; mindestens vier oder fünf große Koffer. Sieht nach einer längeren Reise aus.«
»Haben Sie auch Herrn Rectanus gesehen?« fragte Merklin nervös. Mandel verneinte. »Nur die beiden Männer und das Mädchen; es hilft ihnen beim Einladen. Ich glaube nicht, daß sie mitfahren wird; trägt noch ihre Schürze. Bei dem vielen Gepäck hätte sie im VW auch gar keinen Platz mehr. Um die Koffer alle unterzubringen, mußten sie einen Teil auf den Rücksitz stellen.«
»Da werden sicher die zwei Millionen drin sein«, sage Eichler. »Wenn die jetzt mit dem Geld abhauen . . .« Merklin fiel ihm ins Wort: »Das Geld interessiert mich im Augenblick nicht.« Zu Mandel sagte er: »Könnten Sie dort, von wo aus Sie ihnen zugeschaut haben, entdeckt werden?«
»Ausgeschlossen«, antwortete Mandel. »Ich stand hinter einem dicken Baum; ist völlig dunkel dort. Vor dem Haus ist es hell, es brennt eine Lampe über der Haustür. Ich konnte alles genau beobachten.«
»Dann beobachten Sie weiter«, entschied sich Merklin. »Sobald Sie den Eindruck haben, daß sie wegfahren wollen, verständigen Sie uns. Wo steht der BMW? Weit von hier?«
»Keine hundert Meter«, sagte Mandel. »Ich habe ihn zwischen die Bäume gefahren; sehen könnten sie ihn auf keinen Fall.«
»Dann beeilen Sie sich!« sagte Merklin. Mandel rannte wieder davon.
Eichler, dem das viele Geld nicht aus dem Kopf ging, flüsterte: »Eine komische Geschichte. Vielleicht fahren sie auch erst bei

Tagesanbruch los und haben nur schon das Gepäck verladen. Soll ich Rimmele aufwecken? Er schläft wie ein Bär.«
»Dazu hat es immer noch ...« Merklin verstummte. Deutlich drang das Geräusch eines Anlassers an ihre Ohren. Fast gleichzeitig kam Mandel angehetzt, er sagte atemlos: »Die beiden Kerls steigen ein; sie haben sich vor der Haustür von dem Mädchen verabschiedet; ich glaube, der jüngere ist ihr Mann. Folgen wir ihnen?«
Merklin stand unschlüssig auf. »Haben Sie genau gesehen, daß sie ohne Herrn Rectanus wegfahren?«
»Überhaupt kein Zweifel«, antworete Mandel. »Er hätte auf dem Rücksitz genausowenig Platz wie die junge Frau. Wir könnten es folgendermaßen machen, ich folge ihnen mit dem BMW ...«
»Nein«, sagte Merklin, der sich jetzt entschieden hatte. Bisher haben sie nicht mitbekommen, daß sie verfolgt wurden. Vielleicht fahren sie diesmal eine noch größere Strecke. Zu dieser Stunde ist kaum mehr ein Auto unterwegs; es müßte ihnen auffallen, wenn ständig ein Wagen hinter ihnen ist. Wir haben sie alle beide auf dem Film, und Rectanus ist für uns wichtiger als sie. Ich vermute, sie schaffen in seinem Auftrag das Geld weg. Wohin, das werden wir von ihm ...« Er brach ab und lauschte auf ein unmittelbar laut werdendes Motorengeräusch. Augenblicke später sahen sie den VW auf der Straße vorbeifahren. Mandel sagte: »Sie fahren wieder nach Roding; ich wette, sie wollen auf die Autobahn zurück. Verdammt noch mal, was haben die nur vor?«
»Das werden wir alles von Herrn Rectanus ...« Merklin ließ den Satz auch diesmal unausgesprochen, weil im selben Augenblick in der Gaststube sämtliche Lampen erloschen. Kurze Zeit danach wurde eines der oberen Fenster hell. Mandel sagte: »Muß das Zimmer neben Rectanus sein. Wißt ihr, was ich mir jetzt denke?«
»Du brauchst es uns nicht zu erzählen«, sagte Eichler mit einem grimmigen Unterton. »Was mich an dieser Geschichte am meisten ärgert, ist, daß wir uns wegen des alten Ferkels da oben zwei Tage lang verrückt gemacht haben.«
»Wieso verrückt gemacht?« fragte Mandel. Eichler wandte ihm das Gesicht zu. »Es war dir auch nicht egal, ob wir mit unserem Streifen vom Donnerstag vergangener Woche den angeblichen Entführern Schützenhilfe geleistet haben.«
»Und ob mir das egal war!« sagte Mandel durch die Zähne.

»Wenn einer mit Millionen herumschmeißen kann, hat er sein Geld auf dem Rücken anderer verdient. Wegen so eines Burschen mach ich mir nicht in die Hose.« Er betrachtete wieder das beleuchtete Fenster. »Da möchte ich jetzt mit Kamera und Mikrophon Mäuschen spielen können. Alter Drecksack!«
»Nehmen Sie sich zusammen«, sagte Merklin zurechtweisend. »Wir wissen nicht, ob er tatsächlich bei ihr ist. Sein Privatleben interessiert mich auch nicht. Mir geht es hier um viel wichtigere Aspekte, die heute jeden mündigen Bürger in diesem Lande unmittelbar betreffen.«
»Uns doch auch!« sagte Eichler. »Oder weshalb schlagen wir uns wegen solcher Typen die Nächte um die Ohren? Doch nicht zu unserem Spaß!«
»Dann sind wir uns ja einig«, sagte Merklin gemessen.

30

Nach seinem Treffen mit Kiene war Kolb in Begleitung von Dr. Meissner noch einmal zur Bank gefahren und hatte dort auf ein Sonderkonto für die Belegschaft der Rectanus-Werke neununddreißigtausendsiebenhundertvierzig Mark einbezahlt. Die Empfangsbestätigung steckte Dr. Meissner sorgfältig in seine Brieftasche. Vor der Bank trennten sie sich. Während Meissner noch einmal in die Fabrik fahren und die Empfangsbescheinigung dort sicher aufbewahren wollte, machte sich Kolb auf den Weg zu einer am Vormittag telefonisch vereinbarten Aussprache mit Sibylle. Sie trafen sich nicht, wie das sonst selbstverständlich war, in ihrem Haus, sondern außerhalb der Stadt in einem Café, das sie beide von früheren gemeinsamen Besuchen kannten. Weil er sich wegen der unvorhergesehenen nochmaligen Fahrt zur Bank verspätet hatte, wurde er von Sibylle bereits erwartet. Zu seiner Erleichterung stellte er fest, daß sie die einzigen Gäste und völlig ungestört waren. Er küßte Sibylle die Hand und sagte: »Es ging nicht früher. Bitte entschuldige.«
»Ich wußte, daß du mich nicht absichtlich warten läßt«, sagte sie.
In ihrem dunklen Kostüm und mit dem blaßgeschminkten Gesicht unter dem hochgesteckten Haar sah sie für Kolb hinreißend aus wie immer. Er bestellte sich ein Kännchen Kaffee, wartete, bis das Mädchen gegangen war, und sagte dann: »Du wolltest mich sprechen, Sibylle.«

»Ich mußte dich sprechen«, sagte sie. »Was hat es bei dir gegeben?«
»Ella will mich morgen mit den Kindern verlassen und zu ihren Eltern fahren«, sagte er mit müder Stimme. Sibylle lächelte kaum merklich. »Auch damit beweist sie leider nur wieder einmal mehr ihre Kleinbürgerlichkeit. Warum ist sie nicht schon heute zu ihnen gefahren?« Kolb blickte sie hilflos an. Sie griff über den Tisch hinweg flüchtig nach seiner Hand. »Ich habe einen Fehler gemacht, Michael. Ich hätte ihr nichts von uns erzählen dürfen . . .«
»Ich weiß noch immer nicht, warum du es getan hast«, fiel er ihr ins Wort. »Nun gut, sie hatte vielleicht einen Verdacht, nicht mehr und nicht weniger. Daß ich mich auch mit Angelika eingelassen habe, das hat sie erst von dir erfahren. Hast du wirklich im Ernst daran geglaubt, du könntest sie zu etwas bewegen, wie du es gestern abend eingefädelt hast? Ich habe dich bisher für eine überaus kluge Frau gehalten, Sibylle.«
»Und nun bist du in dieser Einschätzung unsicher geworden?« fragte sie. Er wich ihrem Blick aus. »Du hast jedenfalls Ella falsch beurteilt, Sybille. Ich wünsche mir auch keine Ehefrau, die sich für solche Dinge nicht zu schade ist. Mein persönlicher Eindruck, bitte verzeih mir, wenn ich das so offen ausspreche, ist der, daß du, weil deine eigene Ehe so gut wie kaputt ist, auch meine hast kaputtmachen wollen. Wenn dir das eine Genugtuung ist: bitte, du hast es erreicht.«
Sie blickte ihn eine Weile wortlos an, dann holte sie ein Zigarettenetui aus ihrer Handtasche und fragte: »Hast du Feuer?« Er hielt ihr sein Feuerzeug über den Tisch, und als ihre Zigarette brannte, sagte sie in unverändert ruhigem Ton: »Ich gebe zu, ich habe es dir damals leichtgemacht, Michael. Wir wollten es beide, aber wir waren uns über die Konsequenzen anscheinend nicht im klaren. War meine Ehe deshalb kaputter als die deine? Du bist ein merkwürdiger Mensch, Michael. Einerseits bist du bestrebt, nach außen hin den Anschein einer intakten Ehe zu wahren, und auf der anderen Seite läßt du keine Gelegenheit aus, Ella zu betrügen. Du legst an deine eigene Ehe andere Wertmaßstäbe als an die meine. Warum eigentlich?«
Er schwieg betroffen.
Sie sagte: »Wenn in meiner Ehe etwas nicht stimmt, dann fahre ich nicht zu meinen Eltern. Ich würde es auch nicht tun, wenn ich zwei Kinder hätte wie Ella. Ich glaubte, in dir einen Freund

zu haben, auf den ich mich in jeder Situation verlassen kann. Ich habe mir eingeredet, du seist anders als Ferdinand, dem es nicht darum geht, in einer anderen Frau einen Freund zu besitzen, mit dem er sich über seine privaten Probleme aussprechen kann. Er sucht die Nähe von anderen Frauen nur, um sich darüber hinwegzusetzen, daß er schon längst nicht mehr der Mann ist, der er vor zehn Jahren noch war. Seine Potenz ist für ihn nur noch Requisit seiner Selbstbestätigung, ohne die er das Älterwerden anscheinend nicht ertragen kann. Ob er diese Selbstbestätigung bei einer anderen Frau oder auf dem Tennisplatz findet, ist für ihn von untergeordneter Bedeutung. Ich habe mich oft gefragt, Michael, ob du genauso bist wie er und ob unsere Gespräche über Freundschaft und unser gegenseitiges Bemühen, bei dem anderen jenes Verständnis zu finden, das uns in unserer Ehe augenscheinlich versagt geblieben ist, nicht nur vordergründig unsere tatsächlichen Wünsche und Erwartungen verdecken. Ich bin mit dieser Frage nie ganz ins reine gekommen. Vielleicht hat sie sich gar nicht anders beantworten lassen als in einer Situation, wie wir sie am vergangenen Samstag erlebt haben. Ich hatte an diesem Tag eine sehr große Hoffnung auf dich gesetzt, Michael, auch wenn ich das mit keiner Silbe über meine Lippen gebracht habe.«

»Du hast selbst zu mir gesagt . . .«, begann Kolb und verstummte sofort. Sie blickte durch das große Fenster auf die grünen Bäume im Garten und antwortete: »Was ich dir gesagt habe, waren nicht meine Gedanken. Als Ferdinand und Angelika zu uns in die Hütte kamen, da habe ich mir vorgestellt, du würdest mich bei der Hand nehmen und zu deinem Wagen führen. Und auch dann, als du das nicht getan hast und meine Unsicherheit nur dazu nutztest, dir eine private Selbstbestätigung zu verschaffen, da habe ich es noch immer nicht aufgegeben, auf den Menschen zu warten, für den ich dich so lange Zeit gehalten habe. Niemand hat dich an jenem Abend gezwungen, mit Angelika in einem Bett zu schlafen. Niemand hätte dich ernsthaft zurückgehalten, wenn du nach Hause gefahren wärst. Nun frage ich dich, und vielleicht kannst du mir eine Antwort geben, an die ich glauben kann: Warum hast du es nicht getan? Weil du mir den Tag nicht verderben wolltest? Warst du so sicher, daß dies ein besonders schöner Tag für mich gewesen ist? Alles, was ich später getan habe, war nur noch ein Reflex meiner Enttäuschung über dein Verhalten, und ich will es auch nicht zu rechtfertigen versuchen.

Hätte es dir, wenn Ella, woran ich keinen Augenblick lang ernsthaft geglaubt habe, mitgespielt hätte, etwas ausgemacht, in ihrer Gegenwart mit mir oder Angelika zu schlafen?«
Er gab auch diesmal keine Antwort. Sie drückte ihre Zigarette aus und sagte: »Ich wußte, daß Ella so und nicht anders reagieren müßte. Ich hatte nur nicht erwartet, daß ihre Reaktion so heftig ausfallen würde. Es wäre mir lieber gewesen, wir beide, du und ich, hätten selbst aus dieser Situation herausgefunden. Nun hat es Ella für uns getan. Der Unterschied zwischen dir und Ferdinand liegt darin, daß er in keine derartigen Situationen hineinstolpert; er führt sie selbst herbei, und er beherrscht sie. Du läßt dich von ihnen beherrschen und ich, bis zu einem gewissen Punkt, ebenso. Wir sind uns zu ähnlich, um uns gegenseitig helfen zu können. Ich weiß jetzt, daß Ella besser zu dir paßt als ich.«
»Du hast mir keine einzige Chance gelassen, dir zu antworten«, sagte Kolb mit blassem Gesicht. »Ich bin am Samstagabend nicht heimgefahren, weil ich dich nicht allein lassen wollte.«
»Hast du mich nicht allein gelassen?« fragte sie.
Er trank seine Tasse leer. »Wir reden doch nur aneinander vorbei, Sibylle.« Sie nickte. »Vielleicht haben wir nie etwas anderes getan. Angelika hat heute das Haus verlassen. Was Ferdinand tun wird, weiß ich noch nicht. Vielleicht lag in der Art, wie ich ihn zu halten versucht habe, ein Denkfehler. Vielleicht wollte ich großzügiger sein, als es mir in Wahrheit gegeben ist. Vielleicht habe ich das Spiel überreizt. So sagt man doch? Ja?«
Er sagte mühsam: »Ich möchte dir so gerne erklären, Sibylle . . .«
»Versuch es nicht«, sagte sie rasch. »Auch ich kann dir mein eigenes Verhalten nicht so erklären, wie ich das möchte. Möglicherweise liegt das daran, daß wir uns nichts mehr zu sagen haben oder daß das, was wir uns bisher gesagt haben, mit unserem besseren Wissen nicht übereinstimmte. Was wirst du tun, wenn Ella zu ihren Eltern fährt?«
»Ich weiß es noch nicht«, murmelte er. »Ich habe keine Ahnung, was ich tun werde. Ich kann mir nicht vorstellen, ohne die Kinder zu sein.«
»Das dachte ich mir«, sagte Sibylle. »Bezahlst du? Ich muß gehen.«
Er winkte der Bedienung. Als sie wenig später aus dem Café traten, sagte er: »Kann ich dich nach Hause bringen?«

»Ich bin mit dem Wagen hier«, sagte sie. »Es war nett, daß du gekommen bist, Michael. Vielleicht kannst du Ella dazu überreden, bei dir zu bleiben. Es wäre für euch alle besser so. Es gibt, fürchte ich, keine Frau auf der Welt, die fähig ist, dir Ella und die Kinder zu ersetzen. Ruf mich gelegentlich wieder einmal an. Ja?« – Er nickte.
Als sie ihn rasch auf die Wange küßte und zu ihrem Wagen ging, empfand er Schmerz und Erleichterung. Er wartete, bis sie weggefahren war. Ein Blick auf die Uhr zeigte ihm, daß es sich kaum mehr lohnte, noch einmal ins Büro zu gehen. Er hatte jetzt auch Wichtigeres zu tun. Gestern abend hatte Ella ihm keine Gelegenheit mehr gegeben, sich mit ihr auszusprechen. Sie hatte sich sofort nach ihrer Heimkehr im Kinderzimmer eingeschlossen und ihm heute morgen, als er an ihre Tür klopfte, nur geantwortet, daß sie am nächsten Tag mit den Kindern zu ihren Eltern fahren werde. Da diese im selben Stadtteil wohnten, erforderte das keine besonderen Umstände, und insofern war Sibylles Frage, warum sie erst am nächsten Tag zu ihnen fahren wolle, nicht ganz unberechtigt. Kolb schöpfte daraus die Hoffnung, daß vierundzwanzig Stunden lange genug sein könnten, um einen impulsiv gefaßten Entschluß rückgängig zu machen. Daß sie, obwohl er vom Büro aus mehrfach bei ihr angerufen hatte, nicht ans Telefon gegangen war, brauchte nicht unbedingt Übles zu bedeuten; sie konnte, erst einmal herausgefordert, nicht weniger dickköpfig sein als er. Vorsichtshalber hatte er sich jedoch einen Trick einfallen lassen, um sich, ohne seinen Stolz zu demütigen, zu vergewissern, daß Ella das Haus noch nicht verlassen hatte. Zu diesem Zweck war er über die Mittagszeit heimgefahren, hatte den Wagen etwa fünfzig Meter vom Haus entfernt abgestellt und dann den Klingelknopf am Gartentor betätigt. Als über die Sprechanlage Ellas vertraute Stimme an seine Ohren drang, war er, ohne ihr zu antworten, eiligen Schrittes zu seinem Wagen gelaufen und ins Büro zurückgekehrt. Seitdem ging er davon aus, daß Ella durch sein unentschuldigtes Fernbleiben vom Mittagstisch beunruhigt genug sein würde, um für ein vernünftiges Gespräch aufgeschlossener zu sein, als er dies gestern abend und heute morgen hatte voraussetzen können. Es würde auch so noch problematisch genug werden, denn mit welchen Argumenten der Logik hätte er ihr zu erklären vermocht, daß sein Sündenfall vom vergangenen Samstag in Angelikas Armen nicht nur von fleischlichen Gelüsten, sondern auch von der geheimen Erwartung ge-

tragen worden war, sich solcherart von Sibylles Fesseln wenn auch nicht völlig, so doch wenigstens in einer Weise zu lösen, die Verpflichtungen moralischer Natur künftighin bis zu einem gewissen Grade ausschloß. Dieses weniger auf intellektuellen Einsichten als auf gefühlsmäßigen Betrachtungen basierende Kalkül mit überzeugenden Argumenten plausibel zu machen, war selbst für einen Mann von seiner geistigen Potenz eine so komplizierte Aufgabe, daß er, trotz angestrengten Nachdenkens, auf der Fahrt zu Ella keine passenden Worte fand. Denn ihr ganz schlicht zu erklären, daß er nur deshalb mit Angelika geschlafen habe, um seine Bindung an Sibylle zu lockern, würde Ellas Fähigkeit, ihm auf diesem psychologisch schwierigen Weg zu folgen, vermutlich weit überfordern.
Er traf Ella im gemeinsamen Schlafzimmer an, wo sie, mit unübersehbarer Unschlüssigkeit, damit beschäftigt war, verschiedene Kleider aus dem Schrank zu nehmen, sie kritisch zu taxieren und, je nachdem, wie ihre Betrachtung ausfiel, entweder wieder in den Schrank zu hängen oder neben einen Koffer zu legen, der, erst halb gefüllt, auf dem Bett ihrer weiteren Entscheidungen harrte. Sie ließ sich auch durch Kolbs Eintreffen nicht stören, streifte ihn nur mit einem flüchtigen Blick, wenn auch nicht zu flüchtig, damit er ihre rotgeweinten Augen wahrnehmen konnte, und wandte sich dann wieder dem Kleiderschrank zu. Kolb, den die unnatürliche Stille im Haus bereits an der Tür beklommen gemacht hatte, fragte mit leiser Stimme: »Wo sind die Kinder?«
»Ich habe sie zu meinen Eltern gebracht«, antwortete Ella, ohne ihn anzusehen. Kolb mußte sich neben den Koffer auf das Bett setzen und starrte sie eine Weile wortlos an. Während dieser Zeit verwandelte sich seine bisherige innere Ratlosigkeit in ein jähes Aufflackern nur noch mühsam beherrschten Zorns. Mit einer Entschlossenheit, wie er sie sonst nur bei wichtigen beruflichen Entscheidungen erkennen ließ, stieß er den halbgefüllten Koffer vom Bett auf den Fußboden und sagte: »In ihre kleinbürgerliche Vierzimmerwohnung! Wo die Kinder nicht einmal ein eigenes Schlafzimmer haben! Wo sie drei Treppen hinaufsteigen und zum Spielen entweder auf einen dunklen Hinterhof oder auf eine Straße gehen müssen, auf der sie jeden Augenblick unter ein Auto kommen können! Dorthin hast du deine Kinder gebracht? Hast du jemals in deiner Ehe darüber nachgedacht, welchem glücklichen Umstand es deine Kinder zuzuschreiben haben, in einem Haus wie dem unseren wohnen zu dürfen, einen eigenen

großen Garten zum Spielen und einen Vater zu haben, der ihnen jeden Wunsch von den Augen abliest? Hast du in deiner Verklemmtheit jemals an all das gedacht? Wer hat dich denn aus diesem kleinbürgerlichen Mief herausgeholt? Waren es deine Eltern, oder war ich es? Und wenn ich es war, wieso hast du dann die Stirn, nur weil ich einmal einer Versuchung nicht habe widerstehen können, deine Kinder, die ebenso meine Kinder sind, ohne mein Einverständnis aus unserem gemeinsamen Haus zu vertreiben? Würdest du mir dafür bitte eine Erklärung geben?«
Sie wandte sich langsam nach ihm um. »Du hast noch den Mut, in einem solchen Ton mit mir zu reden?« fragte sie fassungslos. »Du Betrüger, du Ehebrecher! Du Saukerl, du elender! Meine Kinder brauchen keinen Garten zum Spielen, und sie brauchen auch keine Achtzimmerwohnung. Was meine Kinder brauchen, ist eine anständige Umgebung, ein Zuhause ohne einen Vater, der mit anderen Weibern unaussprechliche Orgien feiert. Würde ich meinen Kindern, wenn sie einmal größer sind, jemals noch in die Augen sehen können, wenn ich es zuließe, daß sie bei einem Vater aufwachsen, der jedes Schamgefühl verloren hat? Ich werde schon eine passende Umgebung für sie finden, und du wirst mir dafür aufkommen, das schwöre ich dir, und wenn ich mir drei oder vier Rechtsanwälte nehmen . . .« Er unterbrach sie zornrot: »Von deinem Haushaltsgeld? Oder von den lumpigen fünfzehnhundert Mark, die deine Eltern auf der Sparkasse haben? Damit willst du dir drei Anwälte leisten?«
»Und wenn ich dafür putzen gehen und mir die Hände wundscheuern müßte!« sagte sie genauso laut wie er. »Du wirst mir nicht mehr länger vorschreiben, was ich zu tun und zu lassen habe, du Hurenbock!«
»Huren . . .« Kolb verschlug es die Sprache. Dann stand er auf, ging zu ihr hin und versetzte ihr eine so heftige Ohrfeige, daß sie zuerst gegen den Schrank und dann zu Boden taumelte. Er zerrte sie sofort wieder auf die Beine und schrie: »Du wirst dir auch in Zukunft von mir vorschreiben lassen müssen, was du tun und was du lassen wirst. Und du wirst dich augenblicklich in dein Auto setzen, das ich dir von meinem Geld gekauft habe, und du wirst zu deinen Eltern fahren und unsere Kinder zurückholen, die ich dir hier in diesem Bett und nicht in der vermieften Wohnung deiner Eltern gemacht habe, und wenn du es nicht tust, dann werde ich sie selbst zurückholen, und kein Mensch wird mich daran hindern. Hast du mich verstanden!«

»Du Unhold!« flüsterte sie und griff jetzt erst nach ihrer getroffenen Wange. Dann fing sie plötzlich an zu weinen. Sie sank, als er, über ihre Reaktion erschrocken, ihren Arm losließ, wimmernd zu Boden, vergrub das Gesicht in den Händen und schluchzte laut vor sich hin. Kolb, der sie noch nie hatte weinen hören und schon gar nicht lauthals, blickte bestürzt auf sie hinab. Dann fiel ihm ein, daß die Schlafzimmerfenster offenstanden und daß ihr lautes Weinen in der Nachbarschaft gehört werden könnte. Er lief rasch hin, schloß sie und sagte erregt: »Hör um Gottes willen mit dieser Heulerei auf! Ich habe zur Zeit wirklich ganz andere Probleme, als mir deine verdammte Heulerei anzuhören.«
Aber anscheinend war sie solchen Argumenten nicht zugänglich, und als er merkte, daß er sie auf diese Weise nicht zum Schweigen bringen konnte, kniete er sich hastig neben sie auf den Boden, nahm, obwohl sie sich aus Leibeskräften dagegen sträubte, ihr Gesicht in die Hände und ließ sich bei dem Versuch, sie zu küssen, von ihr die Lippen blutig beißen. Sie tat ihm schließlich so weh, daß er vollends die Beherrschung verlor, sie mit den Schultern auf den Teppich drückte und ihr dann, in einem jähen Einfall, Kleid und Wäsche vom Leibe riß. Er ruhte nicht eher, als bis sie nackt war, und als sie sich dessen bewußt wurde, hörte sie auf zu weinen und zu beißen und zu schreien und starrte ihn entsetzt und wie in Todesfurcht an. Er hob sie vom Boden, schleppte sie in das Wohnzimmer und warf sie auf die Couch. In fieberhafter Eile kehrte er zum Schlafzimmer zurück, schloß es ab und steckte den Schlüssel in die Tasche. Dann rannte er durch das ganze Haus, und überall, wo er ein Kleidungsstück von ihr erwischte, riß er es an sich, klemmte es sich unter den Arm, und als er alle Kleidungsstücke einschließlich Küchenschürzen und Gartenhosen erwischt und sich unter den Arm geklemmt hatte, trug er sie zum Schlafzimmer, schloß die Tür auf, warf die Kleidungsstücke hinein, schloß die Tür wieder ab und kehrte zu Ella zurück. Sie lag noch immer auf der Couch und starrte ihn, das Gesicht bis zu den Augen mit den Händen bedeckt, über die rotlackierten Fingernägel hinweg furchterfüllt an. »Jetzt kannst du zu deinen Eltern gehen«, keuchte er. »Geh doch, ich hindere dich nicht daran.«
»Du Tier«, murmelte sie. »Du Untier!«
»Bin ich das?« fragte er empört. »Hattest du je Ursache, dich von mir wie von einem Tier behandelt zu fühlen? War ich nicht im-

mer ein rücksichtsvoller und einfühlsamer Ehemann! Wann habe ich mich jemals dir gegenüber wie ein Tier benommen?«
»Du hast mich geschlagen«, sagte sie. »Das werde ich dir nie vergessen, du Tier. Mein Gott, wo hatte ich nur meine Augen, als ich dich heiratete. Ich muß blind gewesen sein.«
»Du warst überhaupt nicht blind!« sagte Kolb. »Du hast genau gewußt, wie man einen verheirateten Mann bearbeiten muß, damit er sich darüber hinwegsetzt, daß er verheiratet ist. Oder hast du das schon vergessen?«
Sie nahm die Hände vom Gesicht und sagte in kläglichem Ton: »Das wagst du mir zu sagen?«
»Ich wage noch viel mehr«, sagte Kolb, den der Anblick ihres Körpers jetzt an all die vielen schönen Stunden erinnerte, die er vor und in seiner Ehe mit ihr erlebt hatte. Er näherte sich ihr mit funkelnden Augen und sagte: »Ich wage noch viel mehr, wenn es sein muß!« Sie nahm rasch die Knie an die Brust, verkroch sich gegen die Lehne und sagte: »Wage ja nicht, mich noch einmal anzurühren, du Tier.«
Er blieb unschlüssig stehen, dann ging er, um sich abzukühlen, in die Schwimmhalle. Er ließ die Kleider fallen, stürzte sich kopfüber ins Wasser und schwamm ohne Pause neun Bahnen. Die zehnte schaffte er nicht mehr. Er kletterte aus dem Wasser, kehrte zu Ella zurück und sagte, noch bevor er im Zimmer war, mit lauter Stimme: »Du wirst mir in meinem eigenen Haus nicht vorschreiben, was ich wagen darf und was . . .« Er sprach, weil er inzwischen die Tür erreicht hatte, nicht weiter. Ella lag bäuchlings auf der Couch, hatte das Gesicht auf die Arme gelegt, und er sah, daß ihre Schultern von unterdrücktem Weinen zuckten. Ein paar Sekunden lang blieb er mit sich kämpfend in der Tür stehen, dann ging er zu ihr hin, vergrub die Hand zwischen ihren rosigen Bäckchen und küßte in stummer Besessenheit ihren zuckenden Rücken. Später küßte er auch ihren Nacken, griff in ihr Haar und zog ihr das Gesicht von den Armen. Er preßte seine wundgebissenen Lippen auf ihren Mund, schmeckte ihre salzigen Tränen und sagte stammelnd: »Ich werde dich nie wieder betrügen, Ella. Nie wieder, ich schwöre es dir. Ich kann ohne dich und die Kinder nicht leben. Willst du, daß ich mich umbringe?«
»Warum hast du es nur getan«, murmelte sie mit geschlossenen Augen. »Ich habe mir doch immer solche Mühe gegeben, Michael.«

»Ich weiß«, stammelte er. »Ich war ein Idiot, Ella. Bitte verzeih mir. Bitte.«
Sie öffnete die Augen und sagte leise: »Du hast es geschworen.«
»Ich schwöre es bei allem, was mir heilig ist«, stammelte er und preßte das Gesicht gegen ihre Brust und etwas später, als er schon vor ihr auf den Knien lag, auch gegen ihren Schoß. Dann zog er sie mit einer raschen Bewegung zu sich auf den Boden, legte sich auf sie und stammelte: »Sibylle!«
»Was sagst du da?« fragte sie scharf.
»Nichts«, murmelte er. »Diese verfluchte Sibylle! Ich werde sie nie mehr sehen, Kleines. Bei allem, was mir heilig ist.«
»Und Angelika?« fragte sie, während sie ihm hinhaltend den Zugang verwehrte. Er murmelte: »Auch die Scheißangelika nicht, mein Kleines, Komm! Ich halte es nicht mehr aus.«
»Wir hätten doch auch ins Schlafzimmer gehen können«, flüsterte sie und gab ihm nach. Während er ihr Gesicht küßte und sie so heiß liebte wie lange nicht mehr, dachte er einmal an Angelika und einmal an Sibylle, und als er dann auf ihr zusammensank, weinte er. Sie fragte erschreckt: »Warum weinst du, Schatz?«
»Vor Glück«, sagte Kolb und schloß erschöpft die Augen. Sie streichelte sein Gesicht und flüsterte: »Es könnte doch so schön mit uns beiden sein, Michael. Ich habe dir doch nichts getan. Ich war dir auch immer treu.«
Er zweifelte nicht daran.
Aber die Treue einer Ehefrau mit zwei Kindern erforderte vielleicht weniger Selbstüberwindung als die eines Mannes in einer Schlüsselposition der deutschen Wirtschaft. Er wischte sich die Tränen aus den Augen und sagte: »Ich weiß es, Kleines. Es war mir auch immer schrecklich, dich zu betrügen. Laß uns nie wieder davon reden.«
»Von Sibylle . . .«, sagte sie. Er legte ihr schnell die Hand auf den Mund. »Bitte, sprich in meiner Gegenwart ihren Namen nicht mehr aus. Wir wollen ihn vergessen.«
»Dann ist alles gut«, sagte sie und küßte ihn heftig. »Du hast wirklich geweint«, sagte sie verwundert. »Habe ich dich so glücklich machen können?«
»Über alle Maßen«, sagte Kolb und richtete den Oberkörper auf. »Was hast du deinen Eltern erzählt? Daß du mit den Kindern zu ihnen kommen willst?«
Sie wischte ihm lächelnd das verschwitzte Haar aus der Stirn.

»Natürlich nicht, Michael. Ich war mir auch noch gar nicht ganz sicher, ob ich zu ihnen gehen würde. Ich habe ihnen nur gesagt, daß ich etwas zu erledigen hätte und sie deshalb so lange bei ihnen abgeben möchte.«
»Gott sei Dank«, sagte er erleichtert. »Wie ich sie kenne, hätten sie mir eine Szene nach der anderen gemacht. Am besten ist es, du fährst jetzt gleich zu ihnen.«
»Kommst du nicht mit?« fragte sie enttäuscht. Er schüttelte den Kopf. »Heute nicht, Kleines. Ich möchte außer dir und den Kindern für den Rest des Tages niemanden mehr sehen.«
»Dann laden wir sie eben für Sonntag zum Kaffee ein«, entschied Ella und stand auf. Kolb seufzte tief.
Später kam sie noch einmal zu ihm ins Badezimmer, schlang hinter ihm stehend die Arme um seinen Bauch, küßte ihn auf den Rücken und sagte: »Es war alles wie ein böser Traum, Michael. Ich bin froh, daß es vorüber ist. Ich bin bald wieder zurück.«
»Du kannst dir ruhig Zeit lassen, Kleines«, sagte Kolb und kämmte sich das schüttere Haar aus der Stirn.
Kaum hatte Ella das Haus verlassen, rief Weckerle bei ihm an; er fragte: »Warum bist du nicht bei Sibylle?«
»Warum sollte ich dort sein?« fragte Kolb zurück. Er hatte Weckerle den ganzen Tag im Büro nicht antreffen können. »Wo steckst du denn im Augenblick?« erkundigte er sich.
»Im *Arosa*«, antwortete Weckerle. »Ich habe Angelika hier untergebracht, wenigstens vorläufig, bis wir eine Wohnung für sie haben. Sibylle muß vollkommen den Verstand verloren haben. Weißt du, was sie getan hat?«
»Nein«, sagte Kolb wahrheitswidrig. »Was denn?«
Weckerle lachte fassungslos auf. »Sie hat Angelika heute vormittag, während ich in Augsburg zu tun hatte, einfach auf die Straße gesetzt. Ich weiß gar nicht, was plötzlich in die Frau gefahren ist; sie war doch sonst immer so tolerant.«
»Frauen sind eben unberechenbar«, meinte Kolb.
»Das ist vielleicht ein Mist!« sagte Weckerle. »Jetzt habe ich Angelika allein am Halse hängen.« Kolb sagte verwundert: »Das hattest du sie bisher doch auch?«
»Das schon«, sagte Weckerle. »Aber da hatte sie noch ihre Stellung und wohnte bei ihren Eltern. Ich kann schließlich nicht die ganze Nacht hierbleiben; sie sitzt gerade in der Badewanne. Irgendwann muß ich mich auch wieder bei Sibylle sehen lassen. Wäre es dir heute abend nicht möglich . . .«

Kolb unterbrach ihn hastig: »Ausgeschlossen! Du glaubst nicht, was ich hier mit Ella alles durchgemacht habe. So habe ich sie noch nie erlebt. Ich mußte meine ganze Überredungskunst aufwenden, sie davon zurückzuhalten, mit den Kindern zu ihren Eltern zu gehen. Wenn ich heute abend auch nur einen Fuß vor die Haustür setze, ist hier der Teufel los. Tut mir leid, Ferdinand; Angelika ist dein Problem und nicht meins. Ich meine, ich finde sie ganz nett, aber deshalb möchte ich mir doch nicht gleich meine Ehe kaputtmachen!«
»Ich doch auch nicht!« sagte Weckerle. »In den letzten Tagen hat das so wunderbar funktioniert. Jetzt auf einmal dreht hier alles durch. Ich kann Angelika auch nicht plötzlich sich selbst überlassen. Was würde das denn für einen Eindruck machen!«
Kolb nickte mitfühlend. »Eine dumme Geschichte, Ferdinand, aber ich kann dir beim besten Willen nicht helfen. Bei ledigen Frauen ist eben immer ein gewisses Risiko dabei.«
»Du hast da leicht reden«, brummte Weckerle.
»Nein, so habe ich das nicht gemeint«, sagte Kolb hastig. »Außerdem, das mit Sibylle und mir, Ferdinand, ich meine, irgendwie geht das so auch nicht ewig weiter. Wir haben uns heute nachmittag ausgesprochen. Nicht daheim bei ihr; in einem Café. Ich fürchte, da läuft nichts mehr.«
»Wirklich?« fragte Weckerle, und seine Stimme klang unangenehm überrascht. Kolb zündete sich eine Zigarette an. »Tut mir auch leid, Ferdinand, aber Ella steht das nicht länger durch. Solange sie davon nichts wußte, ging es ja noch, aber so . . . Du mußt das einsehen.«
Weckerle seufzte. »Dann stehen die Dinge ja noch viel schlechter, als ich dachte. Klar, daß ich, als es zwischen dir und Sibylle noch klappte, mehr Spielraum hatte als jetzt. Du hast keine Idee, was wir tun könnten?«
»Leider nicht. Tut mir ehrlich leid, alter Freund.«
»Beschissener Laden«, sagte Weckerle und blieb ein paar Sekunden lang still. Dann sagte er: »Mal sehen, wie ich das drehe, Michael. Wenn das klappt, was ich im Augenblick abspule, wird sich ohnehin einiges ändern. Bitte, rede vorläufig zu keinem darüber. Ich habe mich heute in Augsburg bei einem großen Laden vorstellen müssen; kann sein, daß das hinhaut.«
»Du hast dich dort beworben?« fragte Kolb schockiert. Weckerle lachte leise. »Ich warte doch nicht, bis mir der Alte einen Fußtritt gibt. Vor Oktober würde das sowieso nicht akut werden, und

wenn, dann wäre es nicht ungünstig für mich. Ich säße dort noch eine Etage höher als bei Rectanus.«

»Doch nicht im Vor . . .« Kolb war so bestürzt, daß er den Satz nicht zu Ende sprechen konnte.

»Als Controller«, sagte Weckerle. »Die wollen dort alles neu durchrationalisieren und suchen dafür einen Mann mit großer Erfahrung. Wenn alles so spurt, wie ich mir das denke, gebe ich das Haus hier auf. Dort wäre es auch kein Problem, Angelika unterzubringen. Natürlich nicht als meine Sekretärin; ich muß sie mir, bis ich mit Sibylle alles besprochen habe, für eine Weile auf Distanz halten. Bis vor fünf Minuten war ich mir noch nicht sicher, ob ich anbeißen soll oder nicht, aber jetzt, wo hier sowieso alles querläuft . . . Du kannst heute abend wirklich nicht? Ich meine, es hätte schon genügt, wenn du wenigstens für ein Stündchen . . .«

»Ausgeschlossen, Ferdinand«, sagte Kolb, der noch immer tief schockiert war. »Für mich steht jetzt einfach zu viel auf dem Spiel.«

»Für mich eben auch«, sagte Weckerle. »Dann mach's gut, alter Junge. Am Montag sehen wir uns ja im Büro wieder. Vielleicht steht morgen für Angelika eine passende Wohnung in der Zeitung. Du willst dich also, wenn ich das richtig verstanden habe, nicht mehr mit Sibylle treffen?«

Kolb zögerte. Dann fiel ihm ein, daß, wenn Weckerle im Herbst nach Augsburg umsiedeln würde, neben den bereits vorhandenen auch noch geographische Probleme hinzukämen; er antwortete leise: »Es fällt mir nicht leicht, Ferdinand.«

»Mir auch nicht«, sagte Weckerle und beendete das Gespräch. Kolb setzte sich auf den nächsten Stuhl und zog, während ihm die Augen wieder naß wurden, hilflos an seiner Zigarette.

31

Wie alle Gäste einschließlich Hans Maier, dem Fahrer des Chefs, hatte Kiene am Sonntagabend, als der *Wiedner Hof* seine Pforten geschlossen hatte, in einen anderen Gasthof umziehen müssen. Dieser unterschied sich vom *Wiedner Hof* vor allem dadurch, daß er, mitten im Ort gelegen, nicht nur äußerlich unscheinbar, sondern auch, gemessen an dem Komfort, den der *Wiedner Hof* seinen Gästen zu bieten hatte, eher für solche Touristen geeignet war, die sich bei der Wahl einer Unterkunft weniger von verwöhnten Ansprüchen als von ökonomischen Gesichtspunkten leiten ließen. Die kleinen, rustikal eingerichteten Zimmer waren nur mit einem einfachen Waschbecken ausgestattet, und obwohl es in den Nächten noch immer empfindlich abkühlte, waren sie nicht einmal geheizt. Kienes Beschwerde stieß bei Herrn Heuberl, dem Inhaber des Gasthofes *Zum Sternen*, auf taube Ohren. Dieser derb gestiefelte Mann in der ländlichen Kleidung urwüchsiger Gastronomen, die nur noch in dieser Landschaft mitunter anzutreffen sind, besaß nicht die gepflegten Manieren eines Hoteliers vom Schlage des Herrn Rombach. Das galt auch für seine Ehefrau Sofia, die Kiene nie anders als in einem unscheinbaren Wollkleid gesehen hatte, über dem sie eine immer schmuddelig wirkende Schürze trug. Solche offensichtlichen Nachlässigkeiten konnten auch durch die einfachen Ansprüchen immerhin genügende Küche des Hauses nicht ausgeglichen werden. Unzumutbar für Kiene waren vor allem, neben den mangelhaften hygienischen Einrichtungen, die altertümlichen Holzbetten, die nicht nur sehr schmal, sondern auch so unglücklich konstruiert waren, daß Kiene, wenn er sich im Schlaf von der einen auf die andere Seite wälzte, oft von ihrem Knarren erwachte. Nur dem Umstand, daß er täglich auf eine Rückkehr Ursulas hoffte, war es zuzuschreiben, daß er sich nicht in einem der benachbarten Kurorte ein besseres Hotelzimmer gesucht hatte, sondern es immerhin schon drei Nächte und zwei Tage lang ertragen hatte, ohne Bad oder Dusche und mit einem WC auskommen zu müsen, das, am Ende eines dunklen Flurs, nur über eine Treppe zu erreichen war, deren hölzerne Stufen ähnliche Geräusche von sich gaben wie die Betten. Erst das freundliche Angebot von Professor Eschenburger, für die Dauer der Verhandlungen mit den Entführern das Zimmer des Chefs in der Klinik zu benutzen, erlaubte es Kiene, den Widrigkeiten des Gasthofs *Zum Sternen* fürs erste zu entrinnen. Nach der Übergabe des Lösegeldes an die Entführer gab es jedoch für Kiene keinen unmittelbaren Anlaß mehr, noch länger von der gastfreundlichen Aufnahme durch Professor Eschenburger Gebrauch zu machen. Bereits vor der Heimfahrt unterrichtete er von einer Autobahnraststätte aus Hauptkommissar Weihrauch über den Verlauf der Geldübergabe und erhielt den knappen Bescheid, daß dieser am nächsten Morgen von einem seiner Beamten die Skizze der Entführer abholen lassen und nach der Freilassung von Herrn Rectanus um-

gehend die vorbereitete Großfahndung in die Wege leiten werde.
Weil Ursula und Kiene auf der Rückfahrt dann noch zu vorgeschrittener Stunde Annemarie bei ihrer Mutter abholen und anschließend zwei weitere Stunden im Auto verbringen mußten, war es bereits weit nach Mitternacht, als sie schließlich die Klinik erreichten. Dort erklärte sich die Nachtschwester mit Rücksicht darauf, daß Ursula zu dieser späten Stunde kein Zimmer mehr finden würde, mit Kienes Vorschlag einverstanden, ihm und Ursula bis zum nächsten Morgen noch einmal das Zimmer des Chefs zur Verfügung zu stellen, zumal sie dort auch ihr ganzes Gepäck stehen hatten. Annemarie, die, bevor sie sich in ihr eigenes Zimmer zurückzog, auf einen Sprung mit ihnen kam, sagte zu Ursula: Vielleicht ist dein Vater morgen früh, wenn du aufwachst, schon hier. Wenn du willst, kannst du auch bei mir schlafen.«
»Das würde sicher besser aussehen«, sagte Ursula zu Kiene. »Als Schwester Ingeborg uns gestern morgen das Frühstück gebracht hat, war es mir doch unangenehm, als sie mich in deinem Bett liegen sah.«
»Es war das Bett deines Vaters«, erinnerte er sie. »Aber wenn du lieber bei Annemarie schlafen willst, ich habe nichts dagegen.«
»Ich bin ohnehin todmüde«, sagte Ursula und küßte ihn. »Vielen Dank für alles, Manfred!« Sie verließ mit Annemarie das Zimmer.
Kiene, der sich nach der langen Fahrt und nach dem reibungslosen Ablauf der Geldübergabe eher aufgedreht als müde fühlte, ging in das Badezimmer, ließ Wasser einlaufen und blieb über eine halbe Stunde lang in der Wanne liegen. Dann putzte er sich die Zähne, setzte sich in einen Sessel und rauchte noch eine Zigarette; er hatte das Gefühl, alles getan zu haben, was ein Mann in seiner Situation hatte tun können. Später löschte er das Licht, legte sich ins Bett und ärgerte sich über Annemaries geschickten Schachzug. Falls es ihr nur darum gegangen war, eine unbequeme Nebenbuhlerin wenigstens für eine Nacht auszuschalten, konnte sie mit dem Ergebnis zufrieden sein. Ein paarmal war es ihm, als hörte er von nebenan ihre Stimmen; er war sich seiner Sache jedoch nicht sicher und schlief irgendwann ein.
Als Annemarie ihn weckte, war es kurz nach vier. Sie lag neben ihm und verschloß ihm, noch ehe er richtig wach war, mit einem Kuß den Mund. »Sie schläft fest«, flüsterte sie. »Sei leise. Hast

du gewußt, daß ich noch kommen werde? Die Tür war nicht abgeschlossen.«
»Ich hatte auch nichts zu verbergen wie du, wenn du nachts deinen uralten Liebhaber empfangen hast«, antwortete Kiene schlaftrunken. Dann wurde er hellwach und besorgt: »Bist du sicher, daß sie schläft?«
Annemarie kicherte. »Du stehst schon unter ihrem Pantoffel, bevor du überhaupt mit ihr verheiratet bist. Du kannst beruhigt sein; für heute nacht habe ich sie dir vom Halse geschafft.« Er runzelte die Stirn. »Wieso bist du ohne Pyjama hier? Wenn dich die Schwester gesehen hätte!«
»Die schläft jetzt bestimmt schon mit dem Oberarzt«, sagte Annemarie und fummelte an seiner Pyjamajacke. Er hielt ihre Hand fest. »Was hast du eben damit gemeint, als du sagtest, du hättest sie mir für heute nacht vom Halse geschafft? Weil du sie eingeladen hast, bei dir zu schlafen?«
»Nicht nur«, sagte sie. »Sie erzählte mir, daß sie wieder Kopfschmerzen habe. Ich habe ihr dann statt Kopfweh- zwei Schlaftabletten gegeben.« Kiene vergaß, ihre Hand festzuhalten. Sie knöpfte seine Pyjamajacke auf, küßte ihn auf die Brust und sagte: »Ist sonst nicht meine Art. Wenn du meine Meinung hören willst: sie ist wie ausgehungert nach Zärtlichkeit. Muß viel allein gewesen sein. Sie hat mich ein wenig an ihren Vater erinnert.«
»In welchem Zusammenhang?« fragte Kiene zurückhaltend. Sie biß ihm leicht in die Lippen. »Geht dich nichts an. Es schadet nichts, wenn ich sie künftig auf meiner Seite habe.« Kiene setzte sich aufrecht hin, schaltete die Nachttischlampe ein und griff nach seinen Zigaretten. »Warum erzählst du mir das?«
»Ich dachte, es würde dich vielleicht interessieren«, sagte sie und blickte neugierig in sein Gesicht. »Willst du sie jetzt noch immer heiraten? Könnte sein, daß du es dann, wenn ich es mir einfallen ließe, auch mit mir zu tun haben wirst.«
»Mit dir habe ich es schon seit fast zwei Wochen zu tun«, sagte Kiene, und er war sich nicht sicher, ob er schockiert oder nur verwundert sein sollte. Sie griff lächelnd zu ihm hinüber und sagte: »Gehört hast du es jedenfalls gern. Oder wovon kommt das sonst?«
»Passiert mir immer, wenn ich eine Frau im Bett habe«, sagte Kiene. »Du hast uns nicht erzählt, wie es bei deiner Mutter war.« Sie drehte sich auf den Bauch, legte ihm die Arme auf die Knie und sagte: »Wie ich es mir gedacht habe. Sie bekam Zustände und

wollte wissen, wer der Mann ist. Ich habe ihr von dir erzählt. Natürlich ohne deinen Namen zu nennen. Warum hast du mir deine Eltern verheimlicht? Hattest du Angst, du würdest mich, wenn ich weiß, aus was für einem feinen Stall du kommst, nicht mehr loswerden?«
»Vielleicht«, sagte er und beobachtete, wie sie ihn mit einer spielerischen Bewegung ihrer schmalen Hand entblößte. Sie küßte ihn und sagte: »Wenn ich mir einen Mann in den Kopf gesetzt habe, frage ich nicht danach, wer seine Eltern sind. Was passiert jetzt eigentlich mit dem vielen Geld? Wirst du es dort wieder abholen?«
»Warum interessierst du dich dafür?« fragte er. Sie antwortete: »Wenn ich es in die Finger bekäme, würde er es nicht mehr zurückbekommen. Hast du schon daran gedacht, daß er gar nichts dagegen tun könnte?«
Kiene hatte schon ein paarmal daran gedacht, aber das Thema war indiskutabel für ihn. Er sagte: »Ich habe noch keinen, der mir vertraut hat, aufs Kreuz gelegt.«
»Ich auch nicht«, sagte sie. »Aber für zwei Millionen würde ich es mir vielleicht anders überlegen. Warum bist du so abweisend? Wegen Ursula? Ich hatte es vorher nicht im Sinn. Ich wußte auch nicht, daß bei ihr die Sicherungen so rasch durchbrennen.«
»Du wußtest es sehr wohl«, sagte Kiene. »Du hast dich schon gestern nachmittag im Auto auf sie eingeschossen. Hast du das im Krankenhaus gelernt?«
»Nicht beruflich«, sagte sie. »Ihr Typ ist mir schon mal begegnet. Sie ist noch unfertig und weiß nicht, in welche Richtung sie schwimmen soll. Vielleicht weiß sie es jetzt.«
Kiene blickte ein paar Sekunden lang stumm in ihr heiteres Gesicht, dann sagte er: »Ich habe dich nur anfangs unterschätzt.«
»Ich weiß«, sagte sie und küßte ihn wieder. Er griff, nachdem er seine Zigarette ausgedrückt hatte, unter ihre Arme, zog sie auf seinen Schoß und bedeckte ihr Gesicht mit Küssen. »Magst du mich noch?« fragte sie. Er murmelte: »Ich wüßte sonst nicht, weshalb ich mich mit dir überhaupt abgebe.«
»Dann gib dich endlich richtig mit mir ab«, sagte sie. »Diese kleine naive Gans hat mich nur stimuliert.«
»Da müßte ich ihr ja fast noch dankbar dafür sein«, sagte Kiene.
Als sie einige Zeit später ins Bad verschwand, dachte er mit geschlossenen Augen über sein Leben nach. Er hatte aber keine Vorstellung davon, wie er ihm einen neuen Sinn geben könnte.

Auch Annemarie hatte keine Vorstellung davon, denn als sie zurückkam und er sie wieder fragte, ob sie ihn heiraten wolle, setzte sie sich neben ihn, blickte lange in sein Gesicht und antwortete dann: »Heute noch weniger als vorgestern, Manfred. Seit Ursula mir von dir erzählt hat, weiß ich, daß du noch mindestens zehn Jahre damit warten mußt, und so viel Zeit habe ich nicht mehr. Ursula wäre auch nichts für dich. Gib es auf, dich an den Gedanken gewöhnen zu wollen, daß sie vielleicht die richtige Frau für dich sein könnte. Sie ist es nicht. Sie braucht einen Mann, der sie nicht allein läßt. Du wirst es in den nächsten zehn Jahren bestimmt noch nicht lernen, ihr ein Gefühl von Geborgenheit zu geben. Ich bin Männern, wie du einer bist, vorher nie begegnet. Dich würde ich nur heiraten, wenn du mir so viel Geld geben könntest, daß ich notfalls neben dir auch mein eigenes Leben zu leben in der Lage wäre.«
»Vielleicht habe ich eines Tages genügend Geld«, sagte er. Sie berührte mit den Lippen seine Stirn. »Ursula sagte mir, daß dein Vater erst sechzig ist. Da kannst du vielleicht noch lange warten, bis auch für dich etwas abfällt. Würde ich dich auch noch interessieren, wenn ich erst einmal vierzig bin?«
»Was weiß ich nicht«, sagte er. Sie nickte. »Und was weißt du wirklich?«
»Ich habe mir meine Mentalität nicht herausgesucht«, sagte er. Sie lächelte. »Sagte der Sonntagsjäger, als er das Rehlein schoß. Ich kann Sonntagsjäger, die nur zu ihrem Vergnügen auf die Jagd gehen, nicht leiden. Du wirst das noch so lange treiben, bis dich eine, in die du dich echt verknallst, sitzenläßt, weil sie einem Jüngeren begegnet, der es dann viel besser kann als du. Ursula erzählte mir vorhin, du gehörtest zu den Männern, die sich darin gefallen, sich selbst zu bewundern und selbst zu bemitleiden.«
»Sie ist eine dumme Gans«, sagte er mit rotem Kopf.
»Das ist sie höchstens im Bett«, sagte Annemarie. »In Wirklichkeit ist sie viel intelligenter als ich. Sie hatte dich schon durchschaut, als ich mir über deine Person noch die absurdesten Dinge eingeredet habe. Schon deshalb würde sie nicht zu dir passen. Du bist ihr erster Mann. Eines Tages wirst du es nicht mehr sein, und sie wird dich im selben Augenblick vergessen. Im Moment redet sie sich noch ein, dich zu lieben. In Wirklichkeit weiß sie vorläufig gar nicht, was das ist. Sie verwechselt das noch mit Orgasmus.«
»Dann wird sie jetzt vielleicht *dich* lieben«, sagte Kiene.

»Soweit sind wir noch nicht«, sagte Annemarie. »Ich habe mir noch nie etwas aus Frauen gemacht, schon gar nicht, wenn sie so infantil sind wie Ursula. Ich werde sie mir aber, wenn ich keinen anderen Weg mehr sehe, um meine Ansprüche gegenüber ihrem Vater durchzusetzen, auch noch gefügiger machen. Als ich dich noch nicht so gut kannte wie jetzt, dachte ich zuerst, du könntest mir helfen, zu meinem Geld zu kommen. Seit mir meine Mutter gestern abend erklärt hat, daß sie mich nicht mehr sehen will, ist mir jedes Mittel recht.«

Kiene sagte betroffen: »Davon hast du bisher nichts erzählt.

»Mir war nicht danach zumute«, sagte Annemarie. »Ich hänge sehr an meiner Mutter; mehr, als ich dir sagen kann. Sie hat mit meinem Vater viel durchmachen müssen. Ich wollte nicht, daß sie meinetwegen ähnlichen Kummer hat. Bis vor zehn Tagen habe ich ihr kein einziges Mal widersprochen. Ich habe fünfundzwanzig Jahre lang immer nur das getan, was sie für richtig hielt. Ihretwegen habe ich auch diesen Job im Krankenhaus angenommen. Gestern habe ich ihr nun gesagt, daß ich mein Leben künftig in die eigene Hand nehmen und nicht so dumm sein werde wie sie, einen Mann zu heiraten, der mich später mittellos sitzenläßt. Ich kann jetzt nicht mehr umkehren, Manfred. Selbst wenn ich es mir noch anders überlegte, kann ich es nicht mehr. Trotzdem ist es wahr, daß ich, als ich Ursula aufforderte, bei mir zu schlafen, nichts mit ihr im Sinn hatte. Das fiel mir erst hinterher ein. Ich glaube auch nicht einmal daran, daß das, was vorhin zwischen uns war, allein mit Erotik zu tun hatte, aber vielleicht wirst du mich auslachen, wenn ich darüber rede.«

»Laß es darauf ankommen«, sagte Kiene und streichelte mit den Fingerkuppen ihre Wange. Sie sagte: »Die Erotik hat sich nur beiläufig ergeben, weil sie Zärtlichkeit suchte. Das läßt sich von irgendwann an nicht mehr auseinanderhalten. Ich nehme an, und jetzt darfst du lachen, es hängt mit ihrer Mutter zusammen. Sie hat einen Mutterkomplex. Wahrscheinlich hat sie, bevor sie mich kennenlernte, nie einen Menschen gefunden, bei dem sie ihn abreagieren konnte.«

»Ich lache nicht«, sagte Kiene.

Annemarie nahm seine Hand von ihrer Wange und küßte sie. »Ich kann es dir nicht beschreiben; sie hing plötzlich an mir und weinte. Das dauerte mindestens zehn Minuten. Ich habe ein Mädchen in ihrem Alter noch nie so weinen hören wie sie, und sie küßte mir dauernd das Gesicht. Aber nicht so, wie wir uns

küssen. So wie sie würde ich es höchstens, wenn ich der Typ dafür wäre, bei meiner Mutter tun.«
»Und was hast *du* getan?« fragte Kiene. Sie erwiderte seinen Blick. »Vielleicht nicht das, was du jetzt denkst, obwohl sie es mir leichtgemacht hätte. Ich muß jetzt wieder 'rüber zu ihr, Manfred. Wenn sie aufwacht, darf sie nicht allein sein. Es wird schon hell draußen. Wirst du mit ihr später in den Gasthof gehen, oder was hast du nun vor?«
»Ich warte im *Sternen*, bis der Chef sich meldet«, antwortete Kiene. »Außerdem will Herr Weihrauch dort einen Beamten vorbeischicken. Es liegt an Ursula, ob sie sich im Gasthof ein Zimmer nimmt oder hier auf ihren Vater wartet. Um acht Uhr verschwinde ich von hier.«
»Dann wird sie vielleicht doch lieber bei mir bleiben wollen«, sagte Annemarie. »Kann sein, daß sie jetzt nicht mehr richtig weiß, woran sie mit sich ist, und etwas Zeit gewinnen will. Wenn sich etwas tut, rufst du uns an. Ja?« Er nickte.
Sie stand auf, küßte ihn und verließ das Zimmer. Als sie draußen war, schloß er die Tür ab, legte sich, die Hände im Nacken verschränkt, auf das Bett und beobachtete durch das Fenster, wie die Konturen der Berge schärfer wurden. So lag er auch noch, als die Sonne ihre Gipfel traf.
Er war noch beim Rasieren, als das Telefon läutete. Die Schwester an der Aufnahme meldete ihm zwei Herren von der Polizei. Er blickte auf die Uhr; es war kurz nach sieben. »Ich komme in zehn Minuten«, sagte er und legte auf. Er rasierte sich fertig, zog sich in Ruhe an und fuhr dann im Lift hinunter. Die beiden Zivilbeamten erwarteten ihn bei der Aufnahme. Sie waren Kiene unbekannt, machten jedoch mit ihren verschlossenen Gesichtern sofort einen ungünstigen Eindruck auf ihn. Der ältere stellte sich als Herr Sappert vor, sein Kollege hieß Gerold. Kiene sagte kurz: »Früher ging es wohl nicht?«
»Tut uns leid«, sagte Sappert. »Wir sind auch nicht zu unserem Vergnügen schon um vier Uhr aufgestanden.«
»Sie hätten es sich ersparen können«, sagte Kiene. »Ich habe Herrn Weihrauch gestern am Telefon angeboten, die Skizze auf der Heimfahrt im Präsidium abzugeben.«
»Haben Sie sie hier?« fragte Sappert. Kiene nahm sie aus seiner Brieftasche. Der Beamte ging mit ihr zum nächsten Fenster und betrachtete sie dort. Dann gab er sie seinem Kollegen und fragte: »Wer außer Ihnen hat sie noch in der Hand gehabt?«

»Vermutlich die Entführer«, antwortete Kiene. Sappert nickte ungeduldig. »Das ist uns klar, Herr Kiene. Über die unterhalten wir uns im Augenblick noch nicht. Es könnte ja sein, daß auch Fräulein Rectanus ...«
»Natürlich«, fiel ihm Kiene dazwischen. »Warum auch nicht?« Sappert blickte sich unschlüssig um. »Können wir uns setzen?« Kiene deutete auf eine Sitzgruppe neben der Aufnahme. Er stellte fest, daß sie von der Schwester neugierig beobachtet wurden, und nickte ihr lächelnd zu. Sappert knöpfte sich den Trenchcoat auf, setzte sich hin und sagte: »Hauptkommissar Weihrauch konnte gestern abend nicht länger im Präsidium auf Sie warten. Er wollte auch noch einmal eine genaue Schilderung der Vorgänge haben. Deshalb hat er uns zu Ihnen geschickt. Können wir auch Fräulein Rectanus sprechen?«
»Wozu?« fragte Kiene. »Sie kann Ihnen nichts anderes erzählen als ich; sie schläft noch. Wir sind spät heimgekommen.«
»Trotzdem muß ich Sie bitten ...«, sagte Sappert. Kiene unterbrach ihn schroff: »Lassen Sie Fräulein Rectanus aus dem Spiel; sie hat genügend Aufregungen hinter sich. Solange ihr Vater nicht hier ist, bin ich für sie verantwortlich.«
»Dann erzählen Sie uns noch einmal, wie das gestern war«, sagte Sappert und zog eine Zigarette aus der Tasche. Kiene sagte: »Hier darf nicht geraucht werden.«
»Das wußte ich nicht«, sagte Sappert und steckte die Zigarette zurück. Sein Kollege hielt bereits einen Notizblock in der Hand. Er war etwa dreißig und hatte ein schmales, hartes Gesicht. Jedesmal, wenn er Kiene anschaute, zog er die dünnen Mundwinkel nach unten. »Haben Sie etwas gegen mich?« fragte Kiene ihn. Der Beamte antwortete kühl: »Wie kommen Sie darauf?«
»Sie sehen so aus«, sagte Kiene und gab ihnen eine genaue Schilderung. Danach fragte Sappert: »Konnten Sie das Kennzeichen des VW erkennen?«
»Als ich in seine Scheinwerfer blickte? fragte Kiene. »Sie hatten das Aufblendlicht an.«
»Das sieht man trotzdem«, sagte Sappert und betrachtete wieder die Skizze. Kiene sagte: »Ihr Chef war der Meinung, daß es sich um Profis handelt.«
»Wir auch«, sagte Sappert. »Mich stört nur, daß sie auf der Skizze darum *bitten*, die Polizei nicht zu verständigen. Ist sonst in diesen Kreisen nicht die feine, englische Art.«
»Höflichkeit ist kein Privileg der Polizei«, sagte Kiene. Sappert

musterte ihn prüfend. »Sie sind nicht sehr kooperativ, Herr Kiene.«
»Sie haben mich aus dem tiefsten Schlaf geweckt«, sagte Kiene. »Was erwarten Sie da von mir? Sie wissen jetzt kein bißchen mehr, als ich bereits Ihrem Kommissar erzählt habe. Vorläufig wissen wir nicht einmal, ob die Entführer ihr Versprechen . . .«
Er wurde durch die Schwester an der Aufnahme unterbrochen. Sie hatte das Fenster ihres Empfangsschalters geöffnet und sage: »Ein Gespräch für Sie, Herr Kiene. Soll ich es auf Ihr Zimmer legen, oder wollen Sie es hier entgegennehmen?«
Kiene dachte rasch nach; instinktiv entschloß er sich, um keinen Verdacht zu erregen, das Gespräch hier anzunehmen. Er entschuldigte sich bei den Beamten, ging zur Aufnahme und ließ sich den Hörer geben. Als er die Stimme des Chefs erkannte, hätte er den Hörer beinahe fallen lassen. Er wandte den beiden Beamten den Rücken zu und sagte: »Das war nicht vereinbart.«
»Hier passiert vieles, was nicht vereinbart war«, erwiderte der Chef. »Kommen Sie so rasch wie möglich hierher und fragen Sie nicht lange, wozu. Können Sie ungestört sprechen?«
»Nein«, sagte Kiene. Er hörte noch, wie der Chef auflegte. Um Fassung ringend, blieb er noch ein paar Augenblicke lang stehen, dann bedankte er sich bei der Schwester, kehrte zu den beiden Beamten zurück und sagte: »Ein Anruf aus der Fabrik; ich werde dort dringend gebraucht. Haben Sie noch eine Frage?«
»Wozu werden Sie gebraucht?« fragte Sappert. Kiene blickte kühl in sein Gesicht: »Ich gehöre zufällig der Geschäftsleitung an. Von hier aus kann ich im Augenblick für Herrn Rectanus doch nichts mehr tun. Sie entschuldigen mich.« Er ließ sie sitzen. In seinem Zimmer ging er ins Bad, wusch sich das Gesicht kalt ab und betrachtete sich im Spiegel. Er wußte noch immer nicht, warum er sich überhaupt auf diese Sache eingelassen hatte. Sie war auch nicht so gelaufen, wie er sich das gedacht hatte, es hatte zwei oder drei üble Pannen gegeben. Ursulas Teilnahme an der Fahrt zur Geldübergabe gehörte mit zum Schlimmsten, was ihm jemals zugemutet worden war. Er hatte Robert Rectanus nie gemocht. Seit gestern haßte er ihn.
Als er kurze Zeit danach mit seinem Gepäck auf die Aufnahme kam, waren die beiden Beamten nicht mehr da. Von der Schwester erfuhr er, daß sie in einer Stunde noch einmal zurückkommen und dann mit Fräulein Rectanus sprechen wollten. Kiene sagte: »Fragen Sie vorher bei ihr an, ob sie es will. Wenn nicht,

schicken Sie die beiden wieder weg. Ist Herr Professor Eschenburger schon zu sprechen?«
Die Schwester bedauerte: »Vor acht Uhr nie, Herr Kiene. Soll ich ihm etwas bestellen?«
»Ich wollte mich noch persönlich bei ihm bedanken«, antwortete Kiene. »Vielleicht rufe ich ihn an.« Er verabschiedete sich. An der Tür fiel ihm etwas ein. Er kehrte zu der Schwester zurück und sagte: »Wenn Sie mit Fräulein Rectanus sprechen, sagen Sie ihr bitte, daß ich plötzlich abreisen mußte. Sie soll hier in der Klinik auf das Eintreffen ihres Vaters warten.«
»Hat man schon etwas von ihm gehört?« fragte die Schwester neugierig. Kiene schüttelte den Kopf.
Bevor er in den Wagen stieg, sah er sich auf dem Parkplatz nach den Beamten um, er konnte sie jedoch nirgendwo entdecken. Zunächst fuhr er zum Gasthof *Zum Sternen*, beglich dort seine Rechnung und bestellte sich ein Frühstück. Als er in die Gaststube kam, sah er die beiden Beamten wieder; ihre Anwesenheit überraschte ihn nicht. Weil er bemerkte, daß sie bei seinem Anblick miteinander tuschelten, trat er an ihren Tisch und sagte: »Ich hatte hier meine Rechnung noch nicht bezahlt. Sie sind nicht davon abgekommen, doch noch mit Fräulein Rectanus sprechen zu wollen?«
»Wir haben den Auftrag, es zu tun«, sagte Sappert. »Haben Sie sich schon mit ihr unterhalten?«
»Dazu bestand kein Anlaß«, antwortete Kiene und setzte sich an einen anderen Tisch. Während er frühstückte, kam Hans Maier zu ihm. Kiene sagte: »Stehen Sie immer so früh auf, wenn Sie nicht im Dienst sind?«
»Ich bin schon vor zwei Stunden aufgewacht«, antwortete Hans Maier und setzte sich zu ihm. »Weiß man schon etwas vom Chef?«
»Bis jetzt nicht«, sagte Kiene.
Die Begegnung war ihm lästig. Er hatte Hans Maier immer im Verdacht gehabt, heimlicher Informant des Chefs zu sein. Seit sich dieser Verdacht bestätigt hatte, war er ihm suspekt. Er beantwortete widerwillig noch einige Fragen und beendete vorzeitig das Frühstück. Als er sich, ohne ihm die Hand zu geben, von ihm verabschiedete, fragte Hans Maier unsicher: »Was soll ich jetzt tun, Herr Kiene? Noch länger hier warten?«
»Ich würde es Ihnen empfehlen«, antwortete Kiene. »Herr Rectanus weiß, daß er Sie unter dieser Adresse erreichen kann.«

Das Frühstück bezahlte er an der Theke bei Herrn Heuberl. »Hoffentlich hat es Ihnen bei uns gefallen?« sagte dieser. Kiene nickte. »Ich werde Ihnen Gasthof so schnell nicht vergessen.« An der Tür blickte er noch einmal zurück und sah, daß sich Sappert zu Hans Maier gesetzt hatte und ein schwarzes Notizbuch in der Hand hielt.
Er hatte nun eine mehrstündige Autofahrt vor sich. Sosehr er sich auch den Kopf zerbrach: er fand keine einleuchtende Erklärung für den ebenso unerwarteten wie leichtfertigen Anruf des Chefs. Selbst wenn er voraussetzte, daß die Leitungen zur Klinik nicht mehr überwacht wurden – wovon er nicht überzeugte war –, gab es so gut wie keine Entschuldigung für diese neuerliche Eigenmächtigkeit, es sei denn, seine Beweggründe dafür wären so gewichtig, daß sie das eingegangene Risiko noch überwogen. Möglicherweise hatte er inzwischen in der Zeitung oder am Radio mitbekommen, daß der ursprünglich eng begrenzte Kreis der Mitwisser, zu dem nach seinen eigenen Wünschen auch die Polizei gehörte, längst gesprengt worden war. Kiene hatte diese Publicity ebensowenig gewünscht wie er. Sie gehörte mit zu den Pannen, die nicht kalkulierbar gewesen waren, und sie wog für Kiene weniger schwer als jene, die seit gestern nachmittag fast ununterbrochen seine Gedanken beschäftigte.
Er verließ die Autobahn schon bei Rosenheim und fuhr auf der B 15 nach Regensburg. Weil er nur einen kleinen Teil der Strecke auf der Autobahn zurücklegen konnte, brauchte er bis nach Regensburg drei volle Stunden. Als er nach Roding kam, war es bereits kurz vor zwölf. Zehn Minuten später hatte er sein Ziel erreicht. Noch ehe er aus dem Wagen stieg, sah er vor dem Gasthof drei Männer herumlungern, zu denen sich, als sein Wagen vorfuhr, ein vierter gesellte. Kiene erkannte sie auf den ersten Blick wieder, und als sie zu ihm an den Wagen kamen, blickte er stumm in das unrasierte Gesicht Mandels.
»Sehen wir uns also doch wieder, Herr Kiene«, sagte dieser. »Sie sind uns damals in der Klinik noch ein Interview schuldig geblieben, und heute werden Sie mir die Kamera nicht wegnehmen. Falls Sie es noch nicht bemerkt haben sollten: sie läuft schon.« Er wandte sich an Rimmele: »Bist du abfahrbereit?«
»Du kannst«, sagte Rimmele und schaltete das Tongerät ein.
»Dann wollen wir mal wieder die Puppen tanzen lassen«, sagte Mandel und brachte ein Mikrophon an den Mund. »Wir stehen hier immer noch vor dem Gasthof *Zum Lerchenberg*, liebe Zu-

schauer. Inzwischen ist auch Herr Kiene, einer der geschäftsführenden Herren der Rectanus-Werke, eingetroffen, an den wir einige Fragen richten wollen.«
Zu Kiene sagte er: »Dürfen wir den Grund Ihrer Anwesenheit erfahren, Herr Kiene, oder wollen Sie ebensowenig darüber sprechen wie Herr Rectanus?«
Kiene betrachtete der Reihe nach zuerst Mandel, dann den Kameramann und dann Rimmele, der am Tongerät arbeitete. Etwas im Hintergrund, die Hände in den Hosentaschen, eine Zigarette lässig in den Mundwinkel geklemmt, stand Merklin. Ein Blick in sein zwar übernächtigtes, aber vor satter Zufriedenheit glänzendes Gesicht zeigte Kiene, daß die Partie bereits verloren war. Er sagte gleichgültig: »Wenn Herr Rectanus es vorzieht, Ihnen keine Erklärung zu geben, sehe ich auch keinen Anlaß dazu.«
»Da muß ich Sie leider berichtigen«, sagte Mandel. »Gerade Ihre Person scheint uns im Zusammenhang mit den sich hier abspielenden ominiösen Ereignissen nicht ganz uninteressant zu sein. Vielleicht darf ich, um Ihnen ihre Antwort zu erleichtern, hinzufügen, daß meine Kollegen und ich unter der Leitung von Herrn Werner Merklin Augenzeugen waren, wie Sie gestern an einer Raststätte der Autobahn eine offensichtlich fingierte Nachricht der hier im Gasthof wohnenden Entführer unter Ihren Scheibenwischer geklemmt und dann mit Fräulein Rectanus Ihre Fahrt fortgesetzt haben. Diese angebliche Nachricht der Entführer ist unseren Zuschauern bereits bekannt. Wollen Sie sich dazu äußern?«
Diesmal verfärbte Kiene sich. »Ich weiß nicht, wovon Sie reden.«
»Das wissen Sie sehr gut«, sagte Mandel kalt. »Darf ich Sie, um Ihrem Gedächtnis nachzuhelfen, an Ihre Fahrt mit Fräulein Rectanus, der Tochter von Herrn Rectanus, nach Hornbach im Odenwald erinnern, wo die Geldübergabe zwischen Ihnen und den angeblichen Entführern vor unseren Augen stattgefunden hat. Was haben Sie unseren Zuschauern dazu zu sagen?«
»Nichts«, sagte Kiene. Mandel lächelte erfreut. »Aber vielleicht können Sie ihnen wenigstens etwas über die Hintergründe dieser ganz offensichtlichen Irreführung, der Behörden sowohl wie der Öffentlichkeit, erzählen. Wenn nicht, müßten wir doch annehmen, daß diese fingierte Entführung im Zusammenhang mit der angeblichen Lösegeldsumme von zwei Millionen Mark in betrügerischer Absicht erfolgt ist. Wer sollte damit betrogen werden?

Der Fiskus oder die dreitausend Betriebsangehörigen der Rectanus-Werke, die für die Freilassung ihres Firmeninhabers von ihrem kleinen, hart erarbeiteten Monatseinkommen sogar fast hunderttausend Mark gespendet haben.«
Kienes Gesicht rötete sich. »Sie wissen so gut wie ich, daß es keine hunderttausend waren!«
»Auch wenn es nur achtzigtausend gewesen wären«, sagte Mandel, »so hätten sie dieses Geld gewiß nicht aus ihrer eigenen Tasche bezahlt, wenn ihnen klar gewesen wäre, daß ihre Hilfsbereitschaft für undurchsichtige Manipulationen mißbraucht worden ist. Sie sind es unseren Zuschauern am Bildschirm noch immer schuldig geblieben, dafür eine Erklärung zu geben. Oder gibt es keine harmlose Erklärung dafür?«
»Für Sie wohl kaum«, sagte Kiene und ging an ihm vorbei auf das Haus zu. Mandel ebenso wie Eichler, der keine Sekunde lang die Kamera vom Auge nahm, kamen ihm sofort nachgelaufen. »Ist das alles, was Sie darauf zu antworten haben?« fragte Mandel. »Unsere Zuschauer wollen jetzt endlich die Wahrheit hören.« Er brachte wieder das Mikrophon unter Kienes Nase.
»Welche Wahrheit?« fragte Kiene und blieb stehen. Er blickte in Mandels vor Genugtuung glühendes Gesicht und sagte leise: »Ich habe euch Wichtigtuer von der Fernsehmafia kaum einmal anders als mit Halbwahrheiten manipulieren sehen. Wenn sich das Volk von euch verdummen läßt, so ist das nicht mein Problem.«
Er wandte sich schnell der Tür zu. Fast im selben Augenblick wurde sie von innen geöffnet, und Kiene sah das verstörte Gesicht des Chefs vor sich; dieser sagte hastig: »Schnell, schnell, bevor sie hereinkommen; sie belagern schon den ganzen Vormittag das Haus.« Aufgeregt schloß er die Tür hinter sich ab und sagte: »Kommen Sie mit. Wenn wir in der Gaststube bleiben, können sie uns durch die Fenster beobachten.« Er führte Kiene eine schmale Holztreppe hinauf in ein kleines Zimmer mit einem zerwühlten Bett, ließ sich auf einen Stuhl fallen und murmelte: »Sie sind ein Idiot, Kiene, und zu nichts zu gebrauchen.«
»Sie auch nicht«, sagte Kiene. »Oder waren die Burschen da draußen, als Sie mich heute morgen angerufen haben, noch nicht hier?«
Der Chef schwieg betroffen. Kiene trat dicht vor ihn hin. »Na schön, ich war anscheinend nicht clever genug für diesen Job, aber er war nicht meine Idee, und wenn Sie heute morgen, als Sie

mich angerufen haben, schon wußten, daß vor dem Haus ein ganzes Fernsehteam auf mich wartet, dann sind Sie ein noch größerer Idiot als ich, weil Sie mich nicht darauf vorbereitet . . .« Der Chef unterbrach ihn aufbrausend: »Ich verbitte mir diesen Ton, Kiene. Sie haben mir am Telefon selbst gesagt, daß Sie nicht ungestört reden könnten . . .«
»Weil zufälligerweise im selben Augenblick, als Sie bei mir anriefen, die Kripo da war«, fiel Kiene dazwischen. »Wenn Sie wenigstens eine kleine Andeutung gemacht hätten, dann wäre mir das da draußen nicht passiert.«
»Weil Sie dann gar nicht erst hierhergekommen wären«, sagte der Chef und stand wie unter großer Anstrengung auf. Er ging zum Fenster, blickte auf die Straße hinab und sagte: »Vielleicht war ich tatsächlich ein noch größerer Idiot als Sie, Kiene. Ich hätte wissen müssen, daß es Ihnen keine Sekunde lang um meine persönlichen Probleme gegangen ist. Ich habe zwar gewußt, daß Sie mitspielen werden, weil Sie Ihr Leben lang nichts anderes als ein Spieler und Abenteurer gewesen sind, aber ich habe Ihren Charakter falsch eingeschätzt. Wohin haben Sie von Ihren Kumpanen die zwei Millionen bringen lassen?«
Kiene konnte ihn nur anschauen. Der Chef drehte sich nach ihm um. »Als ich heute morgen aufwachte, war nur noch die junge Frau hier. Die Männer sind heute nacht mit dem Geld verschwunden. Wohin, das weiß sie angeblich nicht. Sicher wissen Sie es.«
»Das trauen Sie mir zu?« fragte Kiene fassungslos.
»Ihnen traue ich jetzt alles zu«, sagte der Chef. »Vielleicht waren Sie es selbst, der mir diese Kerls da draußen auf den Hals gehetzt hat. Sie gingen wohl davon aus, daß ich, um meinen Ruf zu retten, die Existenz des Geldes ableugnen und es Ihnen dadurch, wenn auch unfreiwillig, in die Hände spielen würde.«
»Sie sind absolut verrückt«, murmelte Kiene und setzte sich auf das Bett. Er starrte eine Weile geistesabwesend vor sich hin, dann hob er den Kopf. »Das einzige, was ich an Ihnen immer bewundert habe, war Ihre Menschenkenntnis, aber nicht einmal in dieser Beziehung sind Sie ein ungewöhnlicher Mann. Sie haben mit der Auswahl Ihrer Mitarbeiter nur jedesmal Glück gehabt, sonst nichts, und nun, da Ihre Pläne einmal schiefgegangen sind, spuken Sie ihnen auf den Kopf. Kann sein, daß Sie außer mir keinen anderen Dummen gefunden hätten, Ihnen dabei zu helfen, Ihre Neurosen abzureagieren. Es hat Ihnen aber nicht genügt, Ihre

Tochter mit der fingierten Entführung zu beunruhigen. Sie wünschten vielmehr, daß sie, indem sie mit mir fuhr, am Schicksal ihres beklagenswerten Vaters noch mehr als ohnehin schon zu leiden haben sollte. Dadurch haben Sie mir aber die einzige Chance verpatzt, die Koffer umtauschen zu können. Sie wissen ja gar nicht, wie sehr Sie mit Ihren hirnverbrannten Eigenmächtigkeiten meinen Fahrplan durchkreuzt haben.«

»Das soll ich Ihnen glauben?« fragte der Chef verunsichert. Kiene trat neben ihn ans Fenster und beobachtete die vier Männer vor dem Haus. Sie standen unmittelbar neben dem Eingang und unterhielten sich vergnügt. »Es ist mir jetzt egal, ob Sie es mir glauben oder nicht«, sagte Kiene. »Wo ist die Frau?«

»Sie hat sich nebenan in einem Zimmer eingeschlossen«, sagte der Chef. »Ich sah sie heute morgen, als sie mir das Frühstück brachte. Nur zwei oder drei Minuten. Als ich sie nach ihrem Mann und ihrem Schwager fragte, hat sie mir zuerst einzureden versucht, sie seien mit dem Geld unterwegs zu Ihnen. Ich glaubte ihr natürlich kein Wort und fuhr sie scharf an. Daraufhin rannte sie die Treppe zu ihrem Zimmer hinauf und ist seither nicht mehr heruntergekommen.«

»War das vor oder nach Ihrer Begegnung mit diesen Fernsehfritzen da draußen?«

»Vorher«, antwortete der Chef müde. »Ich wollte mich vor dem Haus einmal vergewissern, ob die beiden Voglers tatsächlich weggefahren sind. Zuerst dachte ich, die junge Frau hätte sich nur einen Scherz mit mir erlaubt. Vor der Tür bin ich dann diesen Fernsehmenschen direkt in die Kamera gelaufen.«

»Haben Sie Fragen beantwortet?«

»Nein«, sagte der Chef. »Ich war viel zu überrascht. Als ich aus ihren Äußerungen hörte, daß sie schon alles wußten und daß sie Ihnen gestern, ohne daß Sie es merkten, gefolgt sind, bin ich ins Haus zurückgelaufen und habe die Tür hinter mir abgeschlossen. Ich habe dann sofort zuerst im Gasthof und dann bei Ihnen in der Klinik angerufen.« Er blickte Kiene erwartungsvoll an. »War meine Tochter sehr beunruhigt?«

»Genug, um Ihnen diese Sache, wenn sie die Wahrheit erfährt, nie zu verzeihen«, antwortete Kiene. »Mich wird sie genauso verantwortlich dafür machen; ich habe ihr zwei Tage lang eine unzumutbare Komödie vorgespielt. Vielleicht bin ich ein Spieler, aber ich habe noch nie in meinem Leben so skrupellos mit den Gefühlen mir nahestehender Menschen gepokert, wie Sie das

tun. Das Geld besorge ich Ihnen wieder. Ich weiß noch nicht, wie, aber Sie kriegen es zurück. Was ich nicht für Sie tun kann, ist: einen Weg zu finden, wodurch Ihrer Tochter die Wahrheit erspart bleibt.«
Der Chef setzte sich wieder auf einen Stuhl. Mit seiner fahlen Gesichtshaut und dem wirr in die Stirn hängenden weißen Haaren machte er einen völlig gebrochenen Eindruck. »Sie darf es trotzdem nicht erfahren«, murmelte er. »Vielleicht kann ich sie dazu bewegen, eine längere Auslandsreise zu machen, bis hier Gras über die Sache gewachsen ist. Ich habe vor einer Stunde das Polizeipräsidium angerufen und Selbstanzeige erstattet. Man hat mich mit einem Hauptkommissar Weihrauch verbunden. Er wollte mir zuerst nicht glauben; mir blieb nichts anderes übrig, als ihm meine Beweggründe zu erläutern. Als ich ihm sagte, daß ich meinen Anwalt zu ihm schicken würde, empfahl er mir in meinem eigenen Interesse, ihm gleich das Gutachten eines Psychiaters mitzugeben. Ich wußte bis dahin nicht, daß auch die Presse und die Funkanstalten von der Entführung erfahren haben. Haben Sie das veranlaßt?«
Kiene erzählte ihm, wie es dazu gekommen war.
»Das macht alles nur noch schlimmer«, sagte der Chef seufzend. »Ich muß mich spätestens morgen früh bei Herrn Weihrauch melden. Bis dahin wird er keine Presseerklärung abgeben. Übrigens habe ich die alleinige Verantwortung auf mich genommen; Sie haben für Ihre Person nichts zu befürchten.«
Er starrte eine Weile mit leerem Gesicht vor sich hin, dann sah er auf und sagte: »Ich habe auch noch ein anderes Telefongespräch geführt. Ich weiß noch nicht, ob ich damit Glück haben werde. Zufällig kenne ich bei der zuständigen Rundfunkanstalt einen wichtigen Mann, aber ob das klappt, ist höchst ungewiß. Ich habe auch bereits die Konsequenzen gezogen.«
Kiene blickte ihn prüfend an. »Welche?« Der Chef winkte müde ab. »Als ich heute morgen aus meinem Zimmer kam und diesen eiskalten Burschen da draußen ahnungslos in die Hände gelaufen bin, ist für mich eine Welt zusammengebrochen, Kiene. Die läßt sich nicht mehr reparieren. Ich bin kein Mann, der Demütigungen verwinden kann, und als ich dann noch den Eindruck gewann, daß ich auch das Geld losgeworden bin, habe ich die Nerven verloren. Sie haben mir vorher nicht erzählt, daß Sie nicht die Absicht hatten, das Geld wirklich zu übergeben.«
»Ich hätte Sie damit nur an der Vertrauenswürdigkeit der Voglers

zweifeln lassen«, sagte Kiene. »Ich ging davon aus, daß Ihnen die Sache als solche doch wichtiger sei als das Geld. Oder habe ich mich darin getäuscht?« Der Chef schüttelte den Kopf.
Kiene zündete sich eine Zigarette an. »Die zwei Millionen waren Ihre Idee. Zweihunderttausend hätten auch gelangt.«
»Nicht, wenn es um meine Person ging«, erwiderte der Chef. »Ich habe mir das, im Vertrauen darauf, daß die beiden Männer zuverlässig seien, gut überlegt. Zweihunderttausend, die bezahlt man heute bestenfalls für einen Hauptabteilungsleiter. Ich hätte es auch nie für möglich gehalten, daß Sie so ungeschickt sein werden, sich verfolgen zu lassen. Schon gar nicht von diesen primitiven Fernsehmenschen. Sie müssen ja auf der ganzen Fahrt geschlafen haben!«
»Scheint so«, sagte Kiene und drückte angewidert die kaum angerauchte Zigarette aus. »Was wollen Sie jetzt tun?«
»Sie werden mich nach Hause fahren«, antwortete der Chef. »Oder wissen Sie etwas Besseres?«
Kiene dachte eine Weile nach, dann sagte er: »Ich würde Ihnen nicht raten, vor heute abend das Gasthaus zu verlassen. Rufen Sie Herrn Maier an, er soll Sie gegen zehn hier abholen. Bis dahin ist es so dunkel, daß die Kerls da draußen keine Aufnahmen mehr von Ihnen machen können. Ich werde mir inzwischen die junge Frau vornehmen. In welchem Zimmer ist sie?« Der Chef erklärte es ihm.
Kiene fragte: »Haben Sie Hunger?«
»Ich brächte jetzt keinen Bissen hinunter«, sagte der Chef. Kiene ging zum Fenster und stellte mit einem raschen Blick fest, daß nur noch zwei Männer vor der Haustür standen. Er vermutete, daß die beiden anderen zum Essen ins nächstgelegene Gasthaus gefahren waren. Wenn sie, wofür alles sprach, seit gestern vormittag ununterbrochen im Einsatz waren, mußten sie noch hungriger und müder sein als er selbst. Ihre Zähigkeit und die Umsicht, die sie bis hierher geführt hatten, nötigten ihm widerwillige Bewunderung ab.
Er kehrte zum Chef zurück und sagte: »Mein Gespräch mit der Dame kann etwas länger dauern; machen Sie sich deshalb keine Sorgen. Ruhen Sie sich nach all den Aufregungen ein bißchen aus; Sie werden es nötig haben.«
»Ich bin froh, daß Sie hier sind, Kiene«, sagte der Chef leise. »Was ich vorhin gesagt habe, tut mir leid.«
»Vergessen Sie es«, sagte Kiene und ging hinaus.

Die Tür zu Hannelores Zimmer befand sich am Ende des schmalen Flurs. Er vergewisserte sich, daß sie abgeschlossen war, und klopfte ein paarmal dagegen. Aber erst als er ihren Namen rief und sie seine Stimme erkannte, öffnete sie ihm. Er sah sofort an ihren Augen, daß sie geweint hatte. Bevor sie etwas sagen konnte, nahm er ihr Gesicht in die Hände, küßte sie und sagte: »Tut mir leid, daß ich nicht früher kommen konnte; ich hatte die Kripo im Haus. Ist das dein Zimmer?«
»Unser gemeinsames Schlafzimmer«, antwortete sie und schlang impulsiv die Arme um seinen Hals. »Ich bin so froh, daß du wieder hier bist, Manfred. Ich wußte schon nicht mehr, was ich tun sollte.«
»Wir werden uns in Ruhe darüber unterhalten«, sagte Kiene und blickte sich in dem einfach möblierten Zimmer um. »Hier verbringst du also deine Nächte mit ihm! Wenn du meine Frau wärst, würde ich dir etwas Besseres bieten!«
»Ich bin es aber nicht«, sagte sie und ließ sich von ihm ins Zimmer führen. Er drückte sie aufs Bett, setzte sich zu ihr und sagte: »Wir haben uns erst vor sechs Tagen kennengelernt.«
»Warum hast du mich nie angerufen?« fragte sie. »Ich habe jeden Tag darauf gewartet. Hattest du mich schon wieder vergessen?«
Er lächelte. »Eine typisch weibliche Frage. Ich hatte dich nicht vergessen, Hannelore; im Gegenteil. Es war mir aber zu riskant. Ich wollte deinem Mann keinen Grund zur Eifersucht geben. Da wußte ich allerdings noch nicht, daß er mich aufs Kreuz legen wird. Hast du es gewußt?«
Sie schüttelte heftig den Kopf. »Sie müssen das vorher unter sich abgemacht haben. Mir erzählten sie erst gestern mittag, als sie plötzlich ihre Koffer packten, daß sie das Geld behalten und mich später, wenn sie in Sicherheit sind, nachkommen lassen würden.«
»Warum haben sie dich nicht gleich mitgenommen?« fragte Kiene. Sie schob die Hand unter seinen Arm. »Der VW war zu klein; sie brauchten den Rücksitz für das Gepäck. Sie haben ihre sämtlichen Anzüge und was ihnen sonst noch wichtig war, mitgenommen.«
»Warst du ihnen weniger wichtig als ihre Anzüge?« fragte Kiene. Sie schwieg. Er griff unter ihr Kinn, küßte sie und sagte: »Vielleicht lassen sie dich nachkommen. Vielleicht auch nicht. Du hast mir selbst erzählt, daß dein Mann nicht immer treu ist. Vielleicht redet er sich ein, sich für die zwei Millionen eine bessere Partie

leisten zu können. Bist du sicher, daß er dich nachkommen läßt?«
»Er hat es mir versprochen«, antwortete sie zögernd. Kiene sagte: »Paß auf, Mädchen. Für mich geht es hier um meinen Job. Ich bin zwar nicht darauf angewiesen, weil meine Eltern eigene Fabriken haben. Trotzdem wäre es peinlich für mich, würden die zwei Millionen verlorengehen, weil ich gegenüber Josef und seinem Bruder zu vertrauensselig gewesen bin. In meinem Beruf darf man sich nicht aufs Kreuz legen lassen. Man gilt sonst nicht mehr als vertrauenswürdig. Für mich steht also mehr auf dem Spiel als für dich. Wenn du mir hilfst, das Geld zurückzuholen, kannst du künftig auf mich rechnen.«
»Würdest du mich auch heiraten?« fragte sie nach einer kleinen Pause. Einen Augenblick lang hatte er Hemmungen, aber seine Entschlossenheit, das Versprechen, das er dem Chef gegeben hatte, einzulösen, war noch größer. Er sagte: »Auch darüber können wir reden. Du hast mir sofort gefallen, Hannelore; du bist verdammt hübsch und viel zu schade für einen Mann wie Josef. Ich wohne zwar, weil ich viel unterwegs sein muß, im Augenblick unter beschränkten Verhältnissen . . .«
»Das würde mich nicht stören«, sagte sie schnell. »Josef meinte zwar, dein Chef könnte gegen ihn und gegen seinen Bruder nichts unternehmen, aber ich bin mir nicht sicher, ob das auch stimmt.«
»Weil du ein kluges Mädchen bist«, sagte Kiene und legte den Arm um ihre Taille. »Ich will dir ganz offen sagen, wie die Dinge liegen. Die Entführungsgeschichte ist geplatzt; das verdanken wir diesen Fernsehfritzen vor dem Haus. Sie haben die Geldübergabe beobachtet . . .«
»Ich habe vom Fenster aus alles mitgehört«, fiel sie ihm ins Wort. »Ist das schlimm für euch?«
»Nicht so schlimm wie für deinen Mann«, antwortete Kiene. »Ein Fabrikant wie Rectanus hat genug Geld, um sich einige gute Rechtsanwälte und Psychiater zu leisten. Sie werden ihm vorübergehende geistige Unzurechnungsfähigkeit attestieren, und das Gericht wird ihn laufenlassen. Damit ist der Fall für ihn aber noch nicht ausgestanden. Er wird alles daransetzen, sein Geld wiederzubekommen. Dein Mann wird nicht nur von der Polizei, sondern auch von Privatdetektiven gesucht werden, und irgendwann werden sie ihn aufstöbern und das Geld mit dazu. Bis dahin wird er ständig gehetzt sein und du auch, wenn du dich ihm

anschließt. Hast du deinen Alfa schon?« Sie schüttelte den Kopf.
Kiene lächelte. »Aber den Scheck hast du bereits eingelöst; ich habe es von meiner Bank erfahren. Weiß dein Mann von den zwanzigtausend Mark?« Sie blickte, ohne ihm zu antworten, in sein Gesicht. Er nahm die Hand von ihrer Taille, legte sie auf ihren Hals und streichelte ihn. »Es bleibt bei meinem Angebot. Wir nehmen euch die Hypotheken vom Haus. Vielleicht kann ich es bei Herrn Rectanus sogar durchsetzen, daß ihr die hunderttausend Mark nicht zurückzahlen müßt. Sozusagen als Finderlohn für die zwei Millionen. Ihr könntet hier künftig sorgenfrei und schuldenfrei leben . . .«
Sie unterbrach ihn: »Darauf lege ich jetzt keinen Wert mehr, Manfred. Mir wäre es lieber, ich könnte zu dir kommen. Was Josef und mein Schwager dann machen, ist mir egal. Ich meine, es ist nicht so, daß ich dir nicht glaube, aber versprechen kannst du mir viel.«
»Und dann nicht halten«, sagte Kiene und zog sie an sich. Er küßte ihr Gesicht, und während er sie küßte, vergaß er für eine Weile, warum er es tat. Es fiel ihm erst wieder ein, als er schon neben ihr lag und sie rasch das Kleid über den Kopf streifte. Sie hatte zwar einen hübschen Körper, aber Annemaries Körper war noch aufregender, und auch Ursula konnte sich neben ihr sehen lassen. Er erinnerte sich, daß sie einen Mann wie Vogler geheiratet hatte und deshalb nicht einmal Anspruch darauf erheben konnte, besonders intelligent zu sein. Sie hatte weder Annemaries Skrupellosigkeit noch Ursulas Infantilität und unberechenbare Reaktionen. Bei ihr war alles voraussehbar, und während er sie geistesabwesend liebkoste und fast unbeteiligt ihre wachsende Erregung wahrnahm, zerbrach er sich bereits den Kopf darüber, wie er sie, wenn sie ihm nützlich gewesen war, auf eine behutsame Art loswerden könnte; er hatte auch schon ungefähr eine Vorstellung davon. Vorausgesetzt, der Chef würde damit einverstanden sein. Es paßte auch völlig in seine Absichten, daß sie vor ihm zum Orgasmus kam, und als sie es merkte, sagte sie: »Tut mir leid, Manfred.«
»Macht nichts«, sagte er und streichelte, während er in ihr blieb, ihren ganzen Körper. »Ich habe es gern so.«
»Weil du länger davon hast«, sagte sie mit dem Lächeln einer erfahrenen Frau. Dann wurde sie unvermittelt ernst. »Sie haben mir nicht verraten, wohin sie fahren, Manfred, aber ich bin sicher,

zum Ferienhaus meines Schwagers. Wenn du mich mitnimmst, bringe ich dich hin. Sie dürften mich natürlich nicht sehen und auch nicht erfahren, daß ich dich hingebracht habe. Ich tue es aber nur, wenn du mir versprichst, mich von hier wegzuholen.«
»Es ist schon versprochen«, sagte Kiene.
»Mir wäre es mit dem Wiederheiraten nicht so eilig«, sagte sie. »Nur meinen Eltern, sie sind ziemlich altmodisch.«
»Das sind Eltern oft«, sagte Kiene. »Wenn du es in vier Wochen noch willst, werde ich dich heiraten.«
»Willst *du* es nicht? fragte sie. Statt zu antworten, blickte er in ihre Augen. Sie wurde rot und sagte: »Du bist ziemlich raffiniert, was?«
»Hast du diesen Eindruck?« fragte Kiene.
Er zog es noch ein paar Minuten lang hin, und erst als er merkte, daß sie kurz vor einem neuen Höhepunkt war, hielt er sich nicht mehr zurück. Sie blieben eine Weile nebeneinander liegen. Dann küßte sie ihn und sagte: »Ich habe das noch nie einem Mann gesagt: ich glaube, ich liebe dich, Manfred. Ich habe deinetwegen nachts oft nicht einschlafen können. Du auch?«
»Ich habe genausooft an dich gedacht wie du an mich«, sagte er und erwiderte ihre Küsse. »Wohin müssen wir fahren?«
»Das erzähle ich dir erst unterwegs«, sagte sie und lachte. »Sonst legst du mich doch ’rein. Wann hast du es vor?«
»Sobald es dunkel wird«, sagte Kiene. »Wir müssen vorher bei mir daheim vorbeifahren. Mach dich auf eine lange Nacht gefaßt.« Sie fragte verwundert: »Hat das nicht noch morgen Zeit?«
Er schüttelte den Kopf. »Je früher wir bei ihnen eintreffen, desto weniger werden sie darauf vorbereitet sein. Haben sie dir gegenüber eine Andeutung gemacht, wann ungefähr sie dich nachkommen lassen wollen?«
»Josef sprach von acht oder vierzehn Tagen«, antwortete sie. »Ich hätte es außer dir auch keinem Menschen erzählt.«
»Das ist lieb von dir«, sagte Kiene und küßte sie auf den Hals. »Nehmen wir einmal an, sie haben ernsthaft vor, dich nachkommen zu lassen. Im Ferienhaus deines Schwagers werden sie, wenn sie tatsächlich hingefahren sind, nicht lange bleiben. Sie werden sich vermutlich mit einem Makler in Verbindung setzen und das Haus verkaufen. Ist es groß?«
»Es soll, nach deutschem Geld, über zweihunderttausend Mark gekostet haben«, antwortete Hannelore. »Mein Schwager hat dort gut verdient.«

Kiene nickte befriedigt. »Dann werden sie sich auch dieses Geld nicht entgehen lassen. Für über zwei Millionen, die sie dann haben, könnten sie sich in Südamerika ein eigenes Hotel kaufen. Wenn du meine ehrliche Meinung hören willst, Hannelore: ich glaube nicht, daß sie jemals ernsthaft vorhatten, dich nachkommen zu lassen. In einem fremden Land mit einer fremden Sprache müßten sie noch einmal ganz neu anfangen. Dort wärst du nur Ballast für sie. Ist es schlimm für dich, wenn ich dir das sage?«
Sie streichelte sein Haar. »Josef bedeutet mir heute nicht mehr viel, und wenn es so ist, wie du sagst, dann bin ich froh, daß ich mit dir darüber gesprochen habe, obwohl ich ihnen mein Ehrenwort geben mußte, keinem Menschen etwas zu erzählen.« Kiene lächelte. »Als sie mir ihr Ehrenwort gegeben haben, keine krummen Dinge zu drehen, wußten sie bereits, daß sie mit dem Geld verschwinden wollten. Wäre es eine große Zumutung für dich, wenn ich dich bitten würde, dem alten Herrn und mir etwas auf den Tisch zu stellen? Ich habe seit dem Frühstück nichts mehr gegessen.«
»Ich bin dumm«, sagte sie und stand schnell auf. Während sie ihr Kleid überstreifte, sagte sie: »Von der Küche verstehe ich zwar nicht viel; die war immer Sache meines Schwagers. Ich durfte nur die Kartoffeln schälen und das Gemüse putzen. Wenn ihr aber keine zu großen Ansprüche stellt . . .«
»Überhaupt nicht«, sagte Kiene und versetzte ihr einen Klaps aufs Hinterteil. Bevor sie hinausging, küßte sie ihn noch einmal verliebt und murmelte: »Dich könnte ich fressen, Manfred.«
»Ich mich auch«, sagte Kiene.
Er blieb noch eine Weile auf dem Bett liegen und betrachtete durch das Fenster den nahen Wald. Er hatte einen üblen Geschmack im Mund, und genauso fühlte er sich auch.

32

Der Anruf des Chefs erreichte Michael Kolb nach dem Mittagessen, als er, nichts Böses ahnend, auf der Couch lag und Musik hörte. Ella, die den Hörer abgenommen hatte, teilte ihm mit roten Wangen aufgeregt das ungewöhnliche Ereignis mit und fügte hinzu: »Beeil dich, er wartet. Ich habe, damit die Kinder dich nicht stören, das Gespräch in dein Arbeitszimmer gelegt.«
Kolb starrte sie wie aus den Wolken gefallen an. »Bist du ganz sicher, daß es der Chef ist?«

»Ja, ganz bestimmt«, sagte Ella ungeduldig. »Er hat sogar ›gnädige Frau‹ zu mir gesagt und sich nach den Kindern erkundigt. Mach schnell, sonst legt er vielleicht auf oder ist verärgert.«
Eilig verließ Kolb seinen Platz auf der Couch und rannte in Hausschuhen zu seinem Arbeitszimmer. Ella, die ihm auf den Fersen blieb, fragte mit vor Erregung schriller Stimme: »Ist er denn schon wieder frei?«
»Woher soll ich das wissen!« sagte Kolb nervös. »Bitte stör mich nicht und warte draußen!« Er schlug ihr die Tür des Arbeitszimmers vor der Nase zu, stürzte zum Telefon und meldete sich.
»Sind Sie es wirklich, Herr Doktor?«
»Wie ich es Ihrer Frau schon sagte«, antwortete der Chef, und erst als Kolb seine Stimme vernahm, konnte er daran glauben. Er setzte sich überwältigt auf einen Stuhl und sagte: »Ich kann Ihnen nicht sagen, wie ich mich darüber freue, daß Sie wieder . . .
»Freuen Sie sich nicht zu früh«, unterbrach ihn der Chef. »Ich habe versucht, auch Herrn Meissner und Herrn Weckerle zu erreichen; dort meldete sich jedoch niemand. Könnten Sie es einrichten, in einer halben Stunde in meinem Büro zu sein? Die Pforte ist geöffnet; Herr Maier wird Sie dort erwarten.«
»Selbstverständlich«, antwortete Kolb. »Ich werde mich sofort auf den Weg machen.«
»Ich bitte darum«, sagte der Chef und beendete das Gespräch.
An der Tür stieß Kolb mit Ella zusammen. Sie hatte das Gespräch von einem zweiten Apparat im Schlafzimmer mitgehört und fragte verstört: »Was hat das zu bedeuten, Michael?«
»Sicher nichts Gutes«, sagte Kolb düster und lief an ihr vorbei ins Schlafzimmer. Während er sich hastig umzog, kam Ella herein und fragte: »Was meinte er damit, als er sagte, daß du dich nicht zu früh freuen sollst? Ob ihn die Entführer noch gar nicht freigelassen haben?«
»Dann könnte er sich kaum mit mir in seinem Büro verabreden«, sagte Kolb nervös. »Mach mich nicht verrückt mit deiner Fragerei. Du hast doch gehört, daß ich in einer . . .« Er unterbrach sich und sagte laut: »Wie oft habe ich dir schon gesagt, du sollst meine Gespräche nicht mithören! Nächste Woche lasse ich den Apparat umstellen.«
Sie sagte beleidigt: »Was ist schon dabei? Wenn dein Chef anruft, dann interessiert mich das genauso wie dich. Schrei mich nicht immer so an! Sibylle hast du sicher nie angeschrien.«

»Mit der bin ich auch nicht verheiratet«, sagte Kolb und band sich mit zitternden Händen die Krawatte. Ella sagte: »Ich wünschte oft, ich wäre es auch nicht«, und verließ eingeschnappt das Zimmer. Bevor er das Haus verließ, ging er sie suchen und fand sie bei den Kindern im Garten. Er küßte die Kinder und sagte zu Ella: »Hör um Gottes willen auf, beleidigt zu sein. Vielleicht wird es spät, bis ich zurückkomme; sei deshalb nicht beunruhigt. Er wollte ja nicht nur mich, er wollte auch Weckerle und Meissner sprechen. Sicher handelt es sich um die zwei Millionen für das Lösegeld. Das hat Kiene zu verantworten und nicht ich. Ich habe nur seine Anweisungen befolgt.«
»Herr Kiene hat dir doch, wenn Herr Rectanus nicht da ist, gar keine Anweisungen zu geben«, sagte Ella. Kolb erwiderte: »Davon verstehst du nichts«, und küßte auch sie. Als er zehn Minuten später aus der Stadt fuhr, hatte er noch immer keine plausible Erklärung für den Anruf des Chefs gefunden.
Weil die sonntäglichen Straßen frei von Berufsverkehr waren, schaffte er den Weg zur Fabrik in fünfundzwanzig Minuten. Zehn Minuten hatte er für das Umkleiden gebraucht; er machte sich jetzt Vorwürfe, weil er dem Chef nicht gleich gesagt hatte, daß dreißig Minuten zu knapp seien. Noch nie war es geschehen, daß er ihn auch nur eine Minute hatte warten lassen.
Vor dem Verwaltungsgebäude sah er den Mercedes des Chefs auf dem Parkplatz. Kurz darauf stand er Rectanus gegenüber. Es fiel ihm sofort auf, daß er sehr blaß, fast krank aussah und sein Händedruck noch müder war als sonst. »Ich habe Sie absichtlich heute hierher gebeten«, sagte er. »Wir sind ganz ungestört. Es dürfte Ihnen im Laufe unserer langjährigen Zusammenarbeit nicht entgangen sein, daß Sie mein Vertrauen immer im besonderen Maße genossen haben.«
»Ich habe das stets zu schätzen gewußt und bin Ihnen aufrichtig dankbar dafür«, sagte Kolb und setzte sich, einer knappen Geste des Chefs folgend, in einen Sessel. Der Chef bot ihm, was er noch nie getan hatte, eine Zigarre an, klemmte sich selbst eine zwischen die Lippen und ließ sich von Kolb Feuer geben. Dann sagte er: »Um so schwerer fällt es mir, Ihnen mitteilen zu müssen, daß ich durch außergewöhnliche Umstände gezwungen bin, mich von meinen Fabriken und damit von meinem Lebenswerk zu trennen. Seien Sie davon überzeugt, daß ich diesen Entschluß nicht leichten Herzens gefaßt habe. Ich habe von derselben Firmengruppe, die jetzt an meine Stelle treten wird, schon vor drei

Jahren eine erste Offerte bekommen. Damals stand für mich fest, daß ich, solange meine Gesundheit es mir erlaubt, nicht verkaufen werde. Inzwischen sind jedoch Ereignisse eingetreten, die es mir mit Rücksicht auf den guten Namen meines Unternehmens nahelegen, das Angebot zu akzeptieren. Ich möchte ausdrücklich hinzufügen, daß an den bisherigen Verkaufsgerüchten kein wahres Wort gewesen ist. Meinen Entschluß, zu verkaufen, habe ich«, er blickte auf die Armbanduhr, »vor genau dreißig Stunden gefaßt. Mir liegen seit langem noch andere Angebote vor, ich habe mich jedoch für eins entschlossen, das, im Hinblick auf die wirtschaftlichen Unabwägbarkeiten der Zukunft, existenzielle Risiken für das Gesamtwerk ausschließt.«
Kolb sagte mit belegter Stimme: »Sie erwähnen ausdrücklich das Gesamtwerk?«
»Leider läßt es sich nicht vermeiden, daß ein Teil der Arbeitsplätze bei der Fusion eingespart wird«, sagte der Chef. »Ich sah mich außerstande, etwas daran zu ändern. Es dürfte sich um rund siebenhundert handeln. Dies ist für mich eine überaus schmerzliche Entscheidung, die mir nur dadurch etwas leichter gemacht wird, daß damit für die verbleibenden Arbeitsplätze ein Höchstmaß an konjunkturunabhängiger Sicherheit gewährleistet ist. Was mich besonders schmerzlich trifft, und dies ist der eigentliche Grund, weshalb ich Sie zu mir gebeten habe, ist der Umstand, daß die Konzernleitung des künftigen Gesamtunternehmens darauf besteht, auch das Management mit eigenen Kräften zu besetzen, so daß . . .« Er brach ab und blickte Kolb, der unwillkürlich aufgestanden war, mit einem hilflosen Lächeln an. »Ja, es tut mir leid, Herr Kolb. Dies war eine der unumstößlichen Kaufbedingungen der Gegenseite. Selbstverständlich werden Sie im Rahmen des zwischen uns bestehenden Arbeitsvertrages in angemessener Weise entschädigt . . .«
»Ich verstehe Sie nicht«, sagte Kolb mit kreidebleichem Gesicht. »Es hätte doch möglich sein müssen . . .«
Der Chef winkte müde ab. »Ich hätte diese Bedingung unter normalen Umständen niemals akzeptiert und eher die Verhandlungen abgebrochen, Herr Kolb. Aber ich erwähnte vorhin, daß außergewöhnliche Ereignisse mein Handeln beeinflußt haben. Hätte ich mich nicht ganz kurzfristig dazu entschlossen, das seit langem vorliegende Angebot zu akzeptieren, so wäre es vielleicht in zwei oder drei Tagen nicht einmal mehr das Papier wert gewesen, auf dem es geschrieben steht. Im Vertrauen auf Ihre Ver-

schwiegenheit und darauf, daß Sie es mir durch Ihre Diskretion ersparen werden, auch die Herren Weckerle und Meissner in alle Details einweihen zu müssen, will ich Ihnen meine Beweggründe verdeutlichen. Ich hatte privaten Anlaß, meine Entführung selbst in die Wege zu leiten. Durch unglückliche Begebenheiten wird es sich nun nicht vermeiden lassen, daß die Öffentlichkeit davon erfährt. Dies müßte auf unsere sämtlichen Geschäftsverbindungen einen so katastrophalen Einfluß haben, daß die Existenzgrundlage meines bisherigen Unternehmens als nicht mehr gesichert angesehen werden dürfte. Die Folgen könnten sogar dahin führen, daß die bisherigen Kaufinteressenten ihre Angebote nach Bekanntwerden der näheren Umstände zurückziehen würden. Darum war es für mich wichtig, der von mir befürchteten Publikation zuvorzukommen und vollendete Tatsachen zu schaffen. Dies ist vor zwei Stunden in Form eines Vorvertrages geschehen, der von der anderen Seite nur dann annulliert werden könnte, wenn eine Prüfung der Bücher eine negative Zahlungsbilanz zutage brächte – ein Fall, der, wie Sie wissen, nicht eintreten kann. Wir haben sogar im letzten, konjukturschwachen Jahr wieder mit Gewinn abgeschlossen. Daß sich daran im Interesse der verbleibenden Belegschaft auch künftig nichts ändern darf, war bei der heutigen Unterzeichnung mein einziger Gedanke. Ich kann Sie daher nur darum bitten, mir zuzugestehen, daß ich mich in einer Notlage befand, die mir keinen anderen Ausweg mehr ließ. Ich werde auch dafür sorgen, daß, über unsere bestehenden vertraglichen Vereinbarungen hinaus, Ihnen und Ihren Kollegen der Geschäftsleitung eine finanzielle Absicherung gewährleistet wird, die es Ihnen ermöglicht, sich in Ruhe nach einer gleichwertigen Position umsehen zu können. Die Einzelheiten wird Ihnen mein Anwalt unterbreiten. Selbstverständlich werde ich auch Ihre Kollegen empfangen und es nicht allein Ihnen überlassen, sie vor vollendete Tatsachen zu stellen. Sehen Sie es jedoch bitte einem alten Mann in der bisher schwersten Stunde seines Lebens nach, wenn er sich mit dem Gespräch mit Ihnen wenigstens die schmerzliche Aufgabe, seinem bewährten Management zu kündigen, etwas leichter zu machen versucht. Ich hoffe, es wird Ihnen, bevor ich Sie alle drei morgen vormittag zu mir bitten lasse, gelingen, Ihre Geschäftsführerkollegen, ohne Einzelheiten zu erwähnen, davon zu überzeugen, daß mein Verkaufsentschluß wider meinen Willen unumgänglich geworden ist. Werden Sie das für mich tun?«

Kolb blickte eine Weile stumm vor sich auf den Boden. Dann sah er auf und sagte: »Erlauben Sie mir noch zwei Fragen. Habe ich richtig verstanden, daß Sie Ihre Entführung selbst bewerkstelligt haben?«
»Aus privaten Gründen«, antwortete der Chef und streifte die Asche von seiner Zigarre. »Sie sind so privat, daß nicht einmal meine Tochter von ihnen erfahren darf.«
»Dann respektiere ich sie«, sagte Kolb. Der Chef erwiderte seinen Blick. »Und Ihre zweite Frage?«
»Betrifft die Kurzfristigkeit Ihrer Entscheidung«, antwortete Kolb. »Da ich mit der Materie einigermaßen vertraut bin, erscheint es mir ungewöhnlich, daß sich ein erst vor dreißig Stunden von Ihnen gefaßter Verkaufsentschluß schon derart konkretisiert haben könnte, daß Sie mit der interessierten Firmengruppe bereits einen Vorvertrag unterzeichnet haben.«
»Dieser Einwand ist richtig«, räumte der Chef ein. »Auch hier gibt es eine Vorgeschichte. In den letzten zwölf Tagen ist im Zusammenhang mit den unbegründeten Warnstreiks der Belegschaft so viel über angebliche Verkaufsabsichten in Presse und Rundfunk berichtet worden, daß dies natürlich auch die Aufmerksamkeit der mehrfach erwähnten Firmengruppe erregt hat. Sie ließ mir am vergangenen Sonntag durch meinen Anwalt, Dr. Mauser, einen Vorvertrag unterbreiten, der nur noch meiner Unterschrift bedurft hätte. Heute habe ich nun nachvollzogen, was ich vor sechs Tagen strikt abgelehnt habe. Herr Dr. Mauser ist mit den Dokumenten bereits unterwegs und wird alles in meinem Namen erledigen. Was immer auch, unter anderen Umständen, meine späteren Entschlüsse gewesen wären, sie hätten sich niemals so negativ auf die Arbeitsplätze ausgewirkt, wie dies nun der Fall sein wird. Ich sagte Ihnen schon, daß ich das bedaure, aber ich vermag es nicht zu ändern.«
Er stand auf. »Vielleicht sah es mitunter so aus, als hätte ich Herrn Meissner mehr Vertrauen geschenkt als Ihnen, Herr Kolb. Sollten Sie diesen Eindruck gewonnen haben, so ist er falsch. Ich würde einem Mann, der seine Kollegen denunziert, niemals mein uneingeschränktes Vertrauen schenken. Sie, Herr Kolb, haben es immer besessen.« Er gab ihm die Hand. »Bis zur Übergabe an die neue Geschäftsleitung wird noch einige Zeit vergehen. Es ist jedoch erforderlich, daß die Öffentlichkeit schon morgen davon erfährt. Haben Sie noch eine Frage? Falls ich sie beantworten kann, tue ich es gern.«

»Wenn Sie es erlauben«, sagte Kolb mit mühsam erzwungener Fassung. »Wozu brauchten Sie die zwei Millionen, wenn Ihre Entführung nur gestellt war?«
Der Chef lächelte ein wenig. »Um sie echt erscheinen zu lassen. Leider gab es auch hier eine Komplikation. Sie wurde jedoch, wie ich vor einer knappen Stunde von Herrn Kiene erfahren habe, inzwischen durch ihn bereinigt. In solchen Dingen ist er ein sehr zuverlässiger und tüchtiger Mann.«
»Als Ihr künftiger Schwiegersohn . . .«, sagte Kolb. Der Chef unterbrach ihn mit ruhiger Stimme: »Ich weiß, woran Sie jetzt denken, Herr Kolb. Diese Lösung war indiskutabel. Jeder in der Branche hätte sofort gewußt, was er davon zu halten hätte. Solange ich lebe, wäre meine Person, hätte ich keinen klaren Schnitt vollzogen, unverändert mit den Rectanus-Werken identifiziert worden und umgekehrt auch. Es gab nur eine Möglichkeit, Zweideutigkeiten und Unterstellungen auszuschließen, und diese habe ich ergriffen. Meine Wertschätzung für Herrn Kiene ist, trotz meiner positiven Äußerungen, nicht unbegrenzt. Grüßen Sie Ihre Frau von mir, Herr Kolb. Ich kann Ihnen nicht genug sagen, wie leid es mir tut, daß Sie ihr eine so schlechte Nachricht überbringen müssen. Ich hoffe, Sie beide stehen diese schwere Zeit gemeinsam durch. Sie werden künftig ohne mich auskommen müssen und ich ohne Sie. Ich bin nur nicht sicher, wem von uns beiden das schwerer fällt.« Er schob ihn rasch zur Tür hinaus. Trotzdem hatte Kolb gesehen, daß er nasse Augen hatte, aber auch das war ihm kein Trost mehr. Er ging langsamer zur Treppe, blieb jedoch, als sein Weg ihn am Lift vorbeiführte, dort stehen, betrachtete ein paar Sekunden lang unschlüssig die Tür und öffnete sie dann. Als er nach unten fuhr, tat er es mit dem Gefühl eines Mannes, der nichts mehr zu verlieren hat. Er schloß seinen Wagen auf, blickte, bevor er hineinstieg, eine Weile mit zurückgelegtem Kopf zu seinem Bürofenster hinauf, bis er es, weil ihm die Augen schwammen, nicht mehr sehen konnte. Dann fuhr er zur Pforte. Hans Maier öffnete ihm das Tor und fragte: »Haben Sie alles erfahren können, Herr Kolb?
»Mehr als ich zu hoffen wagte«, sagte Kolb und verabschiedete sich mit einem Kopfnicken. Auf dem Weg in die Stadt hielt er einmal an, blätterte seinen Taschenkalender auf und stellte fest, daß dies der 24. Mai war. Er würde ihn, das wußte er, nie in seinem Leben vergessen.

33

Weil er feststellte, daß in seiner Wohnung Licht brannte, richtete Kiene an Hannelore die Bitte, im Auto auf ihn zu warten. »Ich bin in zehn Minuten zurück«, sagte er. »Zur Zeit ist leider der Fahrstuhl kaputt, und ich wohne ganz oben. Es ist mir auch lieber, du paßt auf, was die Fernsehfritzen machen.«
»Was soll ich tun, wenn sie zu mir kommen und mich anquatschen?« fragte Hannelore. Kiene schickte einen raschen Blick zu dem Mercedes, der ihnen mit seinen beiden Insassen vom Gasthof *Zum Lerchenberg* bis hierher gefolgt war. Der zweite Wagen, ein BMW, hatte sich nach dem Eintreffen von Hans Maier dem Mercedes des Chefs angehängt. Kiene antwortete: »Ich werde mich mal mit ihnen unterhalten. Ich schließe die Türen ab. Falls sie trotzdem zu dir kommen, ignorierst du sie einfach.«
»Ich habe Angst«, sagte Hannelore. Kiene tätschelte ihr beruhigend die Wange. »Dazu besteht kein Grund. Überlasse alles mir.«
Er ging zu dem Mercedes, öffnete die Tür und blickte in die unrasierten, übernächtigten Gesichter der beiden Männer. In einem von ihnen erkannte er den Kameramann wieder; der zweite saß am Lenkrad und trug braune Lederhandschuhe. Zu diesem sagte Kiene: »Wir haben uns schon mehrfach gesehen. Darf ich mich nach Ihrem Namen erkundigen, oder ist das beim Fernsehen nicht üblich?«
»Merklin«, sagte Merklin zurückhaltend. Kiene sagte: »Meinen Namen kennen Sie ja schon. Ich würde Ihnen empfehlen, jetzt nach Hause zu fahren, Herr Merklin. Es könnte Ihnen sonst passieren, daß Sie wieder nicht zum Schlafen kommen.«
»Das ist uns diese Sache wert«, sagte Merklin. »Wenn Sie uns verraten, was Sie jetzt vorhaben, sind Sie uns vielleicht los.«
»Ein nettes Auto«, sagte Kiene. »Ich wußte gar nicht, daß Fernsehredakteure so gut verdienen.«
»Wie Sie wollen«, sagte Merklin. »Wir haben viel Zeit.«
»Die werden Sie auch noch brauchen«, sagte Kiene. »Belästigen Sie die Dame in meinem Wagen nicht, sonst werde ich ärgerlich und lasse ihnen die Luft aus den Reifen.«
»Versuchen Sie das lieber nicht«, sagte Merklin.
»Das liegt nur an Ihnen«, sagte Kiene und schlug die Tür zu. Er kehrte zu Hannelore zurück und sagte: »Ich glaube nicht, daß sie dich belästigen werden. Ich beeile mich.«

Er schloß die Türen ab und ging in das Haus. Daß in seiner Wohnung Licht brannte, war nicht ungewöhnlich. Er hatte im Laufe der Zeit mehrere Schlüssel ausgeliehen und sie nicht zurückbekommen. Von den Mädchen, denen er sie gegeben hatte, traute er es mindestens zweien zu, daß sie sich abends in seiner Wohnung herumtrieben und auf seine Rückkehr warteten. Er fuhr mit dem Lift hinauf, schloß die Tür auf und ging ins Wohnzimmer. Dort fragte er überrascht: »Wie kommt ihr hierher?«
»Mit einem Taxi«, antwortete Annemarie. »Hat uns dreihundert Mark gekostet.« Sie saß in einem Sessel und hatte ein Buch in der Hand. Ursula lag auf der Couch und schien geschlafen zu haben. Sie fragte, während sie sich die Augen rieb: »Wie spät ist es?«
»Zehn«, antwortete Annemarie. Zu Kiene sagte sie: »Wo hast du den ganzen Tag gesteckt?«
Er setzte sich ein wenig benommen in einen Sessel und fragte: »Wie seid ihr hereingekommen?«
»Damit«, antwortete Annemarie und zeigte ihm den Schlüssel. »Ursula hat ihn, als wir Freitagnachmittag hier waren, heimlich vom Schlüsselbrett mitgehen lassen. Damit hast du wohl nicht gerechnet?«
»Nein«, sagte Kiene und stand auf. Er ging ins Bad, hielt den Kopf unter das kalte Wasser und überlegte fieberhaft. Als Ursula hereinkam, blickte er sie nicht an. Sie lehnte sich mit dem Rücken gegen die Tür und fragte: »Bist du eingeschnappt? In der Klinik wußte kein Mensch, wohin du gefahren bist. Wir dachten uns, daß wir dich vielleicht hier antreffen. Warum hast du uns keine Nachricht hinterlassen?«
»Habe ich doch«, sagte er und trocknete sich das Haar ab. Ursula sagte: »Die Schwester wußte nur, daß du plötzlich abreisen mußtest. Willst du mir keinen Kuß geben?« Er hängte das Handtuch über die Stange, ging zu ihr und küßte sie.
»Hast du Geheimnisse vor mir, Manfred?« fragte sie. »Oder bist du meiner schon wieder überdrüssig?«
»Unsinn«, sagte er, und dann wußte er plötzlich, was er ihr erzählen könnte. Er griff nach ihrer Hand und sagte: »Es hat sich etwas ergeben, Ursula. Ich habe von Hauptkommissar Weihrauch erfahren, daß dein Vater inzwischen freigelassen wurde und auf dem Weg nach Hause ist.«
Sie schlang impulsiv die Arme um seinen Hals und stammelte: »Mein Gott, was bin ich froh, Manfred. Ich bin so froh, ich kann es dir nicht sagen.«

»Ich auch«, sagte Kiene und küßte sie, bis sie sich beruhigt hatte. Dann griff er wieder nach ihrer Hand und sagte: »Ich habe heute morgen einen Anruf bekommen. Eine junge Frau hat sich bei mir gemeldet. Sie ist mit einem der Entführer verheiratet. Er hat sie, als er und sein Kumpan das Geld hatten, sitzenlassen, aber sie weiß, wohin sie mit dem Geld geflohen sein könnten. Der eine von ihnen hat in Italien ein Haus. Jetzt wollen wir ihnen nachfahren und sehen, daß wir das Geld zurückbekommen.«
»Das ist ja großartig!« sagte Ursula und wischte sich hastig die Freudentränen aus den Augen. »Wo ist sie?«
»Sie wartet unten im Wagen auf mich«, antwortete Kiene. »Ich wollte mir für die Reise nur noch ein paar zusätzliche Sachen einpacken.«
»Dann komme ich natürlich mit«, sagte Ursula. »Ist das nicht gefährlich, was du da vorhast?«
»Mit den beiden Burschen werde ich schon fertig«, sagte Kiene. »Hannelore, so heißt die Frau, hat mir erzählt, daß sie unbewaffnet sind. Ich habe meine Pistole bei mir. Es ist besser, wenn du nicht mitfährst . . .«
»Kommt nicht in Frage«, sagte sie entschieden. »Ich lasse dich bei einer so gefährlichen Sache nicht allein. Warum hast du nicht die Polizei . . .«
»Das wollte Hannelore nicht«, sagte Kiene. »Immerhin ist der eine ihr Mann und der andere ihr Schwager. Sie möchte nicht, daß sie ins Gefängnis kommen. Ich habe es ihr versprechen müssen.«
»Das muß ich Annemarie erzählen«, sagte Ursula und wollte hinauslaufen. Er hielt sie rasch am Arm fest. »Warte, es gibt da noch ein Problem. Diese Hannelore macht sich Hoffnungen auf mich. Sie scheint sich in mich verliebt zu haben. Ich habe ihr nichts von dir gesagt, sonst wäre sie vielleicht umgefallen. Du darfst ihr auf keinen Fall verraten, daß wir heiraten wollen.«
Sie blickte prüfend in sein Gesicht. »Hattest du etwas mit ihr?«
»Sie ist mir vollkommen gleichgültig«, sagte Kiene. »Aber ich mußte zum Schein auf sie eingehen und ihr Hoffnungen machen. Sobald wir das Geld haben, werde ich ihr etwas davon geben. Ich bin sicher, daß sie dann zufrieden ist.«
Ursula sah ihn eine kleine Weile stumm an, dann sagte sie: »Du bist unverbesserlich, Manfred.«
»Ich tat es für deinen Vater«, sagte er. »Siehst du, die Sache war so. Zuerst wollte sie mir gegenüber auspacken, dann kamen ihr

wieder Bedenken. Sie hatte Angst, ihr Mann und sein Bruder könnten sich anschließend an ihr rächen. Ich mußte sie beruhigen und davon überzeugen, daß sie bei mir kein Risiko eingeht.«
»Indem du mit ihr geschlafen hast?« fragte Ursula. Er sagte: »Ich habe schon mit vielen geschlafen, und diesmal hatte ich einen guten Grund dafür. Wenn wir erst einmal verheiratet sind . . .«
»Das weiß ich noch nicht«, schnitt sie ihm das Wort ab. »Darüber werden wir uns noch einmal unterhalten, wenn wir zurückkommen; Annemarie fährt natürlich auch mit.«
»Das ist verrückt«, sagte er betroffen. »Wie soll ich Hannelore das erklären?«
»Dir wird schon etwas dazu einfallen«, sagte Ursula und lief hinaus.
Er mußte sich auf das WC setzen und eine Zigarette anzünden. Sosehr er sich aber auch den Kopf zermarterte, ihm fiel nichts mehr ein. Schließlich ging er ins Schlafzimmer, nahm eine Reisetasche vom Schrank und packte einige Sachen hinein. Aus einem kleinen Karton nahm er einige größere italienische Geldscheine; er hatte sie von seinem letzten Italienaufenthalt mit nach Hause gebracht. Etwas später kam Ursula herein, sie sagte: »Annemarie kommt mit. Wohin fahren wir in Italien?«
»Das weiß ich selbst noch nicht«, antwortete er. »Hannelore will es mir erst unterwegs verraten.« Er griff nach ihrem Arm, zog sie an sich und sagte: »Ich weiß nicht, was du mit Annemarie hast, aber es wäre vielleicht besser für dich, wenn du sie nicht zu nahe an dich herankommen ließest.«
»Warum nicht?« fragte sie kühl. »Annemarie und ich sind jetzt Freundinnen.«
»Sonst nichts?« fragte er. Sie hielt seinem Blick stand. »Was sollte sie mir sonst noch sein?«
»Ich habe dich vor ihr gewarnt«, sagte er und ließ ihren Arm los. Sie sagte unverändert kühl: »Ich brauche keinen, der auf mich aufpaßt. Merk dir das, Manfred.«
»Du mußt es wissen«, sagte er und ging mit der Tasche ins Wohnzimmer. Annemarie kam ihm lachend entgegen: »In Italien war ich noch nie«, sagte sie. »Das ist eine prima Idee, Manfred. Dafür bekommst du einen Kuß.« Sie küßte ihn vor Ursulas Augen, und als Kiene zu dieser hinschaute, sah er, daß sie eigenartig lächelte. »Ihr seid doch alle beide verrückt«, sagte er. Annemarie sagte: »Wir können ja verstehen, daß du mit deiner neuen Eroberung lieber allein gereist wärst. Wir werden dich, bis du das

Geld hast, auch gar nicht stören. Du kannst sogar allein mit ihr in einem Hotelzimmer schlafen. Ursula und ich haben uns darauf geeinigt.«
Er fragte gereizt: »Und was soll ich ihr von euch erzählen? Daß ich schon mit euch beiden im Bett war?«
»Das brauchst du ja nicht«, sagte Annemarie. »Ich bin die Verlobte von ihrem Vater und wollte mich bei dir erkundigen, ob du schon etwas Neues weißt, und Ursula ist seine Tochter, die aus dem gleichen Grund mit mir gekommen ist und hier auf dich gewartet hat. Wenn ihr das nicht einleuchtet, soll sie sich meinetwegen denken, was sie will. Uns ist das doch egal.« Sie ging zu Ursula, legte den Arm um ihre Taille und sagte lächelnd: »Nicht wahr, Ursula?«
»Genauso sehe ich das auch«, sagte Ursula.
Während Kiene in ihre lächelnden Gesichter schaute, wurde er ganz ruhig. Er wandte ihnen stumm den Rücken zu und ging ins Bad. Beim Zurückkommen sagte er: »Ich muß vorher allein mit ihr reden. Wartet zehn Minuten, bevor ihr hinunterkommt. Nehmt von eurem Gepäck nur mit, was ihr für zwei oder drei Tage braucht. Länger wird die Sache nicht dauern.«
Er verließ die Wohnung und vergewisserte sich, daß der Mercedes noch auf dem Parkplatz stand. Dann brachte er die Tasche im Kofferraum unter und setzte sich zu Hannelore in den Wagen. Er sagte: »Wir fahren nicht allein. Die Tochter und die Verlobte von Herrn Rectanus haben in meiner Wohnung auf mich gewartet. Sie wollen wissen, ob ich schon etwas von ihm gehört habe. Ich habe ihnen erzählt, daß er frei ist und daß ich zusammen mit dir das Geld zurückholen werde. Sie bestanden darauf, mitzufahren. Ich kann nichts daran ändern.«
»Wie kamen sie in deine Wohnung?« fragte Hannelore unangenehm überrascht. Er antwortete: »Ich habe Fräulein Rectanus einen Schlüssel gegeben, damit sie in meiner Wohnung auf mich warten konnte. Sie wohnt normalerweise in der Schweiz bei ihrem Verlobten.«
»Ach so ist das«, sagte Hannelore erleichtert. Kiene legte einen Arm um ihre Schultern, küßte sie auf die Wange und sagte ihr, was sie wissen mußte. »Wir werden trotzdem ungestört sein«, fuhr er fort. »Selbstverständlich nehmen wir ein Hotelzimmer für uns allein. Die beiden wollen unbedingt dabei sein, wenn ich das Geld zurückhole. Ich nehme an, sie trauen mir nicht ganz. Bei zwei Millionen ist das kein Wunder.«

»Ach so ist das!« sagte Hannelore wieder. Dann lachte sie. »Ich habe nichts dagegen, wenn sie mitfahren. Sind sie wenigstens nett?«
»Du wirst sie ja gleich kennenlernen«, sagte Kiene. Er überlegte, ob ihm auch kein Fehler unterlaufen war. Der Mercedes fiel ihm wieder ein. Er sprach sich mit Hannelore ab und sagte, als die beiden Mädchen kurze Zeit später zu ihnen in den Wagen kletterten: »Das ist Ursula und Annemarie und das Frau Vogler.«
»Freut mich«, sagte Ursula und gab Hannelore die Hand. Annemarie schlug ihr leicht auf die Schulter und sagte: »Guten Abend, Hannelore.«
»Nett, Sie kennenzulernen«, sagte Hannelore und musterte sie aufmerksam. »Sind Sie die Tochter von Herrn Rectanus?« sagte sie zu Annemarie.
»Nein«, sagte Annemarie. »Ich bin nur seine Verlobte.«
»Oh!« sagte Hannelore. »Sie habe ich mir viel älter vorgestellt.«
»Mein Vater umgibt sich gerne mit jungen Frauen«, sagte Ursula. »Es ist nett, daß Sie uns dabei helfen wollen, das Geld zurückzuholen, Hannelore. Ich darf doch Hannelore zu Ihnen sagen?«
»Selbstverständlich«, sagte Hannelore. »Ich bin doch bestimmt nicht älter als Sie, und Sie gefallen mir alle beide.«
Kiene verstaute das Gepäck im Kofferraum, stieg ein und fuhr los. Im Rückspiegel beobachtete er, wie der Mercedes ihnen folgte. Während sie durch die Stadt zur Autobahn fuhren, sagte Ursula zu Hannelore: »Dann war mein Vater bei Ihnen eingesperrt?«
»Er war überhaupt nicht eingesperrt«, sagte Kiene rasch. »Er konnte sich völlig frei im Haus bewegen. Außerdem will Frau Vogler nicht gerne darüber sprechen.«
»Etwas kann sie uns aber erzählen«, sagte Ursula. »Hat man ihn gut behandelt?« Hannelore antwortete: »Ich hatte überhaupt nichts damit zu tun. Ich erfuhr erst davon, als mein Mann und mein Schwager schon mit dem Geld zurückkamen. Vorher haben sie mir nichts erzählt.«
»Aber wenn mein Vater frei in Ihrem Haus herumgelaufen ist . . .«, sagte Ursula. Kiene sagte geistesgegenwärtig: »Es war ein anderes Haus; sie hatten es für diesen Zweck unter falschem Namen gemietet. Hannelore wußte wirklich nichts davon.«
»Dann ist das natürlich etwas anderes«, sagte Ursula. »Hoffentlich hat er das alles gut überstanden. Hat er wenigstens genug zu essen bekommen?«

»Mehr, als er essen konnte«, antwortete Kiene für Hannelore. Ursula fragte nach einer kleinen Pause: »Woher weißt du das?«
»Von Herrn Weihrauch«, antwortete Kiene schwitzend. »Dein Vater hatte sich bereits telefonisch mit ihm in Verbindung gesetzt und ihm alles erzählt. Man hat ihn in Frankfurt auf freien Fuß gesetzt. Von dort aus hat er Herrn Maier angerufen und sich von ihm abholen lassen.«
»Wohnen Sie in Frankfurt?« wandte sich Ursula an Hannelore.
»Nein, sie wohnt bei Regensburg«, sagte Kiene. »Ich muß mich auf den Verkehr konzentrieren. Würdet ihr ein wenig ruhiger sein?«
»Es ist doch gar kein großer Verkehr mehr«, sagte Ursula, die leere Straße betrachtend. Annemarie kicherte. »Warum kicherst du?« fragte Ursula.
»Weil wir hinter zwei Millionen her sind«, antwortete Annemarie. »Schenkst du mir eine davon?«
»Das weiß ich noch nicht«, sagte Ursula und betrachtete Hannelore. Sie beugte sich zu ihr vor und sagte: »Manfred hat uns erzählt, daß er sich in Sie verliebt hat. Das ging aber schnell!«
»Ich habe mich ja auch sofort in ihn verliebt«, sagte Hannelore und berührte Kienes Arm. Annemarie sagte: »Liebe auf den ersten Blick, das ist mir auch schon passiert.«
»Ob Ihr Mann sich scheiden lassen wird?« fragte Ursula. Hannelore wandte ihr das Gesicht zu. »Es bleibt ihm keine andere Wahl, sonst packe ich aus.«
»Was packen Sie aus?« fragte Ursula verständnislos. Hannelore antwortete: »Mein Mann weiß, daß ich weiß, daß er Ihren Vater entführt hat. Dafür, daß ich den Mund halte, muß er sich scheiden lassen.«
»Ach so«, sagte Ursula. »Ja, das ist logisch. Wie kam Ihr Mann gerade auf meinen Vater? Oder wissen Sie das auch nicht?«
»Nein«, sagte Hannelore. »Ich weiß nur, daß er und mein Schwager das Geld haben und nach Italien gefahren sind.«
»Wohin, das wollen Sie uns nicht verraten?« fragte Ursula. Hannelore nickte. »Doch, jetzt kann ich es sagen. Mein Schwager hat in der Nähe von Bordighera ein Ferienhaus.«
»Bordighera, wo liegt das?« fragte Annemarie.
»An der Riviera«, sagte Kiene und berührte Hannelores Hand. »Vielen Dank. Wir fahren über Innsbruck–Mailand. Bis morgen früh können wir es schaffen.« Zu Ursula und Annemarie sagte er: »Übrigens werden wir verfolgt. Der Mercedes hinter uns.«

»Der ist mir schon ein paarmal aufgefallen«, sagte Annemarie. »Stand der nicht auf dem Parkplatz vor deinem Haus?«
Kiene lächelte: »Du hast ein scharfes Auge. Sie sind schon den ganzen Tag hinter mir her, zwei vom Fernsehen, die sich eine gute Story erhoffen. Ich nehme an, sie wissen noch nicht, daß Ursulas Vater frei ist, und rechnen sich aus, daß ich ihn vielleicht abholen und ihnen zu einem Interview verhelfen werde.«
»Und wenn sie uns bis Bordighera nachfahren?« fragte Ursula besorgt. Kiene blickte wieder in den Rückspiegel. »Irgendwann hängen wir sie ab, aber vorher sollen sie noch einen Sonntagsausflug haben, den Sie so rasch nicht vergessen. Wenn ihr morgen nicht völlig unausgeschlafen sein wollt, würde ich euch raten, jetzt ein Nickerchen zu machen. Bis nach Mailand brauchen wir mindestens vier Stunden und danach noch ein paar.«
»Ich bin viel zu aufgeregt, um schlafen zu können«, sagte Ursula. »Ich kann es noch immer nicht fassen, daß mein Vater frei ist.«
»Haben Sie sich seinetwegen große Sorgen gemacht?« fragte Hannelore.
»Ja«, sagte Ursula. Hannelore sagte leise: »Das tut mir leid.«
»Es ist ja nicht Ihre Schuld«, sagte Ursula.
Sie hatten inzwischen die Autobahn erreicht; Kiene ließ den Motor aufdrehen. Im Rückspiegel stellte er fest, daß ihnen der Mercedes in gleichbleibendem Abstand folgte. Ursula sagte: »Gib mir eine Zigarette, Manfred.« Er zündete ihr eine an und reichte sie nach hinten. Annemarie nahm sie ihm aus der Hand, öffnete das Fenster und warf sie hinaus.
»Warum tust du das?« fragte Ursula scharf.
»Weil es nicht gut für dich ist«, sagte Annemarie. »Hier, lutsch an meinem Finger, wenn du unbedingt etwas haben mußt.« Sie öffnete mit einem raschen Griff Ursulas Lippen, schob den kleinen Finger dazwischen und zwang sie, indem sie mit der zweiten Hand ihr Kinn festhielt, den Finger im Mund zu behalten. Dann stieß sie einen kleinen Schrei aus, zog den Finger zurück und sagte, während Ursula lachte: »Du Biest!«
»Habe ich dir weh getan?« fragte Ursula. Sie griff nach Annemaries Hand, führte sie zum Mund und bedeckte sie mit Küssen. Kiene, der sie beobachtete, sah, wie sie auch Annemaries Gesicht küßte. Neben ihm fragte Hannelore flüsternd: »Was haben die dauernd miteinander?«
Er zuckte nur mit den Schultern. Als er einige Zeit später wieder in den Rückspiegel blickte, lag Ursula mit dem Gesicht an Anne-

maries Brust, und Annemarie sagte leise: »Sie ist eingeschlafen; weckt sie nicht auf. Die Aufregungen mit ihrem Vater haben sie fertiggemacht.«
»Hoffentlich nichts anderes«, sagte Kiene. Hannelore flüsterte: »Ich bin überhaupt nicht müde. Soll ich dich einmal ablösen? Ich fahre gut.«
»Ich bin es gewohnt, die Nächte durchzufahren«, sagte er. Sie lehnte den Kopf an seine Schulter und fragte leise: »Brauchst du zwei Hände?« Er legte eine Hand zwischen ihre Schenkel. Sie flüsterte: »Ich habe es gern, wenn du zärtlich bist, Manfred. Liebst du mich noch?«
»Unverändert«, sagte er und nahm die Hand erst wieder weg, als Hannelore sie plötzlich festhielt.
Vor der Grenze mußte er sie alle drei wecken. Trotz der frühen Stunde standen noch andere Wagen vor ihnen und warteten auf die Zollabfertigung. Er öffnete den Wagenschlag, ging zu dem unmittelbar hinter ihnen stehenden Mercedes und sagte durch das offene Fenster: »Es macht Ihnen doch nichts aus, daß wir über die Grenze fahren?«
»Im Gegenteil«, antwortete Merklin. »Ich hatte schon lange vor, mir wieder mal Österreich anzusehen.«
»Wird ein kurzes Vergnügen«, sagte Kiene und kehrte zu seinem Wagen zurück.
»Was hast du mit Ihnen gesprochen?« fragte Ursula.
»Ich habe ihnen einen guten Morgen gewünscht«, antwortete Kiene. »Sind nette Leute, nur ein bißchen aufdringlich.«
Der österreichische Zöllner besah sich eingehend ihre Ausweise. Dann betrachtete er durch das offene Fenster zuerst Annemarie, dann Ursula und am Schluß Hannelore. »Haben Sie etwas zu verzollen?« fragte er.
Kiene lächelte. »Ich bin mir nicht sicher, ob man mehr als zwei Frauen einführen darf.«
»Von dieser Sorte dürfen Sie jede Menge einführen«, sagte der Zöllner. »Gute Reise.«
»Ich kann sie brauchen«, sagte Kiene und fuhr bis zur nächsten Grenztankstelle. Ursula sagte: »Der war richtig nett. Ich mag die Österreicher. In Innsbruck war ich erst vor zwölf Tagen.«
»Allein oder mit Ihrem Verloben?« fragte Hannelore. Ursula lachte. »Wer sagt Ihnen, daß ich verlobt bin?«
»Manfred hat es mir erzählt«, sagte Hannelore.
Während Kiene den Tank füllen ließ, hielt der Mercedes an einer

anderen Zapfsäule. Kiene beobachtete, wie Merklin mit dem Tankstellenpächter verhandelte und ihm einen Hundertmarkschein zeigte. Er ging zu ihnen und fragte: »Kann ich aushelfen?«
»Danke«, antwortete Merklin kühl. »Er nimmt auch deutsches Geld.«
»Hoffentlich klappt das in Italien genausogut«, sagte Kiene. Merklin starrte ihn betroffen an. »Sie wollen nach Italien?«
»Vielleicht auch noch ein bißchen weiter«, sagte Kiene. »Hängt ganz vom Wetter ab.« Er ließ ihn stehen und kehrte zu seinem Wagen zurück.
An der italienischen Grenze wurden sie nicht kontrolliert. Ein schläfrig wirkender Zöllner winkte sie durch; den Mercedes hielt er an.
Annemarie sagte befriedigt: »Jetzt sind wir ihn los!«
»Für zehn Minuten«, sagte Kiene. »Er hat einige PS mehr unter der Haube als meiner. Auf der Autobahn können wir ihn nicht abschütteln. Ich nehme an, die beiden wundern sich jetzt.«
»Das täte ich an ihrer Stelle auch«, sagte Annemarie und lachte laut. Später sagte sie enttäuscht: »Er ist schon wieder da. Kannst du nicht schneller fahren?«
»Nicht auf italienischen Autobahnen«, sagte Kiene und bezahlte an einem Schalter die Autobahngebühren. »Sind ganz schön happig«, sagte er.
»Ob unsere Freunde da mit D-Mark Glück haben?«
»Klar«, sagte Hannelore. »Die Italiener sind froh, wenn sie welche kriegen.«
Als sie bei Verona auf die Autobahn nach Mailand stießen, wurde der Himmel grau. »Wie weit haben wir noch?« fragte Hannelore. Kiene zuckte mit den Schultern. »Rund vierhundertfünfzig. Bis neun können wir es schaffen. Wir fahren über Genua, dann haben wir die Autobahn bis Bordighera. Hinter Mailand kannst du mich ablösen.«
»Warum nicht gleich?« fragte sie.
Am nächsten Parkplatz hielt er an, vertauschte mit ihr den Platz, und Ursula, die aufgewacht war, fragte gähnend: »Was tut ihr? Kann sie überhaupt fahren?«
»Das wirst du gleich erleben«, sagte Kiene, aber Hannelore fuhr so sicher, daß er innerhalb von zehn Minuten neben ihr einschlief und erst wieder aufwachte, als Ursula ihn wach rüttelte. »Das Meer!« sagte sie. Er blinzelte schlaftrunken in das leuchtende

Blau des Mittelmeers und fragte: »Habe ich so lange geschlafen?«
»Über zwei Stunden«, antwortete Hannelore. »Wir sind schon an der Riviera.«
»Das sehe ich«, sagte Kiene. Annemarie sagte andächtig: »So schön habe ich mir das nicht vorgestellt, Menschenskind. Was sind das für Bäume dort drüben?« Ursula erklärte es ihr.
»Wie gebildet du bist«, sagte Annemarie und küßte sie. Hannelore fragte verwundert: »Küßt ihr euch dauernd?«
»Nur wenn wir gut aufgelegt sind«, sagte Annemarie und küßte auch Kiene. »Dafür, daß du mir zu dieser schönen Reise verholfen hast. Ich war nie an der Riviera. Einmal Spanien und sonst immer Nordsee und Ostsee.«
»Ich war schon dreimal hier«, sagte Hannelore. »Allerdings noch nie mit so netten Leuten.«
»Dafür kriegst du auch einen Kuß«, sagte Annemarie und beugte sich zu ihr vor. »Ist doch blöd, daß wir uns nicht duzen. Findest du nicht auch?«
»Ich habe mich nicht getraut, euch darum zu bitten«, sagte Hannelore. Kiene sah sich nach dem Mercedes um. »Ich weiß nicht, womit sich diese Scheißkerls ein Fünfzigtausendmarkauto leisten können.«
»Sie sehen ziemlich mies aus«, sagte Annemarie.
»Der eine hat uns schon ein paarmal gefilmt«, sagte Hannelore.
»Ich habe es im Rückspiegel gesehen.«
Als an der nächsten Autobahntankstelle Merklin mit einem Angestellten verhandelte, kam der Kamermann näher und versuchte, durch die offenen Wagenfenster Ursula und Annemarie zu filmen; Kiene verscheuchte ihn mit einer drohenden Geste. Er ging zu Merklin, der noch immer mit dem Angestellten sprach, und sagte: »Es macht mir nichts aus, in der Fremde einem Landsmann in seiner Not zu helfen.«
»Sie werden uns nicht los«, sagte Merklin. »Wir werden bei Ihnen bleiben, bis Sie das Geld übernehmen.«
»So einfach, wie Sie sich das vorstellen, ist das gar nicht«, sagte Kiene und ging zu seinem Wagen. Ursula sagte: »Ich möchte nur wissen, was du immer mit ihnen redest? Hast du das nötig?«
»Ich nicht, aber sie«, sagte Kiene. »Was sie jetzt brauchen, ist ein moralischer Auftrieb. Wo ist Annemarie?«
»Sie mußte mal«, sagte Hannelore. »Kann ich auch?«
»Ich komme mit dir«, sagte Ursula und kletterte mit ihr aus dem

Wagen. Kiene beobachtete, wie der Kameramann, hinter dem Mercedes stehend, ihnen nachschwenkte. Er zündete sich lächelnd eine Zigarette an. Annemarie sagte beim Zurückkommen: »Ein Klo haben die, das glaubst du nicht.«
»Sie riechen nicht schlechter als unsere daheim«, sagte Kiene. Sie trat zu ihm, nahm sein Gesicht in die Hände und küßte ihn. »Jetzt hat er uns gefilmt«, sagte Kiene. Annemarie sagte: »Wennschon. Ich weiß nicht, ob das an der Luft oder an der Sonne liegt: hier bin ich richtig verliebt in dich, Manfred. Ich muß dir noch ein Kompliment machen! Wie du dich da herausgewunden hast, das war einsame Klasse.«
»Wovon sprichst du?« fragte er. Sie lachte. »Davon, daß du, als du mit Hannelore vor deiner Wohnung vorgefahren bist, nicht damit rechnen konntest, Ursula dort anzutreffen. Das hast du gedreht, daß es eine Freude war, zuzuschauen. War sicher ein harter Schlag für dich, daß deine beiden Vertrauensmänner mit dem Geld abgehauen sind?«
»Die reine Freude war es nicht«, räumte Kiene ein.
»Und dann schläfst du einfach mit der Frau des einen und bringst sie zum Singen«, sagte Annemarie. »Ich muß sagen, Manfred, du hast noch mehr auf dem Kasten, als ich dachte. Übrigens: Ursula meint es, glaube ich, mit der Heirat doch ernst. Sie hat gestern, als wir auf dich warteten, einige Andeutungen gemacht, die ganz anders geklungen haben als das, was sie bisher dazu geäußert hat. Sie hätte auch nichts dagegen, wenn ich bei euch wohne.«
»Wie hast du sie dazu gebracht?« fragte Kiene. Annemarie lächelte nur.
Ursula und Hannelore kamen zurück. Kiene sah sich nach Merklin um, der mit dem Kameramann bereits ungeduldig im Mercedes saß. »Wir sind fertig«, rief Kiene ihnen zu. »Kann es weitergehen?«
Sie starrten ihn durch die Windschutzscheibe verdrossen an. »Sonntagsgesichter machen sie jedenfalls keine«, sagte Kiene und fuhr los. Es wurde warm im Auto. Hannelore zog die Strümpfe aus und ließ Kiene sehnige Schenkel bis hinauf zum Slip sehen. »Eine hübsche Landschaft«, sagte er.
»Von welcher sprichst du?« fragte sie. Er betrachtete schmunzelnd die grünen Hügel nördlich der Straße mit ihren schlanken Zypressen und dichten Olivenhainen. Auf den Hügeln standen weiße Villen mit roten Ziegeldächern. Über den Hügeln hoben sich am Horizont kreidefarbene Felskuppen vom aquamarin-

blauen Himmel ab. »Sind das noch die Alpen?« fragte Annemarie verwundert. »Ich wußte gar nicht, daß es an der italienischen Riviera so hohe Berge gibt.«
»Dafür weißt du andere Dinge«, sagte Kiene. Ursula kicherte. An der nächsten Ausfahrt verließ Kiene die Autobahn und folgte einer schmalen Straße, die sich zwischen Weinbergen und Blumengärten den kreidefarbenen Bergen näherte. Hannelore sagte: »Das war doch erst Finale Ligure; du bist falsch gefahren. Oder was hast du vor?«
»Ein Attentat«, sagte Kiene und vergewisserte sich, daß der Mercedes konsequent am Heck klebte. Etwas später blieben die Weinberge und Blumengärten zurück, eine verlassene Straße schlängelte sich in vielen Windungen durch ein felsiges Tal steil bergan. Ursula sagte: »Das sieht aber arg trist aus.«
»Für unsere Zwecke kann es gar nicht trist genug aussehen«, erwiderte Kiene. »Ich nehme an, die Straße führt zu einem kleinen Gebirgsdorf und hört dort auf.«
»Und was willst du in einem kleinen Gebirgsdorf, wo die Straße aufhört?« fragte Annemarie. »Vergiß nicht, daß ich noch eine Mutter habe.«
»Lebt dein Vater nicht mehr?« fragte Hannelore. Annemarie nickte. »Bei einer anderen.« Zu Kiene sage sie: »Dein Gesicht gefällt mir nicht; du siehst so ungewohnt entschlossen aus.«
»Durch diese hohle Gasse muß er kommen«, sagte Kiene und bog auf einen steinigen Wiesenweg ein. Im Rückwärtsgang fuhr er wieder auf die Straße und wendete. Ursula fragte: »Hast du dich verfahren?«
»Nein«, sagte Kiene. »Wir liegen hier goldrichtig.«
Er fuhr, damit der Mercedes an ihm vorbeikam, scharf rechts ran und beugte sich aus dem offenen Fenster. »Auf diesem Weg können Sie bequem wenden«, sagte er zu Merklin. »Ich warte weiter vorne auf Sie.« Er fuhr schnell an und etwa hundert Meter die steil abfallende Straße hinab. Dann trat er auf die Bremse und sagte: »Ihr rührt euch nicht von den kleinen Hintern.«
»Was hast du vor?« fragte Annemarie besorgt. Kiene gab keine Antwort. Er stieg aus und blickte sich rasch um. Außer großen Felsbrocken und verkrüppelten Olivenbäumen war an dieser Stelle nichts zu sehen. Er ging mit langsamen Schritten dem Mercedes entgegen, der sein Wendemanöver inzwischen beendet und sich ihm auf fünfzig Meter genähert hatte. Kiene stellte sich mitten auf die Straße und rührte sich auch nicht vom Fleck, als

Merklin das Tempo plötzlich beschleunigte. Nur wenige Meter von Kiene entfernt brachte er den Mercedes mit einer Vollbremsung zum Stehen. »Was wollen Sie?« fragte Merklin aus dem Fenster.
»Mir Ihre Reifen anschauen«, antwortete Kiene und umrundete, während er die Reifen betrachtete, den Wagen vom Kühler bis zum Heck und dann, auf der anderen Seite, wieder bis zum Kühler. Merklin kletterte fast gleichzeitig mit Eichler aus dem Wagen und nahm eine drohende Haltung ein. »Ich warne Sie«, sagte er heiser. »Mit uns machen Sie so etwas nicht.«
»Sie wissen ja noch gar nicht, was ich machen will«, sagte Kiene und griff in das Jackett. Er nahm die Pistole aus dem Halfter und sagte: »Eine Walter PP; ich habe einen Waffenschein dafür. Würden Sie bitte einen Schritt zurücktreten? Für einen Querschläger kann ich nicht garantieren.«
»Sie sind ja übergeschnappt«, sagte Merklin kreidebleich; auch Eichler verfärbte sich. Zu ihm sagte Kiene: »Greifen Sie jetzt nicht nach Ihrer Kamera. Ist sie das?« Er nahm sie, während er die Pistole mit dem Lauf nach unten hielt, aus dem Wagen, betrachtete sie von allen Seiten und öffnete dann das Gehäuse. Er nahm die Filmrolle heraus, klemmte sie sich unter den Arm und sagte zu Eichler, der einen raschen Schritt auf ihn zumachte: »Auf Ihren kostbaren Kopf würde ich nicht zielen; nur auf Ihre krummen Beine. Ist Ihnen das lieber?«
Eichler blieb reglos stehen und starrte ihn wütend an. Als Kiene den Pistolenlauf auf den vorderen rechten Reifen setzte und abdrückte, gab es nur einen dumpfen Knall. Der Mercedes sackte augenblicklich bis auf die Felge des durchschossenen Reifens ab.
»Ich könnte auch noch die anderen kaputtschießen«, sagte Kiene. »Betrachten Sie es als persönliches Entgegenkommen, wenn ich Ihnen die Möglichkeit lasse, für die Weiterfahrt Ihr Reserverad zu benutzen. Das wäre für den Augenblick alles.«
Er schob die Pistole in das Halfter zurück und ging, die Filmrolle unter den rechten Arm geklemmt, zu seinem Wagen. Merklin rief ihm mit zornbebender Stimme nach: »Wir sprechen uns noch!«
»Bin immer für Sie da«, antwortete Kiene. Ursula ebenso wie Annemarie und Hannelore empfingen ihn mit verstörtem Gesicht. »Hast du wirklich geschossen?« fragte Annemarie.
»Nur auf ihren Reifen«, antwortete Kiene und setzte sich zu ihnen. Er gab Hannelore die Filmrolle und fuhr so schnell wie die

schmale, kurvenreiche Straße es zuließ, zur Autobahn zurück. Er verließ sie jedoch bereits an der nächsten Ausfahrt wieder und benutzte für die Weiterfahrt die Küstenstraße über Albenga nach Imperia. Dann erst sagte er: »Ihr seid so schweigsam.«
»Du hast uns vielleicht einen Schrecken eingejagt«, sagte Annemarie. Ursula sagte: »Mir hast du erzählt, die Pistole sei nie geladen.«
»Normalerweise nicht«, antwortete Kiene. »Ich habe das gestern abend geändert. Schaut euch jetzt die Gegend an. Ich weiß nicht, wann ich euch wieder hierherfahren kann.«
Zu Hannelore sagte er: »Erzähl mir ein wenig, wo das Haus steht. In Bordighera?« Sie schüttelte den Kopf. »Bevor wir hineinkommen, zweigt rechts eine Nebenstraße nach Seborga ab. Das ist ein kleiner Gebirgsort auf einem Hügel. Das Haus steht etwa fünf Kilometer von Bordighera entfernt an der Straße in einem Olivenhain. Von dort oben kannst du bis nach Monaco schauen.«
»Da kommen wir auch noch hin«, sagte Kiene. »Steht das Haus allein, oder sind noch andere in der Nähe?«
»Nur noch zwei«, antwortete Hannelore. »Aber das sind auch Ferienhäuser. Die Besitzer, ein Belgier und ein Deutscher, sind nur im Sommer und im Herbst dort; im Frühjahr hat mein Schwager sie noch nie gesehen. Hoffentlich sind mein Mann und er nicht schon weitergefahren.«
»Das glaube ich nicht«, sagte Kiene. »Sie sind erst gestern morgen angekommen. Ich vermute, sie sind, genau wie wir auch, die ganze Nacht durchgefahren. Sie werden sich dann erst einmal ausgeschlafen haben. Samstags konnten sie nicht mehr viel unternehmen, heute auch nicht. Wenn sie sich mit einem Makler in Verbindung setzen wollen, können Sie das erst morgen tun. Bis dahin sind sie uns einigermaßen sicher, immer vorausgesetzt, sie sind wirklich nach Bordighera gefahren.«
»Was ist das für ein Haus?« fragte Ursula. Hannelore erklärte es ihr.
»Wenn es mir gefällt«, sagte Ursula, »kaufe ich es vielleicht deinem Schwager ab. Wenn es so teuer war, wie konnte er es bezahlen?« Hannelore wandte ihr das Gesicht zu. »Er hat als Geschäftsführer gut verdient; wohnen konnte er im Hotel. Fürs Essen brauchte er auch nichts auszugeben. Er hat jeden Pfennig, den er in den acht Jahren verdient hat, für das Haus auf die Seite gelegt.«

»Kein Wunder, daß es ihm im Bayrischen Wald nicht mehr gefallen hat«, sagte Kiene. »Was hat ihn überhaupt wieder dort hingezogen? Hatte er seine Stellung als Geschäftsführer verloren?«
»Er hat selbst gekündigt«, antwortete Hannelore. »Männer sind manchmal eigen. Ich glaube, er hat plötzlich Heimweh bekommen.«
»Und Heimweh ist schlimmer als Durst«, sagte Kiene.
Nach Bordighera brauchten sie noch eine Stunde; sie fanden auch sofort die Abzweigung nach Seborga. Die schmale Straße führte sehr steil und in vielen Kurven einen langgestreckten Höhenrükken hinauf, der sich fingerförmig und fast parallel zur Küste aus dem gebirgigen Hinterland zum Strand schob und unmittelbar am Nordrand von Bordighera auslief. Er war, wie die meisten Hügel hinter der Stadt, mit Olivenwald bewachsen. Die wenigen Häuser an der Straße machten einen verlassenen Eindruck.
Die Mädchen und auch Hannelore waren still geworden; ihre Gesichter sahen ernst und blaß aus: »Wie weit ist es noch?« fragte Kiene.
»Höchstens ein Kilometer«, antwortete Hannelore. »Was wirst du tun, wenn sie das Geld nicht hergeben wollen? Auf sie schießen?«
»Ist nicht meine Spezialität«, sagte Kiene. Sie griff nach seinem Arm. »Die Straße führt hinter der nächsten Kurve ein Stück weit geradeaus. Dann macht sie eine Linkskurve, und hinter der Kurve steht das Haus auf der rechten Straßenseite. Es hat eine schmale Zufahrt mit einem Eisentor. Das ist aber nur geschlossen, wenn keiner im Haus wohnt. Die beiden anderen Häuser stehen weiter oben an der Straße. Man kann sie vom Haus meines Schwagers aus nicht sehen; es sind Bäume dazwischen.«
Kiene fuhr langsamer. Nach einigen hundert Metern fand er, was er suchte. Er zeigte Hannelore eine kleine Lichtung zwischen den Bäumen oberhalb der Straße und sagte: »Dort könnt ihr euch verstecken. Wenn ich zurückkomme, hupe ich. Ihr müßt so schnell wie möglich herunterkommen und einsteigen. Laßt euch vom Fahrer eines anderen Wagens nicht sehen. Wenn ihr euch auf den Boden setzt, seid ihr von hier aus nicht auszumachen.«
»Er ist verrückt«, sagte Ursula und kletterte mit käsigem Gesicht aus dem Wagen. Annemarie und Hannelore folgten ihr. Annemarie sagte: »Du kannst ihnen sagen, daß wir, wenn du in zehn Minuten nicht zurück bist, zur Polizei laufen.«
»Wartet zwanzig Minuten«, sagte Kiene und fuhr weiter. Im

Rückspiegel beobachtete er, wie sie die steile Straßenböschung hinaufkletterten, dann verschwanden sie aus seinen Augen.
Er drehte den Wagen und stellte ihn dann scharf an den rechten Straßenrand. Den Rest des Weges legte er zu Fuß zurück. Er bemerkte das Haus schon, als er noch die scharfe Linkskurve durchschritt. Das Eisentor stand weit offen. Dahinter führte zwischen Blumenbeeten und Oleandersträuchern ein steiler Zufahrtsweg zum Haus hinauf. Er folgte ihm mit normalen Schritten. Vor der Haustür stand der alte VW mit dem Regensburger Kennzeichen. Kiene verhielt neben ihm den Schritt und sah sich um. Offensichtlich befand er sich an der Rückseite des im Bungalowstil errichteten Hauses. Die Fenster hier waren klein und schienen zu der Küche und anderen Nebenräumen zu gehören; sie waren mit schmiedeeisernen Gitterstäben gesichert. Einen Klingelknopf konnte Kiene an der Haustür nicht entdecken. Er drückte auf die Klinke; die Tür war verschlossen. Vorsichtig ging er um das Haus herum nach seiner Vorderseite. Noch ehe er sie ganz erreicht hatte, sah er in dem zur Straße abfallenden Teil des Gartens einen Mann mit einer Gießkanne stehen. Obwohl er ihm den Rücken zudrehte, erkannte er sofort Josef Vogler. Weil er jeden Augenblick von ihm bemerkt werden konnte, ging er wieder hinter das Haus und näherte sich seiner Vorderfront von der anderen Seite. Als er die Hausecke erreichte, blickte er unmittelbar auf eine große Terrasse. Vor der Terrasse war ein Swimming-pool; daneben, nur mit Hose und Hemd bekleidet, lag bäuchlings ein Mann; er schien zu schlafen. Sein Gesicht konnte Kiene nicht sehen; er zweifelte jedoch nicht daran, daß es Otto Vogler war.
Die Terrasse war von einer Balustrade gesäumt. Weil sie etwa einen Meter höher als das Gelände um den Swimming-pool und mit diesem durch eine Treppe verbunden war, hätte Otto Vogler sie nur aufgerichtet überblicken können. Kiene zögerte nur eine Sekunde lang. Dann schwang er sich über die Balustrade und lief geduckt auf die zweiflügelige Terrassentür zu; sie stand, genau wie das Gartentor auch, weit offen. Im Zimmer blieb er kurz stehen und lauschte. Als kein verdächtiges Geräusch an seine Ohren drang, blickte er sich rasch um. Der Raum war geschmackvoll eingerichtet; die meisten Möbel waren aus Olivenholz. Neben einem offenen Kamin stand ein Fernsehgerät. Er verließ das Zimmer und kam in einen Flur mit mehreren Türen. Schon die erste führte in ein Schlafzimmer. Die Betten dort waren unbe-

nutzt; Kiene vermutete, daß es sich um ein Gästeschlafzimmer handelte. An der nächsten Tür hatte er mehr Glück. Hier waren die Betten aufgedeckt; auf dem zerknitterten Laken lag ein Pyjama. Unter dem Fenster standen drei geöffnete Koffer mit zerwühltem Inhalt. Er ging zum Kleiderschrank. Die Tür war, was sogleich seine Aufmerksamkeit erregte, abgeschlossen, der Schlüssel fehlte. Er fand ihn wenig später unter einer der Matratzen. Er schloß ihn auf. Dann sah er die beiden gesuchten Koffer, halb verdeckt von Herrenanzügen und Mänteln. Er nahm sie heraus, schloß die Tür ab und legte den Schlüssel auf seinen Platz unter der Matratze zurück. Bevor er das Zimmer verließ, warf er einen Blick aus dem Fenster. Tief unter sich sah er die Dächer von Bordighera und die blaue Küste. Die weißen, das Sonnenlicht reflektierenden Hochhäuser am Horizont mußten bereits zu Monaco gehören. Er betrachtete sie eine Weile, dann kehrte er zu den Koffern zurück und schleppte sie zur Haustür. Der Schlüssel steckte innen im Schloß. Er schloß sie auf und zog sie, schon im Freien stehend, vorsichtig hinter sich zu. Die beiden Koffer waren schwer. Mehr zufällig als einer Überlegung folgend, warf er im Vorübergehen einen Blick in den Volkswagen; der Zündschlüssel lag auf dem Fahrersitz. Auch diesmal zögerte er nur eine Sekunde lang. Er öffnete die Beifahrertür, stellte die Koffer auf den Rücksitz und setzte sich hinter das Lenkrad. Er löste die Handbremse und ließ den Wagen rückwärts die steile Zufahrt hinabrollen. Noch ehe er ganz die Toreinfahrt erreicht hatte, sah er Josef Vogler mit der Gießkanne unmittelbar am Weg stehen. Er blickte zuerst verwundert, dann in ungläubigem Schrecken dem VW entgegen. Kiene trat auf die Bremse, beugte sich aus dem Fenster und sagte: »Du hast mich sehr enttäuscht, Josef. Seit wann ist es üblich, einen alten Kameraden aufs Kreuz zu legen?«
Vogler öffnete den Mund und schloß ihn wieder. Dann ließ er die Gießkanne fallen und wurde kreidebleich. »Wie kommen Sie hierher?« stammelte er.
»Mit dem Auto«, sagte Kiene. »Ein sehr schönes Haus; ich würde an deiner Stelle hierbleiben. Daheim wirst du von der Polizei gesucht. Grüß deinen Bruder von mir. Er ist genauso ein Arschloch wie du.«
Er ließ den VW auf die Straße rollen, schlug das Lenkrad scharf ein und startete jetzt erst den Motor. Fast im selben Augenblick hörte er Josef Vogler losbrüllen. Schmunzelnd fuhr er zu seinem

Wagen, lud die Koffer um und warf den Zündschlüssel des VW zwischen die Bäume.
Hannelore, Ursula und Annemarie erwarteten ihn bereits auf der Straße. Mit einem Blick auf die Uhr stellte er fest, daß er fünfundzwanzig Minuten gebraucht hatte. Sie kamen ihm entgegengerannt, und Ursula sagte atemlos: »Mein Gott, was haben wir Angst ausgestanden!«
»Völlig unbegründet«, sagte Kiene und öffnete ihnen die Türen. »In Monaco kenne ich ein nettes Café«, sagte er. »Habt ihr Lust?«
»Hast du das Geld?« stieß Annemarie hervor.
»Ja«, sagte Kiene.
Sie fingen, wie auf Kommando, alle drei an zu kreischen und schlangen die Arme um ihn. Ursula und Annemarie von hinten und Hannelore von der Seite. Nur durch eine Notbremsung konnte er verhindern, daß er dem Commodore in den grünen Olivenhain fuhr. Annemarie küßte ihn auf die Wangen und auf den Hals und jubelte: »Er hat das Geld, er hat das Geld.« Auch Ursula sang: »Er hat das Geld, er hat das Geld«, und dann stimmte auch Hannelore mit jubelnder Stimme ein, und sie sangen alle drei im Chor und im Takt: »Er hat das Geld, er hat das Geld.«
Als Kiene zwischen ihren Umarmungen und Küssen einmal Gelegenheit fand, in den Rückspiegel zu schauen, sah er den Volkswagen hinter der nächsten Kurve hervorschießen und Otto Vogler mit entschlossenem Gesicht am Lenkrad sitzen. Ohne ein Wort der Erklärung schlug er wild mit den Ellbogen um sich, traf Annemarie am Kinn und schrie: »Hört auf, hört auf, verdammt!« Noch ehe sie es richtig begriffen, donnerte der Commodore mit durchdrehenden Rädern los und die steile Straße hinunter. Hannelore bemerkte den Volkswagen zuerst, sie verfärbte sich und stammelte: »Sie verfolgen uns!«
»Wer?« fragte Ursula und blickte rasch zurück. Annemarie, die beide Hände an das Kinn preßte, sagte wütend: »Du hast mir weh getan, Manfred.«
»Hinter dir sind zwei, die werden dir noch viel weher tun, wenn sie dich erwischen«, sagte Kiene und schnitt eine unübersichtliche Kurve. Dann trat er plötzlich auf die Bremse und ließ den VW dicht auffahren; es gab nur eine Erklärung: Einer der beiden mußte, als sie ihm nachgerannt waren, einen zweiten Autoschlüssel bei sich gehabt haben.

Annemarie, die jetzt auch begriffen hatte, daß dies kein Scherz mehr war, wandte sich verstört an Hannelore: »Ist einer von den beiden dein Mann?«
»Der neben dem Fahrer«, antwortete Hannelore furchtsam. »Der andere ist mein Schwager. Jetzt haben sie mich sicher schon gesehen und wissen, daß ich euch hierhergebracht ...« Sie brach ab und sagte hastig: »Paß auf, Manfred, sie wollen uns überholen!«
»Nicht ohne meine Einwilligung«, sagte Kiene und steuerte den Commodore zur Straßenmitte. Zu Hannelore sagte er: »Hab keine Angst. Sobald wir auf der Autobahn sind, hängen wir sie ab, und bis dahin lasse ich sie nicht an uns vorbei.«
»Wohin willst du fahren?« fragte Annemarie nervös. Er lächelte. »Wohin ich es euch versprochen habe. Das Café müssen wir allerdings vorläufig zurückstellen. Dafür steigen wir in Monaco in einem feinen Hotel ab.«
»Was willst du in Monaco?« erkundigte sich Ursula. Kiene fuhr, weil der VW einen neuen Überholversuch machte, ganz auf die linke Straßenseite und erst vor der nächsten Kurve auf die rechte zurück. Dann antwortete er: »Es ist mir zu riskant, dauernd mit zwei Millionen im Kofferraum herumzukutschieren. Wir werden sie in Monaco zu einer Bank bringen. Seid jetzt mal schön still und laßt euren Vater sich auf die Straße konzentrieren.« Ursula blickte ihn beeindruckt an.
Es bereitete ihm in den nächsten Minuten auf der schmalen Straße keine Mühe, den VW hinter sich zu halten, und als sie kurze Zeit später die Zufahrt zur Autobahn erreichten, fiel der VW plötzlich zurück. Kiene sagte: »Jetzt sind wir aus dem Schneider; auf einer stark befahrenen Straße werden sie nichts riskieren.« Er drückte das Gaspedal durch und verlor den VW innerhalb einer knappen Minute aus dem Rückspiegel. Erst als einige Fahrer, deren Autos er überholt hatte, hinter ihnen wütend zu hupen anfingen, fuhr er wieder langsamer. »Was haben die nur?« fragte Ursula befremdet. »Meinen die uns damit?«
»Geschwindigkeitsbeschränkung« antwortete Kiene. »Die italienischen Autofahrer haben es nicht gern, wenn man als Ausländer Verkehrsvorschriften ignoriert, um die sie selbst sich den Teufel was scheren.«
Im Laufe der nächsten halben Stunde passierten sie mehrere Tunnel und überfuhren auf himmelhohen Viadukten tief eingeschnittene Täler. Annemarie, die einmal die kahlen Berggipfel

auf der rechten und dann wieder das leuchtende Blau des Meeres auf der linken Seite betrachtete, sagte anerkennend: »So eine Autobahn habe ich noch nie gesehen.«
»Sicher eine der teuersten der Welt«, bestätigte Kiene. Dann sagte er: »Verdammter Mist!«
»Was hast du?« fragte Hannelore betroffen. Dann sah sie selbst die stehende Autokolonne vor ihnen.
»Sicher wieder ein Gebührenschalter«, sagte Kiene. »Wir haben heute Sonntagsverkehr. Jetzt werden wir sie vor Monaco kaum mehr los.« Er trat auf die Bremse und sagte: »Schadet auch nichts. Wenn wir erst einmal im Hotel sind, stehen sie vor der Tür und wissen nicht weiter.« Hannelore fragte besorgt: »Wäre es da nicht besser, wir würden versuchen, ihnen auf einer Landstraße davonzufahren?«
»Ich brauche jetzt ein Frühstück und eine Mütze voll Schlaf«, sagte Kiene. Er blickte in den Rückspiegel. Der VW war, wenn auch noch durch ein gutes Dutzend anderer Autos von ihnen getrennt, bereits wieder da. Es dauerte zehn Minuten, bis sie im Schrittempo an den Gebührenschalter kamen, aber auch dann gelang es Kiene vor der französischen Grenze nicht mehr, den VW abzuschütteln. An der Zollabfertigung mußten sie wieder zehn Minuten warten. Hannelore fragte nervös: »Was machst du, wenn sie das Gepäck konrollieren und das Geld sehen?«
»Ein dummes Gesicht«, antwortete Kiene, aber er brauchte dann keins zu machen: die französischen Grenzbeamten begnügten sich mit der Kontrolle ihrer Personalpapiere. Als sie den Schlagbaum passierten, sah Kiene auch den Mercedes wieder. Er mußte auf einem der Parkplätze neben der Zollabfertigung gestanden haben, und Kiene beobachtete im Rückspiegel, wie Merklin ihn in die fahrende Kolonne einschleuste. Ein paar Augenblicke lang empfand er widerwillige Bewunderung, aber dann sagte er sich, daß es für Merklin einfach gewesen sein mußte, von den Zollbeamten zu erfahren, ob der Commodore bereits die Grenze passiert hatte oder nicht. Den Commodore hatten sie vermutlich weniger im Gedächtnis behalten als einen mit einem Mann und drei Frauen besetzten deutschen Wagen, und daß ihr Ziel nur die französische Grenze gewesen sein konnte, hätte sich bei der bisherigen Fahrtrichtung auch ein weniger intelligenter Mann als Merklin ausrechnen können.
Weil weder Ursula noch Hannelore und Annemarie den Mercedes gesehen hatten, verlor Kiene kein Wort darüber; er hätte sie,

ohne dadurch an den Gegebenheiten etwas ändern zu können, nur wieder beunruhigt.
Die Autobahn führte jetzt über mehrere Viadukte an Menton vorbei, und als sie bald darauf die Ausfahrt nach Monaco erreichten, waren der Volkswagen ebenso wie der Mercedes unmittelbar hinter ihnen. Annemarie bemerkte den Mercedes zuerst. Sie beugte sich zu Kiene vor und fragte leise: »Hast du schon einmal in den Rückspiegel geschaut?«
»Seit gestern tue ich nichts anderes mehr«, antwortete Kiene.

34

Nach seinem dramatischen Gespräch mit dem Chef fuhr Kolb noch eine Weile ziellos durch die Stadt und wurde, je länger er fuhr, immer ruhiger. Er war, als Ella ihm die Haustür öffnete, so ruhig, daß sie ihn verwundert ansah. »Ich dachte, du würdest Neuigkeiten mitbringen.«
»Bringe ich dir auch, Kleines«, sagte Kolb und küßte sie auf die Wange. »Papa ist entlassen.« – Sie fragte: »Wer ist entlassen?«
»Euer Papa«, sagte Kolb und ging ins Wohnzimmer. Er setzte sich in einen Sessel, zündete sich eine Zigarette an und blickte Ella, die ihm verständnislos gefolgt war, ins verständnislose Gesicht. »Wir können jetzt zwei Dinge tun«, sagte er. »Entweder ich bezahle von der Abfindung die Resthypothek, dann sind wir schuldenfrei, haben aber keinen Pfennig mehr. Oder wir machen weiter wie bisher, dann haben wir in spätestens zwölf Monaten keinen Pfennig mehr und immer noch rund hunderttausend Mark Schulden. Die Frage ist nur, was dir lieber ist.«
»Ich verstehe dich nicht«, sagte Ella blaß. »Oder hast du mir eben zu erklären versucht, daß du deine Stellung verloren hast?«
Kolb nickte. »Genau das wollte ich dir erklären. Der Alte hat die Firma verkauft, und die neuen Besitzer wollen ihr eigenes Management einbringen.«
»Du lieber Gott«, sagte Ella und preßte die Hand gegen den Mund. »Du hast wirklich deine Stellung verloren, Michael?«
»Für immer und ewig«, sagte Kolb. »Wo sind die Kinder?«
»Hinter dem Haus im Garten«, antwortete Ella durch die Finger ihrer vorgehaltenen Hand hindurch. Dann nahm sie die Hand weg und fragte weinend: »Wieso ausgerechnet du?«
»Nicht nur ausgerechnet ich«, sagte Kolb. »Ich habe dir eben erzählt, daß das ganze Management fliegt, Meissner und Weckerle

also auch. Da beißt keine Maus mehr einen Faden ab, und wenn du noch so heulst. Ich frage mich, weshalb du überhaupt heulst. Hast du deine Stellung verloren oder ich?«
»Aber wenn du doch nichts mehr verdienst!« sagte sie weinend. »Wovon sollen wir dann leben?«
»Du hättest eben Gemüse statt Blumen im Garten anpflanzen sollen«, sagte Kolb und grinste. Ella sagte weinend: »Du lachst auch noch?«
»Ja«, sagte er.
Er ging in die Küche, nahm eine Bierflasche aus dem Kühlschrank, öffnete sie und setzte sie an den Mund. Er trank sie auf einen Zug halb leer, wischte sich mit dem Handrücken den Mund ab und kehrte mit der Flasche zu Ella zurück. Sie hatte aufgehört zu weinen, und ihre Stimme klang unangenehm schrill: »Wie oft habe ich dich schon gebeten, nicht aus der Flasche zu trinken! Wie stellst du dir das jetzt vor?«
»Das habe ich dir bereits erklärt«, antwortete Kolb. »Wenn der Alte, wie er es angedeutet hat, noch über das hinausgeht, was mir zusteht, kommen wir auf eine viertel Million. Das müßte sogar reichen, um die Hypothek abzutragen und ein knappes Jahr davon zu leben. Bis dahin muß ich einen neuen Job gefunden haben. Wenn wir uns ein wenig . . .«
Er verstummte und beobachtete, wie Ella plötzlich auf die Beine sprang und aus dem Zimmer lief. Sekunden später kam sie zurück und gab ihm einen Zettel: »Fast hätte ich es vergessen; du sollst dort anrufen; Herr Kiene war am Apparat. Was tut der in Monaco?«
»Ist er in Monaco?« fragte Kolb und betrachtete verdutzt die Telefonnummer auf dem Zettel. »Was tut er dort?«
»Das habe ich dich eben auch schon gefragt«, antwortete Ella. »Mir hat er am Telefon nur gesagt, daß er in Monaco ist. Du sollst ihn, sobald du wieder zu Hause bist, zurückrufen. Ich habe ihm erzählt, daß Herr Rectanus dich sprechen wollte.«
»Das trifft sich gut«, sagte Kolb und eilte in sein Arbeitszimmer. Anscheinend handelte es sich um eine Durchwahlnummer, denn als er sie gewählt hatte, meldete sich eine weibliche Stimme mit: »Hallo?«
»Parlez-vous allemand?« erkundigte sich Kolb vorsichtshalber. Die weibliche Stimme antwortete auf deutsch: »Wen wollen Sie sprechen?«
»Herrn Kiene, wenn es geht«, sagte Kolb. »Ist er da?«

»Herr Kiene ist im Augenblick nicht hier«, antwortete ihm die weibliche Stimme, die Kolb, je länger er Gelegenheit hatte, ihr zu lauschen, in wachsendem Maße bekannt vorkam. »Ist es dringend?«
»Er wollte mich sprechen«, sagte Kolb. »Sie können ihm ja sagen, daß ich alles weiß. Ich bin jetzt zu Hause; er kann mich jederzeit erreichen. Was tut er in Monaco?«
»Das soll er Ihnen selbst erzählen«, sagte Kienes Freundin am anderen Ende der Leitung. »Was wissen Sie?«
»Herr Rectanus hat mir alles erzählt«, antwortete Kolb. »Ist Fräulein Rectanus auch in Monaco?«
»Was hat Herr Rectanus Ihnen erzählt?« fragte sie zurück. Er zögerte einen Augenblick und sagte dann: »Nun, Sie werden es ja sicher von Herrn Kiene bereits erfahren haben, sonst wären Sie nicht bei ihm. Sagen Sie ihm, ich wüßte, daß die Entführung nur fingiert war und daß er mich schnellstens anrufen soll. Fräulein Rectanus darf aber nichts davon erfahren.«
»Was war fingiert?« fragte Kienes Freundin nach einer kleinen Pause. »Sagten Sie, die Entführung?«
»Wußten Sie das nicht?« fragte Kolb betroffen. Dann war die Leitung tot.
Er zündete sich beunruhigt eine Zigarette an und kehrte ins Wohnzimmer zurück. Ella, die vom Schlafzimmer aus einen kürzeren Weg gehabt hatte als er, erwartete ihn bereits wieder und fragte tief betroffen: »Was hast du dieser Person erzählt? Die Entführung war fingiert?«
Kolb bekam einen Wutanfall: »Hast du schon wieder mitgehört, du neugierige Ziege!« Sie rannte aus dem Zimmer und schlug die Tür hinter sich zu.
»Du lieber Gott!« sagte Kolb und ließ sich seufzend in einen Sessel fallen. Zehn Minuten später rief Kiene bei ihm an und sagte: »Sie sind ein Idiot, Kolb. Es tut mir leid, Ihnen das sagen zu müssen.«
»Hören Sie mal . . .«, sagte Kolb und verstummte. Kiene sagte: »Sie haben Fräulein Rectanus etwas verraten, was sie niemals hätte erfahren sollen. Woher wußten Sie es?«
»Vom Chef«, antwortete Kolb mühsam. »Wieso Fräulein Rectanus? Ich habe doch mit . . .
»Sie haben es immer mit Fräulein Rectanus zu tun gehabt«, antwortete Kiene. »Ich räume ein, ich bin genauso schuld wie Sie. Das mit dem *Idiot* bedaure ich; es ist mir so herausgefahren. Sie

haben mit dem Chef gesprochen, deshalb rufe ich noch einmal an. Er war mir gegenüber, als ich vor zwei Stunden mit ihm telefonierte, ziemlich kurz. Vielleicht hing das mit seinem Besuch im Polizeipräsidium zusammen. Wieso hat er Ihnen verraten, daß die Entführung nicht echt war? Oder haben Sie es schon von einer anderen Stelle erfahren?«
Kolb, dem jetzt erst ganz bewußt wurde, was er mit seinem Anruf angerichtet hatte, sagte verstört: »Ich hatte keine Ahnung, daß Fräulein Rectanus am Apparat war, Herr Kiene. Das tut mir furchtbar leid. Der Chef hat mir gegenüber ausdrücklich betont, daß sie die Wahrheit über die Entführung nicht erfahren darf. Ich bin völlig verzweifelt.«
»Ich auch«, sagte Kiene. »Sie haben meine Frage nicht beantwortet. Wieso hat er Ihnen davon erzählt? Er hat Sie doch sicher nicht deshalb in die Fabrik bestellt?«
»Das nicht«, sagte Kolb. »Er ließ es auch nur beiläufig einfließen, um mir die Gründe für den Verkauf zu erläutern.«
»Für welchen Verkauf?« fragte Kiene. »Sie wollen damit doch nicht etwa andeuten, er wolle das Werk nun doch verkaufen?«
»Sie wissen das noch gar nicht?« fragte Kolb ungläubig. »Mir hat er es vor einer Stunde erzählt; er hat bereits den Vorvertrag unterzeichnet. Die neuen Besitzer wollen das gesamte Management auswechseln.«
Kiene blieb ein paar Augenblicke lang still, dann fragte er leise: »An wen hat er verkauft?«
»Das hat er mir nicht verraten«, antwortete Kolb. »Ich setzte voraus, Sie wüßten schon viel mehr als ich, Herr Kiene.«
»Ich wußte überhaupt nichts«, sagte Kiene und beendete abrupt das Gespräch.
Kolb starrte eine Weile fassungslos auf den Hörer in seiner Hand. Dann legte er ihn langsam auf, zündete sich mit zittrigen Händen eine neue Zigarette an und verbrachte eine Viertelstunde untätig an seinem Schreibtisch. Schließlich stand er geistesabwesend auf, zog in der Diele sein Jackett an und verließ das Haus. Er war so durcheinander, daß er nicht einmal mehr nach seinen Kindern schaute und sich auch nicht von Ella verabschiedete. Er stieg in sein Auto und fuhr auf dem direkten Weg zu Weckerle. Sibylle öffnete ihm die Tür. Als sie sein verstörtes Gesicht sah, griff sie sich unwillkürlich an den Hals und fragte: »Ist mit Ella etwas passiert?«
»Mit Ella passiert nie etwas«, antwortete Kolb. »Ist Ferdinand

hier?« Sie schüttelte stumm den Kopf. Dann öffnete sie ihm die Tür ganz und sagte: »Komm herein, Michael. Du siehst aus, mir ist beinahe das Herz stehengeblieben.«
»Mir ist es heute schon zweimal beinahe stehengeblieben«, sagte Kolb.
Seit er sich vorgestern mit ihr in dem Café getroffen hatte, waren seine Gedanken kaum mehr von ihr losgekommen. Er folgte ihr ins Wohnzimmer, ließ sich in einen Sessel fallen und sagte leise: »Du hast einen abgehalfterten Mann vor dir, Sibylle. Ich werde dir auch nie wieder zur Last fallen, aber dieser letzte Besuch mußte sein. Ich muß dringend Ferdinand sprechen. Wann kommt er zurück?«
»Ich weiß es nicht«, antworete sie und setzte sich auf die Couch. »Er ist mit Angelika unterwegs; sie sieht sich ein paar Wohnungen an. Sonntags sind manche Vermieter leichter anzutreffen als werktags. Dann bist du nur seinetwegen gekommen?«
»Ich habe keinen Anspruch mehr darauf, deinetwegen zu kommen«, sagte Kolb und senkte den Kopf. »Ich habe meine Stellung verloren. Ich sagte dir ja schon, ich bin ein abgehalfterter Mann, einer, der nicht mehr gebraucht wird.«
Sie vergewisserte sich ungläubig: »Du bist entlassen?«
»Wir alle«, antwortete Kolb. »Ferdinand und Meissner ebenso. Der Chef hat verkauft, und die neuen Firmeninhaber legen keinen Wert mehr auf unsere Mitarbeit. Ich bin ziemlich am Ende, Sibylle.« Sie blickte ihn eine Weile schweigend an, dann kam sie zu ihm, setzte sich neben ihn auf die Sessellehne und legte einen Arm um seine Schulter. »Wann hast du es erfahren?« fragte sie mit ruhiger Stimme.
Er erzählte ihr von seiner Begegnung mit dem Chef und fügte hinzu: »Er hatte persönliche Gründe, die ihm keine andere Wahl mehr ließen, als zu verkaufen. Bitte frage mich nicht nach ihnen; ich habe ihm versprochen, nicht darüber zu reden; du wirst vielleicht bald davon erfahren.«
»Was sagte Ella dazu?« fragte Sibylle. »Oder hast du es ihr noch nicht erzählt?« Er nickte. »Doch! Sie reagierte genauso, wie ich es erwartet habe. Mit Tränen. Heulen ist das einzige, was sie zu jeder Tages- und Nachtzeit kann. Mich hat diese Sache natürlich auch geschmissen, das kannst du dir denken, aber eigentlich nur in den ersten zehn Minuten. Ich bin keiner von denen, die sich selbst bemitleiden. Es wird nicht leicht für mich werden, in meinem Alter noch einen ähnlich gutbezahlten Job zu finden.«

»Du bestimmt«, sagte Sibylle. »Ich bin ganz sicher, daß du wieder einen finden wirst, Michael. Und was du vorhin gesagt hast, daß du mir, weil du vorübergehend ohne Arbeit bist, nicht zur Last fallen wolltest, ist reiner Unsinn. Oder ist dein Selbstbewußtsein jetzt so angeschlagen, daß du mir unterstellst, du würdest mir nun gleichgültiger sein als zuvor? Das ist eigentlich gar kein Kompliment für mich, Michael.«
Er lächelte gequält. »So war es nicht gemeint, Sibylle. Du weißt, wieviel ich von dir halte und daß ich dich immer nur bewundert und angebetet habe. Aber nach unserem Gespräch vom Freitag nachmittag . . .«
»Hast du es schon bereut?« fragte sie und berührte seine Wange.
Er griff nach ihrer Hand, preßte sie an den Mund und murmelte: »Ich habe seit jener unglücklichen Stunde nichts anderes getan, Sibylle. Wäre das mit Angelika und wären die Dinge hier in deiner Wohnung nicht geschehen . . . Ich wußte plötzlich nicht mehr, was richtig und was falsch ist. Das war alles wie ein böser Traum.«
»Für mich nicht weniger«, sagte sie. »Ich hatte, genau wie du, für eine kleine Weile die Übersicht verloren. Ich glaubte, Angelika sei dir plötzlich wichtiger geworden als ich. Ich habe dir eine Rolle vorgespielt, die mir im tiefsten Herzen zuwider war. In uns allen steckt, glaube ich, mehr Negatives, als wir selbst wissen, und manchmal kommt es dann zu Situationen, in denen es sich von unserem Willen unabhängig macht und uns Dinge tun läßt, die sich unserer Vernunft entziehen. Für ein paar Tage lang war ich an dir und an mir selbst irre geworden. Vielleicht deshalb, weil ich, wenn ich mich in die Enge gedrängt fühle, ein genauso großer Egoist sein kann wie alle anderen. Dies war eine neue Erfahrung für mich, und ich habe sie zur Kenntnis genommen. Sie wird nicht ohne Einfluß auf mein künftiges Bemühen bleiben, das Negative in mir besser im Auge zu behalten als bisher und mich von ihm nicht mehr zu Handlungen hinreißen zu lassen, die meiner Natur gar nicht liegen. Ich glaube, dir ist es genauso ergangen wie mir, Michael, und wenn du es willst, so wird dieses Gespräch vom vergangenen Freitag nie stattgefunden haben. Ich werde es genauso vergessen wie du. Es liegt nur an uns beiden, ob wir das wollen.«
Er blickte mit feuchten Augen in ihr schönes Gesicht und murmelte: »Ist das dein Ernst, Sibylle?«
»Ich liebe dich«, sagte sie und verschloß ihm mit einem Kuß den

Mund. Er streichelte mit beiden Händen ihr Gesicht, ihren Nakken und ihre Schultern, und er erwiderte, während er sie streichelte, unaufhörlich ihre Küsse und stammelte: »Ohne dich bin ich verloren, Sibylle.«

»Ich auch ohne dich«, flüsterte sie. »Du hast mir schrecklich gefehlt, Michael. Wie konnten wir nur so dumm sein, an uns irre zu werden! Willst du mit mir schlafen? Jetzt, in diesem Augenblick?«

»Ich habe mir nichts anderes gewünscht«, sagte er heiser. Sie stand auf, führte ihn an der Hand ins Schlafzimmer und sagte: »Dann wollen wir es diesmal hier tun, Michael. Hier in meinem und Ferdinands Schlafzimmer. Es soll künftig auch dein eigenes sein.«

Er sagte unsicher: »Ich liebe dich unaussprechlich, Sibylle, aber ich kann mich nicht schon wieder scheiden lassen. Die Kinder und alles . . .«

Sie legte ihm lächelnd die Hände um den Nacken und sagte: »Niemand verlangt von dir, daß du dich scheiden läßt, Michael. Auch ich habe meine Einstellung dazu nicht geändert. Ferdinand ist vom Verkauf der Firma nicht betroffen; er hat gestern abend einen neuen Arbeitsvertrag unterschrieben. Wir werden zwar nach Augsburg übersiedeln müssen, aber dorthin ist es für dich mit dem Auto nur ein Katzensprung. Wir könnten uns, falls dir das lieber ist, irgendwo in der Mitte in einem netten Hotel treffen. Dort wird uns Ella niemals suchen oder vermuten; ich glaube sogar, daß dies für uns alle die beste Lösung ist. Sie wird nicht einmal mehr wissen, daß wir noch Kontakt miteinander haben. Ob du eine gutbezahlte Stellung hast oder nicht, Michael, das ist mir, was meine Gefühle für dich betrifft, vollkommen gleichgültig. Ferdinand wird in Augsburg noch mehr verdienen als hier. Ich weiß, wie man ihn, auch wenn ihm noch viele Angelikas über den Weg laufen, als Frau an sich binden kann. Das gibt mir die materielle Sicherheit, ohne die zu leben unmöglich ist. Und die Liebe, ohne die ich mich genauso verloren fühlen würde wie ohne Geld, hole ich mir bei dir. Wenn du das genauso siehst wie ich, wird uns nichts mehr auseinanderbringen, Michael. Ich liebe dich so sehr, wie ich einen anderen Mann nur lieben kann.«

»Ich dich auch«, sagte er und sank vor ihr auf die Knie. Er küßte durch das Kleid hindurch ihren Schoß und murmelte: »Sibylle! Geliebte Sibylle.«

»Laß mir fünf Minuten Zeit«, sagte sie, aber sie brauchte dann

nur vier Minuten, und als sie zurückkam, flüsterte er überwältigt: »Wie gut du wieder riechst, Sibylle. Mit dir ist es jedesmal anders als sonst.«
Sie zog lächelnd ihren Morgenrock aus und streichelte, während er hingerissen an ihrem Körper schnupperte und sie, als sähe er sie zum ersten Male, von Kopf bis zu den Zehen mit Küssen überschüttete, liebevoll sein schütteres Haar. Dann schloß sie die Tür ab und zog ihn mit beiden Händen aufs Bett. »Mein Liebling«, flüsterte sie. »Wir werden uns gegenseitig noch viele glückliche Stunden schenken, Michael. Versprichst du mir das?«
Er küßte sie wortlos. Sie fragte: »Warum will Herr Rectanus das Werk verkaufen?«
»Das ist eine verrückte Geschichte«, antwortete Kolb und erzählte ihr sein vollständiges Gespräch mit dem Chef. Sie dachte mit gerunzelter Stirn darüber nach und meinte dann: »Der hat doch wirklich nicht mehr alle Tassen im Schrank, Michael.«
»Das war immer meine Rede«, sagte Kolb und blickte, weil hörbar die Klinke niedergedrückt wurde, zur Tür. Sibylle sagte: »Das kann nur Ferdinand sein. Mach ihm auf.«
»Doch nicht so, wie ich bin?« fragte Kolb verwirrt. Sie lachte. »Er weiß doch bereits, wie du aussiehst. Dann kannst du gleich hier mit ihm reden.«
»Wenn du meinst«, sagte Kolb. Trotzdem zog er sich vorher die Hose an und streifte Sibylle fürsorglich das Bettlaken bis zur Brust.
Weckerle grinste von einem Ohr zum anderen und sagte, als er zur Tür hereinkam: »Immerhin macht ihr Fortschritte; in der Hütte hattet ihr nicht abgeschlossen.«
»Damals hatten wir auch nicht mit dir gerechnet«, sagte Sibylle. »Habt ihr eine Wohnung gefunden?«
»Zwei Zimmer mit Küche und Bad«, sagte Weckerle und schüttelte Kolb kräftig die Hand. »Freut mich, daß du wieder hier bist, alter Junge. Ich hatte schon Sorge, es sei dir mit dem, was du mir am Telefon ins Ohr gefaselt hast, am Ende gar noch Ernst.« Zu Sibylle sagte er: »Sauteuer! Die verlangen fast siebenhundert Mark für siebzig Quadratmeter.«
»Du mußt ja wissen, wieviel Angelika dir wert ist«, sagte Sibylle. Und zu Kolb: »Holst du mir aus dem Wohnzimmer eine Zigarette, Liebling?«
»Das tue ich gern«, sagte Kolb und nahm eine günstige Gelegenheit wahr, unbemerkt von Weckerle seinen Slip unter das Bett

zu schubsen. Er ging erst ins Bad, zündete sich dann im Wohnzimmer eine Zigarette an und nahm die Packung mit ins Schlafzimmer. Weckerle hatte sich zu Sibylle aufs Bett gesetzt, und Kolb hörte, daß sie sich bereits über sein Gespräch mit dem Chef unterhielten. Mit fassungslosem Gesicht sagte Weckerle zu Kolb: »Wenn das stimmt, daß er sich selbst hat entführen lassen, ist er reif für die Klapsmühle. Kannst du dir etwas darunter vorstellen?«
»Überhaupt nichts«, antwortete Kolb. »Ich stehe genauso dumm da wie du. Noch schlimmer ist, daß ich meinen Job los bin. Du hast wenigstens schon einen in Aussicht.«
Weckerle sagte: »Mal sehen, ob ich in Augsburg für dich etwas tun kann. Wenn ich mich dort erst einmal eingearbeitet habe, dann werde ich auch bei wichtigen Personalentscheidungen ein Wort mitzureden haben. Falls es bis dahin bei dir mit nichts anderem klappen sollte, kannst du auf mich bauen, alter Junge.«
»Unser Haus hier kann ich auf keinen Fall aufgeben«, sagte Kolb und zündete Sibylle eine Zigarette an. Er steckte sie ihr zwischen die Lippen, setzte sich, Auge in Auge mit Weckerle, auf die andere Seite des Bettes, und sagte: »Obwohl es, rein entfernungsmäßig, nach Augsburg kein Problem wäre. Ich müßte eben eine Stunde früher aufstehen als bisher.«
»Eine halbe würde schon genügen«, sagte Weckerle. »Beim Tennis wirst du mir natürlich fehlen.« Sein großes Gesicht sah bekümmert aus. Kolb sagte tröstend: »Das wird sich schon irgendwie hin und wieder arrangieren lassen. Hauptsache ist, du hast dort einen guten Job.«
»Nicht als Controller«, sagte Weckerle. »Sie haben es sich anders überlegt. Dafür werde ich wieder die gesamte Technik unter mir haben, nur eben um etliche Nummern größer als bisher: zentrale Entwicklung, zentrale technische Planung, Einkauf, Qualitätssicherung, die gesamte Produktion, insgesamt zwei Dutzend Abteilungen.«
»Aber du sitzt doch dort im Vorstand?« vergewisserte sich Sibylle. Weckerle nickte. »Zusammen mit drei anderen vom Vertrieb-Inland-Ausland und der Verwaltung. Anfangsgehalt dreitausend mehr als bisher.«
»Nicht schlecht«, sagte Kolb und spitzte beeindruckt die Lippen. »Ich gönne es dir von Herzen, Ferdinand. Meinen Glückwunsch.«
»Sie haben ihm die Stellung förmlich aufgedrängt«, sagte Sibylle

und setzte sich, ohne das Laken vor die Brust zu halten, aufrecht. Sie küßte Weckerle auf die Wange und sagte nicht ohne Befriedigung: »Ich bin stolz auf dich, Ferdinand.«
Weckerle lachte. »Das ist das erste lobende Wort aus ihrem Mund, seit ich ihr davon erzählt habe«, sagte er zu Kolb. »Du hast einen guten Einfluß auf sie.«
»Man darf dich mit Komplimenten nicht verwöhnen, sonst steigen sie dir zu Kopf«, sagte Sibylle. Weckerle wurde ernst. »Wir können, glaube ich, froh sein, daß der Alte sich von der Firma trennt, bevor er sie völlig zugrunde gerichtet hat. Dann wären wir nämlich leer ausgegangen. Weiß Meissner schon davon?«
»Den muß ich auch noch benachrichtigen«, sagte Kolb. »Morgen vormittag will der Chef uns alle drei empfangen.« Weckerle sagte: »Dann tu mir den Gefallen und verständige Meissner erst kurz vorher. Sein dummes Gesicht möchte ich mir auf keinen Fall entgehen lassen.« Er blickte auf die Uhr. »Ich habe Angelika versprochen, noch einmal bei ihr vorbeizuschauen. Kann sein, daß ich in einer Stunde zurück bin. Bist du dann noch hier?«
»Das geht leider nicht«, sagte Kolb. »Ich kann Ella nicht zu lange warten lassen; sie weiß gar nicht, daß ich hier bin.«
»Dann bestelle ihr besser keinen Gruß von mir«, sagte Weckerle und küßte Sibylle auf die Wange. »Bis später, Liebes. Du siehst heute wieder verdammt lecker aus.«
»Das fällt dir nur noch auf, wenn Michael hier ist«, sagte sie lächelnd. Weckerle lächelte auch. »Deshalb freue ich mich auch jedesmal über seinen Besuch genauso wie du. Ich bin richtig froh, Kinder, daß ihr das kleine Spektakel begraben habt. Schade, daß du dich nicht dazu aufraffen kannst, dich scheiden zu lassen, Michael. Wir könnten sonst öfter mal zu dritt in Urlaub fahren.«
»Nicht zu viert?« fragte Sibylle. Weckerle wehrte entsetzt ab: »Im Urlaub will ich abschalten. Diese einsamen Mädchen mit ihrem Top-Manager-Komplex sind nur stundenweise zu ertragen. Ich weiß ganz genau, was ich an dir habe, Liebes.«
Er schüttelte Kolb zum Abschied wieder kräftig die Hand und ging mit großen, elastischen Schritten hinaus; die Tür zog er sorgfältig hinter sich zu.
Sibylle sagte: »Daß er beim Eintreffen künftig anklopft, werde ich ihm noch angewöhnen. Willst du die Hose anbehalten, Michael?« Kolb zog sie aus und sagte: »Was ist das eigentlich bei ihm? Toleranz?«
»Nenne es Liebe«, sagte Sibylle.

35

Das Gespräch fand am Montagvormittag im Chefzimmer statt. Es dauerte nur knapp zehn Minuten. Es fiel Kolb auf, daß der Chef wesentlich gefaßter und kälter wirkte als bei seinem gestrigen Gespräch mit ihm. Etwas Neues erfuhr er bei dieser Gelegenheit nicht mehr. Für Meissner, der erst kurz vor dem Gespräch in Weckerles Anwesenheit von den einschneidenden Veränderungen durch Kolb erfahren und noch nicht die Hoffnung aufgegeben hatte, daß wenigstens er davon ausgenommen bleiben würde, brach eine Welt zusammen. Als sie sich kurz danach in Kolbs Büro trafen, hatte Meissner ständig die Hand auf dem Herzen. Kolb schenkte ihm einen Kognac ein und sagte: »Ich habe es ja auch nicht für möglich gehalten, daß die neue Firmenleitung ohne Sie auskommen kann. Ich nehme an, sie will hier alles auf den Kopf stellen, und da wären Sie ihr genauso im Weg wie Herr Weckerle und ich. Für mich ist das noch schlimmer als für Sie, Herr Meissner. Sie haben das Diplom, sind Akademiker. Leute wie Sie werden immer gesucht. Wenn ich nach meiner Schulbildung gefragt werde, kann ich nur das Abitur vorweisen. Ich habe mich von ganz unten hochgeboxt. Das wog aber nur in den Augen von Herrn Rectanus etwas. Wenn ich mich heute bei einer anderen Firma bewerbe, werden sie mich zuerst nach meinem Alter, dann nach meiner Schulbildung und nicht zuletzt danach fragen, warum mich, wenn ich eine solche Verkaufskanone bin, die neue Unternehmensleitung nicht übernommen hat. Ich bin viel beschissener dran als Sie. Das Problem ist nicht, ob ich in meinem Job etwas tauge oder nicht, das Problem ist, daß es heute haufenweise stellungslose Jungakademiker gibt, die bereit sind, für ein Butterbrot dieselbe Arbeit zu verrichten wie ich. Ob ich besser war als sie, wird sich erst dann herausstellen, wenn ich schon so alt bin, daß ich nicht mehr davon profitiere. Ihnen wird das nicht passieren. Sie sind allein schon von Ihrer Statur her so klein geraten, daß Sie immer einen neuen Chef finden werden, dem Sie wieder in den Arsch kriechen können.«

Der plötzliche Wechsel vom kollegialen Zuspruch zur schroffen Diskriminierung kam für Meissner so abrupt, daß er ihn im ersten Augenblick gar nicht kapierte, und als er ihn kapierte, griff er sich wieder ans Herz und sagte fassungslos: »Das wagen ausgerechnet Sie mir zu sagen! Können Sie mir einen einzigen Fall nennen, wo Sie dem Chef ernsthaft widersprochen haben? Wenn

hier jemand jemandem in den Hintern gekrochen ist, dann waren Sie es!«
Kolb lächelte. »Aber doch unter viel größerer Anstrengung als Sie. Wie groß sind Sie? Eins fünfzig?«
Meissner verließ stumm das Zimmer.
»Fühlst du dich jetzt wohler?« fragte Weckerle, der dem Gespräch mit auf dem Schreibtisch liegenden Füßen und eine Zigarette rauchend gefolgt war. Kolb nickte. »Bedeutend, Ferdinand. Ich bin überzeugt, auch er wird keine gleichwertige Stellung mehr finden. Ich habe nie verstanden, wie es dieser Gartenzwerg zum kaufmännischen Leiter gebracht hat. Übrigens nehme ich an, du wolltest gestern, als du von der Möglichkeit sprachst, mir eventuell einen Job in Augsburg zu verschaffen, nur Sibylle beruhigen. Oder sehe ich das falsch?«
Weckerle erwiderte offen seinen Blick. »Nein. Vielleicht kann sich das noch ändern, aber für absehbare Zeit erscheint es mir aussichtslos. Die haben dort ihre eigenen Personalvorstellungen; der Vertriebsleiter ist fünfunddreißig, der Personalchef zweiunddreißig, und ich bin dort noch keinem im Management begegnet, der wesentlich älter ist. Warte nicht auf mich, Michael. Das ist der einzige Rat, den ich dir als Freund geben kann.«
Kolb nickte. »Dann brauchen wir nicht mehr darüber zu sprechen. Wenn ich Glück habe, lande ich als Verkaufsleiter in einem Supermarkt, aber schon dazu bin ich heute zu alt.«
»An unserer Freundschaft wird sich nie etwas ändern«, sagte Weckerle. »Das gilt genauso für Sibylle.«
»Das ist mir in dieser Situation viel wert«, sagte Kolb und wechselte den Tonfall: »Übrigens ging ich immer davon aus, du würdest, wenn es einmal soweit ist, dem Alten noch ein paar Anzüglichkeiten mit auf den Weg geben. Statt dessen warst du vorhin lammfromm.«
Weckerle winkte ab. »Bei der Gegenüberstellung der Konditionen, die er uns einräumt, und der kleinen Genugtuung, die es mir bereitet hätte, einmal Dampf abzulassen, habe ich mich für die Konditionen entschieden. Dreihunderttausend sind kein Pappenstiel; für dich auch nicht.«
»Auch wenn er sie sicher in den Verkaufspreis integriert hat«, sagte Kolb. »Bei dem, was sie ihm auf den Tisch blättern, kommt es auf ein paar Hunderttausender mehr oder weniger nicht an. Die Hauptabteilungsleiter sollen, soviel ich gehört habe, auch nicht schlecht abschneiden. Ich nehme an ...« Er wurde durch

seine Sekretärin unterbrochen, die ihm das Eintreffen von Herrn Kirschner meldete. Weckerle nahm die Füße vom Schreibtisch und sagte: »Können wir Meissner da ausschließen?«
»Hat ihn keiner zum Gehen aufgefordert«, sagte Kolb und ließ Herrn Kirschner hereinbitten. Dieser brachte Richard Reitter, den Vertrauensmann der Gewerkschaft, mit. Kirschner sagte mit knallrotem Kopf: »Wieso will der Chef uns nicht empfangen?«
»Vermutlich deshalb, weil er sich bereits nicht mehr als Ihr Chef fühlt«, sagte Kolb und forderte ihn und Reitter zum Sitzen auf.
»Sie haben schon davon gehört?«
»Ich höre alles, was im Chefzimmer vor sich geht, auch wenn ich nicht dazu eingeladen werde«, sagte Kirschner und ließ sich schwer auf einen Stuhl fallen. »Er wußte also schon die ganze Zeit, daß er verkaufen will?«
Kolb sagte kühl: »Sie wußten es sogar schon vor ihm. Herr Rectanus hat sich – und wir haben keine Ursache, an der Glaubwürdigkeit seiner Worte zu zweifeln – erst vor zwei Tagen, und nicht zuletzt unter dem massiven Druck von Betriebsrat und Gewerkschaft, zu dem Verkauf entschlossen. Daß Sie nachträglich eine Geldsammlung für ihn veranstaltet haben, konnte an den Pressionen, unter die er gesetzt worden ist, nichts mehr ändern. Herr Rectanus läßt Ihnen mitteilen, daß er sich für diese spontane Geste von Betriebsrat und Belegschaft bedankt und die Rückzahlung der auf einem Bankkonto ruhenden Geldsumme Ihrer persönlichen Initiative überläßt. Sie wissen, daß die Geschäftsleitung von Anfang an die größten Bedenken hatte und sich . . .«
»Von diesen Bedenken haben Sie nicht viel hören lassen«, schaltet Reitter sich ein. Sein hageres, von tiefen Falten durchzogenes Gesicht war blaß vor innerer Erregung.
Kolb zuckte die Achseln. »Sie haben uns doch mehr oder weniger vor vollendete Tatsachen gestellt, Herr Reitter. Es ist doch selbstverständlich, daß die Geschäftsleitung in einem solchen Fall sich nicht gegen den einstimmig gefaßten Entschluß des Betriebsrates stellen konnte. Übrigens waren Sie es ja, der sich in besonderem Maße engagiert hat. Ich hätte mir Ihr Engagement schon bei früheren Anlässen gewünscht, als es beispielsweise darum ging, von seiten der Gewerkschaft mit Kampfmaßnahmen Lohnforderungen durchzusetzen, welche die Wirtschaftlichkeit der Rectanus-Werke in einem Maße beeinträchtigt haben, daß Herr Rectanus keinen anderen Weg mehr sah, als sich nach einem Kaufinteressenten umzusehen. Dieser wird, um die Rentabilität

wieder herzustellen, rund siebenhundert Arbeitsplätze liquidieren. Betrachten Sie dies als besonderen Verdienst Ihrer Gewerkschaftspolitik und Ihrer persönlichen Unfähigkeit, bei Ihrem Vorstand eine den wirtschaftlichen Gegebenheiten angepaßte realistische Lohnpolitik durchzusetzen. Schließlich haben Sie keine hochdotierte Position in der Gewerkschaftsführung zu verlieren, die es Ihnen nahelegte, sich mit ideologisch beeinflußten Forderungen Ihrer Basis zu identifizieren, der das rechte Augenmaß für das Machbare anscheinend immer mehr abhanden kommt.«
Ein paar Sekunden lang herrschte absolute Stille. Dann beugte sich Reitter etwas vor und fragte leise: »Darf ich fragen, wieviel Sie im Monat verdienen, Herr Kolb?«
»Etwa das Fünffache eines gutbezahlten Facharbeiters«, antwortetet Kolb. »Setzen Sie es bei Ihrer Gewerkschaftsführung durch, daß ein Facharbeiter ebensogut wie die Geschäftsleitung oder die Geschäftsleitung ebenso schlecht bezahlt wird wie ein Facharbeiter. Im ersten Fall werden unsere Produkte ab sofort unverkäuflich sein und im zweiten werden Sie in diesem Land keinen einzigen Mann mehr finden, der noch bereit wäre, neben einer Sechzig-Stunden-Arbeitswoche auch noch die Mitverantwortung für die wirtschaftliche Existenz einiger tausend Belegschaftsangehöriger auf sich zu nehmen. Ich muß Sie auch darauf aufmerksam machen, daß die neue Unternehmensleitung ein eigenes Management einbringen und das bisherige entlassen wird. Sie sind also bei uns hier, wenn Sie irgendwelche Anklagen vorbringen wollen, bereits an der falschen Adresse.«
»Wann werden die Kündigungen erfolgen?« fragte Kirschner mit steinernem Gesicht. Kolb zuckte wieder mit den Achseln. »Das liegt im Ermessen der neuen Unternehmensleitung, über die etwas zu sagen ich im Augenblick nicht in der Lage bin.«
Kirschner stand mühsam auf. »Sie werden uns doch nicht einreden wollen, daß diesem Verkauf keine langwierigen Verhandlungen vorausgegangen sind und daß für die Belegschaft in den vergangenen vierzehn Tagen kein Anlaß bestanden hätte, von tiefer Unruhe über die Sicherheit ihrer Arbeitsplätze erfüllt zu sein?«
»Ich will Ihnen gar nichts einreden«, sagte Kolb. »Lassen Sie es sich von Herrn Rectanus meinetwegen schriftlich geben, daß es, außer dem bedauerlichen Vorfall zwischen ihm und Ihnen, bis vor vierzehn Tagen nicht den geringsten Anlaß für die Beleg-

schaft gegeben hat, um ihre Arbeitsplätze besorgt zu sein. Dies ist auch meine persönliche Überzeugung, obwohl ich zu jenen gehöre, die von den Veränderungen in der Unternehmensleitung unmittelbar betroffen sind.«
Kirschner starrte eine Weile vor sich auf den Boden, dann sah er auf und sagte langsam: »Was ich jetzt sage, richtet sich nicht gegen Sie und auch nicht gegen Herrn Weckerle. Es richtet sich nicht einmal gegen Herrn Rectanus. Was ich sage, hat nur mit dem System zu tun, und ich glaube, es wird höchste Zeit, daß wir ein anderes bekommen, das es nicht mehr der Willkür eines einzelnen oder einer kleinen Interessengruppe überläßt, ob langjährige und verdiente Mitarbeiter auf die Straße gesetzt werden.«
»Ein solches System gibt es schon«, sagte Kolb. »Sie brauchen nur die Unternehmen zu verstaatlichen, unser gegenwärtiges Management durch ideologisch stramm ausgerichtete Partei- oder Gewerkschaftsfunktionäre zu ersetzen und dann den Steuerzahler für ihre beschissenen Bilanzen antreten zu lassen.«
»Sie wissen genau, daß ich von einem solchen System nicht gesprochen habe«, sagte Kirschner und ging aus dem Zimmer. Reitter folgte ihm stumm. Kolb sagte: »Womit die Frage unbeantwortet wäre, welches System ihm nun wirklich vorschwebt. Hast du eine Ahnung?« Als Weckerle nicht antwortete, wandte er ihm das Gesicht zu. »Was habe ich falsch gemacht?«
»Du hättest ihnen sagen müssen, daß Rectanus aus persönlichen Gründen verkauft hat«, antwortete Weckerle. »Sie wissen so gut wie du und ich, daß keine wirtschaftlichen Zwänge vorgelegen haben.«
»Meissner müßte es jedenfalls wissen«, sagte Weckerle.
»Er wird das, was er weiß, falls die Höhe seiner Abfindung davon abhängig gemacht wird, augenblicklich vergessen. War das, was ich gesagt habe, im Prinzip falsch?«
»Im Prinzip nicht«, antwortete Weckerle. Kolb nickte. »Mehr wollte ich von dir nicht hören. Dies war vielleicht meine letzte Gelegenheit, vor den richtigen Leuten einmal auszusprechen, was wir zwar alle wissen, worüber zu reden uns aber schon längst der Schneid abhanden gekommen ist, weil wir uns schon genauso angepaßt haben wie die anderen auch.«
»Waren es wirklich die richtigen Leute?« fragte Weckerle. Kolb blickte ihn nachdenklich an. Dann sagte er: »Reitter hat jedenfalls einen direkteren Draht zu ihnen als ich.«
»Wer von den Gewerkschaftsbossen hört schon auf Reitter«,

sagte Weckerle und stand auf. Er gab Kolb die Hand. »Ich habe es wieder einmal dir überlassen, dir den Mund zu verbrennen. Im Grunde denke ich nicht anders als du. Ich bin nur nicht mehr sicher, ob das, was wir denken, richtig ist.«
»Dann werden wir eben mit dieser Ungewißheit eines Tages sterben müssen«, sagte Kolb.
Eine halbe Stunde später wurde er von Frau Martin angerufen. »Der Chef will Sie noch einmal sprechen, Herr Kolb.«
»Ich komme sofort«, sagte er.
Der Chef empfing ihn am Fenster stehend, mit auf dem Rücken verschränkten Händen. »Ich habe soeben Nachricht von der Pforte erhalten«, sagte er. »Dort warten einige Journalisten. Ich möchte Sie bitten, ihnen in meinem Namen eine Erklärung abzugeben. Sagen Sie ihnen, daß es sich bei der Entführung um einen dummen Scherz einiger Leute aus meinem Bekanntenkreis gehandelt habe, der nur durch eine Indiskretion zu Ohren der Polizei und an die Öffentlichkeit gedrungen ist.«
»Das wird mir kein Mensch glauben«, sagte Kolb betroffen. Der Chef drehte sich nach ihm um. »Das spielt jetzt keine Rolle mehr. Ich mußte mich gegenüber den Behörden zu dieser Erklärung verpflichten. Andernfalls hätte man im Polizeipräsidium eine eigene veröffentlicht. Die Journalisten wurden von dort hierher geschickt, um meine Erklärung entgegenzunehmen.«
Kolb fragte unsicher: »Und was antworte ich, wenn man mich nach den zwei Millionen fragt?«
»Die hat es nie gegeben«, erklärte der Chef.
Er ging zu seinem Schreibtisch, setzte sich langsam hin und fuhr mit leiser Stimme fort: »Es ist möglich, daß wir uns nicht mehr sehen, Herr Kolb. In den nächsten Tagen werden die Herren der neuen Unternehmensleitung hier eintreffen. Sie und Ihre Kollegen der Geschäftsleitung werden ihnen jede gewünschte Auskunft geben. Ich persönlich werde durch meinen Anwalt, Herrn Dr. Mauser, vertreten werden. Er wird in enger Zusammenarbeit mit unserem Justitiar, Dr. Siebold, auch Ihre persönlichen Ansprüche regeln. Bitte verständigen Sie jetzt die Presse und leben Sie wohl.«
»Darf ich fragen, was Sie . . .«, sagte Kolb und verstummte. Der Chef sagte mit ruhiger Stimme: »Ich bin gegenüber den Behörden eine zweite Verpflichtung eingegangen. Sobald ich hier meinen Schreibtisch aufgeräumt habe, werde ich mich zu einer psychiatrischen Untersuchung begeben. Ich fürchte, sie wird et-

was länger dauern als die Geschäftsübergabe. Die werden Sie ohne mich abwickeln müssen. Betrachten Sie letztere Information als streng vertraulich. Ich danke Ihnen.«
Kolb blickte unschlüssig in sein müdes, eingefallenes Gesicht. Dann verbeugte er sich knapp und ging hinaus.
Im Vorzimmer wurde er von Frau Martin angesprochen. Sie hatte gerötete Augen und sagte: »Wissen Sie, was der Chef vorhat, Herr Kolb? Mir erzählte er nur, daß dies unser letzter gemeinsamer Arbeitstag sei. Ich weiß schon gar nicht mehr, was hier vor sich geht. Ich habe einundzwanzig Jahre lang für Herrn Rectanus gearbeitet, und nun soll auf einmal alles zu Ende sein.«
»Es trifft mich genauso schmerzlich wie Sie«, sagte Kolb. »Leider kann und darf ich Ihnen nichts sagen, Frau Martin. Dies ist ein sehr trauriger Tag für uns alle. Wir werden uns wohl, bis die Geschäftsübergabe erfolgt ist, noch einige Zeit sehen. Oder haben Sie vom Chef andere Anweisungen?«
Frau Martin griff nach einem Taschentuch und wischte sich die Augen ab. »Er sagte mir nur, ich solle mich, bis alles geklärt ist, zur Verfügung von Herrn Direktor Weckerle halten. Dieser hat im Augenblick keine Sekretärin.«
»Meine eigene ist genauso davon betroffen wie Sie«, sagte Kolb und verabschiedete sich. Er fuhr mit dem Lift hinunter und legte den Weg zur Pforte zu Fuß zurück.
Es war ein warmer, windiger Maientag mit einem wolkenlosen Himmel. Der neue Tagespförtner, ein großgewachsener, hagerer Mann, der bisher im Fertigwarenlager gearbeitet hatte, begrüßte Kolb erleichtert. »Ich wußte schon nicht mehr, was ich den Journalisten noch sagen sollte«, erzählte er. »Sie sind ärgerlich, weil ich sie nicht hereingelassen habe, aber der Chef hat es mir ausdrücklich verboten.«
»Sie haben sich völlig korrekt verhalten«, sagte Kolb.
Als er auf die Straße trat, blickte er in ein gutes Dutzend Kameraobjektive. Fast gleichzeitig wurde er mit Fragen überschüttet, die einzeln zu beantworten ihm unmöglich war. Er hob, um Ruhe bittend, die Hand und sagte laut: »Ich heiße Kolb. Im Namen von Herrn Rectanus habe ich Ihnen eine Erklärung abzugeben. Bitte haben Sie Verständnis dafür, meine Herren, daß ich weder willens noch in der Lage bin, zusätzliche Fragen zu beantworten.« Es wurde augenblicklich still. Einer der Journalisten, ein nachlässig gekleideter Mann mit langen Haaren und einer un-

scheinbaren Brille, hielt Kolb ein Mikrophon unter das Kinn und sagte: »Würden Sie bitte da hineinsprechen.«
»Wer sind Sie?« fragte Kolb, dem das Gesicht des Mannes bekannt vorkam.
»Mandel vom Fernsehen«, antwortete dieser. Kolb erinnerte sich. »Sie sind doch der Reporter, der schon mal hier war?«
»Das muß eine Verwechslung sein«, antwortete Mandel. »Ich bin heute zum ersten Male hier.«
Obwohl Kolb seiner Sache sicher war, ließ er sich auf keine Diskussion mit ihm ein und gab in knappen Worten die vom Chef gewünschte Erklärung ab. Als er damit fertig war, herrschte sekundenlang Stille, dann traf ungläubiges Gelächter sein Ohr. Mandel fragte erheitert: »Ist das alles, was Sie zu sagen haben?«
»Für den Augenblick«, antwortete Kolb und wollte sich der Pforte zuwenden.
Mandel hielt ihn rasch am Ärmel seines Jacketts fest und sagte: »Sie werden doch selbst zugeben, Herr Kolb, daß dies eine völlig fadenscheinige Erklärung ist. Weder ich noch meine Kollegen von der Presse werden sich damit zufriedengeben. Wir wissen zufällig genau, daß an die Entführer zwei Millionen übergeben worden sind. Was ist mit diesem Geld geschehen?«
»Ich sagte Ihnen bereits, daß zu keiner Stunde eine Geldübergabe stattgefunden hat«, antworete Kolb schroff. »Das von der Belegschaft gesammelte Geld für die Freilassung von Herrn Rectanus wird bereits an diese zurückgegeben. Die angeblichen zwei Millionen sind niemals ausbezahlt worden.« Mandel lächelte mitleidig. »Das ist Ihre Version, Herr Kolb. Meine Frage an Sie: Stehen diese zwei Millionen in irgendeiner Beziehung zu den Verkaufsgerüchten?«
»Ihre Frage ist absurd«, antwortete Kolb. »Zutreffend ist, daß es Verkaufsverhandlungen gibt . . .«
»Das haben Sie aber bisher strikt abgeleugnet«, warf Mandel erfreut ein. »Als wir Sie heute vor vierzehn Tagen danach fragten, stellten Sie Verkaufsverhandlungen wörtlich als völlig aus der Luft gegriffen dar.«
»Dann waren Sie also doch schon einmal hier?« sagte Kolb. Mandel antwortete kaltblütig: »Kollegen von mir. Wie war es möglich, daß ihnen noch versichert wurde . . .«
»Diese Versicherung war zutreffend«, unterbrach ihn Kolb. »Der Entschluß von Herrn Rectanus, das Werk zu verkaufen, wurde erst vor achtundvierzig Stunden gefaßt.«

»An wen wird es verkauft?« fragte ein anderer Journalist dazwischen. »Können Sie uns etwas dazu sagen?«
»Darüber wird zur gegebenen Zeit eine Presseverlautbarung erfolgen«, sagte Kolb. »Mehr habe ich Ihnen nicht zu sagen.« Er löste Mandels Hand von seinem Jackett und sagte leise: »Fassen Sie mich nicht mehr an.«
Mandel ließ das Mikrophon sinken. »Wir werden Sie noch ganz anders anfassen«, sagte er lächelnd. »Warten Sie nur erst mal ab, bis meine Kollegen, die Herrn Kiene nachgefahren sind, zurückkommen. Dann werden Sie vielleicht etwas zu sehen bekommen.«
»Ihr Anblick genügt mir«, sagte Kolb. Ohne sich weiter um die auf ihn einprasselnden Fragen der anderen Journalisten zu kümmern, ließ er sich vom Pförtner die Tür öffnen. Er kehrte in sein Büro zurück und sagte zu seiner Sekretärin: »Sie haben sicher schon davon gehört?«
Fräulein Wieland nickte mit blassem Gesicht.
»Tut mir leid«, sagte er. »Für Sie ist es aber vielleicht ganz gut so; Ihr Verlobter wird froh sein, wenn Sie die Stellung aufgeben. Übrigens ist es ja durchaus möglich, daß mein Nachfolger Sie behalten wird.«
»Daran bin ich nicht interessiert«, sagte sie. »Ich habe diese Stellung nur Ihretwegen so lange behalten, Herr Kolb. Ohne Sie . . .« Sie sprach nicht weiter.
»Das ist lieb von Ihnen«, sagte Kolb und berührte einen Augenblick lang ihre Hand. Dann trat er rasch ans Fenster und versuchte, seiner inneren Bewegung Herr zu werden. Geistesabwesend verfolgte er, wie unten der große Mercedes des Chefs vorfuhr. Erst als er den Chef mit einer kleinen, schwarzen Aktentasche aus dem Haus kommen sah, wurde er aufmerksam. Er beobachtete, wie ihm Hans Maier den Wagenschlag öffnete und der Chef, ohne einen einzigen Blick zurückzuwerfen, einstieg. Wenig später rollte der Mercedes auf der grünen Birkenallee davon.
Kolb wischte sich rasch über die Augen. Er kehrte in sein Zimmer zurück, nahm den Hörer ab und sagte: »Bitte rufen Sie doch Herrn Schönberg zu mir, Fräulein Wieland.«
Während er auf ihn wartete, ließ er sich mit Sibylle verbinden. »Ich bin es«, sagte er. »Ich habe einen schlimmen Vormittag hinter mir und wollte deine Stimme hören.«
»Du hörst sie«, sagte Sibylle. »War es sehr schlimm?«

»Ich habe gerade den Chef auf Nimmerwiedersehen aus seiner Fabrik fahren sehen«, sagte Kolb. »Er muß sich psychiatrisch untersuchen lassen. Kann längere Zeit dauern.«
»Aber das war doch schon lange fällig!« sagte Sibylle. »Warum trifft es dich so?«
Kolb seufzte. »Du weißt ja, ich habe früh meinen Vater verloren. Rectanus wurde, so komisch es auch klingen mag, im Laufe der Zeit zu einer Art Ersatzvater für mich. Unternehmer wie ihn wird es bald nicht mehr geben; sie haben in unserer beschissenen Zeit keine Chance. Ich möchte jetzt bei dir sein, Sibylle.«
»Dann komm zu mir«, sagte sie. Er blickte auf die Armbanduhr. »Ich werde es versuchen. Hier komme ich mir vor wie auf einer Intensivstation. Das große Sterben hat schon begonnen.«
»Das klingt ja schrecklich«, sagte Sibylle betroffen. »Mein Armer.«
Kolb seufzte wieder. »Ella würde das nie so verstehen wie du, Sibylle. Kann sein, daß ich sentimental bin. Es ist, wie soll ich es dir erklären, plötzlich nicht mehr dieselbe Welt für mich. Da hast du dich dein Leben lang für eine Sache kaputtgemacht, und plötzlich kommt einer daher und nimmt sie dir aus der Hand, als wäre sie nie die deine gewesen.«
»Das kann ich gut verstehen«, sagte Sibylle.
»In den letzten acht Jahren«, sagte Kolb, »seit ich diesen Job hier habe, hat er mich buchstäblich Tag und Nacht aufgefressen. Und dann kommt so ein junger Schnösel durch die Tür und sagt: Sie werden nicht mehr gebraucht, jetzt bin ich an der Reihe. Was ist das nur für eine Welt, Sibylle. Ich fühle mich wie inmitten eines fremden Ozeans, ausgesetzt seinen Bedrohungen. Ich weiß noch nicht, wie ich das verkraften werde.«
»Aber du hast doch mich«, sagte Sibylle beschwörend. Kolb nickte. »Ja, ich habe dich, geliebte Sibylle. Ohne dich wäre alles noch viel hoffnungsloser. Bitte, laß mich jetzt nicht allein.«
»Michael«, sagte sie leise.
»Vielleicht wirst du mich eines Tages auch nicht mehr lieben können«, sagte er. »Ein Mann, der im Beruf verloren hat, verliert auch rasch seine Freunde. Seit Ella weiß, daß ich meinen Job los bin, sieht sie mich immer so merkwürdig an. Wie einen Kranken, der noch gar nicht weiß, wie krank er wirklich ist. Ich glaube, sie hat mich nur wegen meiner Position geheiratet, und jetzt, da ich sie verloren habe, denkt sie darüber nach, ob das, was noch verblieben ist, die Mühe lohnt, sich weiter damit abzugeben.«

»Aber sie hat doch gar keine andere Wahl!« sagte Sibylle. »Was könnte sie schon ohne dich anfangen?«
»Das ist es ja!« sagte Kolb. »Als Mann zu wissen, daß die Ehefrau, auch wenn sie einen nicht mehr liebt, gar keine andere Wahl mehr hat, als bei ihm zu bleiben! Das ist es, was es für mich so unerträglich macht.«
»Aber das ist doch Unsinn«, sagte Sibylle energisch. »Du bist ein gutaussehender Mann, Michael. Sie kann sich glücklich schätzen, einen wie dich zu haben. Was könnte sie sich schon Besseres wünschen! Für dich ist doch nur wichtig, daß sie sich um die Kinder kümmert. Ob sie dich noch liebt oder nicht ...«
»Es geht nicht nur um Liebe«, warf Kolb ein. »Es geht auch um Achtung. Mit einer Frau zusammen zu leben, die vor ihrem Mann keine Achtung mehr hat, ist mir unvorstellbar. Vielleicht wirst auch du eines Tages nur noch einen lästigen, alten Mann in mir sehen. Einer, der dir auf die Nerven fällt und den du nicht mehr achten kannst, weil er sein Selbstvertrauen verloren hat. Ich bin so müde und verzweifelt, Sibylle, ich kann es dir nicht sagen. Vorhin, als ich den Chef davonfahren sah, ist mir das Wasser in die Augen geschossen. Nicht, weil er mir leid tat. Natürlich tat er mir leid, aber doch wiederum nicht so sehr, daß mir deshalb Tränen gekommen wären. Aber sein Abgang erschien mir so symbolisch für unser aller Abgang. Für mein persönliches Schicksal, das jetzt nur noch Unwägbarkeiten enthält, vor denen ich, wenn ich meine Gedanken damit beschäftigte, resignieren möchte. Wenn ich wüßte, daß auch du eines Tages an mir zweifeln wirst, ich würde es, glaube ich, nicht verwinden. Bist du noch da, Sibylle?«
»Wann kannst du kommen?« fragte sie ruhig. Er blickte auf die Uhr. »Ich fahre in einer halben Stunde hier los. Heute nachmittag habe ich vier oder fünf Termine.«
»Bis dahin habe ich dich wieder auf die Beine gebracht«, sagte Sibylle. »Hör zu, Michael, du darfst nie aufhören, daran zu glauben, daß ich dich liebe und mir ein Leben ohne dich genausowenig vorstellen kann wie ohne Ferdinand. Genügt dir das?«
»Ja, Sibylle«, sagte er. Sie lachte leise. »Du dummer, lieber Kerl.«
»Ja, Sibylle«, sagte er und legte auf, aber seine Zweifel waren nicht ausgelöscht.
Als Harry Schönberg zu ihm kam, bot er ihm geistesabwesend eine Zigarette an. »Ich vermute, Sie haben schon davon gehört«,

sagte er. »Kann sein, daß die neue Geschäftsleitung Sie übernehmen wird, Schönberg, aber versteifen Sie sich vorsorglich nicht darauf. Das ist der letzte Rat, den ich Ihnen noch geben kann.«
»Das ist sehr nett«, sagte Schönberg und musterte ihn abwägend. Kolb lächelte gezwungen. »Sie sind ja noch jung, für Sie ist das so und so kein Problem. Sobald man erst einmal über die Vierzig ist, wird es in diesem Job kritisch.«
»Das ist mir klar«, sagte Schönberg. Kolb wartete ein paar Sekunden, und als Schönberg auch dann noch kein Wort des Bedauerns über die Lippen gebracht hatte, sagte er etwas steif. »Ja, mehr wäre im Augenblick auch nicht dazu zu sagen. Ich hoffe, Sie vergessen nie, daß ich Sie hier hereingebracht und als meinen Assistenten aufgebaut habe.«
»Sicher nicht«, sagte Schönberg und zog lässig an seiner Zigarette. Kolb erhob sich mit rotem Kopf. »Sie können gehen.« Er beobachtete, wie Schönberg die kaum angerauchte Zigarette ausdrückte und ein Notizbuch aus der Tasche zog. »Sie wollten heute vormittag noch die letzte Verkaufserfolgskontrolle mit mir durchgehen«, sagte er. »Oder hat sich das für heute erübrigt?« Kolb nahm sich zusammen: »Das hat bis morgen vormittag Zeit. Ich habe über eine Stunde beim Chef verbracht.«
»Ich habe ihn vorhin wegfahren sehen«, sagte Schönberg und klappte das Notizbuch zu. »Ich glaube, den sind wir los.«
»Und sonst haben Sie nichts dazu zu sagen?« fragte Kolb. Schönberg stand verwundert auf. »Sie haben doch selbst oft genug gesagt, daß er ein schwieriger Mann ist. Ich habe mich Ihrer Meinung immer nur anschließen können.«
»Haben Sie?« fragte Kolb mit gefährlicher Ruhe. Schönberg nickte. »Um einen Betrieb modern aufzuziehen, war er schon zu alt.«
»Und was sind Sie?« fragte Kolb. Schönberg blickte verständnislos in sein gerötetes Gesicht.
»Ich will es Ihnen verraten«, sagte Kolb und ging zu ihm. Er griff nach seinem Arm, führte ihn zur Tür, öffnete sie und trat ihm so heftig ins Gesäß, daß er kopfüber in den Flur schoß. »Ein Hundsfott sind Sie!« schrie er hinter ihm her und kehrte in sein Zimmer zurück. Zu seiner Sekretärin, die erschreckt die Verbindungstür aufgerissen hatte, sagte er: »Rufen Sie Dr. Huber an, Fräulein Wieland. Er soll mir zwei Beruhigungs- und zwei Kopfwehtabletten bringen. Er kennt meine Sorte.«
»Sofort, Herr Kolb«, sagte sie und rannte in ihr Zimmer. Zwei

Minuten später klopfte sie an die Tür und sagte: »Herr Dr. Huber ist leider nicht im Haus, Herr Kolb. Die Personalabteilung weiß auch nicht, wann er zurückkommt. Sie fand heute morgen eine Nachricht von ihm vor, daß er gestern nach Monaco fahren mußte.«
Kolb nickte verständnislos auf. »Wieso nach Monaco?«
»Er sollte dort Fräulein Rectanus abholen«, sagte sie. »Sie hat bei ihm zu Hause angerufen. Falls Sie eine von meinen eigenen Kopfwehtabletten haben wollen, Herr Kolb . . .«
Er blickte sie geistesabwesend an, dann schüttelte er den Kopf und sagte: »Danke, nicht mehr nötig. Verbinden Sie mich bitte mit Herrn Weckerle.«
Während er auf die Verbindung wartete, betrachtete er durch das Fenster ratlos den blauen Himmel. Weckerle meldete sich forsch wie immer: »Was gibt es Schönes, Michael?«
»Ich habe mich für nachher mit Sibylle verabredet«, sagte Kolb. »Ich möchte, daß du es weißt.« Weckerle ließ ein verwundertes Lachen hören. »Und deshalb rufst du mich noch immer an?«
»Eigentlich nicht«, sagte Kolb zögernd. »Du, da ist eine merkwürdige Geschichte. Ich habe eben gehört, daß Dr. Huber gestern nach Monaco gefahren ist, um Fräulein Rectanus abzuholen. Was hältst du davon? Sie hat ihn zu Hause angerufen.«
»Aus Monaco?« fragte Weckerle.
»Ja«, sagte Kolb. »Aber sie ist doch mit Kiene dort! Wieso läßt sie da ausgerechnet diesen Huber kommen?«
»Das weiß ich auch nicht«, sagte Weckerle. »Vielleicht hat sie ein Auge auf ihn. Sie hat ihn ja, wenn ich richtig informiert bin, auch schon einmal nach St. Gallen kommen lassen.«
»Das wäre doch aber unglaublich!« sagte Kolb. »Daß ausgerechnet dieser progressive Scheißer bei der Tochter des Chefs landen könnte. Wie der den Kiene bei ihr ausgeschaltet hat, das will mir nicht in den Kopf.«
Weckerle lachte: »Als Mediziner wird er wissen, wo und wie man eine Frau am zuverlässigsten anfaßt. Ich dachte immer, das mit Kiene und ihr sei endgültig?«
»Dachte ich eine Weile auch«, sagte Kolb. »Obwohl ich ihn ein paarmal zusammen mit einer anderen . . .« Er verstummte; weil ihm jetzt plötzlich sein letztes Telefongespräch mit Kiene einfiel. Dann schlug er sich heftig an die Stirn und sagte: »Mein Gott, ich Idiot! Ich glaube, da habe ich etwas Furchtbares angerichtet!«

»Weil du Schönberg aus dem Zimmer geworfen hast?« fragte Weckerle. »Er hat sich eben in der Personalabteilung über dich beschwert. Du sollst ihm sogar einen Fußtritt gegeben haben. So kenne ich dich gar nicht, alter Freund!«
»Ach du lieber Gott«, sagte Kolb und legte auf. Er blieb eine Weile wie gebrochen am Schreibtisch sitzen. Dann rief er seine Sekretärin und sagte: »Geben Sie mir jetzt doch eine von Ihren Kopfwehtabletten, Fräulein Wieland.«
»Sie sehen ganz blaß aus«, sagte sie besorgt. »Ist Ihnen nicht gut, Herr Kolb?«
»Fragen Sie mich nicht«, sagte er. »Vor Ihnen sitzt der größte Dummkopf, den es jemals auf Erden gegeben hat.«
»Das ist nicht wahr«, widersprach sie ihm mit ungewohnter Entschiedenheit. »Für mich sind Sie der tollste Mann auf der Welt.«
Kolb starrte sie eine Weile mit feuchten Augen an. Dann fragte er leise: »Und das glauben Sie im Ernst, Fräulein Wieland?«
»Ja«, sagte sie. »Das ist meine feste Überzeugung.«
Er fing unvermittelt an zu kichern, und als sie ihn nur ruhig und ohne sich verunsichern zu lassen anschaute, winkte er sie zu sich, küßte ihre Hand, die ihm so lange gedient hatte, und sagte gerührt: »Merken Sie sich eins, mein liebes Kind: Es gibt keine tollen Männer auf dieser Welt. Es gibt nur tolle Frauen.«

36

Nach einigem Suchen hatte sich Kiene für ein Hotel in der Avenue Princesse Grace entschlossen. Es stand in ruhiger Lage unmittelbar am Meer mit einem ungehinderten Blick auf das Schloß und den Hafen. Beim Mittagessen in dem großen Speisesaal sah er auch Merklin und seinen Kameramann wieder. Er schloß daraus, daß sie sich im Hotel ein Zimmer genommen hatten. Dagegen blieben Josef Vogler und sein Bruder, obwohl sie dem Commodore, genau wie Merklin auch, bis vor die Tiefgarage des Hotels gefolgt waren, vorläufig verschwunden. Hannelore äußerte sich beim Essen besorgt darüber und sagte: »Wegen Josef würde ich mir keine Gedanken machen, aber sein Bruder ist unberechenbar. Allein würde ich mich jetzt keinen Augenblick lang aus dem Hotel getrauen. Vielleicht war es doch ein Fehler, daß wir nicht weitergefahren sind.«
»Mir gefällt's hier gut«, sagte Annemarie. »Ich bin froh, daß wir dieses Hotel gefunden haben und uns ausschlafen können.«

»Ich auch«, sagte Ursula. »So schnell bringt ihr mich nicht mehr weg. Genug Geld haben wir ja. Ich habe vorhin mit meinem Vater telefoniert. Er hat nichts dagegen, wenn wir einige Zeit hierbleiben. Vielleicht besucht er uns einmal.«
Kiene starrte sie über seinen Teller hinweg konsterniert an. »Du hast mit ihm gesprochen?«
»Während ich im Badezimmer war«, antwortete Annemarie für Ursula. »Das hat sie absichtlich getan, damit ich keine Gelegenheit fand, mit ihm zu reden.«
»Was hättest du ihm denn sagen wollen?« fragte Ursula und schob sich mit der Gabel ein Stück Kalbsteak in den Mund. »Daß du ihn liebst und ihn vermißt?«
»Einfältige Gans«, sagte Annemarie lächelnd.
»Moment mal!« sagte Kiene, der sich noch nicht ganz gefaßt hatte. »Wo hast du ihn angerufen? In der Klinik?«
»Dort ist er nicht mehr hingefahren«, antwortete Ursula. »Ich habe es einfach in seiner Wohnung probiert und ihn auch sofort erreicht. Du sollst ihn gegen eins im Büro anrufen. Er hat dort noch zu tun.«
Kiene legte das Besteck neben den Teller. »Und weißt du, wie spät es jetzt ist?«
»Ich hatte vergessen, es dir zu sagen«, antwortete Ursula gleichgültig. Er stand auf, ging an die Rezeption und ließ sich eine Verbindung herstellen. Kurze Zeit später vernahm er die Stimme des Chefs: »Meine Tochter hat mir bereits alles erzählt. Vergessen Sie nicht, daß sie keinesfalls die Wahrheit erfahren darf, Kiene. Bleiben sie vorläufig dort, wo Sie sind und achten Sie darauf, daß sie keine deutschen Zeitungen zu lesen bekommt.«
»Das wird sich einrichten lassen«, sagte Kiene. »Waren Sie schon bei der Polizei?«
»Heute vormittag«, antwortete der Chef. »Es sieht nicht gut aus. Auch beim Fernsehintendanten, von dem ich Ihnen gestern erzählt habe, hatte ich kein Glück. Er hat mich durch sein Dienstmädchen an der Haustür abfertigen lassen.«
»Das tut mir leid«, murmelte Kiene.
»Ich werde jetzt aus der Schlaraffia austreten«, sagte der Chef. »Mit der Polizei allein wäre ich vielleicht auf die eine oder andere Art klargekommen. Meine Tochter erzählte mir, daß Sie verfolgt werden. Ich hoffe, das ist nichts Ernstes, Kiene?«
»Machen Sie sich deshalb keine Sorgen, wenn wir lange genug hierbleiben dürfen, werden sie es irgendwann aufgeben.«

»Sie können bleiben, solange Sie wollen«, sagte der Chef. »Je länger, desto besser. Bis dahin ist hier einigermaßen Gras über die Sache gewachsen. War eine gute Idee von Ihnen, mit meiner Tochter nach Monaco zu fahren. Lassen Sie sie keine Sekunde lang aus den Augen. Das Geld ist sicher?«
»Ich zahle es morgen hier bei einer Bank ein«, sagte Kiene. »Was werden Sie jetzt tun?«
»Was ich tun muß«, sagte der Chef und beendete das Gespräch.
Kiene behielt noch eine Weile den Hörer in der Hand, dann legte er ihn langsam auf. Als er aus der Telefonzelle kam, sah er Josef und Otto Vogler an der Rezeption stehen. Sie blickten fast gleichzeitig zu ihm hin. Es fiel ihm auf, daß sie ordentlicher angezogen waren als während der Fahrt hierher und auch Gepäck bei sich hatten. Vermutlich waren sie, nachdem sie sich vergewissert hatten, daß er im Hotel bleiben würde, nach Bordighera gefahren und eben erst zurückgekommen. Er wartete, bis sie ihren Zimmerschlüssel in Empfang genommen hatten, dann ging er zu ihnen und sagte: »Wenn einer von euch mir dumm über den Weg läuft, geht er baden. Ich kann mich jederzeit auf Notwehr berufen. Hannelore würde gegen euch aussagen.«
»Mit der reden wir auch noch«, sagte Otto Vogler. Er war einen halben Kopf größer als sein Bruder, ein blaßhäutiger Mann mit einem unangenehm stechenden Blick. Sein Bruder sagte: »Wir hätten uns auch einigen können, Herr Kiene. Geben Sie uns die Hälfte des Geldes, und Sie sind uns los. Mit leeren Händen lassen wir uns jedenfalls nicht wegschicken, und wenn Sie sich noch zwei Gorillas zulegen.«
»Von wem reden Sie?« fragte Kiene. Otto Vogler antwortete für seinen Bruder: »Von den beiden, die Ihnen im Mercedes gefolgt sind. Mit denen werden wir, wenn es sein muß, auch noch fertig.«
Kiene grinste. »Das sind Profis und als solche schnell mit der Kanone bei der Hand. Herr Rectanus hat sie zum persönlichen Schutz seiner Tochter eingestellt. Sie werden aber auch ein Auge auf das zweite Mädchen und Hannelore haben. Ich sage das nur vorsorglich.«
Josef Vogler nahm seinen Bruder einige Schritte zur Seite und flüsterte mit ihm. Dann kamen sie zurück, und Otto Vogler sagte: »Wir wären eventuell auch damit einverstanden, wenn Sie uns die ursprünglich versprochenen hunderttausend geben. Wir haben schließlich getan, was Sie von uns verlangten, und wenn

Sie nicht bezahlen, wenden wir uns direkt an Herrn Rectanus. Ich glaube nicht, daß er daran interessiert ist, daß wir die Geschichte an eine Zeitung verkaufen.«

»Die ist schon verkauft«, erwiderte Kiene. »Ich habe soeben mit Herrn Rectanus telefoniert. Er war heute morgen im Polizeipräsidium und hat eine Selbstanzeige erstattet.«

Die beiden starrten ihn ungläubig an. »Das erzählen Sie uns doch nur so!« sagte Otto Vogler.

»Glauben Sie, was Sie wollen«, sagte Kiene und wandte ihnen den Rücken zu. Otto Vogler vertrat ihm mit einem großen Schritt den Weg und sagte drohend: »Es ist mir egal, ob er sich selbst angezeigt hat oder nicht. Solange wir unser Geld nicht haben, werden Sie uns nicht los. Ich möchte mit meiner Schwägerin sprechen.«

»Sie ist fertig mit euch«, sagte Kiene. »Herr Rectanus hat sich am Samstag damit einverstanden erklärt, daß die ursprünglich vereinbarten hunderttausend Mark an sie bezahlt werden. Sie braucht euch dann nicht mehr.«

»Als Darlehen?« fragte Otto Vogler.

»Nein«, sagte Kiene. »Ihre Schwägerin kann sie behalten. Würden Sie mir jetzt aus dem Weg gehen.«

Otto Vogler starrte ihn eine Weile finster an, dann griff er nach seinem Arm und sagte: »Und wenn Sie noch zwei Gorillas einstellen: Von Ihnen wird künftig keiner mehr ruhig schlafen.«

»Ich fürchte, da überschätzen Sie sich«, sagte Kiene. Er nahm Voglers Hand von seinem Arm, schob ihn auf die Seite und kehrte in den Speisesaal zurück. Dort setzte er sich zu Merklin und dem Kameramann an den Tisch und fragte: »Wie lange wollen Sie dieses Spielchen noch treiben?«

»Für uns ist es bereits gelaufen«, antwortete Merklin.

Sie waren beide mit dem Essen fertig und rauchten. Kiene fragte: »Wirklich?«

»Sicher«, antwortete Merklin. »Wir ruhen uns hier noch ein bißchen aus, dann fahren wir wieder heim.«

»Das ist eine vernünftige Idee«, sagte Kiene. »Vielleicht erlauben Sie mir noch eine private Frage. Was hatten Sie von alledem?«

»Das werden Männer wie Sie nie verstehen«, sagte Merklin. »Wir haben das nicht zu unserem Vergnügen getan, und die Filmrolle, die Sie uns weggenommen haben, war nur eine von dreien. Die wichtigsten haben wir noch. Sie reichen aus, um Ihnen und Ihresgleichen das Handwerk zu legen.«

»In wessen Auftrag?« fragte Kiene. »In Ihrem eigenen? Oder weil Ihr Berufsethos es so verlangt?«
»Wissen Sie überhaupt, was das ist?« fragte Merklin. Kiene lächelte. »Sicher nicht so gut wie Sie. Ich möchte mich auch nicht mit Ihnen über Ihre moralische Legitimation, über Ihr Berufsethos oder was immer auch sich dahinter verbirgt, auseinandersetzen. Ich finde nur, Sie kümmern sich ein bißchen viel um das Privatleben anderer Leute und reden sich dabei auch noch ein, im öffentlichen Interesse zu handeln. In welchem eigentlich?«
»Sie vergeuden Ihre Zeit«, sagte Merklin gelangweilt. »Ich weiß nicht, weshalb Sie uns für so unsagbar dumm halten. Wir haben uns den VW, in den Sie am Freitagabend das Geld umgeladen haben, genau angeschaut. Das war im Odenwald. Und dann tauchte er wieder an der italienisch-französischen Grenze hinter Ihnen auf und folgte Ihnen bis zum Hotel. Was glauben Sie wohl, was sich ein unbefangener Beobachter dabei denken muß?«
Kiene nickte. »Ich räume ein, der Schein spricht gegen mich.«
»Nicht nur der Schein«, sagte Merklin. »Wir haben die beiden im VW beobachtet. Als sie uns bemerkten, sind sie wieder weggefahren. Ich nehme an, Sie treffen sich heute im Laufe des Tages mit ihnen in der Stadt.«
»Das ist nicht nötig«, sagte Kiene. »Sie wohnen inzwischen hier im Hotel. Sehen Sie, ich habe mir gerade etwas überlegt. Ich habe Ihnen den Reifen durchschossen und Ihnen noch andere Unannehmlichkeiten bereitet. Vor allem habe ich Ihnen eine Filmrolle weggenommen, die für Sie sehr wichtig ist. Ich möchte das irgendwie wettmachen. Sind Sie damit einverstanden, wenn ich Ihnen zehntausend Mark dafür bezahle?«
Merklin lächelte dünn. »Sie halten uns wohl für genauso korrupt wie Sie und Ihresgleichen.«
»Ich weiß nicht, ob ich korrupt bin«, sagte Kiene. »Es ist richtig, daß ich mich in diesem Fall auf eine dumme Sache eingelassen habe, aber das war mein Privatvergnügen. Andererseits sehe ich ein, daß zehntausend Mark für den Ärger, den Sie mit uns hatten, nicht ausreichend sind. Ich verzehnfache. Dies ist allerdings mein äußerster Preis.«
Merklin zog die Augenbrauen hinauf: »Sie reden doch nicht etwa von hunderttausend Mark?«
»Genau davon rede ich«, sagte Kiene. »Für die in meinem Besitz befindliche Filmrolle. Unter der Voraussetzung, Sie geben mir die beiden anderen auch noch.«

»Sie sind verrückt«, sagte Merklin belustigt. Kiene nickte. »Kann sein, zumal ich bereit bin, Ihnen für jede Filmrolle hunderttausend zu bezahlen. Insgesamt also dreihunderttausend. Das sind für jeden von Ihnen hundertfünfzigtausend bar in die Hand und völlig steuerfrei. Ob Sie Ihren Kollegen, die sich gestern abend von Ihnen getrennt haben und Herrn Rectanus nachgefahren sind, bei Ihrer Heimkehr erzählen, ich hätte Ihnen statt einer drei Filmrollen weggenommen, macht doch keinen großen Unterschied.«
Merklins Gesicht rötete sich: »Für Sie vielleicht nicht.«
»Herr Merklin!« sagte der Kameramann beschwörend. Kiene blickte ihn freundlich an. »Ihren Namen kenne ich noch nicht.«
»Eichler«, sagte der Kameramann mühsam. »Sie würden wirklich dreihunderttausend Mark bezahlen?«
»Halten Sie den Mund!« sagte Merklin scharf.
»Vierhunderttausend«, sagte Kiene und stand auf. »Dies ist mein letztes Wort. Andernfalls verzichte ich.«
»Bleiben Sie sitzen«, sagte Merklin mit heiserer Stimme. »Nicht etwa, daß das eine Zustimmung bedeutet. Es interessiert mich lediglich, wie weit Sie Ihre Unverfrorenheit noch treiben wollen.«
»Das ist ein einleuchtendes Argument«, sagte Kiene und setzte sich auf seinen Platz zurück. »Ich stelle es mir so vor, daß Sie mir die Filmrollen aushändigen; natürlich die belichteten und keine anderen. Für das Geld unterschreiben Sie mir eine Empfangsbestätigung, die ich nur dann gegen Sie verwenden werde, wenn Sie unsere Vereinbarung nicht einhalten.«
»Das tun wir selbstverständlich«, sagte Eichler mit fiebrigen Augen. Merklin wandte ihm schnell das Gesicht zu. »Sie sollen den Mund halten!«
»Aber warum denn!« sagte Eichler aufsässig. »Was wir in unserer Freizeit machen, das geht doch keinen was an!«
»Das finde ich auch«, sagte Kiene. »Entweder es ist Sonntag oder es ist keiner. Um es Ihnen zu vereinfachen, schlage ich folgende Abwicklung vor. Wir treffen uns in einer Stunde in der Tiefgarage. Dort werden wir die Sache Zug um Zug erledigen. Ich werde genau fünf Minuten auf Sie warten.«
Merklin starrte vor sich auf den Tisch. Dann sah er auf und sagte: »Ich habe mich noch nicht festgelegt.«
»Selbstverständlich nicht«, sagte Kiene und blickte auf die Uhr. »Eine Stunde ist vielleicht etwas zu knapp. Sagen wir um vier. Die Entscheidung liegt bei Ihnen.«

Er verabschiedete sich mit einem Kopfnicken. Als er an seinen Tisch zurückkam, fragte Annemarie neugierig: »Was hast du so lange mit ihnen gesprochen?«
»Nur belanglose Dinge«, antwortete Kiene. Er sah, daß sie bereits beim Dessert waren, und sagte zu Hannelore: »Dein Mann und sein Bruder sind eben hier abgestiegen. Ich habe sie zufällig gesehen.«
»Dann wohnen sie hier?« fragte sie betroffen. Kiene nickte. »Kann sein, daß wir früher weiterfahren müssen, als ich dachte. Sie könnten sonst auf dumme Gedanken kommen.«
»Wieso auf dumme Gedanken?« fragte Ursula. »Mein Vater ist damit einverstanden, daß wir hierbleiben, solange es uns gefällt. Wenn du morgen das Geld bei einer Bank einzahlst . . .«
»Dazu müßte ich es erst einmal hinbringen«, sagte Kiene. »Vielleicht könnten wir sie für zehntausend Mark loswerden. Um das zu klären, müßte ich noch einmal mit deinem Vater telefonieren.«
»Das mußt du nicht«, sagte Ursula. »Diese Ganoven werden keinen Pfennig von uns bekommen.«
»Sie sind keine Ganoven«, sagte Hannelore. »Sie haben das doch nur getan, um . . .« Sie verstummte. Ursula fragte kühl: »Um sich auf Kosten meines Vater zu bereichern? Oder sehe ich das falsch?«
Hannelore schwieg.
»Da wäre noch etwas anderes«, sagte Ursula und warf die Serviette auf den Tisch. Zu Kiene sagte sie: »Solange wir das Geld nicht hatten, habe ich mitgespielt. Jetzt sehe ich keinen Grund mehr dafür. Hannelore und ich werden die Zimmer tauschen. Erzähl ihr, warum du mit ihr geschlafen hast. Oder willst du noch länger damit warten?«
»Wovon redet sie?« fragte Hannelore blaß.
Kiene stand auf und verließ den Speisesaal. Er fuhr zu seinem Zimmer hinauf, trat ans Fenster und betrachtete geistesabwesend die vielen Boote und Schiffe im Hafen. Noch mehr als alles andere beunruhigte ihn die letzte Äußerung des Chefs. Er ging zum Telefon, zog sein Notizbuch aus der Tasche und wählte Kolbs Nummer. Von seiner Frau erfuhr er, daß er beim Chef war. Er bat sie um einen Rückruf. Als Hannelore mit verstörtem Gesicht hereinkam, saß er auf dem Bett und rauchte. »Was sollte das bedeuten?« fragte sie. »Hast du etwas mit ihr?«
Kiene sagte: »Bitte, setz dich zu mir, Hannelore. Als das zwi-

schen uns beiden anfing, wußte ich noch nicht, daß dein Mann und sein Bruder mit dem Geld eigene Pläne verfolgten. Es gibt zwischen Ursula und mir ein kompliziertes Verhältnis, aber das ist noch nichts Endgültiges.«
»Was ist bei dir endgültig?« fragte sie und setzte sich mit leerem Gesicht neben ihn. Er griff nach ihrer Hand. »Ich wünschte, ich wüßte es selbst, Hannelore. Ich bin einer, der nirgendwo seßhaft wird. Es war nicht gelogen, daß ich mich in dich verliebt habe, aber ich verliebe mich in alle Frauen, die so hübsch sind wie du.«
»Trotzdem hast du mich angelogen«, sagte sie. Kiene sagte: »Du hast mir keine andere Wahl gelassen. Wenn das Geld verlorengegangen wäre, hätte ich mich nach einem anderen Job umsehen müssen. Ich weiß noch nicht, ob ich Ursula heiraten werde. Im Augenblick geht sie noch davon aus. Vielleicht überlegt sie es sich morgen anders. Vielleicht überlege auch ich es mir anders. Ich kann das in einer Situation wie dieser nicht entscheiden. Gib mir noch ein paar Wochen Zeit.«
»Und was tue ich bis dahin?« fragte sie. »Ich habe das alles nur getan, weil ich davon ausging, du hättest ernsthafte Absichten mit mir. Zu Josef kann ich jetzt nicht mehr zurückkehren . . .«
»Auch nicht mit hunderttausend Mark, die du niemals zurückzuzahlen brauchst?« fragte er dazwischen. Sie blickte ihn stumm an. Er küßte sie auf die Wange und sagte: »Mit hunderttausend Mark wäre deine Position eine ganz andere. Das Gasthaus würde dir dann genausogut gehören wie deinem Schwager. Du brauchtest dann nicht mehr die Kellnerin und die Küchenhilfe zu spielen . . .«
Sie unterbrach ihn: »Nein, Manfred. Hunderttausend Mark sind zwar viel Geld, aber nicht genug, um mir meine Selbständigkeit zu erkaufen. Rechnen habe ich im letzten Jahr auch gelernt. Das wäre etwas anderes, wenn der Gasthof mir allein gehörte. Dann könnte ich zu Josef und seinem Bruder sagen, hier geschieht künftig das, was *ich* will, und wenn es euch nicht paßt, könnt ihr gehen. Solange ich nur hunderttausend Mark drinstecken habe, könnten sie mich jederzeit hinausekeln. Das ist mir zu riskant. Um von ihnen unabhängig zu werden, müßten es mindestens dreihunderttausend sein. Damit könnte ich mir, wenn mir das besser erscheint, auch einen anderen Mann suchen und zusammen mit ihm . . .« Sie verstummte, weil Ursula hereinkam; sie fragte: »Habt ihr euch schon ausgesprochen?«
»Warte bitte bei Annemarie auf mich«, sagte Kiene zu Hanne-

lore. Sie stand auf und verließ, ohne Ursula anzusehen, das Zimmer.
»Das hast du sehr taktvoll gemacht«, sagte Kiene. Ursula setzte sich dorthin, wo Hannelore gesessen hatte, und blickte eine Weile aufmerksam in sein Gesicht. Dann fragte sie: »Was war falsch daran?«
»Es liegt an mir selbst«, räumte er ein. »Ich weiß es. Trotzdem hättest du mir etwas mehr Zeit lassen sollen. Ich war noch nicht darauf vorbereitet. Hast du dich inzwischen entschlossen, mich zu heiraten?«
»Hast du dich entschlossen?« fragte sie zurück. Er erwiderte ihren Blick. »Jedes Ding im Leben hat seinen Preis; meine Unabhängigkeit genauso wie die deine. Du gehst kein Risiko ein. Ob du mich heiratest oder einen anderen, dein Vater wird immer so viel Geld haben, daß du deinen Mann jederzeit verlassen und wieder dein eigenes Leben führen kannst. Du wirst niemals von mir abhängig sein, ich aber immer von dir.«
»Und warum sprichst du nicht auch einmal von Liebe?« fragte sie. »Warum sprichst du nur von Abhängigkeit? Traust du mir nicht zu, daß ich dich genug lieben könnte, um dich deine sogenannte Abhängigkeit vergessen zu lassen?«
»Kannst du es?« fragte er.
Sie senkte den Kopf. »Ich weiß es noch nicht, Manfred. Ich fürchte, du wirst immer einen Vorwand finden, um mit einer anderen Frau zu schlafen. Vielleicht liebe ich dich, ich bin mir aber genauso unsicher wie du. Ich dachte immer, dieses Gefühl müßte so unverwechselbar sein, daß es sich keinen Augenblick lang in Frage stellen läßt. Dir gegenüber ändern sich meine Empfindungen von einem Tag zum anderen. Ich weiß nicht, woran das liegt. Vielleicht daran, daß ich schon zu viel über dich weiß. Hätte ich nichts über dich gewußt, wäre mir die Entscheidung sicher viel leichter gefallen. Ich war nie in meinem Leben richtig glücklich. Ich kenne dieses Gefühl gar nicht. Wenn du es mir vermitteln könntest, ich würde keinen Augenblick zögern, dich zu bitten, mich zu heiraten.«
Sie blickte auf. »Ich weiß noch nicht einmal, was Annemarie dir bedeutet. Von Hannelore möchte ich nicht reden. Du bist vorhin davongelaufen. Nun gut, ich hatte mich über sie geärgert. Ich habe mich über die Selbstverständlichkeit geärgert, mit der sie, als du zwei Doppelzimmer genommen hast, vorausgesetzt hat, daß das eine für mich und Annemarie und das andere für sie und

für dich bestimmt sei. Es war dumm, daß ich mich geärgert habe, ich räume das ein, aber ich sah einfach keinen Grund mehr, daß du ihr noch länger unsere Beziehungen verheimlichst. Das mag egoistisch klingen, aber sie interessiert mich nicht, Manfred. Sie ist ein Mensch, der mir völlig gleichgültig ist. Ihr Mann und ihr Schwager haben meinen Vater entführt. Daß sie bei dieser Sache nicht mitmachen wollte, betrachte ich für eine Frau, die etwas auf sich hält, als Selbstverständlichkeit. Weshalb sollte ich mich ihr deshalb in einer Weise verpflichtet fühlen, die mir die Entscheidung nur noch schwerer macht? Ich sehe keinen Grund dafür. Mußt du noch einmal mit ihr sprechen?«
»Du hast uns unterbrochen«, antwortete Kiene, und er wünschte in dieser Sekunde, er würde sie so sehr lieben, daß er vor ihr auf die Knie fallen und sie um ihre Hand bitten könnte, aber er war auch jetzt noch nicht fähig dazu, und als sie aufstehen wollte, nahm er sie rasch in die Arme, preßte das Gesicht an ihre Wange und murmelte: »Nein, bleib hier. Ich gehe zu ihr hinüber. Dies ist dein Zimmer, und dies ist dein Platz. Ich werde ihr das verständlich machen. Laß mir noch etwas Zeit, Ursula. Vielleicht habe ich, als ich mich mit ihr eingelassen habe, meine Kräfte überschätzt. Du bist die erste Frau, bei der ich nicht mehr sicher bin, ob mir meine Unabhängigkeit wichtiger ist als meine Gefühle für sie. Kann sein, daß dies ein Anfang ist, der uns beide auf den richtigen Weg führt.«
»Wenn du es willst«, sagte sie. »Schicke Annemarie zu mir herüber, ja?«
Er nickte und ging hinaus. Auf dem Flur begegnete ihm Annemarie, sie sagte: »Was hast du mit ihr gemacht? Sie hockt auf dem Bett, heult und ist nicht ansprechbar. Ich hatte keine Lust, mir das noch länger mit anzusehen.«
»Sie hat genauso ihre Probleme wie du und ich«, sagte Kiene. »Vorhin kam mir mal kurz der Gedanke, in das Auto zu steigen und mit dir abzuhauen.«
»Bist du wieder mal in der Sackgasse?« fragte sie.
»Sieht so aus«, sagte er. »Ich weiß gar nicht, wie ich da hineingeraten bin. Es ist plötzlich alles verdammt kompliziert geworden. Dabei fing es so harmlos an.«
Sie lächelte und berührte sein Gesicht. »Wieso plötzlich? War das nicht immer so bei dir?«
»Bis vor zehn Tagen nicht«, sagte er. »Bis dahin war alles sehr übersichtlich, und ich wußte genau, zu welchem richtigen Zeit-

punkt ich auf den richtigen Knopf zu drücken hatte. Im Ernst, Annemarie, würdest du mit mir abhauen?«
»Wohin?« fragte sie. Er schwieg unschlüssig. Sie sagte: »Ich brauche einen, der weiß, was er will. Solange es dir nur darum geht, mit mir zu schlafen, bin ich jederzeit für dich ansprechbar. Wenigstens vorläufig noch.«
»Was heißt vorläufig?« fragte er beunruhigt.
»Das, was es heißt«, antwortete sie und ging zu Ursula ins Zimmer. Er blieb ein paar Sekunden lang unschlüssig auf dem Flur stehen. Als er zu Hannelore kam, wischte sie sich gerade die Tränen ab und sagte: »Verdammt, laß mich in Ruhe. Ich will dich nicht mehr sehen.«
»Aber das ist doch auch keine Lösung«, sagte er. »Ich habe mich eben mit Ursula darüber ausgesprochen, daß wir beide noch nicht wissen, woran wir miteinander sind. Im Grunde trifft das, was unser Verhältnis angeht, auf uns beide genauso zu. Ob du in diesem Zimmer wohnst oder drüben in meinem, das ändert doch an der Situation überhaupt nichts.«
»Für mich schon«, sagte sie. »Mir wird das jetzt erst richtig bewußt. Du hattest es doch nur darauf angelegt, über mich an das Geld zu kommen. Ich war dir doch nie etwas anderes als das. Eine blöde Kuh war ich, mich so von dir verschaukeln zu lassen. Das werde ich mir nie verzeihen.«
»Auch nicht, wenn ich dir die dreihunderttausend Mark beschaffe?« fragte Kiene. Sie hörte auf zu weinen und fragte: »Wie willst du das tun?«
Er hatte vorläufig keine Ahnung, aber es erschien ihm besser, mit ihr darüber zu reden, als sie weinen zu sehen. Er setzte sich zu ihr, streichelte ihr Gesicht und sagte: »Ich muß erst noch darüber nachdenken. Wenn die zwei Millionen mir gehörten, ich würde dir auch fünfhunderttausend geben, es käme mir nicht darauf an. Komm, sei lieb, Hannelore. Wir werden zusammen einen Ausweg finden.«
»Daß du mich so beschwindelt hast«, sagte sie, während ihr neue Tränen aus den Augen schossen. Kiene küßte sie weg und sagte: »Das war kein Schwindel, Hannelore. Meine Gefühle für dich sind echt und tief. Ich werde es dir eines Tages noch auf diese oder jene Weise beweisen.«
Er nahm sie in die Arme, küßte sie und überlegte, ob er mit ihr schlafen solle. Dazu hätte er sie jedoch loslassen und erst die Tür abschließen müssen, und bis dahin würde sie vielleicht wieder in

neue Tränen ausbrechen. Er begnügte sich deshalb damit, ihr beruhigend den Rücken zu streicheln, und als sie seine Küsse zu erwidern begann, streichelte er ihre Brust und murmelte: »Ich liebe dich wirklich, Hannelore. Ich liebe dich so sehr, daß ich dich nicht weinen sehen kann. Ich bin ein gutmütiger Mensch, und daß ich immer auf Frauen hereinfalle, hängt nicht zuletzt mit meiner Gutmütigkeit zusammen. Bei dir war es aber noch mehr. Du bist schön, Hannelore, ich liebe dein Gesicht und deinen Körper. Vielleicht bin ich ein Mann ohne Grundsätze, aber von Frauen verstehe ich etwas, und du gehörst zu denen, die mich um den Verstand bringen können. Nimm an, ich hatte den Verstand verloren, ich war so besessen von dem Wunsch, mit dir zu schlafen, daß ich dir, um das zu erreichen, jedes Zugeständnis gemacht hätte. Ich hätte sogar einen Meineid dafür geschworen. Warum könnten wir nicht einfach nur gute Freunde bleiben?«
»Aber ich kann jetzt doch nicht mehr zu Josef zurück«, murmelte sie. »Wenn ich nur wüßte, was ich tun soll.«
»Mir fällt schon etwas dazu ein«, sagte Kiene und streichelte, weil sie sich nicht sträubte, auch ihren Schoß. So wurden sie von Ursula angetroffen. Sie schloß die Tür hinter sich, lehnte sich mit dem Rücken dagegen und sagte: »Kolb hat eben angerufen!«
»Ach ja!« sagte Kiene. »Den hatte ich völlig vergessen.« Dann fiel ihm auf, daß Ursula kreidebleich war. Er stand auf, zog Hannelore, weil sie es nicht selbst tat, das Kleid über die Schenkel und sagte zu Ursula: »Du wolltest mir Zeit lassen.«
»Nicht für solche Dinge«, sagte sie kalt. »Ich hatte auch nicht vor, dich bei deiner üblichen Beschäftigung zu stören. Ich wollte dich nur etwas fragen.«
Er blickte forschend in ihr Gesicht. »Ja?«
»Wie war das mit meinem Vater?« fragte sie. »Hat er die Entführung nur inszeniert, damit ich zu ihm zurückkomme?« Kiene griff mechanisch nach seinen Zigaretten, zündete sich eine an und fragte dann: »Wovon redest du?«
»Darüber, was Herr Kolb mir eben am Telefon erzählt hat«, antwortete Ursula mit unverändert kalter Stimme. »Mich interessiert jetzt nur noch eins. Hast du davon gewußt? Annemarie wollte es mir nicht verraten.«
»Wovon gewußt?« fragte Kiene, um Zeit zu gewinnen. Sie blickte ihn verächtlich an, dann drehte sie sich um und verließ das Zimmer. Kiene wandte sich mit blassem Gesicht an Hannelore: »Warte hier auf mich.«

»Wer ist dieser Herr Kolb?« fragte sie, und sie sah genauso blaß aus wie er.
Kiene antwortete: »Ein Dummkopf.«
Als er in sein Zimmer kam, saß Annemarie mit übereinandergeschlagenen Beinen in einem Sessel und beobachtete, wie Ursula die beiden Geldkoffer aus dem Kleiderschrank zerrte. Sie griff zuerst nach dem größeren und ließ ihn, weil sie es kaum schaffte, ihn vom Boden zu heben, wieder fallen. Mit dem kleinen hatte sie keine Mühe. Sie drehte sich nach Kiene um und fragte: »Wieviel Geld ist das?«
»Was willst du damit?« fragte er zurück. Als sie sich anschickte, den Koffer zu öffnen, sagte er: »Siebenhunderttausend.«
»Dann sag meinem Vater, daß ich sie als Schmerzensgeld betrachte«, sagte Ursula. »Und dir sag' ich auch etwas, Manfred: Laß dich nie wieder bei mir sehen. Es tut mir leid, daß ich jemals auch nur ein Wort an dich verschwendet habe.« Sie ging mit dem Koffer an ihm vorbei zur Tür, und als sie draußen war, sagte Annemarie: »Vielleicht geht sie jetzt zu ihrer Mutter. Sie hat vorhin mir gegenüber erwähnt, daß sie nicht weit von hier wohnen soll. Irgendwann mußte das ja mal schiefgehen, Manfred.«
Er setzte sich aufs Bett und betrachtete eine Weile den zweiten Geldkoffer. Dann fragte er: »Was hat sie mit Kolb gesprochen?«
Annemarie zuckte mit den Schultern. »Nur ganz wenig. Als das Telefon läutete, nahm sie es ab. Anscheinend hat er nach dir gefragt. Ich konnte ja nicht hören, was er sagte, aber sie fragte plötzlich, ob die Entführung fingiert gewesen sei. Dann legte sie auf und blieb mindestens fünf Minuten lang mit völlig versteinertem Gesicht sitzen. Bevor sie aus dem Zimmer ging, fragte sie mich, ob ich etwas davon gewußt hätte.«
»Und was hast du geantwortet?« fragte Kiene.
»Nichts«, antwortete Annemarie. »Ich wollte sie nicht belügen. Sie spuckte mir dann mitten ins Gesicht und ging hinaus. Was hätte ich ihr noch sagen sollen?«
»Das weiß ich auch nicht«, sagte Kiene und griff zum Telefon. Während er mit Kolb sprach, kam Hannelore herein und brachte ihren Koffer mit. Sie blieb unschlüssig stehen und wartete, bis Kiene fertig war. Dann sagte sie: »Sie hat mich aus dem Zimmer geschickt. Vorher hat sie mit einem Dr. Huber telefoniert. Sie sagte ihm, daß sie hier im Hotel wohnt und daß er sie so schnell wie möglich abholen soll.«

»Wartet hier auf mich«, sagte Kiene und ging zu Ursula. Ihre Zimmertür war verschlossen. Sie öffnete ihm jedoch sofort und fragte kalt: »Was willst du noch?«
»Mit dir reden«, sagte Kiene. »Dieser Huber interessiert dich doch gar nicht, und daß ich mich von deinem Vater dazu habe breitschlagen lassen, mitzumachen, hat nichts damit zu tun, daß ich dich liebe. Ich habe es auch für uns beide getan.«
»Inwiefern für uns beide?« fragte sie mit unbewegtem Gesicht. Er versuchte nach ihrer Hand zu greifen, aber sie trat schnell einen Schritt zurück und sagte: »Rühr mich nicht an! Bist du dir überhaupt darüber im klaren, was ich seit vergangenem Mittwoch alles durchgemacht habe?«
»Dein Vater liebt dich über alles, sagte Kiene. »Was er getan hat . . .« Sie unterbrach ihn: »Er liebt nur sich selbst. Genau wie du auch. Wenn du deine Stellung noch nicht los sein solltest, dann werde ich dafür sorgen . . .«
»Das kannst du dir ersparen«, fiel er ihr dazwischen. »Ich habe eben erfahren, daß dein Vater die Fabriken verkauft hat.« Ihr Gesicht blieb ausdruckslos. »Von wem?«
»Von Kolb«, sagte er. »Ich habe ihn angerufen.«
»Das ist sehr gut, Manfred«, sagte sie. »Und anschließend bist du, weil du deine Stellung verloren hast, zu mir gekommen, um mir zu sagen, daß du mich liebst? Du bist noch viel schäbiger, als ich es für möglich gehalten habe. Ich wünsche dir, daß du nie wieder eine Stellung findest. Ich wünsche es dir so sehr, daß ich meinem Vater unter der Bedingung verzeihen werde, daß er dir ein Zeugnis ausstellt, mit dem du nie mehr irgendwo unterkommst. Er ist ein alter Mann, und er wußte nicht, was er tat. Du hast es gewußt.«
»Wenn wir uns über diese Sache nicht wie zwei erwachsene Menschen unterhalten können . . .«, begann Kiene mit gerötetem Gesicht. Sie fragte: »Worüber? Darüber, daß ich geschmacklos genug war, mich im Bett von dir trösten zu lassen? Darüber, daß du mir seit Mittwoch eine schamlose Rolle vorgespielt hast? Wie gefühllos mußt du sein, daß du es fertiggebracht hast, mir, ohne zu erröten, in die Augen zu schauen. Ich bin fertig mit dir, Manfred. Merkst du das nicht?«
Er verließ das Zimmer. Als er in sein eigenes kam, blickten ihm Annemarie und Hannelore stumm entgegen. Er sagte: »Ich habe meinen Job verloren. Ob ich noch einmal einen finde, der sich lohnt, ist ungewiß.«

»Sonst hast du nichts verloren?« fragte Annemarie. Er ging zu dem Geldkoffer, legte ihn aufs Bett und öffnete ihn. Zu Hannelore sagte er: »Wir haben vorhin über dreihunderttausend gesprochen. Du kannst dir vierhunderttausend nehmen. Du hast die Wahl zwischen mir und dem Geld. Beides zusammen geht nicht. Was ist dir lieber?«

»Wieso geht beides zusammen nicht?« fragte sie blaß.

»Weil ich mit diesem Geld nichts zu tun haben möchte«, sagte Kiene. »Ich würde keinen Tag, keine Stunde davon leben wollen. Also entscheide dich.«

Sie blickte einmal ihn und dann wieder das Geld an. Schließlich sagte sie: »Vorhin, als du deine Stelle noch nicht verloren hattest, sprachst du davon, daß wir gute Freunde bleiben könnten. Du hattest doch niemals ernsthaft vor, mich zu heiraten, Manfred?«

»Nein«, sagte er.

Sie nickte. »Dann nehme ich das Geld. Wohin soll ich es tun?«

Er nahm ihren Koffer, kippte seinen Inhalt auf den Boden, und sagte: »Jedes Päckchen sind zehntausend Mark. Nimm dir vierzig davon. Du kannst bis morgen hier wohnen bleiben und dann mit der Bahn heimfahren. Bis dahin habe ich dir auch deinen Bruder und Schwager vom Halse geschafft.«

»Und was tust du?« fragte sie zögernd. Er lächelte. »Ich wollte mir schon lange wieder mal St.-Tropez ansehen. Ich fahre noch heute hin. Das hier nehme ich mit.«

Er nahm zwei der banderolierten Geldbündel aus dem Koffer und steckte sie in seine Reisetasche. Zu Annemarie, die ihn aufmerksam beobachtete, sagte er: »Das ist mein Geld; ich habe es Hannelore vorgeschossen. Kommst du mit?«

»Nach St-Tropez?« fragte Annemarie.

Er antworete: »Du bist eingeladen.«

»Und was machst du mit dem restlichen Geld?« fragte sie. »Das müssen doch, auch wenn Hannelore vierhunderttausend bekommt, immer noch fast neunhunderttausend sein?«

»Nur noch vierhundertachtzigtausend«, sagte er und blickte auf die Uhr. »Vierhunderttausend habe ich den Fernsehfritzen versprochen, wenn sie mir die Filme geben. Ich weiß zwar nicht, ob sich das jetzt noch lohnt, aber das braucht nicht mehr mein Problem zu sein.«

»Und die restlichen vierhundertachtzigtausend nimmst du mit nach St-Tropez?« fragte Annemarie. Er schüttelte den Kopf. »Sie gehören dir; Rectanus wird dir jetzt doch nichts mehr bezahlen;

er hat am Telefon mit keinem Wort nach dir gefragt. Ich nehme an, seit er uns zusammen auf dem Weg zur Klinik erwischt hat, sind wir beide für ihn erledigt. Er sah darin einen unentschuldbaren Vertrauensbruch. Für ihn ist jetzt nur noch Ursula wichtig. Falls du keine Verwendung für das Geld hast, gebe ich es ihr.«

»Ich habe eine sehr gute Verwendung dafür«, sagte sie. »Kommst du ins Badezimmer?«

Er wandte sich an Hannelore, die ihnen stumm zuhörte: »Nimm dein Geld schon heraus. Wir haben ein kleines Privatgespräch.«

Er folgte Annemarie ins Bad. Dort fragte sie: »Warum können wir das Geld nicht zusammen ausgeben?

Kiene sagte: »Du hast es dir verdient; ich nicht. Es wäre gegen meine Grundsätze. Du sagtest, daß du eine Verwendung dafür hast?«

Sie setzte sich auf die Badewanne, verschränkte die Hände im Schoß und sagte: »Ich habe dir von dem Assistenzarzt erzählt. Ihm fehlte das Geld, um sich von seiner Frau zu trennen. Sie hat ihm das Studium finanziert. Mit fast fünfhunderttausend Mark könnte er sich in eine Privatklinik einkaufen und dort Oberarzt werden. Wir haben oft darüber gesprochen, aber damals war es nicht viel mehr als ein Wunschtraum.«

»Du liebst ihn noch?« fragte Kiene.

Sie antwortete: »Ich habe nie damit aufgehört, Manfred. Dich liebe ich auch, aber nicht so, daß ich dich heiraten würde. Wieso hast du deine Stellung verloren?«

»Rectanus hat die Fabriken verkauft, antwortete Kiene. Sie senkte den Kopf. »Das ist schlimm für dich.«

»Nicht nur für mich«, sagte Kiene. »Ich könnte dich jetzt noch einmal fragen, ob du nicht doch mit mir nach St.-Tropez willst.«

»Für fast fünfhunderttausend Mark . . .«, sagte sie. Er unterbrach sie: »Ich möchte von diesem Geld nichts haben. Weder direkt noch indirekt. Wenn du nur deshalb mit mir kämst, brauchen wir nicht darüber zu reden.«

»Es tut mir leid«, sagte sie mit gesenktem Kopf. Er trat zu ihr, griff unter ihr Kinn und küßte sie. »Unsere Wege waren nie die gleichen, Annemarie. Ich bin auch nicht der Mann, der dir für die Zukunft etwas versprechen kann. Ich hoffe, du hast Glück.«

Sie blickte ihn lange an. Schließlich fragte sie: »Dann ist das jetzt unser Abschied?«

»Ich hatte ihn mir auch anders vorgestellt«, sagte er. Sie stand auf, ließ das Kleid fallen und sagte: »Und ich habe mich von einem

Mann noch nie anders verabschiedet als so. Tut mir leid, daß es hier sein muß, Manfred. Ich finde aber, diese Art von Abschied ist die einzige, die zu uns paßt.«
»Kann sein«, sagte er. »Ich habe nur nicht mehr viel Zeit. Kannst du deinen Freund hierherkommen lassen?«
»Ich werde ihn anrufen«, sagte sie. »Wieviel Zeit brauchst du?« Er beobachtete, wie sie sich mit dem Rücken gegen die gekachelte Wand lehnte und auch den Slip abstreifte. »Es könnte reichen«, sagte er und ging zu ihr hin. Er liebkoste ihr Gesicht und ihren Körper und sagte: »Es ist besser, du und Hannelore, ihr bleibt hier im Zimmer, bis er eintrifft. Ich nehme zwar nicht an, daß ihr Mann und sein Bruder noch einmal zurückkommen werden . . .«
»Was hast du vor mit ihnen?« frage sie. Er lächelte. »Ich werde sie auf meine Art abfinden. Trotzdem dürft ihr nichts riskieren. Wenn dein Freund sich noch heute in den Zug setzt, kann er morgen früh hier sein. Hast du noch Verbindung mit ihm?«
»Wir haben regelmäßig telefoniert«, sagte sie. Er streichelte ihren Schoß. »Während du mit zwei anderen geschlafen hast.«
»Geschlafen habe ich nur mit dir«, sagte sie und zog seinen Reißverschluß auf. »Es ist nicht das, was ich unter Liebe verstehe«, sagte sie. »Aber dazu hat es zwischen uns beiden wohl nie gereicht?«
»Sei bitte still«, sagte er. Sie blieben dann noch eine Weile engumschlungen stehen. Einmal fragte sie: »Warum gerade St-Tropez?«
»Dort war ich einmal mit einem Mädchen sehr glücklich«, sagte er. »Ich hoffte, mit dir ließe es sich noch einmal rekonstruieren. Wir hätten uns mit meinen zwanzigtausend Mark ein paar schöne Wochen gemacht. Sie sind meine gesamten Ersparnisse.«
»Nicht gerade viel«, sagte Annemarie. »Und was tust du dann?«
»Irgendwas«, sagte er. »Warum ist mein Vorschlag nicht akzeptabel für dich?« Sie antwortete: »Bei dir weiß ich nie, woran ich bin. Wer war das Mädchen?«
»Eines von vielen. Du weichst mir aus.«
»Ich weiß«, sagte sie. »Es liegt an dem Geld, Manfred. Ich habe jetzt erstmals die Möglichkeit, den Mann meines Lebens zu bekommen, und ich möchte mich und ihn keinen Tag länger darauf warten lassen. Erst recht nicht im Bett eines anderen. Kannst du das verstehen?«
»Wenn man grundsätzlich bereit ist, die weibliche Logik zu ver-

stehen«, sagte er. »Es wird höchste Zeit für mich, Annemarie. Schick mir von eurer Hochzeitsreise eine Karte, ja?«
»Wirst du deine Wohnung dann noch haben?« fragte sie.
»Schick mir trotzdem eine«, sagte er und küßte sie heftig. Dann riß er sich von ihr los und ging rasch ins Zimmer. Er sagte zu Hannelore, die inzwischen das Geld gezählt und in ihren Koffer gepackt hatte: »Der Rest gehört Annemarie. Du hast doch nichts dagegen?« Sie schüttelte den Kopf. Dann schmiegte sie sich plötzlich an ihn, legte die Hände in seinen Nacken und sagte: »Ich wäre so gerne bei dir geblieben, Manfred.«
»Ich auch bei dir, mein Liebling«, sagte Kiene. »Aber du kannst wirklich nur eines von beiden haben: das Geld oder mich. Was wirst du damit anfangen?«
»Ich weiß es noch nicht«, sagte sie. Er lächelte. »Ob mit oder ohne Josef: mit vierhunderttausend Mark wirst du es nicht mehr nötig haben, für ihn die Kartoffeln zu schälen.«
»Das wird künftig er und mein Schwager tun«, sagte sie. »Ich bin dir so dankbar, Manfred.« Sie weinte. Als Annemarie aus dem Badezimmer kam, weinte sie auch. Kiene sagte: »Mir bleibt heute nichts erspart.«
Er rief die Rezeption an und bat darum, das Gepäck abzuholen. Dann ließ er eine Verbindung mit dem Zimmer von Josef Vogler herstellen. Statt seiner meldete sich jedoch sein Bruder; Kiene erkannte ihn an der Stimme. Er sagte zu ihm: »Wenn Sie sehen wollen, was mit dem Geld geschieht, dann seien Sie zehn vor vier in der Tiefgarage und machen sich dort so unsichtbar wie möglich. Übrigens sind die beiden Mercedesfahrer keine Gorillas, sondern zwei Journalisten vom deutschen Fernsehen. Sie haben die Geldübergabe im Odenwald beobachtet und sind Ihnen dann bis zu Ihrem Gasthof nachgefahren. Erinnern Sie sich nicht, den Mercedes schon einmal gesehen zu haben?«
Otto Vogler antwortete nicht sofort; Kiene konnte hören, wie er sich mit seinem Bruder unterhielt. Schließlich fragte er: »Was wollen Sie uns damit eigentlich erzählen?«
»Daß die beiden nur dann bereit sind, ihr Filmmaterial nicht zu veröffentlichen, wenn wir ihnen die Hälfte des Geldes überlassen«, antwortete Kiene. »Reden Sie mit Ihrer Schwägerin, sie kann Ihnen das besser erklären als ich.«
Er gab Hannelore den Hörer und sagte: »Erzähle ihnen, wer die beiden sind und daß sie Herrn Rectanus in eurem Gasthof aufgespürt haben. Mehr brauchst du nicht zu sagen.«

»Das tue ich nicht gern«, sagte sie zögernd. Kiene küßte sie auf die Wange. »Tu es für mich.«
Während sie mit ihrem Schwager sprach, zählte Kiene achtundvierzig der banderolierten Geldbündel aus dem Koffer und legte sie Annemarie auf das Bett. Sie hatte kaum ein Auge dafür und sagte: »Wozu bestellst du die beiden in die Garage?«
»Mir ist da eine komische Idee gekommen«, antwortete Kiene. Er wartete, bis Hannelore fertig war, und übernahm dann wieder den Hörer. »Hören Sie zu, Vogler«, sagte er, »ich lasse mich nicht gerne erpressen, schon gar nicht von diesen Fernsehfritzen. Sobald ich ihnen unten das Geld übergeben habe, gehören die beiden Ihnen. Es ist Ihre Sache, an den Koffer zu kommen. Treten Sie aber erst in Erscheinung, wenn die Übergabe bereits erfolgt ist, sonst haben Sie es auch noch mit mir zu tun. Mit den beiden allein werden Sie vielleicht fertig. Das ist Ihr Problem.«
»Sie übergeben Ihnen wirklich eine Million?« vergewisserte sich Otto Vogler.
»Sie können sich in der Garage davon überzeugen«, sagte Kiene. »Sobald ich aus der Garage fahre, sind Sie an der Reihe. Am besten ist es, Sie bringen Ihr Gepäck gleich mit. Beeilen Sie sich; Sie haben nur noch zehn Minuten Zeit.«
Er beendete das Gespräch. Fast gleichzeitig wurde an die Tür geklopft. Er ging öffnen und bat den Hoteldiener, sich ein paar Augenblicke zu gedulden. Dann packte er rasch seine Sachen einschließlich der Filmtrommel in den Koffer und in die Reisetasche, klappte den Geldkoffer mit den vierhunderttausend Mark zu und sagte zu Hannelore: »Kann sein, daß ihr am Ende achthunderttausend haben werdet. Das hängt allein davon ab, wie clever dein Mann und dein Schwager sind.«
»Ist das nicht gefährlich, was du da vorhast?« fragte sie besorgt. Auch Annemarie meldete Bedenken an: »Das kann doch leicht schiefgehen, Manfred!«
»Es kann, aber es muß nicht«, sagte er und küßte sie. Dann küßte er auch Hannelore, rief den Hoteldiener herein und übergab ihm den Geldkoffer und sein Gepäck. Einen Augenblick lang zögerte er noch. Er blickte Annemarie an und sah, daß sie vergeblich gegen ihre Tränen ankämpfte. Hannelore fragte: »Rufst du mich mal an, Manfred?«
»Todsicher«, sagte er und lief hinaus.
An der Rezeption bezahlte er die beiden Zimmer bis zum Montagabend und fuhr dann mit dem Hoteldiener in die Tiefgarage.

Sie war, obwohl sehr groß, bis fast auf den letzten Parkplatz besetzt. Hinter ihren dicken Betonsäulen konnte sich bei der schummerigen Beleuchtung mühelos ein Mann verbergen. Kiene ging mit dem Hoteldiener zu dem Commodore und schickte ihn dort mit einem Trinkgeld weg. Bis dahin hatte er weder Merklin noch Josef Vogler und dessen Bruder entdecken können. Ihre Wagen standen jedoch, wie er sich wenig später überzeugte, in der Garage. Als er ein Geräusch vernahm, griff er in das Jackett und drehte sich um. Er sah Otto Vogler hinter einer der Säulen hervorkommen und ließ die Hand auf der Pistole liegen. »Wo ist Ihr Bruder?«
»Er hält sich im Auto versteckt«, antwortete Vogler und blieb stehen. »Ist das auch wahr mit dem Geld, oder haben Sie uns angeschwindelt?«
»Kommen Sie mit«, sagte Kiene. »Bleiben Sie aber immer zehn Schritte hinter mir.« Er ging zu seinem Wagen, öffnete zuerst den Kofferraum und dann den Kofferdeckel und nahm drei der Geldbündel heraus. Mehr brachte er in seiner Hand nicht unter. Er zeigte sie Otto Vogler und sagte: »Die beiden müssen jeden Augenblick hier eintreffen. Verschwinden Sie wieder auf Ihren Platz.«
Vogler drehte sich wortlos um und verzog sich in einen dunklen Winkel.
Merklin und Eichler kamen mit zwei Minuten Verspätung; ihr Gepäck brachten sie mit. Kiene sagte erleichtert: »Sie sind nicht sehr pünktlich. Hier ist der Koffer mit dem Geld.« Er ließ sie einen Blick hineinwerfen. »Wenn Sie wollen, können Sie nachzählen«, sagte er.
»Das wird wohl nicht nötig sein«, sagte Merklin und wandte sich an Eichler: »Übernehmen Sie das. Ich bringe schon unser Gepäck zum Wagen.« Während er zu dem Mercedes ging, öffnete Eichler eine Ledertasche und nahm zwei Filmkassetten heraus.
»Wer garantiert mir, daß es die richtigen sind?« fragte Kiene.
»Sie können auch noch die unbelichteten haben«, sagte Eichler. »Es sind insgesamt sechs. Ich überlasse Ihnen die ganze Tasche.«
Kiene prüfte den Inhalt. Dann zog er ein Notizbuch aus der Tasche, entwarf einen kurzen Text und ließ ihn Eichler sehen. »Es ist nur eine Bestätigung dafür, daß Sie das Geld von mir erhalten haben. Ich möchte, daß Sie sie beide unterschreiben.«
»Es genügt, wenn Herr Eichler unterschreibt«, sagte Merklin, der neben dem Mercedes stehengeblieben war, sich eine Zigarette

in den Mundwinkel geklemmt hatte und lässig auf den Fußspitzen wippte. Kiene sagte: »Für mich nicht.«
»Geben Sie her«, sagte Eichler und nahm ihm Kugelschreiber und Notizbuch aus der Hand. Er ging zu Merklin und redete leise auf ihn ein. Kiene beobachtete, wie dieser zuerst den Kopf schüttelte und dann das Notizbuch in die Hand nahm. Eichler kam mit dem Notizbuch zurück und sagte: »Sie bekommen es aber nur, wenn Sie mir gleichzeitig den Koffer mit dem Geld geben.«
»So war unsere Vereinbarung«, sagte Kiene. »Darf ich die Unterschriften sehen?«
Eichler schlug das Notizbuch auf. »Vertrauen gegen Vertrauen«, sagte Kiene und gab ihm, während er das Notizbuch entgegennahm, den Geldkoffer. Er verfolgte, wie Eichler zu Merklin ging. Auf halbem Weg wurde er von Otto Vogler angesprungen. Augenblicke später war auch Josef Vogler bei ihnen. Während dieser Eichler den Koffer aus der Hand riß, hielt Otto Vogler ihn von hinten fest. Sie zerrten den sich heftig sträubenden Kameramann zu Boden. Mehr konnte Kiene nicht mehr sehen, weil er bereits im Wagen saß und den Commodore mit durchdrehenden Rädern die steile Auffahrt aus der Tiefgarage schießen ließ. Oben hielt er kurz an und blickte in den Rückspiegel. Erkennen konnte er in der dunklen Tiefgarage nichts mehr, und er war schon halb entschlossen, die Fahrt ohne letzte Gewißheit fortzusetzen, als er den VW mit aufheulendem Motor die Auffahrt heraufkommen und die lachenden Gesichter der beiden Voglers hinter der Windschutzscheibe sah. Dann erst gab er Gas.
Er folgte der Küstenstraße bis nach Nizza und entschied sich dann für die Autobahn. Die schon tiefstehende Sonne schien warm in sein Gesicht, aber er hatte keinen Blick für die Landschaft, und als er bei Fréjus die Autobahn verließ, standen zwei Mädchen am Straßenrand und winkten. Die eine war blond und die andere schwarzhaarig. Sie trugen abgewetzte Jeans, dünne Pullis und nichts darunter. Er fuhr an ihnen vorbei und noch hundert Meter weiter. Fast gegen seinen Willen trat er auf die Bremse und beobachtete im Rückspiegel, wie sie mit ihrem Gepäck angerannt kamen. Die Blonde trat zu ihm ans Fenster und fragte atemlos: »Fahren Sie nach St-Tropez?«
»Zufällig«, antwortete Kiene und stieg aus. Er öffnete den Kofferraum, half ihnen ihr Gepäck hineinlegen und setzte sich dann wieder ans Lenkrad. Die Blonde kam auf den Beifahrersitz; ihre

Begleiterin nahm hinter Kiene Platz. Sie sagte: »Das ist nett von Ihnen. Wir hatten schon Angst, wir würden es heute nicht mehr schaffen.«
Kiene betrachtete sie. »Sind Sie nicht noch etwas jung für solche riskanten Reisen?«
Sie lachten beide; die Blonde sagte: »Wir können uns schon wehren, wenn es sein muß.« Kiene stellte fest, daß sie beide gut gewachsen waren. Die Blonde war etwas größer als die Schwarzhaarige, sie hatte schmale Hüften und lange Oberschenkel. Ihr Gesicht war hübsch und nichtssagend. Auch das Gesicht der Schwarzhaarigen war hübsch und nichtssagend. Er fragte: »Wissen Sie schon, wo Sie in St-Tropez wohnen werden?«
»Bis jetzt noch nicht«, sagte die Blonde und musterte ihn neugierig. »Irgendwo werden wir schon unterkommen. Wir wollen einmal Ferien ohne viele Umstände machen.«
»Solche Ferien mache ich am liebsten«, sagte Kiene. »Ich möchte ja nicht aufdringlich erscheinen, aber ich kenne in St-Tropez einen schönen Ferienbungalow, groß genug für drei Personen. Zu dieser Jahreszeit wird er bestimmt noch zu haben sein.«
Die beiden Mädchen wechselten einen raschen Blick miteinander, dann sagte die Blonde impulsiv: »Das wäre prima, aber das kostet doch sicher einen Haufen Geld?«
»Kein Problem«, sagte Kiene. »Ich habe mir vorgenommen, in meinem Urlaub zwanzigtausend Mark auf den Kopf zu hauen. Für einen Mann allein ist das etwas mühsam. Wenn Sie mir dabei helfen wollen, sind Sie eingeladen.«
Die Schwarzhaarige legte ihm von hinten die schmale Hand auf die Schulter. »Passen Sie auf, sonst nehmen wir Sie vielleicht beim Wort, Herr . . .«
»Manfred«, sagte Kiene.
»Also Manfred«, sagte sie. »Meine Freundin heißt Mary und ich Ursula.«
»Auch das noch!« sagte er. Sie fragte verwundert: »Gefällt Ihnen mein Name nicht?«
»Er ist sehr hübsch«, sagte Kiene. »Ich kannte mal ein Mädchen, das genauso hieß.«
»Kannten Sie sie gut?« fragte Ursula.
Er betrachtete melancholisch die dunklen Pinienwälder auf der rechten und das in der untergehenden Sonne honigfarben glänzende Meer auf der linken Seite und antwortete: »Leider nicht gut genug. Wie alt seid ihr denn? Siebzehn?«

»Achtzehn«, antwortete Ursula. »Wir sind beide von daheim weggelaufen. Nicht für immer. Nur eben mal so. Marys Vater ist seit über einem Jahr arbeitslos; da gab es ständig Streit daheim. Sie konnte es nicht mehr mit anhören.«
»Und bei Ihnen gab es auch Streit?« fragte Kiene.
Ursula nahm die Hand von seiner Schulter. »Nicht direkt. Ich mußte mal andere Tapeten sehen und wollte Mary nicht allein lassen. Wir waren zusammen in der Schule und haben zusammen das Abitur gemacht. Jetzt wollen wir uns ein wenig die Welt anschauen. Wenn es nach unseren Eltern gegangen wäre, hätten wir uns sofort einen Beruf suchen müssen. Dazu hatten wir aber keine Lust. Leider haben wir nicht viel Geld bei uns. Nur das, was wir uns von unserem Taschengeld gespart haben, aber wir sind beide nicht sehr anspruchsvoll.«
Mary zündete sich eine Zigarette an und sagte: »Für einen schönen Ferienbungalow bringen wir sogar das Frühstück ans Bett.«
»Nur ans Bett?« fragte Kiene.
Sie hielt ihm die brennende Zigarette hinüber und sagte: »Was ist da für ein Unterschied? Wollen Sie mal ziehen?«
»Gerne«, sagte er und ließ sich von ihr die Zigarette zwischen die Lippen stecken.
Ursula beugte sich lächelnd zu ihm vor und sagte: »Sie sehen aus, als ob Sie viel unterwegs wären, Manfred.«
Er wartete, bis Mary die Zigarette weggenommen hatte, dann streifte er mit den Lippen Ursulas frische Mädchenwange und sagte: »Na und, Kleines? Ein Mann ist immer unterwegs.«